I GRANDI T

ROMANZI &

24

Opere di Moravia

LA MASCHERATA
AGOSTINO
LA ROMANA
LA DISUBBIDIENZA
GLI INDIFFERENTI
L'AMORE CONIUGALE
IL CONFORMISTA
I RACCONTI 1927-1951
RACCONTI ROMANI
IL DISPREZZO
RACCONTI SURREALISTI E SATIRICI
LA CIOCIARA
NUOVI RACCONTI ROMANI
LA NOIA
L'AUTOMA
LE AMBIZIONI SBAGLIATE
L'UOMO COME FINE
L'ATTENZIONE
IO E LUI
A QUALE TRIBÙ APPARTIENI?
BOH
LA BELLA VITA
LA VITA INTERIORE
1934
L'INVERNO NUCLEARE
L'UOMO CHE GUARDA
LA COSA
VIAGGIO A ROMA
LA VILLA DEL VENERDÌ
PASSEGGIATE AFRICANE
LA DONNA LEOPARDO
UN'IDEA DELL'INDIA
DIARIO EUROPEO

Alberto Moravia
Racconti romani

Introduzione e bibliografia di Piero Cudini
Cronologia di Eileen Romano

BOMPIANI

ISBN 88-452-3538-6

Via Mecenate, 91 – Milano

XI edizione "I Grandi Tascabili" luglio 1999

INTRODUZIONE
di Piero Cudini

Nella autobiografia in forma d'intervista rilasciata a Alain Elkann, Alberto Moravia ribadisce un concetto che torna spesso nelle sue dichiarazioni: "grande scrittore", afferma, non è necessariamente "il migliore scrittore, ma certamente colui che riesce a inverare con le sue opere una quantità maggiore di realtà". In questo senso, Moravia – e certamente il Moravia dei *Racconti romani* – è senz'altro un grande scrittore: sì nelle intenzioni come negli esiti.

Rileggere i *Racconti romani* a quasi mezzo secolo, ormai, dalla loro prima uscita in volume fa uno strano, complesso effetto. Moravia ha sempre parlato di questi racconti (e dei due romanzi a essi, non solo cronologicamente, prossimi: *La romana* e *La ciociara*) come dovuti alla energia creativa insita nella fase di rigoglio del "mito nazionalpopolare". Si esauriscono quella fase e quella energia, Moravia avverte un momento di crisi (in senso propriamente storico e etimologico), scrive un romanzo, *La noia*, che sembra mostrare – lo dichiarerà a più riprese lo stesso autore – una forte soluzione di continuità con la produzione precedente.

Al lettore attuale, probabilmente, l'idea stessa di un "mito nazionalpopolare" che condizioni la stesura di un testo letterario interessa assai poco. Gli appare strana: quel lemma così particolare, "nazionalpopolare", porta l'eco di un'aura gramsciana ormai sempre più lontana e fievole; il concetto stesso di "popolo" non è più – ove mai lo sia stato – agevolmente definibile. E una discussione sul rapporto letteratura-realtà, che imposti dunque anche i termini dell'inveramento di cui sopra, può sembrare oziosa anche in quanto necessariamente connaturata all'idea stessa di letteratura. Della letteratura, voglio dire, come "traduzione" comunque del reale: ma allora ciò che interessa saranno piuttosto i modi della traduzione. O, per dirla col Verga dell'introduzione ai *Malavoglia* (e di realismo Verga doveva pure intendersene), della letteratura che può/deve rendere, al massimo, l'illusione della realtà. Né mi pare che una qualunque, pur sottile, disquisizione sui modi d'essere del realismo letterario possa ormai – almeno implicitamente – prescindere da questi elementari presupposti.

Del resto, il richiamo che più di frequente Moravia ha inteso proporre per questi suoi *Racconti* non è tanto, direttamente, a certi aspetti (personaggi, situazioni, ecc.) della realtà romana anni Cinquanta, quanto ai sonetti di Giuseppe Gioachino Belli: dei quali i *Racconti*, dichiarava per esempio a Oreste del Buono, intendevano essere "una trascrizione al presente". Un filtro letterario, insomma, per l'inveramento letterario della realtà. Peraltro, nel riandare direttamente a Belli, e ricordare perciò anche quella dichiarata intenzione belliana di erigere con la sua opera un "monumento" alla plebe romana, non si può fare a meno di aggiungere una postilla. In cui si osservi che il monumento belliano a sua volta echeggia assai da vicino il "monumentum aere perennius", "durevole più che se fosse di bronzo", che orgogliosamente chiosa e sigilla (è l'*incipit* dell'ultimo carme) l'edizione in tre libri delle odi oraziane. Insomma: imprescindibile, certo, il rapporto col reale; ma sempre sotto il segno della letteratura, e di certi suoi codici.

Il quasi mezzo secolo che è trascorso dalla prima pubblicazione dei *Racconti romani* permette forse ancora di più, io credo, una pacata attenzione a elementi propriamente letterari. Il mondo che letterariamente Moravia descrive quasi non esiste più. Il rischio di bozzettismo (implicito nel "genere" stesso, e forse non sempre del tutto evitato nella sua formalizzazione moraviana) si allontana a mano a mano che il tempo fa sfumare l'impressione di somiglianza acuta tra realtà e letteratura, la sensazione di un'eco assai forte che in questa sembra avvertirsi di quella. Per rimanere ai termini di Moravia, la letteratura, qui, invera una porzione non piccola di realtà: ma è una realtà che s'avverte, per lo più, assai più superata di quanto non dicano gli anni trascorsi. I personaggi, le situazioni, molti ambienti in cui si determinano queste brevi storie appaiono nettamente collocati nel tempo; e dal nostro tempo sembrano assai lontani. Sono ormai, per così dire, nella storia; non più nella quotidianità, nella cronaca. Del resto, non ci sfiorerebbe neppure l'idea di chiedere, per esempio, ai personaggi belliani di essere (o di essere davvero sentiti: che fa lo stesso) realmente nostri contemporanei.

Vivono – sia detto con la cautela con cui debbono usarsi le parole grosse – nella dimensione dell'arte: e tanto basta. Così è, mutato quel che c'è da mutare, e fatte le assai debite proporzioni, delle storie e dei personaggi di Moravia.

Di una realtà mutata rimane la formalizzazione letteraria. Scomparso quel tipo di reale, ne permane l'inveramento letterario. Il lettore di oggi, il sempre mitizzato "lettore comune", certo non prova la necessità di confrontare personaggi e situazioni della pagina scritta da Moravia con gli omologhi della quotidianità non libresca: anche perché ben difficilmente si troverebbe intorno un concreto termine di paragone. Bene così, io credo: si esce almeno in parte da un equivoco che ha accompagnato spesso la fruizione di testi moraviani; e in particolare di racconti come questi.

Non più gravati dall'ossessione di raffronti ormai difficilmente proponibili, i *Racconti* rimangono, ancor più che "testimonianza" di un tempo e di modi di essere per noi ampiamente lontani e desueti, operina di grande godibilità. I sessantuno brevi testi sono implicitamente raccordati dalla presenza, in ciascuno di essi, di un io che è al tempo stesso, di solito, il protagonista del racconto che viene raccontando. Non un unico io narrante che unifichi dall'alto i diversi aspetti e momenti di questa piccola commedia umana, romana, di metà Novecento, ma tanti "autori" quanti sono i testi. E però, sostanzialmente, i modi della narrazione permangono analoghi dall'uno all'altro testo, nel modificarsi di situazioni e personaggi: a rendere il senso di un insieme scrittoriamente sempre assai controllato; quasi a dominare e regolare sotto angoli prospettici paralleli il muoversi degli elementi diversi del reale.

La presenza costante di un io permette un controllo diretto della vicenda. Si è parlato spesso di modi cinematografici del narrare moraviano. Modi che individuerei, nel caso dei *Racconti*, in una tecnica da "cinepresa a spalla", che, magari con qualche sobbalzo, insegue i personaggi, scandaglia luoghi e situazioni, sempre secondo un'ottica che, nel voler essere obiettiva, non può che fondarsi, per il suo stesso taglio, su una estrema soggettività.

Moravia è stato spesso – abbastanza inopinatamente – confuso col neorealismo. Si tratta di un'etichetta che, pur con qualche oscillazione, egli stesso ha sempre inteso rifiutare: specificamente per quanto riguarda il neorealismo propriamente letterario. I neorealisti italiani – ha varie volte dichiarato, con l'acume critico che gli era proprio – hanno preso dagli americani i difetti peggiori; la stessa tecnica del parlato in presa diretta diviene, da noi, occasione per una sorta di nuova retorica. Diversa – e sostanzialmente positiva – la considerazione per il neorealismo cinematografico, cui del resto Moravia partecipa *ab initio*, collaborando a *Ossessione* di Visconti: e si tratta del film per la cui definizione critico-estetica viene appunto creato il termine di "neorealismo". Certamente, il gusto per il taglio rapido dell'inquadratura, il piacere dell'apparente sprezzatura narrativa, l'uso – del resto, assai sapiente – di una sostanziale povertà di mezzi sono elementi che, pure un po' genericamente, possono accomunare i *Racconti romani* a una sorta di poetica in qualche modo individuabile nei prodotti canonici del neorealismo cinematografico.

Sulla linea dei rapporti tra questo testo e il cinema andrà fatta una osservazione ulteriore. I *Racconti romani* diventano di fatto il referente letterario, più o meno implicito, per molto cinema italiano degli anni Cinquanta. Già nel 1955 Gianni Franciolini ne trae un film con lo stesso titolo, alla cui sceneggiatura, insieme a Sergio Amidei, Age, Scarpelli, Francesco Rosi, collabora anche Moravia. Il cast è, per quegli anni e per questo tipo di film, sontuoso: ci sono, con tanti altri, Antonio Cifariello, Giovanna Ralli, Mario Carotenuto, Franco Fabrizi, Mario Riva, Maurizio Arena. Ci sono, soprattutto, Totò e Vittorio De Sica, che duettano alla grande in *La parola mamma*. Il testo di Moravia funziona bene per la trasposizione cinematografica. Anche al di là del film di Franciolini, credo non sia inesatto affermare che molto cinema nostrano di quegli anni – il cinema insomma dei poveri ma belli, dei piccoli truffatori, dei quartieri popolari, del cinema la domenica pomeriggio, della gita a Ostia; e così via, e così via – dipende, non meno che da un'osservazione del reale, dal filtro letterario offerto dai racconti moraviani. Che in certi casi sembrano proporsi come una piccola sceneggiatura sostanzialmente già pronta.

Si veda, ad esempio, proprio *La parola mamma*. Prima scena in trattoria, due personaggi, il protagonista e Stefanini. Il dialogo tra i due non è messo in presa diretta, per battute, ma riferito in discorso indiretto (in soggettiva) dall'io narrante. In breve tutti i particolari essenziali alla costruzione della scena sono ben delineati. Il protagonista chiede all'altro di scrivergli una lettera in cui di lui si parli "come di uno che abbia fame, sia disoccupato, abbia a carico la madre malata di un male che non perdona e, per questi motivi, si raccomandi al buon cuore di qualche benefattore, chiedendogli dei soldi per sfamarsi e curare sua madre". Pure Stefanini è "un morto di fame". Ma è un morto di fame con caratteristiche, si direbbe, quasi da intellettuale. È "una buona penna": scribacchia articoletti per giornalucoli, compone poesie... Alla richiesta non si scandalizza, ci si mette d'impegno, si fa dare un foglio di carta dal trattore, si concentra un poco, scrive rapidamente: ne esce un gioiellino, in cui la parola "mamma" è, ovviamente, la gemma più bella e più variamente incastonata. Per compenso, gli viene pagata la cena in trattoria. Scena seconda, esterno giorno, un villino in Prati (zona borghesemente elegante di Roma). Il protagonista lascia la lettera con un "oggetto artistico" ("un leoncino di ghisa dorata con il piede poggiato sopra una palla di finto marmo"!) alla cameriera dell'avvocato Zampichelli, rimasto senza mamma da circa un anno. È l'esca per la (modesta) truffa: l'oggetto dovrà apparire come una specie di regalo – cui naturalmente la persona "omaggiata" risponderà, si presume, con una offerta che, a seguito d'una tal lettera, sarà di certo più sostanziosa. Torna un'ora dopo, s'incontra con l'avvocato. Terza scena, interno giorno, uno studio luminoso, bene arredato, ingombro di carte. L'avvocato è sui cinquanta, faccia gonfia, sembra "un cane San Bernardo". Dialogo tra i due, brillante nell'indicare e suggerire possibili equivoci. L'avvocato non ama la parola "mamma"; e, quel che è peggio, ha capito subito la truffa. Anche perché – colpo di scena e preannuncio immediato dell'epilogo – un'identica lettera gli era stata portata solo due giorni prima da un altro personaggio. Si sarà trattato ovviamente – il lettore/spettatore lo intuisce seguendo (ultima, rapidissima scena, esterno giorno, fine) il protagonista che, cacciato dallo studio, si ritrova in giardino, l'oggetto artistico stretto al petto – dello Stefanini (lo scrittore, il poeta...), che avrà pensato di approfittare egli stesso della grandezza della sua arte scrittoria. La scansione, il ritmo, il taglio, sono già nettamente cinematografici. La percezione del reale avviene, si potrebbe dire, secondo un razionale e consequenziale senso dell'inquadratura.

Ma alla definizione di questa ipotetica inquadratura – necessariamente metaforica o potenziale finché permane sulla pagina scritta – concorre in maniera determinante la qualità della scrittura. Che, netta chiara precisa, non si limita certo, però, alla pura denotazione, a segnalare e indicare luoghi e movimenti, confezionare o suggerire battute. Si veda la presentazione di Stefanini: "un morto di fame numero uno, sempre senza un soldo, sempre in cerca di qualche occasione; ma era quello che si chiama una buona penna.

Faceva il giornalista, mandando ogni tanto qualche articolo ad un giornaletto del paese suo e, a tempo perso, era anche capace di buttar giù, lì per lì, una poesia, su questo o quell'altro argomento, con tutti i versi e le rime a posto". Nell'ottica del protagonista-narratore, Stefanini è, in prima battuta, all'incirca, un suo simile: un altro "morto di fame"; però con qualche capacità intellettuale – e si noti come, in un'ottica popolare, il far poesia significhi saper mettere versi e rime al posto giusto su un qualunque argomento: compito del poeta è insomma saper scrivere all'occorrenza, per qualunque tipo di occasione, nella misura giusta. Così in avvio di racconto. Poi, alla fine, quando il protagonista s'accorge che la medesima modesta truffa con quella medesima lettera è stata tentata dallo Stefanini, allora il valore di quest'ultimo viene quasi epicamente innalzato: "Che un poveraccio, un disgraziato come me potesse ricorrere alla lettera, passi. Ma che l'avesse fatto Stefanini, uno scrittore, un poeta, un giornalista, [...] uno che aveva letto tanti libri e sapeva persino il francese, questa mi pareva grossa. E che diavolo, quando ci si chiama Stefanini, certe cose non si fanno". S'innalza l'altro personaggio per tentar d'ingoiare meglio lo scacco subìto. Nell'ottica delusa e indignata del "poveraccio"-protagonista le connotazioni alte dell'altro poveraccio ritornano senza più limitazioni, e crescono di numero e di valore: Stefanini è anche uno che ha letto molti libri, e che sa perfino il francese. Ed è uomo di fama, riconoscibile subito, al solo pronunciarne il nome: "quando ci si chiama Stefanini"!

La scrittura moraviana lavora nella sapienza di variazioni assai piccole: tra le indicazioni d'inizio racconto e quelle della fine non ci sono grandi differenze; ma sono tali da delineare sinteticamente sì le figure dei personaggi come le variazioni d'umore (e dunque di ottica) del principale tra i due. Assai umorosamente, il gusto per la connotazione non insistita, ma precisa, acuta, calzante (e sapientemente mutevole, appunto), rende la pagina densa, viva. È, in fondo, il gusto, quasi propriamente materiale, per la parola. Ne è spia godibilissima il susseguirsi di battute (parzialmente a equivoco) tra l'avvocato e il protagonista intorno alla parola "mamma". Che all'avvocato è antipatica, e gli è antipatica ("supremamente antipatica") forse proprio "perché ci sono tante emme". Nel dialogo fitto e inatteso, l'insensato, l'assurdo, si fa razionale. La lucidità, il controllo assoluto della scrittura consentono al racconto di muoversi secondo gli umori (e le strutture linguistico-stilistiche) dell'uno o dell'altro momento, e, insieme, di mantenere un tono disinvoltamente distaccato. Sono alcuni tra i modi e gli esiti di quel raffinato e complesso – eppure all'apparenza semplicissimo – rapporto tra soggettività e oggettività cui prima accennavo.

Questo senso materiale, pieno, concreto della parola si avverte di continuo nei *Racconti*. Non si tratta di un indugio estetizzante dell'autore; non c'è mai il gusto della cosiddetta "bella frase", in cui magari siano bellamente incastonate "belle" parole (come appunto nel caso della parola "mamma" nella "artistica" lettera del racconto omonimo). Ma la parola può arrivare a essere una sorta di realtà autonoma, con una sua perfino incontrollabile consistenza. Il *pensatore* è, su questa linea, veramente esemplare. Il protagonista-narratore fa il cameriere, e si caratterizza proprio per il suo avere "una faccia da cameriere". È un vero cameriere: "mai una parola di troppo". Fa quello che gli viene chiesto, nella sua testa echeggiano spaghetti e zuppa inglese, niente di più o di diverso. Per un anno intero non pensa a niente: è cameriere, fa il cameriere, e basta. Poi, all'improvviso, comincia come a disgelarsi: formula pensieri semplici, qualche modesta e fin ovvia osservazione mentale – magari un po' irriguardosa – sui clienti. Comincia a fare una cosa e pensarne un'altra. E comincia, le frasi pensate, a finirle non più con la mente bensì, pur se in tono bassissimo, con le labbra. Comincia, insomma, pure assai prudentemente, a parlare. E le parole, arriva il momento che non si riesce più a trattenerle davvero. Così, una sera: "In questo silenzio, io mi sentii dire, a bassa voce, ma chiaramente: 'E dagli col tu... beccamorto'". "Io mi sentii dire": cioè: io sentii il me stesso che diceva. L'io percepisce con sorpresa il suo stesso parlare. Le parole escono quasi senza che il soggetto parlante se ne accorga, senza che possa far nulla per trattenerle. Il cameriere perfetto si trova, quasi inaspettatamente, a parlare: "le labbra mi si muovevano mio malgrado, senza che potessi impedirlo". Cacciato dal ristorante, incontra una guardia, che lo vede parlare da solo e lo ferma. E la solita parola, la stessa che l'aveva fatto cacciare dal ristorante, gli esce di bocca: "avrei voluto riacchiapparla, come una farfalla che scappa fuori dal berretto. Eh sì, mi era sfuggita e ormai non c'era più niente da fare". La parola dell'uomo libero (quello, si noti, che a questo punto sicuramente non ha più la "faccia da cameriere", quello che non ha più la testa vuota, pronta a incamerare registrare subire ordini e insulti) è libera essa stessa: autonoma rispetto al soggetto che in apparenza la produce, può volar via come una farfalla.

Niente di "poetico", beninteso: la scrittura moraviana sa rifuggire sempre da livelli anche solo potenziali di lirismo. È come una farfalla, quella parola, "che scappa via dal berretto": comparazione che slitta nel banale, nel consueto, nella mediocre prosasticità, anche dei lemmi con cui si chiude. Arrestato, condannato, e poi uscito di prigione, l'io si accorge che la testa gli si è di nuovo congelata: è ridiventata una testa vuota, che fedelmente registra quanto – soprattutto di sgradevole – deve stare a sentire. Non ci sono commenti, il racconto si chiude su se stesso col personaggio-protagonista-narratore che, sulla battuta cattiva che gli rivolge un automobilista, riconosce d'essere tornato al livello iniziale. Pronto, si può agevolmente e consequenzialmente ipotizzare, a ritornare a essere una "faccia da cameriere". L'arresto dell'individuo ha provocato anche il blocco della libertà/autonomia delle sue parole.

Il racconto è, con tutta evidenza, assai bene in sé conchiuso, anche e proprio nel rapporto stretto che s'instaura tra il suo inizio e la sua fine. La vicenda, pure nei suoi spunti quasi surreali, ha una sua rigorosa compiutezza. La narrazione è godibile in sé, nel rigore dei suoi svolgimenti interni. Eppure, si esce dalla lettura di un racconto come questo con una sorta di disagio addosso. Rimane, vorrei dire, l'inquietudine della parola, delle sue potenzialità. S'incrinano le certezze dei livelli di comunicazione. S'insinua il dubbio sui valori reali del concetto di libertà. Lo scandaglio acuto della scrittura moraviana fa sì che il breve testo vada assai al di là del potenziale bozzetto di genere, magari coloritamente popolareggiante.

Che la metaforica cinepresa di cui prima parlavo la porti a spalla un personaggio sempre d'estrazione popolare (o al massimo piccoloborghese, o con aspirazione a diventarlo) garantisce una conduzione disincantata della narrazione. Non ci sono impennate improvvise, gli eventi narrati tendono a equivalersi. *Ladri in chiesa* racconta, per bocca del *paterfamilias*, la vicenda di una famigliola poverissima. Vivono in una grotta sotto Monte Mario, marito moglie tre figli. Il racconto si apre con un ampio segmento comparativo:

"...Che fa il lupo quando la lupa e i lupetti hanno fame e stanno a pancia vuota, lamentandosi e bisticciandosi tra loro, che fa il lupo? Io dico che il lupo esce dalla tana e va in cerca di roba da mangiare e magari, dalla disperazione, scende al paese ed entra in una casa. E i contadini che l'ammazzano hanno ragione di ammazzarlo;

ma anche lui ha ragione di entrare in casa loro e di morderli. Così tutti hanno ragione e il torto non ce l'ha nessuno; e dalla ragione nasce la morte. Quell'inverno io ero come il lupo..."

L'agghiacciante campo semantico della comparazione viene proposto come un fatto naturalissimo: del resto, come il lupo, pure il protagonista vive in una grotta, dalla quale esce per cercar da mangiare. Tutto è tremendamente naturale: anche la scrittura, che si articola in una estrema semplicità di strutture sintattiche. E anche l'inattesa conclusione epigrammatica appare, in un tale contesto, pienamente naturale: dalla ragione nasce la morte. È, ovviamente, una semplicità costruitissima. Si veda l'insistenza cantilenante delle ripetizioni e riprese ("che fa il lupo" ... "che fa il lupo"; "l'ammazzano" ... "ammazzarlo"; e il "lupo" stesso, e la "ragione", che compaiono tre volte nel breve spazio di quattro periodi); si vedano le continue simmetrie interne, per cui i verbi vanno sempre in coppia e generano continui parallelismi ("hanno fame e stanno a pancia vuota"; "lamentandosi e bisticciandosi"; "esce dalla tana e va in cerca"; "scende al paese ed entra"; "entrare ... morderli"). E si osservi l'accortissimo chiasmo che bilancia sapientemente i termini fondamentali, etici, della questione: "tutti hanno ragione e il torto non ce l'ha nessuno"; e la violenta contraddizione in termini, "nasce la morte", con cui viene sigillata la scena bestiale che fa da sfondo semanticamente tanto prossimo a quella umana. Il tutto a rendere un tono di parlato che, con naturalezza, introduca il rapporto avvertito come assolutamente naturale *tra exemplum* del mondo dei lupi e condizione del protagonista e della sua famiglia. Per sfamare la famiglia ("dar da mangiare agli affamati") marito e moglie decidono di nascondersi in una chiesa, farcisi chiudere la notte, rubare qualche gioiello offerto a una statua della Madonna. La donna si ferma a pregare, come per "premunirsi per quanto poteva"; lui s'addormenta. Viene svegliato da sacrestano, parroco, guardie. Evidentemente, la moglie deve aver rubato una collana di lapislazzuli posta dentro una vetrinetta. Al commissariato la donna, come invasata, urla che è stata la Madonna stessa a darle la collana; e a tratti grida: "Uomo inginocchiati davanti al miracolo". La portano via (forse in infermeria), l'uomo rimane solo col commissario:

"voleva sapere da me se mi risultava che mia moglie fosse matta e io gli risposi: 'Magari lo fosse davvero'; pensando che i matti non soffrono e le cose le vedono come pare a loro. Ma pensavo pure che poteva darsi che mia moglie avesse detto la verità e quasi quasi mi dispiaceva di non aver visto coi miei occhi la Madonna scendere dall'altare, aprire la vetrina e consegnarle la collana".

Il miracolo rientra nell'ordine delle cose possibili: si può essere normali, matti, miracolati. L'evento straordinario, come la pazzia, si situa assolutamente sullo stesso piano della normalità quotidiana. Anche narrativamente: in fine di racconto, il protagonista-narratore acquisisce (e propone) come naturale che la Madonna sia scesa dall'altare e abbia dato la collana a sua moglie. Tutto è – innanzitutto nella resa linguistica, che non presenta accentuazioni di sorta – sullo stesso livello: come i modi di vita che tanto strettamente apparentano, in avvio di racconto, l'uomo al lupo. L'uomo, in fondo, è una sorta di termine mediano tra la bestia e la divinità, prossimo all'una e all'altra; né l'una né l'altra realmente lo sconvolgono.

Lo scorrere del reale sembra fatto apposta per essere raccontato. I personaggi che qui dicono "io" sono, per così dire, dei raccontatori naturali. Le parole eguagliano tutto e, insieme, a tutto danno una sorta di risalto medio. Sarà poi il lettore, se vuole e può, a distinguere, notare i paradossi, gli stridori, insiti nel narrato. Il raccontatore propone se stesso e gli altri (e le vicende sue e altrui) senza scarti clamorosi. Il reale, si direbbe, è davvero razionale. E primo elemento razionale è la scrittura che organizza la narrazione; e traduce e invera, in termini razionalmente, logicamente, comprensibili, quel reale. Così il protagonista de *L'amicizia* narra e commenta un suo tentativo di conquista:

"... Le avevo fatto la corte in tutti i modi: prima rispettosa, galante, insinuante; poi, vedendo che non mi dava retta, avevo provato ad essere più entrante e aggressivo, aspettandola a mezza scala, sul pianerottolo più buio, cercando di baciarla per forza: ci avevo guadagnato qualche spintone e, per finire, uno schiaffo. Allora avevo pensato di fare lo sdegnoso, l'offeso, di non salutarla, di voltarmi dall'altra parte quando l'incontravo: peggio, pareva che non fossi mai esistito. Finalmente, mi ero fatto implorante, supplichevole, fino a pregarla con le lagrime agli occhi che mi volesse bene: niente. E almeno mi avesse scoraggiato completamente, una volta per tutte. Ma, maligna, proprio quando stavo per mandarla al diavolo, mi ripigliava con una frase, uno sguardo, un gesto. Più tardi, ho capito che per una donna i corteggiatori sono come le collane e i braccialetti: ornamenti di cui, se può, preferisce di non disfarsi..."

Non è questione di antifemminismo: questione che, del resto, proprio non si pone negli anni dei *Racconti*. Il protagonista si abbandona al piacere di raccontare, di raccontarsi. Non disdegna certo, in questo caso, quasi di ostentare certe disposizioni della retorica che possono dare maggior forza alla sua autopresentazione. Punta al crescendo: la corte è "prima rispettosa, galante, insinuante"; e c'è una *climax* evidente anche al momento in cui la tattica conquistatoria muta radicalmente: si va, attraverso accorta gradazione, dal "fare lo sdegnoso" al "voltarsi dall'altra parte". Si perviene al patetismo struggente, anch'esso, al suo interno, in crescendo: dall'implorazione alle "lagrime agli occhi". Al massimo della tensione, quasi un capovolgimento, evitato per un soffio. E il contrappunto tra i modi elementari e sbrigativi della donna ("una frase, uno sguardo, un gesto") e l'ampiamente architettato tentativo di conquista dell'uomo abbassa la tensione retorica (anche se in effetti con un ulteriore artificio narrativo), riporta il racconto al livello stilistico medio. Che immediatamente autorizza e lancia la comparazione con cui, epigraficamente, può chiudersi un tale segmento narrativo: per le donne i corteggiatori sono come collane e braccialetti di cui, se possibile, è preferibile non disfarsi. L'uomo è rapportato a degli oggetti – per giunta abbastanza superflui, puramente ornamentali. Anche in tal senso, un corteggiatore vale l'altro: ancora, a ben guardare, nei modi e nella sostanza del narrato, un porre un po' tutto, e tutti, su uno stesso livello.

Il personaggio che scrive io delinea e descrive gli eventi di cui è quasi sempre partecipe e spesso protagonista insieme con rapidità e con minuziosa attenzione per certi particolari. Vi è in taluni casi, per tornare anche alla metafora cinematografica già usata, una sorta di primissimo piano che investe persone e oggetti. È una tecnica che, per esempio, il narratore assai accortamente impiega in un racconto esso stesso senz'altro "cinematografico", *Faccia da mascalzone*. Il protagonista, si capisce che è stato impiegato alle poste, e che in uno squallido ufficio postale ha conosciuto una Valentina, dolce e orgogliosa, con la "faccia bella", una che pensava sempre al cinema, che leggeva sempre di cinema, andava sempre al cinema, sperava di far cinema. Lui se n'era un po' innamorato; ma lei, con lui, non ci voleva uscire: "ci hai una faccia troppo brutta ... la faccia proprio del mascalzone". Càpita all'ufficio postale un giovanotto che lavora nel cinema, vede Valentina, le dice che stanno cercando una faccia proprio come la sua, la invita a recarsi agli studi cinematografici. Lei ci va, e si fa accompagnare dal protagonista. Lì, per lei, non c'è nulla da fare. Ma piace, invece, proprio la faccia da mascalzone di lui. Così:

"...Non l'ho più rivista perché il giorno dopo non andai all'ufficio e feci il provino e questo provino andò bene e cominciai a lavorare negli studi e da allora, più o meno, non ho mai smesso. Sono specializzato in particine di sfondo, anche mute, di teppista, sfruttatore di donne, baro, ladruncolo, e simili. Da ultimo ho saputo da un antico compagno dell'ufficio pacchi che ho incontrato per strada, che Valentina si è fidanzata con un impiegato del fermo posta, quattro sportelli più in là del suo..."

Tutto il racconto è costruito in *flash-back*. Al momento in cui racconta, il protagonista lavora nel cinema: l'ufficio postale, Valentina, la vicenda che tanto casualmente l'ha condotto all'occupazione attuale (e al momento del racconto, della scrittura) sono fatti evidentemente abbastanza lontani nel tempo. Ma questa distanza cronologica non stempera i particolari; anzi, sembra accentuarli. La realtà descritta esiste proprio perché, in essa, si possono ritagliare dei dettagli su cui – anche e proprio lessicalmente – può poggiare la narrazione. La grazia garbata di Valentina è il risultato di una serie di particolari: i capelli castani ondulati, un po' da scolaretta; gli occhi come "due stelle tranquille"; il viso tondo e un po' pallido; e poi – particolare inconsueto, rivelatore di un occhio attentissimo a scandagliare – il "dito rosa di ragazza seria che non si tinge le unghie". La persona non è vista nella sua interezza, è segmentata, come sezionata – inquadrata e focalizzata negli elementi fisici che soli compaiono allo sportello postale. Ma intanto, sulla pagina scritta, nel narrato, un tale modo di descrizione sortisce quasi un effetto straniante: il personaggio, così proposto al suo primo comparire in scena, appare privo di una sua identità complessiva. Poco più avanti, di Valentina che si reca agli studi cinematografici, verrà segnalato solo l'abbigliamento; e, nell'abbigliamento, la presenza, addirittura, di quattro fiocchi e fiocchetti. Sono effetti stranianti. Per apparente paradosso, l'insistenza (se vogliamo, ai limiti dell'iperrealismo) sui particolari, sul dettaglio, fa scomparire il personaggio. Un tale tipo d'insistenza si esplicita clamorosamente nella percezione/descrizione dell'interno dello studio cinematografico, in cui c'è una lampadina che illumina una costruzione bassa, che sembra di cartapesta,

"con un mezzo tetto di tegole sopra un mezzo muro di mattoni, con una mezza porta, e, attraverso la mezza porta, una mezza stanza, con una mezza parete e un mezzo letto. Una donna mezza nuda stava sdraiata sul letto".

L'apparente obiettività della descrizione slitta nella ossessiva ripetitività – anche fonicamente fortissima – del "mezzo"/ "mezza". Non sono dimidiati solo gli oggetti: in fondo, è dimidiato anche l'essere umano – la donna è essa stessa "mezza nuda". Ciò che di questa realtà viene colto è proprio la sua regolare parzialità. Lo straniamento è totale allorché "un tale tirò fuori due pezzi di legno e li sbatté con un suono di nacchere". Ed è, a questo punto, una assai consapevole ricerca di straniamento nella narrazione. Il personaggio che racconta, ora, nel momento della scrittura, sa benissimo che quei due pezzi di legno sono il ciak, e che il loro sbattere, seguito da un "urlaccio di silenzio", segna l'inizio della ripresa di scena. Ma racconta, con la consapevolezza attuale, nella paradossale diretta del *flash-back*, l'impressione ingenua di allora. Non individua nettamente, non *nomina* l'oggetto; cerca per esso possibili comparazioni (il "suono di nacchere") mostrando (fingendo, nell'attuale) di non riuscire a definirlo.

Dicevo all'inizio che leggere oggi i *Racconti romani* senza più il condizionamento ovvio di un raffronto diretto (o di un tentativo di raffronto) con gli elementi della quotidianità anni Cinquanta fa uno strano e complesso effetto. Distanziata nel tempo, quella realtà, cui certo attraverso molti filtri la pagina moraviana variamente allude, appare non solo estremamente sfumata, ma quasi soprattutto letterariamente costruita (o, se si preferisce, ricostruita). I *Racconti* possono pure essere letti anche come eco rappresentativa di costumi, abitudini, modi di vivere di un periodo ben determinato. Ma a quel periodo, a ben guardare, sono sopravvissuti proprio perché di esso hanno saputo evitare di essere "specchio" e riproduzione ottusamente troppo fedele. Rimane, insomma, soprattutto l'aspetto propriamente letterario: ben più che la sempre troppo ricercata (da chi legge) e presunta testimonianza di un'epoca. Così, il libro acquista, con gli anni, una sua maggiore leggibilità proprio in quanto tale, in quanto insieme organizzato e organico.

Al di là della finzione (efficacissima, nei modi e per gli svolgimenti che abbiamo pure assai parzialmente individuato) del personaggio-protagonista-narratore interno a ogni singolo racconto (e che è condizione per l'individualità di ognuno di essi), si avverte bene il raccordo forte che Moravia dà all'insieme, il controllo attento che esercita su di esso. È innanzitutto, a me pare, un'opera di sostanziale uniformazione linguistica. Mancano pressoché totalmente preziosismi ed espressionismi; le concessioni (possibili, in un tale tipo di opera) ai dialettalismi sono assolutamente minime. Un certo andamento popolareggiante si osserva nel movimento sintattico, in una moderata tendenza all'anacoluto, nel gusto a volte – lo si è visto – persino cantilenante delle riprese e ripetizioni (magari con qualche piccola variazione interna), nel prevalere netto della paratassi. La tendenza al parlato è estremamente moderata. Vengono evitati comunque gli eccessi popolareggianti, l'io narrante ingloba nell'articolato monologo del suo racconto gran parte delle battute sue e degli altri personaggi. Tutto ciò concorre a rendere il senso di una particolare oralità del testo scritto: ma è l'oralità del raccontatore che espone, e che dunque fa anche da filtro per tutto ciò che viene esponendo. E il filtro, la serie dei filtri, viene ovviamente assai ben predisposto e controllato nel suo funzionamento dall'autore vero del libro, cioè da Moravia. Il quale dota i suoi personaggi-narratori di una oralità parcamente connotata, l'oralità di chi si rivolge a un pubblico della cui esistenza si è almeno implicitamente sicuri – ma questa esistenza e questa consapevolezza non si avverte poi la necessità di sottolinearle troppo.

Della lingua di Moravia Contini ha parlato come di una "grigia e neutra *koinè* di capitale, una lingua di 'grado zero' quale d'un Pirandello depauperato della gesticolazione". Contini non amava Pirandello, e non ammirava particolarmente Moravia. Un tale tipo di analisi e di giudizio certamente non vuole avere i caratteri della positività. Vorrei dire però che l'osservazione di Contini, al di là, forse, dell'intenzione del suo stesso autore, consente proprio di vedere insieme la modernità e la atemporalità della prosa moraviana; in breve, la sua grandezza. Perfino un testo potenzialmente assai connotato come i *Racconti romani* si caratterizza innanzitutto per una forma verbale lucidissima e però dimessa, per l'uso non espressionistico del parlato, per una ricercata, costruita, acquisita "semplicità", insomma, della scrittura. Le condizioni di base per la leggibilità dei *Racconti* sono già tutte in questi caratteri.

Il lucido controllo dell'autore reale del testo si avverte bene in tanti svolgimenti dei *Racconti*. Il libro, dicevo, è davvero un libro; non è una banale raccolta, un accostamento, di pezzi. Alla apparente casualità della successione dei racconti il lettore che non cerchi in essi il bozzetto, il ritrattino di genere, saprà sovrapporre tutta una serie d'elementi che implicitamente li raccordano. Innanzitutto, come già osservavo, la presenza costante di un io che racconta: diverso, certo, per ciascun racconto – ma i modi (vorrei dire: l'intonazione) si ripropongono con sostanziale costanza, in una sorta di ottica modulare che di fatto accosta fortemente un testo all'altro all'altro all'altro... E lo svolgersi dei racconti, con quella tendenza a omologare fatti e personaggi, portare su uno stesso livello medio-basso uomini, bestie, divinità, guardare tutto con disincanto assoluto (in questo, a mio avviso, s'avverte davvero l'eco del "commedione" belliano), e narrarlo con un tranquillo – non ostentato, naturalissimo – senso e gusto della sprezzatura. Ancora: il riproporsi frequente, con leggere variazioni, di certi tipi fisici, e dunque anche di certi modi di descrizione. Per cui, ad esempio, le ragazze hanno quasi sempre tanti bei capelli neri, occhi "di carbone", neri e sfolgoranti, bocca larga e ben evidenziata dal rossetto, seno grosso, non sono alte e magari non sono proprio ben fatte, ma insomma risultano sempre attraenti. E spesso si respira, per dirla col narratore del *Naso*, "puzza di miseria" nelle abitazioni modestissime fredde poco luminose, che possono essere camere in subaffitto, o addirittura baracche o grotte. Si ripetono spesso i mestieri: ciabattino, barbiere, idraulico (lo "stagnaro", come ancora un po' si dice a Roma) – e il "mestiere", l'attività più frequente: il tentativo d'arrangiarsi con la piccola frode, il furtarello, la mascalzonata di poco conto.

C'è poi, a dare un senso d'unità profonda a tutti questi brevi testi, qualcosa di più sotterraneo, di forse meno immediatamente evidente. E cioè una sorta di paradossale svuotamento del racconto stesso, che si attua mediante una insistita tendenza del raccontatore a riaccostare la conclusione della storia al suo inizio. Questa folla di piccoli personaggi, le tante situazioni in cui sono coinvolti, l'intrico di vie, piazzette: tutto esiste, si direbbe, per il gusto di muovere la narrazione. Ma la narrazione quasi mai propone uno sviluppo reale. Ci si muove in un universo sostanzialmente raggelato, in cui si rimane sempre gli stessi. E gli eventi, anche i più diversi, hanno un po' tutti un eguale valore. Raccontarli significa proprio porli l'uno accanto all'altro, mostrarne la successione e, in un certo senso, la circolarità; dare a essi, se vogliamo, la razionalità dell'insensato. E svuotare dall'interno, proprio quando il contatto con la realtà pare essere più stretto e diretto, un senso concreto e corposo di realtà.

L'abilità grandissima di Moravia sta poi anche, in un tale abbastanza agghiacciante panorama, nell'incrinarne la superficie con la varietà delle osservazioni, delle notazioni puntuali e inattese dei suoi narratori, con lo scivolamento quasi inavvertibile nel surreale, col semplice nome o col sintagma o la frase che ti colpiscono all'improvviso. Tali, fra i tanti e tanti esempi possibili, quei "capelli così belli che mi erano antipatici"; o "quel modo di camminare da regine che ci hanno le trasteverine"; o "coso, tanto per non nominarlo, che tutti lo sanno che porta male con quella sua faccia storta e quei suoi occhiacci biliosi"; il "mare calmo e noioso", la "luna feroce"; Peppino che "guidava piano, quasi trenta all'ora, tenendo il volante con le due mani, con delicatezza, come se avesse tenuto la vita di una sposa"; il "giovanotto atticciato, massiccio come una pagnotta"; la "donna che chiamavano Fesseria", che "faceva quel mestiere; era magra, bianca, allampanata, con un viso lungo e certe grandi sopracciglia nere e gli occhi neri"; Adalgisa, che, "per via del mento, la chiamano scucchiona"; l'allucinazione per cui "la prima cosa che succede quando si ha fame è di vedere le cose affamate, cioè vacillanti e deboli come se fossero esse stesse, appunto, ad aver fame", e i bambini "pallidi e denutriti", che hanno "gli occhi più grandi della testa"; Eunice, appena diciottenne, ma "maestosa e ben formata", che "si alzava in due tempi, maestosamente, prima col petto e poi coi fianchi"; il naso "che dava tristezza soltanto a guardarlo; figuriamoci a portarlo". Ovviamente, la lista potrebbe allungarsi di molto, anche con prelievi fatti quasi a caso. A mostrare, ancora, l'acume, l'intelligenza, la duttilità della scrittura moraviana, che conquista e mantiene la sua funzionale "monotonalità" sostanziandola di continue variegazioni.

Sono modi, gusto, estri, in virtù dei quali, anche, superato il rapporto di stretta vicinanza con la piccola cronaca quotidiana degli anni Cinquanta e ben al di là dell'assai desueto "mito nazionalpopolare", i *Racconti romani* continuano a vivere – forse proprio per la loro piacevolissima inattualità.

Pisa, marzo 1997

BIBLIOGRAFIA SPECIFICA SUI *RACCONTI ROMANI*

E. Montale, in "Corriere d'Informazione", 20 febbraio 1954 (poi in Id., *Il secondo mestiere. Prose 1920-1979*, a cura di G. Zampa, t. I, Milano, Mondadori, 1996)

G. Bellonci, in "Il Gazzettino", 27 febbraio 1954

E. Cecchi, in "Corriere della Sera", 5 marzo 1954 (poi in Id., *Libri nuovi e usati*, Napoli, ESI, 1958)

D. Porzio, in "Oggi", 18 marzo 1954

A. Bocelli, in "Il Mondo", 23 marzo 1954

G. De Robertis, in "Tempo", 15 aprile 1954 (poi in Id., *Altro Novecento*, Firenze, Le Monnier, 1962)

G. Trombatore, in "L'Unità", 23 maggio 1954

M. T. Lanza De Laurentis, in "Rinascita", ottobre 1954

M. Camillucci, *Roma e i Racconti romani di Moravia*, in "Studi romani", settembre 1958

J. D. LeBlanc, *"La Faccia da cameriere": An Existential Glance at Two Moravia's Waiters, in Homage to Moravia*, a cura di R. Capozzi e M. B. Mignone, suppl. 5 a "Forum italicum", 1993

CRONOLOGIA

1907

Alberto Pincherle nasce a Roma il 28 novembre in via Sgambati. Il padre, Carlo Pincherle Moravia, architetto e pittore, era di famiglia veneziana. La madre, Gina de Marsanich, di Ancona. La famiglia aveva già due figlie, Adriana e Elena. Nel 1914 nascerà un altro figlio, Gastone, il quale morirà a Tobruk nel 1941. Alberto Pincherle "ebbe una prima infanzia normale benché solitaria".

1916-1925

All'età di nove anni si ammala di tubercolosi ossea, malattia che gli dura, con alternative di illusorie guarigioni e di ricadute, fino ai sedici anni. Moravia parlando di questa malattia disse "che è stato il fatto più importante della mia vita". Passa cinque anni a letto: i primi tre a casa (1921-1923), gli ultimi due (1924-1925) nel sanatorio Codivilla di Cortina d'Ampezzo. Durante questo periodo i suoi studi sono irregolari, quasi sempre a casa. Frequenta, un anno soltanto, a Roma, il ginnasio "Tasso"; più tardi vi ottiene "a mala pena" la licenza ginnasiale, "solo mio titolo di studio". Per compensare l'irregolarità degli studi, legge molto. Al sanatorio Codivilla si abbona al Gabinetto Vieusseux di Firenze. "Ricevevò un pacco di libri ogni settimana e leggevo in media un libro ogni due giorni." In quel periodo scrive versi, in francese e in italiano, che definirà bruttissimi, e studia con ostinazione il tedesco. L'inglese lo sapeva già.

1925-1929

Nel 1925, definitivamente guarito, lascia il sanatorio Codivilla e si trasferisce a Bressanone, in provincia di Bolzano, in convalescenza. A causa di un apparecchio ortopedico che porta per alcuni anni cammina con le grucce. Legge molto: prima del sanatorio aveva già letto Dostoevskij, *Delitto e castigo* e *L'idiota* (che gli erano stati regalati da Andrea Caffi), Goldoni, Manzoni, Shakespeare, Molière, Ariosto, Dante. Dopo il soggiorno in sanatorio, legge *Una stagione all'inferno* di Rimbaud, Kafka, Proust, i surrealisti francesi, Freud e l'*Ulisse* di Joyce, in inglese.

Nell'autunno del 1925 cessa del tutto di comporre versi e inizia la stesura de *Gli indifferenti*. Si dedica al futuro romanzo per tre anni, dal 1925 al 1928, essendo "ormai troppo indietro per continuare gli studi". La salute ancora fragile lo porta a vivere in montagna passando da un luogo all'altro, sempre in albergo.

Nel 1926 incontra Corrado Alvaro che lo presenta a Bontempelli. Nel 1927 pubblica la prima novella, *Cortigiana stanca*, nella rivista "900" che Bontempelli aveva fondato un anno prima. La novella uscì in francese con il titolo *Lassitude de courtisane*, perché la rivista veniva allora stampata in edizione bilingue italiana e francese.

1929

Gli indifferenti dovevano uscire presso l'editore della rivista "900": "I novecentisti (Marcello Gallian, Aldo Bizzarri, Pietro Solari, Paola Masino, Margherita Sarfatti) si erano impegnati con Bontempelli a scrivere ciascuno un romanzo. Ma il solo che scrisse il romanzo fui io. Però l'editore di '900' che avrebbe dovuto pubblicare i nostri romanzi, rifiutò il mio, dopo averlo letto, con la motivazione poco lusinghiera che era una 'nebbia di parole'".

Moravia parte per Milano per portare il romanzo a Cesare Giardini, allora direttore della casa editrice Alpes (il cui presidente era Arnaldo Mussolini). Pensando a una risposta in breve tempo, soggiorna a Stresa sul Lago Maggiore per un mese. Poi non avendo ricevuto risposta torna a Roma. Lì dopo sei mesi riceve una lettera "entusiasta" di Giardini, seguita poco dopo da una richiesta di pagare le spese dell'edizione: "non è possibile – scriveva Giardini – presentare in consiglio d'amministrazione un autore completamente ignoto". Moravia si fa prestare 5000 lire dal padre e fa uscire il romanzo nel luglio del 1929.

Il libro ebbe molto successo: la prima edizione di 1300 copie fu esaurita in poche settimane e fu seguita da altre quattro fra il 1929 e il 1933. Il libro poi venne ripreso dalla casa editrice Corbaccio dell'editore Dall'Oglio che ne pubblicò 5000 copie.

La critica reagì in modi diversi: Borgese, Pancrazi, Solmi furono molto favorevoli; Margherita Sarfatti sul "Popolo d'Italia" recensì il libro con grande simpatia, pur avanzando delle riserve d'ordine morale che accomunarono tutti coloro che si occuparono del libro. Sempre nel 1929 s'intensificano le sue collaborazioni su riviste: Libero De Libero gli chiede di scrivere per "Interplanetario". Moravia vi pubblicherà alcuni racconti tra cui *Villa Mercedes* e un brano de *Gli indifferenti* che era stato omesso al momento della pubblicazione del volume e che s'intitola *Cinque sogni*.

1930-1935

Continua a scrivere novelle: *Inverno di malato* è pubblicata nel 1930 su "Pegaso", rivista diretta da Ojetti.

Incomincia a viaggiare e a scrivere articoli di viaggio su vari giornali: per "La Stampa", allora diretta da Curzio Malaparte, va in Inghilterra dove incontra Lytton Strachey, E.M. Forster, H.G. Wells, Yeats. Fra il 1930 e il 1935 soggiorna a Parigi e a Londra. "Frequentavo sporadicamente a Versailles il salotto letterario della principessa di Bassiano, cugina di T.S. Eliot, allora editrice della rivista 'Commerce', più tardi, a Roma, di 'Botteghe oscure'. Mi era stata presentata dal mio amico Andrea Caffi. Nel salotto incontravo Fargue, Giono, Valéry e tutto il gruppo destinato a chiamarsi 'Art 1926'."

I suoi rapporti con il fascismo peggiorano.

Nel 1933 Moravia fonda con Pannunzio la rivista "Caratteri" (ne usciranno quattro numeri). "Feci collaborare molti scrittori poi divenuti noti tra i quali Landolfi e Delfini." Nello stesso anno insieme con Pannunzio fonda la rivista "Oggi", destinata attraverso vari passaggi a divenire l'attuale testata omonima.

Nel 1935 escono *Le ambizioni sbagliate*, un libro al quale lavorava da ben sette anni: "in questo romanzo c'erano senz'altro cose sentite e autentiche ma in complesso vi mancava il carattere spontaneo e necessario che avevano avuto *Gli indifferenti*". E infatti il libro, oltre a non avere successo, venne ignorato dalla critica per ordine del Ministero della Cultura Popolare.

Moravia passa da "La Stampa" alla "Gazzetta del Popolo".

1935-1939

Per allontanarsi da un paese che incomincia a rendergli la vita difficile, Moravia parte per gli Stati Uniti. È invitato da Giuseppe Prezzolini alla Casa Italiana della Cultura della Columbia University di New York. Vi rimane otto mesi, tenendovi tre conferenze sul romanzo italiano, discutendo di Nievo, Manzoni, Verga, Fogazzaro e D'Annunzio. Parentesi di un mese in Messico. Breve ritorno in Italia dove scrive in poco tempo un libro di racconti lunghi intitolato *L'imbroglio*. Il libro fu proposto alla Mondadori che lo rifiutò. Moravia allora incontrò Bompiani e glielo propose. L'editore si consultò con Paola Masino che fu favorevole alla pubblicazione. Iniziò così una collaborazione praticamente ininterrotta con la casa editrice milanese.

Nel 1936 parte in nave per la Cina (vi rimarrà due mesi). Compra a Pechino *The Waste Land* di T.S. Eliot. Cerca di avere un visto per la Siberia e Mosca ma non l'ottiene.

Nel 1937 vengono assassinati in Francia Nello e Carlo Rosselli, cugini di Moravia.

Nel 1938 parte per la Grecia dove rimarrà sei mesi. Incontra saltuariamente Indro Montanelli.

1939-1944

Torna in Italia e vive ad Anacapri con Elsa Morante che ha incontrato a Roma nel 1936 e che sposa nel 1941. Il matrimonio venne celebrato da padre Tacchi-Venturi, testimoni Longanesi, Pannunzio, Capogrossi e Morra.

Nel 1940 pubblica una raccolta di scritti satirici e surrealisti intitolata *I sogni del pigro*.

Nel 1941 pubblica un romanzo satirico, *La mascherata*; "basato da una parte su un mio viaggio al Messico e dall'altra sulla mia esperienza del fascismo", il romanzo mette in scena "un dittatore coinvolto in una cospirazione provocatoria organizzata dal suo stesso capo della polizia". Il libro, che aveva ottenuto il nulla osta di Mussolini, fu sequestrato alla seconda edizione. Moravia cerca di far intervenire, a favore del libro, Galeazzo Ciano, allora ministro degli Esteri. "Questi prese il libro dicendo che lo avrebbe letto durante un viaggio che stava per intraprendere. Andava a Berlino, da Hitler. Non se ne seppe più niente." In seguito alla censura de *La mascherata* non poté più scrivere sui giornali se non con uno pseudonimo. Scelse quello di Pseudo e sotto questo nome collaborò frequentemente alla rivista "Prospettive" diretta da Curzio Malaparte.

Nel 1942 scrive *Agostino* che verrà pubblicato nel 1943 a Roma presso la casa editrice Documento, da un suo amico, Federico Valli, in un'edizione di 500 copie con due illustrazioni di Renato Guttuso; l'edizione era limitata perché l'autorizzazione alla pubblicazione era stata negata. Poco dopo, "fu diramata una 'velina' con l'ingiunzione di non farmi scrivere più affatto". E contemporaneamente gli si impedisce di lavorare per il cinema, sua unica fonte di guadagno: infatti due sceneggiature, entrambe scritte per Castellani, *Un colpo di pistola* e *Zazà*, non portano la sua firma. Durante i 45 giorni, collabora al "Popolo di Roma" di Corrado Alvaro. "Poi il fascismo tornò con i tedeschi e io dovetti scappare perché fui informato (da Malaparte) che ero sulle liste della gente che doveva essere arrestata." Fugge con Elsa Morante verso Napoli ma non riesce a varcare il fronte e deve passare nove mesi in una capanna, presso Fondi, tra sfollati e contadini. "Fu questa la seconda esperienza importante della mia vita, dopo quella della malattia, e fu un'esperienza che dovetti fare per forza, mio malgrado."

Il 24 maggio 1944, nell'imminenza della liberazione di Roma, la casa editrice Documento stampa *La Speranza, ovvero Cristianesimo e Comunismo*, un saggio che testimonia un primo approccio alle tematiche marxiste.

Con l'avanzata dell'esercito americano, Moravia torna a Roma dopo aver trascorso un breve periodo a Napoli.

1945

"Subito dopo la guerra, vivacchiavamo appena." Al mattino scrive romanzi, come al solito. Al pomeriggio scrive sceneggiature per guadagnare. Scrive due sceneggiature: *Il cielo sulla palude*, per un film di Augusto Genina su Maria Goretti; e più tardi, lavorerà alla sceneggiatura de *La romana* che sarà diretta da Luigi Zampa. Esce presso L'Acquario il volumetto illustrato da Maccari intitolato *Due cortigiane e Serata di Don Giovanni*.

Nello stesso anno Valentino Bompiani, tornato a Milano, gli propone di ripubblicare *Agostino*, riprendendo così i legami interrotti dalla guerra. Il romanzo vince il Corriere Lombardo, primo premio letterario del dopoguerra.

Ricomincia la collaborazione con diversi giornali fra cui "Il Mondo", "Il Corriere della Sera", "L'Europeo".

1946

Iniziano le traduzioni dei suoi romanzi all'estero. Ben presto sarà praticamente tradotto in tutti i paesi del mondo.

Nello stesso anno inizia la fortuna cinematografica di Moravia: da romanzi e racconti vengono tratti film. Alcuni esempi: *La provinciale* con la regia di Mario Soldati, *La romana* di Luigi Zampa, *La ciociara* di Vittorio de Sica, *Gli indifferenti* di Francesco Maselli, *Il disprezzo* di Jean-Luc Godard, *Il conformista* di Giuseppe Bertolucci e via via fino alla *Vita interiore* di Gianni Barcelloni.

1947

Moravia pubblica *La romana*. Il romanzo riscuote, vent'anni dopo, lo stesso successo de *Gli indifferenti*. Inizia una ininterrotta fortuna letteraria.

1948-1951

Nel 1948 esce *La disubbidienza*; nel 1949 *L'amore coniugale e altri racconti*; nel 1951 *Il conformista*.

1952

Tutte le opere di Moravia sono messe all'indice dal Sant'Uffizio in aprile (nello stesso anno vengono messe all'indice le opere di André Gide). In luglio Moravia riceve il Premio Strega per *I racconti* appena pubblicati.

1953

S'intensificano le collaborazioni per il "Corriere della Sera" sotto forma di racconti e di reportage.

Nello stesso anno Moravia fonda a Roma con Alberto Carocci la rivista "Nuovi Argomenti". Vi scriveranno Jean-Paul Sartre, Elio Vittorini, Italo Calvino, Eugenio Montale, Franco Fortini, Palmiro Togliatti. Nel 1966 inizierà una nuova serie diretta da Moravia, Carocci e Pasolini (che aveva già pubblicato le *Ceneri di Gramsci* nella rivista), a cui si aggiungeranno Attilio Bertolucci e Enzo Siciliano. Ci sarà nel 1982 una terza serie, a Milano, i cui direttori sono Moravia, Siciliano e Sciascia.

1954-1956

I racconti romani vincono il Premio Marzotto. Esce *Il disprezzo*. Su "Nuovi Argomenti" appare il saggio *L'uomo come fine* che Moravia aveva scritto fin dal 1946.

1955-1956

Moravia scrive una serie di prefazioni: nel 1955, al volume del Belli, *Cento sonetti*; nel 1956, a *Paolo il caldo* di Vitaliano Brancati e a *Passeggiate romane* di Stendhal.

1957

Moravia inizia a collaborare all'"Espresso" fondato da Arrigo Benedetti nel 1955: vi curerà una rubrica cinematografica. Nel 1975 raccoglierà in volume alcune di queste sue recensioni: *Al cinema*. Esce *La ciociara*.

1958

Scrive per il teatro: *La mascherata* e *Beatrice Cenci*. La prima fu rappresentata al Piccolo di Milano, con la regia di Strehler. La seconda, con la regia di Enriquez, in America Latina.

Esce *Un mese in URSS*, frutto di un primo viaggio nell'Unione Sovietica.

1959

Escono i *Nuovi racconti romani*, "ispirati, in fondo, dai sonetti del Belli".

1960

L'uscita de *La noia* segna un successo simile a quello de *Gli indifferenti* e de *La romana*.

1961

Vince il Premio Viareggio con *La noia*. Va in India con Elsa Morante e Pier Paolo Pasolini.

1962

Esce *Un'idea dell'India*. In aprile Moravia si separa da Elsa Morante; lascia l'appartamento romano di via dell'Oca e va a vivere in Lungotevere della Vittoria con Dacia Maraini.

Pubblica un'intervista a Claudia Cardinale che gli era stata chiesta dalla rivista americana "Fortune". "Applicai la tecnica della fenomenologia chiedendo a Claudia di descriversi come fosse un oggetto... So che l'intervista fu imitata."

Esce un libro di Oreste del Buono su Moravia per la Feltrinelli.

Moravia pubblica una raccolta di racconti: *L'automa*.

1963

Raccoglie in un volume intitolato *L'uomo come fine e altri saggi* alcuni scritti a partire dal 1941.

1965

Moravia pubblica *L'attenzione*, tentativo di romanzo nel romanzo.

1966

Viene rappresentato *Il mondo è quello che è* in occasione del festival del Teatro contemporaneo, con la regia di Gianfranco De Bosio.

Nello stesso anno Moravia si occupa sempre più di teatro. Con Enzo Siciliano e Dacia Maraini fonda la compagnia teatrale "del Porcospino" che ha come sede il teatro di Via Belsiana a Roma. Le prime rappresentazioni saranno *L'intervista* di Alberto Moravia, *La famiglia normale* di Dacia Maraini e *Tazza* di Enzo Siciliano. Seguiranno opere di C.E. Gadda, Wilcock, Strindberg, Parise e Kyd. L'esperimento, all'inizio mal visto dalla critica, viene interrotto nel 1968 per mancanza di fondi.

1967

Moravia pubblica su "Nuovi Argomenti" *La chiacchiera a teatro* in cui spiega le sue idee sul teatro moderno. Nello stesso anno si reca in Giappone, Corea e Cina insieme con Dacia Maraini. Quell'estate è presidente della XXVIII mostra del cinema a Venezia: vince *Belle de jour* diretto da Luis Buñuel.

Esce *Una cosa è una cosa*.

1968

"I giovani del Sessantotto, e quelli che sono venuti dopo, pensano che il mondo vada cambiato, cambiato con la violenza, ma non vogliono sapere perché, e come cambiarlo. Non vogliono conoscerlo, e dunque non vogliono conoscere se stessi." Moravia è contestato in varie occasioni, all'Università di Roma, a Bari, alla sede dell'"Espresso" e al teatro Niccolini di Firenze dagli studenti del '68. Esce *La rivoluzione culturale in Cina*.

1969

Moravia pubblica *La vita è gioco*, rappresentato al teatro Valle di Roma nell'autunno del 1970, con la regia di Dacia Maraini.

Moravia commenta l'attentato della Banca Nazionale dell'Agricoltura di Milano con un intervento su *L'informazione deformata*.

1970

Esce *Il paradiso*, prima raccolta di racconti su donne che parlano in prima persona. Seguiranno *Un'altra vita* e *Boh*.

1971

Esce *Io e lui*.

Enzo Siciliano pubblica presso Longanesi un libro-intervista a Moravia.

1972

Moravia incomincia dei lunghi viaggi in Africa. Ne risulteranno tre libri: il primo è *A quale tribù appartieni?*, al quale seguiranno *Lettere dal Sahara* e *Passeggiate africane*. Enzo Siciliano suggerisce che Moravia "è affascinato dall'Africa da un duplice aspetto: la sua arcaicità, il suo primitivismo, e per il modo in cui essa fa sperimentare la degradazione della modernità, quella civile modernità nella quale siamo immersi".

1973-1975

Escono *Un'altra vita* e una ristampa di racconti con il titolo *Cortigiana stanca*.

1975

Muore Pier Paolo Pasolini. Moravia pubblica sul "Corriere della Sera" un articolo nel quale Pasolini è confrontato a Arthur Rimbaud.

1976-1980

Pubblica una raccolta di racconti, *Boh*; una raccolta di testi teatrali; un romanzo, *La vita interiore*, a cui ha lavorato per ben sette anni, la sua maggiore fatica narrativa dopo *Le ambizioni sbagliate*; e una raccolta di saggi, *Impegno controvoglia*, scritti tra il 1943 e il 1978.

1979-1982

È membro della Commissione di Selezione alla mostra del cinema di Venezia. La commissione era stata creata da Carlo Lizzani.

1981

Dal 1975 al 1981 Moravia è "inviato speciale" del "Corriere della Sera" in Africa. Raccoglie in volume i suoi articoli: *Lettere dal Sahara*. "Finora non mi era mai accaduto di fare un viaggio fuori del tempo, cioè fuori della storia, in una dimensione come dire? astorica, religiosa. Il viaggio nel Sahara ha colmato, come si dice, questa lacuna."

1982

Escono il romanzo *1934* e la raccolta di fiabe, tutte su animali parlanti, *Storie della Preistoria*.

Fa un viaggio in Giappone e si ferma a Hiroshima. "In quel preciso momento, il monumento eretto in memoria del giorno più infausto di tutta la storia dell'umanità, ha 'agito' dentro di me. Ad un tratto, ho capito che il monumento esigeva da me che mi riconoscessi non più cittadino di una determinata nazione, appartenente ad una determinata cultura bensì, in qualche modo zoologicamente ma anche religiosamente, membro, come ho detto, della specie."

Moravia farà tre inchieste sull'"Espresso" sul problema della bomba atomica. La prima in Giappone, la seconda in Germania, la terza in URSS.

1983

Vince il Premio Mondello per *1934*. Esce *La cosa*, dedicata a Carmen Llera.

Il 26 giugno rifiuta la candidatura al Senato italiano: "Ho sempre pensato che non bisogna mischiare la letteratura con la politica; lo scrittore mira all'assoluto, il politico al relativo; soltanto i dittatori mirano insieme al relativo e all'assoluto".

1984

L'8 maggio accetta la candidatura per le elezioni europee come indipendente nelle liste del PCI. "Non c'è contraddizione", scrive in un'autointervista, "tra il rifiuto d'allora e la tua accettazione d'adesso? Ho detto che l'artista cerca l'assoluto. Ora il motivo per il quale pongo la mia candidatura al Parlamento europeo non ha niente a che fare, almeno direttamente, con la politica e, appunto, comporta la ricerca dell'assoluto. È stato un particolare aspetto, purtroppo, di questa ricerca a determinare la mia candidatura."

Diventa deputato al Parlamento europeo con 260.000 voti.

Inizia sul "Corriere della Sera", con una corrispondenza da Strasburgo, il *Diario europeo*.

1985

Esce *L'uomo che guarda*.

Vengono rappresentate, tra le ultime commedie di Moravia, *L'angelo dell'informazione* e *La cintura*.

1986

Esce in volume *L'angelo dell'informazione e altri scritti teatrali*.
Il 27 gennaio si sposa con Carmen Llera.
Escono *L'inverno nucleare*, a cura di Renzo Paris, e il primo volume delle *Opere (1927-1947)*, a cura di Geno Pampaloni.

1987-1990

Escono in questi anni: *Passeggiate africane* (1987), *Il viaggio a Roma* (1988), *La villa del venerdì* (1990) e *Vita di Moravia* (1990), scritto assieme a Alain Elkann.

1989

Esce il secondo volume delle *Opere (1948-1968)*, a cura di Enzo Siciliano.

1990

Il giorno 26 settembre muore nella sua casa romana, alle 9 del mattino.

(*a cura di Eileen Romano*)

RACCONTI ROMANI

FANATICO

Una mattina di luglio, sonnecchiavo a piazza Melozzo da Forlì, all'ombra degli eucalitti, presso la fontana asciutta, quando arrivarono due uomini e una donna e mi domandarono di portarli al Lido di Lavinio. Li osservai mentre discutevano il prezzo: uno era biondo, grande e grosso, con la faccia senza colori, come grigia e gli occhi di porcellana celeste in fondo alle occhiaie fosche, un uomo sui trentacinque anni. L'altro più giovane, bruno, coi capelli arruffati, gli occhiali cerchiati di tartaruga, dinoccolato, magro, forse uno studente. La donna, poi, era proprio magrissima, col viso affilato e lungo tra due onde di capelli sciolti e il corpo sottile in una vesticciola verde che la faceva parere un serpente. Ma aveva la bocca rossa e piena, simile ad un frutto, e gli occhi belli, neri e luccicanti come il carbone bagnato; e dal modo col quale mi guardò mi venne voglia di combinare l'affare. Infatti accettai il primo prezzo che mi proposero; quindi salirono, il biondo accanto a me, gli altri due dietro; e si partì.

Attraversai tutta Roma per andare a prendere la strada dietro la basilica di San Paolo che è la più corta per Anzio. Alla basilica feci il pieno di benzina e poi mi avviai di gran corsa per la strada. Calcolavo che ci fossero una cinquantina di chilometri, erano le nove e mezzo, saremmo arrivati verso le undici, giusto in tempo per un bagno in mare. La ragazza mi era piaciuta e speravo di fare amicizia: non era gente molto in su, i due uomini sembravano, dall'accento, stranieri, forse rifugiati, di quelli che vivono nei campi di concentramento intorno a Roma. La ragazza, lei, era invece italiana, anzi romana, ma, anche lei, roba da poco: mettiamo che fosse cameriera o stiratrice o qualche cosa di simile. Pensando queste cose, tendevo l'orecchio e udivo, dentro la macchina, la ragazza e il bruno chiacchierare e ridere. Soprattutto la ragazza rideva, perché, come avevo già notato, era alquanto sguaiatella e scivolosa, proprio come una serpicciola ubbriaca. Il biondo, a quelle risate, raggrinzava il naso sotto gli occhiali neri da sole, ma non diceva nulla, neppure si voltava. Ma è vero che gli bastava alzare gli occhi verso lo specchietto, sopra il parabrise, per vedere benissimo che cosa succedeva dietro di lui. Passammo i Trappisti, l'*E 42*, tirammo tutto di un fiato fino al bivio di Anzio. Qui rallentai e domandai al biondo vicino a me dove precisamente volessero essere portati. Lui rispose: "Un luogo tranquillo dove non ci sia nessuno... vogliamo star soli." Io dissi: "Qui ci sono trenta chilometri di spiaggia deserta... siete voi che dovete decidere." La ragazza, da dentro la macchina, gridò: "Lasciamo decidere a lui." Risposi: "Io che c'entro?" Ma la ragazza continuava a gridare: "Lasciamo decidere a lui," e rideva come se la frase fosse stata molto comica. Io allora dissi: "Il Lido di Lavinio è molto frequentato... ma io vi porterò in un posto non lontano dove non c'è anima viva." Queste mie parole fecero ridere di nuovo la ragazza che, da dietro, mi batté la mano sulla spalla dicendo: "Bravo... sei intelligente... hai capito quello che volevamo." Io non sapevo che cosa pensare di queste maniere, un po' mi seccavano, un po' mi facevano sperare. Il biondo taceva, fosco, e alla fine disse: "Pina, mi sembra che non ci sia niente da ridere." Così riprendemmo la corsa.

C'era un caldo forte, senza vento, e la strada abbagliava; quei due dentro la macchina non facevano che chiacchierare e ridere, ma poi, improvvisamente, tacquero e questo fu peggio perché vidi il biondo guardare allo specchietto del parabrise e quindi raggrinzare il naso come se avesse veduto qualche cosa che non gli piaceva. La strada adesso aveva da un lato i campi pelati e secchi e dall'altro una fitta macchia. Ad un cartello con il divieto di caccia, rallentai, girai, mi infilai in un sentiero serpeggiante. C'ero andato a caccia d'inverno ed era proprio un luogo solitario, impossibile a scoprirsi se non si conosceva. Dopo la macchia c'era la pineta e dopo la pineta, la spiaggia e il mare. Nella pineta, come sapevo, durante lo sbarco di Anzio s'erano attestati gli americani, e c'erano ancora le trincee, con le scatolette arrugginite e i bossoli vuoti, e la gente non ci andava per paura delle mine.

Il sole ardeva forte e tutta la superficie pullulante della macchia era luminosa, quasi bionda a forza di luce. Il sentiero andò avanti dritto, poi piegò per una radura e poi entrò di nuovo nella macchia. Adesso vedevamo i pini, coi capelli verdi, gonfi di vento, che parevano navigare nel cielo, e il mare azzurro, duro e scintillante, tra i tronchi rossi. Io guidavo piano perché non ci vedevo bene tra tutti quei cespugli e si fa presto a rompere una balestra. Ad un tratto, mentre stavo attento al sentiero, il biondo che mi sedeva accanto, mi diede un colpo violento, con tutto il corpo, in modo che venni quasi scaraventato fuori dal finestrino. "Ma che diamine!" esclamai frenando di botto. Nello stesso tempo ci fu un'esplosione secca proprio dietro di me e io rimasi a bocca aperta vedendo sul parabrise una rosa di incrinature sottili e un buco tondo nel mezzo. Mi si gelò il sangue e feci per saltare fuori dalla macchina gridando "assassini"; ma il bruno, che aveva sparato, mi premette la canna della rivoltella nella schiena dicendo: "Non ti muovere."

Restai fermo e domandai: "Che volete da me?" Il bruno rispose: "Se quell'imbecille non ti avesse notato, non ci sarebbe bisogno di dirtelo ora... vogliamo la tua macchina." Il biondo disse a denti stretti: "Io non sono un imbecille." L'altro rispose: "Sì, che lo sei... non eravamo forse d'accordo che io dovevo sparargli? Perché ti sei mosso?" Il biondo ribatté: "Eravamo anche d'accordo che avresti lasciato stare la Pina... anche tu ti sei mosso." La ragazza si mise a ridere e disse: "Siamo fritti." "Perché?" "Perché lui adesso va a Roma e ci denunzia." Il biondo disse: "E farà anche bene." Egli trasse di tasca una sigaretta, l'accese e prese a fumare. Il bruno si voltò indeciso verso la ragazza: "Ma, insomma, che cosa dobbiamo fare?" Io alzai gli occhi verso lo specchietto e vidi lei, rannicchiata in un angolo, che faceva verso di me un gesto col pollice e l'indice come per dire "Fallo fuori." Mi si gelò di nuovo il sangue; ma respirai udendo il bruno dire in tono di profonda convinzione: "No, certe cose si ha il coraggio di farle una volta sola... adesso sono smontato e non ce la faccio più."

Ripresi coraggio e dissi: "Ma che ve ne fate del taxi? Chi vi falsifica la patente? Chi lo rivernicia?" Ad ogni domanda capivo che non ci avevano nessuno e che non sapevano più che cosa fare: avevano deciso di ammazzarmi e, siccome non gli era riuscito, non avevano più neppure il coraggio di derubarmi. Tuttavia il bruno disse: "Abbiamo tutto, non temere." Ma il biondo, sardonico: "Non abbiamo nulla, abbiamo soltanto ventimila lire in tre e una rivoltella che non spara." In quel momento alzai di nuovo gli occhi verso lo specchietto e vidi la ragazza fare di nuovo quel gesto così grazioso verso di me. Dissi allora: "Signorina, quando saremo a Roma quel gesto le costerà qualche annetto di galera in più." Quindi mi voltai a metà verso il bruno che tuttora mi puntava la rivoltella nella schiena e gridai esasperato: "Beh, che aspetti? spara, vigliacco che sei, spara!" La mia voce risuonò in un silenzio profondo e la ragazza, con simpatia questa volta, gridò: "Lo sapete chi è il solo coraggioso, qui? Lui" indicando me. Il bruno disse qualche cosa come una bestemmia, sputò da parte e quindi aprì lo sportello, saltò giù, e venne davanti a me, presso il finestrino. Disse furioso: "Allora presto, quanto vuoi per riportarci a Roma e non denunciarci?..." Capii che il pericolo era finito e dissi lentamente: "Io non voglio niente... e vi porto dritti a Regina Coeli tutti e tre." Il bruno non si spaventò, bisogna riconoscerlo, era troppo disperato ed esasperato. Disse soltanto: "Allora ti ammazzo." E io: "Provaci... io ti dico che non ammazzi nessuno... e ti dico pure che vi vedrò col muso all'inferriata, te, quella sgualdrina della tua amica e anche lui." Lui disse: "E va bene" a voce bassa e io capii che faceva sul serio e infatti mosse un passo indietro e alzò la pistola. Per fortuna, in quel momento, la ragazza gridò: "Ma smettetela... e tu, invece di offrirgli del denaro, imponiti con la rivoltella... vedrai come fila." Così dicendo, si sporgeva dietro di me e allora sentii che con le dita mi faceva un solletico all'orecchio, appena, in modo che gli altri due non vedessero. Mi venne un gran turbamento perché, come ho detto, lei mi piaceva e, non so perché, ero convinto di piacere a lei. Guardai il bruno che tuttora mi puntava contro la pistola, guardai di sbieco lei che mi fissava con quei suoi occhi di carbone, neri e sorridenti, e poi dissi: "Tenetevi i vostri soldi... non sono un brigante come voi... ma a Roma non vi riporto... riporterò soltanto lei, giusto perché è una donna." Pensavo che avrebbero protestato e invece, con mia sorpresa, il biondo subito saltò giù dalla macchina dicendo "buon viaggio." Il bruno abbassò la pistola. La ragazza, tutta vispa, venne a sedersi accanto a me. Dissi: "Allora arrivederci e speriamo che presto vi mandino in galera" e poi girai, manovrando con una mano sola perché l'altra mano me la stringeva lei

na, a lavare i piatti del pranzo. Ritta davanti all'acquaio, piccola e stracciona, i capelli grigi in disordine, i piedi infilati in due enormi pantofole di feltro per via dei reumatismi, pur risciacquando le scodelle, cominciò a farmi una predica che, a dire la verità, sebbene fosse bene intenzionata, per me era peggio degli strilli di mia sorella o dell'indifferenza di mio fratello e di mio padre. Che mi diceva? Le cose che dicono tutte le mamme, senza tener conto, al solito, che, nel caso, la ragione era dalla mia parte, e io avevo ferito per difendermi, come avrei potuto dimostrare al processo se non ci fosse stata quella testimonianza falsa di Guglielmo. "Figliol caro, lo vedi a che cosa ti ha portato la prepotenza? Da' retta a tua madre che è la sola che ti vuol bene e che in tua assenza ha sofferto più della Madonna dei sette dolori, da' retta: lascia stare la prepotenza, nella vita è meglio subirne cento che farne una sola... non lo sai che chi di spada ferisce di spada perisce? Anche se sei dalla parte della ragione con la prepotenza ti metti dalla parte del torto... a Gesù gliela fecero la prepotenza, mettendolo in croce, ma lui perdonò a tutti i suoi nemici... e tu vorresti essere dappiù di Gesù!" E così via. Che potevo dirle? Che non era vero; che la prepotenza l'avevano fatta a me; che la colpa era tutta di quella carogna di Guglielmo; che in galera avrebbe dovuto andarci l'altro? Preferii, finalmente, alzarmi e andarmene.

Avrei potuto recarmi alla falegnameria, in via San Teodoro, dove mi aspettavano mio padre e gli altri lavoranti. Ma non me la sentivo, il giorno stesso del mio arrivo, come se nulla fosse stato, di riattaccare la giubba al chiodo e infilare la tuta con le macchie di colla e di grasso che mi ero fatto due anni prima. E poi volevo godermi la libertà, senza pensieri; riguardarmi Roma, riflettere sui casi miei. Così decisi che per quel giorno me ne sarei andato a spasso e avrei incominciato a lavorare la mattina dopo. Abitiamo dalle parti di via Giulia. Uscii e mi incamminai verso ponte Garibaldi.

In prigione, avevo pensato che, una volta di nuovo a Roma, libero, le cose mi sarebbero apparse, almeno nei primi giorni, in una maniera particolare, secondo il sentimento che avrei provato rivedendole: allegre, nuove, belle, appetitose. Invece nulla, manco non fossi stato a Portolongone per tanto tempo, ma, poniamo, avessi passato qualche giorno ai bagni di Ladispoli. Era una delle solite giornate di scirocco romano, col cielo co-

or strofinaccio sporco, l'aria greve, e la fiacca persino nelle pietre delle case. Camminando ritrovavo tutto come prima e come sempre, senza novità né allegria: i gatti sparsi intorno al cartoccetto, al canto del vicolo; i vespasiani con le frasche secche; le scritte sui muri con gli abbasso e gli evviva; le donne sedute a gambe larghe a chiacchierare fuori delle botteghe; le chiese col cieco o lo storpio sui gradini; i carrettini con i fichi secchi e le arance; i giornalai con le riviste illustrate piene di attrici americane. La gente, poi, mi pareva che avesse delle facce proprio antipatiche; chi con un naso troppo lungo, chi con la bocca storta, chi con gli occhi pesti, chi con le guance cascanti. Insomma, era la solita Roma e i soliti romani: come li avevo lasciati, così li ritrovavo. Arrivato al ponte Garibaldi, mi affacciai al parapetto e guardai il Tevere: era sempre lo stesso Tevere, lustro, gonfio e giallo, con le baracche ormeggiate delle società di canottaggio, e il solito grassone in mutandine che si esercitava al remo fisso e i soliti sfaccendati che lo guardavano. Per tirarmi su, passai il ponte e andai in Trastevere al vicolo del Cinque, ad una certa osteria velletrana: l'oste, Gigi, era il solo amico che avessi al mondo. Ho detto che ci andai per tirarmi su; in realtà ero anche attirato dalla bottega di arrotino di Guglielmo che era poco distante dall'osteria. E infatti, come la scorsi di lontano, il sangue mi diede un tuffo; e mi sentii prima ardere e poi gelare, come se stessi per svenire.

Entrai nell'osteria che a quell'ora era deserta, andai a sedermi in un angolo in ombra e chiamai a bassa voce Gigi che stava dietro il banco leggendo il giornale. Lui venne e, come mi riconobbe, subito mi abbracciò, con spontaneità, ripetendo che era tanto contento di vedermi; e io mi sentii rincuorato perché, salvo la mamma, questo era il primo cristiano che al mio ritorno mi avesse dimostrato un po' di affetto. Sedetti senza fiato, gli occhi pieni di lacrime, e lui, dopo qualche frase di circostanza, incominciò: "Rodolfo, chi mi aveva detto che dovevi tornare? ah, sì, Guglielmo." Non dissi nulla, ma a quel nome mi sentii tutto rimescolare. Gigi continuò: "Chissà come l'aveva saputo... certo che me lo venne a dire con una faccia... aveva paura: si vedeva." Dissi, senza levare gli occhi: "Paura di che? Non ha forse detto la verità? Non ha fatto il suo dovere di testimonio? E poi non ci sono i carabinieri per proteggerlo?" Gigi mi batté sulla spalla: "Rodolfo sei sempre lo stesso, non sei cambiato per niente... beh, lui ha paura conoscendo il tuo carattere... dice che lui non credeva di danneggiarti: gli intimarono di dire la verità e lui la disse." Non fiatai; e Gigi, dopo un momento, riprese: "Ma lo sai che proprio mi dispiace di vedere due persone come te e Guglielmo odiarsi e aver paura l'uno dell'altro? Di', vuoi che lo rassicuri, che gli dica che non ce l'hai con lui e che l'hai perdonato?" Cominciai a capire dove volesse andare a parare e risposi: "Non dirgli nulla." Lui si informò con precauzione: "Perché? Ce l'hai ancora con lui? Dopo tanto tempo?" "Il tempo non esiste," dissi "sono arrivato oggi ed è come se fosse successo ieri... per i sentimenti il tempo non esiste." "Ma via" insistette lui "via, non devi fissarti in questo modo... che t'importa?... non la conosci la canzone: quello che è stato è stato, chi ha avuto ha avuto, scordiamoci del passato; da' retta, scordati del passato e bevici sopra." Risposi: "Quanto a bere, questo sì: portami mezzo litro... asciutto." Il tono era secco, e lui, senza più insistere, si alzò e andò a prendere il vino.

Ma, come tornò, non volle versarmi subito e, tenendo il boccale da parte, come se avesse voluto mettermi qualche condizione, domandò con serietà: "Rodolfo, mica vorrai fare una pazzia?" Risposi: "Versa e non ti preoccupare." Insistette: "E poi rifletti: Guglielmo è un pover'uomo, ci ha famiglia, quattro figli e moglie... ci vuole un po' di comprensione." Ripetei: "Versa... e non impicciarti degli affari miei." Questa volta versò, ma pian piano, sempre guardandomi. Gli dissi: "Prendi un bicchiere... beviamo... tu sei il solo amico vero che io abbia al mondo." Accettò subito, si riempì un bicchiere, sedette e riprese: "E appunto perché ti sono amico, voglio dirti quello che farei al tuo posto: andrei da Guglielmo, spontaneamente, e gli direi: quello che è stato è stato, abbracciamoci, da fratelli, e non parliamone più." Teneva il bicchiere all'altezza delle labbra e mi guardava fisso. Risposi: "Fratelli, coltelli... non lo sai il proverbio?" In quel momento entrarono due clienti, e lui, dopo aver vuotato di un fiato il bicchiere, mi lasciò.

Bevvi lentamente il mezzo litro, riflettendo. Il fatto che Guglielmo avesse paura non mi calmava, al contrario, mi accendeva non so che furore nell'animo. "Vigliacco, ha paura," pensavo; e stringevo forte il bicchiere di vetro grosso, come se fosse stato il collo di Guglielmo. Mi dicevo che era proprio un vigliacco e che, dopo avermi fatto condannare con la sua falsa testimonianza, adesso si raccomandava a Gigi affinché lo perdonassi. Così finii il mezzo litro e ne ordinai un secondo. Gigi me lo portò e disse: "Ti senti meglio? Ci hai ripensato?" Risposi: "Mi sento meglio e ci ho ripensato." Gigi osservò, versandomi il vino: "In queste cose bisogna andarci piano... non lasciarsi trasportare dal sentimento... sei dalla parte della ragione, non si discute, ma appunto per questo devi mostrarti generoso." Non potei fare a meno di notare, acido: "Te l'ha data l'imbeccata, Guglielmo." Lui non si offese e rispose con sincerità: "Che imbeccata? Sono amico di tutti e due... vorrei che faceste pace... ecco tutto."

Ripresi a bere e allora, da Guglielmo, forse per effetto del vino, il pensiero mi si rivolse a me stesso e cominciai a pensare a tutto quello che avevo passato in quei due anni, a quanto avevo sofferto, a tutte le angherie che mi erano state fatte; e gli occhi mi si riempirono di lacrime e mi venne una gran compassione di me stesso e, di rimbalzo, di tutti quanti. Ero un disgraziato, senza torto né ragione, come tanti, come tutti; e anche Guglielmo era un disgraziato; e Gigi era anche lui un disgraziato; e mio padre e mio fratello e mia sorella e mia madre: tutti disgraziati. Adesso vedevo Guglielmo con occhi nuovi e pian piano mi convincevo che forse Gigi aveva ragione: mi conveniva mostrarmi generoso e perdonargli. A quest'idea mi sembrò di volermi bene il doppio di prima; e fui contento che mi fosse venuta perché, sebbene con la testa fossi quasi convinto che perdonare era meglio che vendicarsi, tuttavia non sarei mai stato capace di farlo se il cuore non me l'avesse suggerito. Però, adesso, avevo paura che questo impulso buono mi passasse; capivo che dovevo far presto. Il secondo mezzo litro era finito, chiamai: "Gigi, vieni un momento qui."

Venne e gli dissi subito: "Gigi, in fondo hai ragione tu: ci ho ripensato, se vuoi sono pronto, andiamo da Guglielmo." Lui rispose: "Non te l'avevo detto? Un po' di riflessione e di vino sincero e il cuore parla." Non dissi nulla e, tutto ad un tratto, mi presi la faccia tra le mani e incominciai a piangere: mi ero riveduto a Portolongone, nell'officina della prigione, vestito del pigiama di galeotto, intento a piallare tavole per bare. In prigione tutti lavoravano e dal reparto falegnami uscivano tutte le casse da morto per Portoferraio e gli altri paesi dell'Elba. E io piangevo ricordandomi come, fabbricando queste bare, spesso mi ero augurato che una di esse fosse la mia.

Intanto, Gigi mi batteva con la mano sulla spalla, ripetendo: "Su, non ci pensare, ormai tutto è passato." Dopo un momento soggiunse: "Allora vogliamo andare da Guglielmo; vi abbracciate, da amici, e poi venite qui e bevete insieme il bicchiere della riconciliazione." Mi asciugai le lagrime e dissi: "Andiamo da Guglielmo."

Gigi uscì dall'osteria e io lo seguii. Percorremmo un cinquanta metri e poi, dall'altra parte della strada, tra una panetteria e un marmista, mi apparve la bottega dell'arrotino. Guglielmo, pure lui, non era cambiato: piccoletto, grigio, grassoccio e calvo, con la faccia melliflua tra il Giuda e il sagrestano, lo riconobbi subito, ritto in piedi, di profilo, dentro la bottega, intento alla ruota. Arrotava, ed era così assorto a rifare il filo ad un suo coltello, voltandolo e rivoltandolo sotto la goccia, che non ci vide entrare. Appena lo scorsi, sentii che il sangue mi si rivoltava; e mi resi conto che non avrei potuto abbracciarlo come voleva Gigi: abbracciandolo, c'era il caso che gli staccassi l'orecchio con un morso, così, mio malgrado. Poi Gigi, con voce di festa, disse: "Guglielmo, c'è qui Rodolfo che è venuto a stringerti la mano... quello che è stato è stato...;" e lui si voltò e lo vidi tramortire in viso e fare come un gesto per rifugiarsi in fondo alla bottega. Allora, mentre Gigi ci incoraggiava: "Su... abbracciatevi e non se ne parli più," qualche cosa mi saltò in petto, e gli occhi mi si oscurarono. Gridai: "Vigliacco, mi hai rovinato," e mi slanciai contro di lui, tentando di prenderlo per il collo. Lui cacciò un urlo, da vero vigliacco, e scappò in fondo alla bottega. Fece male perché con tutte quelle rastrelliere piene di coltelli anche un santo sarebbe caduto in tentazione. Figuratevi io che aspettavo questo momento da anni. Gigi gridava: "Rodolfo, fermati... reggetelo;" Guglielmo urlava come il porco quando lo si scanna; e io, sfilato un coltello tra i tanti, mi avventai contro di lui. L'intenzione era di colpirlo nella schiena, ma lui si voltò per pararsi, e lo presi invece in cima al petto. Nello stesso momento qualcuno mi afferrò il braccio mentre l'alzavo per dargli un'altra botta; e poi mi ritrovai fuori della bottega, circondato da ogni parte da gente che gridava e, nella frenesia del tafferuglio, cercava di colpirmi in faccia e sulle spalle.

Arrivederci. L'avevo detto al direttore di Portolongone e, infatti, quella sera stessa mi ritrovai in una cella di Regina Coeli, insieme a tre altri. Per sfogarmi, raccontai la cosa, e uno di loro, allora, che pareva più saputo, osservò: "Fratel caro quando hai detto arrivederci, era il tuo subcosciente che ti faceva parlare... tu già lo sapevi che l'avresti fatto." Forse aveva ragione lui che parlava tanto difficile e sapeva persino che cosa fosse il subcosciente. Ma intanto ero dentro e l'arrivederci, questa volta, l'avevo detto alla libertà.

PIOGGIA DI MAGGIO

Uno di questi giorni tornerò a Monte Mario, all'Osteria dei Cacciatori, ma ci andrò con gli amici, quelli della domenica, che suonano la fisarmonica e, in mancanza di ragazze, ballano tra di loro. Solo, non ne avrò mai il coraggio. Di notte, talvolta, mi sogno le tavole dell'osteria, con la pioggia calda di maggio che ci batte sopra, e gli alberi aggrondati che gocciolano sulle tavole, e tra gli alberi, in fondo, le nuvole bianche che passano e, sotto le nuvole, il panorama delle case di Roma. E mi pare di udire la voce dell'oste, Antonio Tocchi, come la udii quella mattina, che chiama dalla cantina, furiosa: "Dirce, Dirce": e mi pare di rivedere lei che mi lancia lo sguardo d'intesa, prima di avviarsi giù in cantina, con quel suo passo duro che risuona sugli scalini. Ci ero capitato per caso, venendo dal paese; e quando mi offrirono di fare il cameriere alla pari, senza pagarmi, pensai: "Soldi non ne avrò, ma almeno starò in famiglia." Sì, altro che famiglia, invece della famiglia trovai l'inferno. L'oste era grasso e tondo come una palla di burro, ma di una grassezza cattiva, acida. Aveva una faccia larga, grigia, con tante grinze sottili che gli giravano tutt'intorno il viso per il verso della grassezza e due occhietti piccoli, puntuti, simili a quelli dei serpi: sempre in farsetto e maniche di camicia, con un berrettino a visiera, grigio, calcato sugli occhi. La figlia Dirce, quanto a carattere, non era meglio del padre, anche lei dura, cattiva, aspra; ma bella: di quelle donne piccole e muscolose, ben fatte, che camminano battendo l'anca e il piede, come a dire: "Questa terra è mia." Aveva una faccia larga, con gli occhi neri e i capelli neri, pallida che sembrava una morta. Soltanto la madre, in quella casa, forse era buona: una donna che aveva sì e no quarant'anni e ne mostrava sessanta, magra, con un naso da vecchia e capelli penzolanti da vecchia; ma forse era soltanto scema, almeno c'era da pensarlo vedendola ritta davanti ai fornelli con tutta la faccia tirata in un suo riso muto; se si voltava, si vedeva che aveva un dente o due e basta. L'osteria si affacciava sulla strada con una insegna ad arco, colore sangue di bue, con la scritta: "Osteria dei Cacciatori, proprietario Antonio Tocchi," a lettere gialle. Poi, per un viale, si arrivava alle tavole, sotto gli alberi, davanti al panorama di Roma. La casa era rustica, tutto muro e quasi senza finestre, col tetto di tegoli. D'estate era il tempo migliore; veniva su gente dalla mattina fino a mezzanotte: famiglie coi bambini, coppie di innamorati, gruppi di uomini, e sedevano ai tavoli e bevevano il vino e mangiavano la cucina di Tocchi guardando il panorama. Non avevamo il tempo di rifiatare: noi due uomini sempre a servire, le due donne sempre a cucinare e a risciacquare; e la sera eravamo stracchi e ce ne andavamo a letto senza neppure guardarci. Ma l'inverno oppure anche alla buona stagione, se pioveva, incominciavano i guai. Il padre e la figlia si odiavano, ma odiare è poco dire, si sarebbero ammazzati. Il padre era autoritario, avaro, stupido, e per ogni nonnulla allungava le mani; la figlia era dura come un sasso, chiusa, sempre lei ad avere l'ultima parola, proterva. Si odiavano, forse, soprattutto perché erano dello stesso sangue e, si sa, non c'è nulla come il sangue per odiarsi; ma si odiavano anche per questioni d'interesse. La figlia era ambiziosa: diceva che loro con quel panorama di Roma avevano un capitale da sfruttare e invece lo lasciavano ai cani. Diceva che il padre avrebbe dovuto costruirci una pedana di cemento per il ballo, e affittare un'orchestra e appendervi palloncini veneziani, e trasformare la casa in ristorante moderno e chiamarlo Ristorante Panorama. Ma il padre non si fidava un po' perché era avaro e nemico delle novità; un po' perché era la figlia che glielo proponeva, e lui si sarebbe fatto scannare piuttosto che darla vinta alla figlia. Gli scontri tra il padre e la figlia avvenivano sempre a tavola: lei attaccava, con cattiveria, offendendo, su qualche cosa di personale, mettiamo sul fatto che il padre mangiando faceva un rutto; lui rispondeva a parolacce e bestemmie; la figlia insisteva; il padre le dava un ceffone. Bisogna dire che doveva provarci gusto a schiaffeggiarla, perché faceva una certa faccia acchiappandosi coi denti il labbro di sotto e strizzando gli occhi. Ma alla figlia quello schiaffo era come l'acqua fresca su un fiore: rinverdiva d'odio e di cattiveria. Allora il padre l'acciuffava per i capelli e menava giù botte. Cascavano piatti e bicchieri, la madre ne toccava anche lei, mettendosi in mezzo, ma da scema, con quel riso eterno sulla bocca sdentata; e io, il cuore gonfio di veleno, uscivo e me ne andavo a spasso sullo stradone che porta alla Camilluccia.

Sarei andato via da un pezzo se non mi fossi innamorato della Dirce. Non sono tipo da innamorarmi facilmente, perché sono positivo e le parole e gli sguardi non m'incantano. Ma quando una donna, invece che parole o sguardi, dà se stessa, tutt'intera, in carne e ossa e, per giunta, di sorpresa, allora uno ci rimane preso, come in una tagliola, e più sforzi fa per liberarsi e più si fa affondare i denti della tagliola dentro la carne. La Dirce doveva avere l'intenzione prim'ancora di conoscermi, o io o un altro per lei era lo stesso, perché, il giorno stesso del mio arrivo, mi entrò di notte in camera che già dormivo; e così, tra il sonno e la veglia, che quasi non capivo se fosse sogno o realtà, mi fece trapassare di botto dall'indifferenza alla passione. Non ci furono insomma tra noi né discorsi, né occhiate, né toccatine di mani, né tutti gli altri sotterfugi cui ricorrono gli innamorati per dirsi che si vogliono bene; fu invece come una donna di malaffare, da pochi soldi. Soltanto la Dirce non era una donna di malaffare e anzi era conosciuta per virtuosa e superba, e questa differenza fu per me, appunto, la tagliola in cui rimasi preso.

Sono di carattere paziente, ragionevole; ma sono anche violento e, se mi stuzzicano, il sangue mi monta alla testa facilmente. Lo si vede già nel fisico; biondo, con la faccia pallida, ma basta niente perché diventi scarlatto. Ora la Dirce mi stuzzicava e presto capii perché: voleva che mi mettessi contro suo padre. Diceva che ero un vigliacco a tollerare che in mia presenza suo padre la schiaffeggiasse e poi l'acciuffasse per i capelli e magari, come avvenne una volta, la buttasse a terra e la prendesse a calci. E non dico che non avesse ragione: eravamo amanti e dovevo difenderla. Ma io capivo che altro era il suo scopo; e tra la rabbia che mi faceva quell'insulto di vigliacco e la rabbia di sapere che lo diceva apposta, non campavo più. Poi, un bel giorno cambiò discorso: come sarebbe stato bello se avessimo potuto sposarci e metter su il Ristorante Panorama, io e lei, soli. Era diventata buona buona, gentile, amorosa, dolce. Fu quello il tempo migliore del nostro amore; ma io non la riconoscevo più e pensavo: gatta ci cova. E infatti, tutto ad un tratto, cambiò musica una terza volta e disse che, sposati o non sposati, non potevamo sperar nulla finché ci fosse stato il padre; e, insomma, me lo disse francamente: dovevamo ammazzarlo. Fu come la prima notte che era entrata in camera mia, senza preparazione né infingimenti: buttò lì quella proposta e se ne andò lasciandomi a ripensarla da solo.

Il giorno dopo le dissi che si sbagliava se credeva che l'aiutassi in una cosa come quella e lei mi rispose che in tal caso facessi conto di andarmene via subito perché per lei non esistevo più. E tenne parola perché da quel giorno manco mi guardava. Quasi non ci parlavamo e di rimbalzo presi ad odiare il padre perché mi pareva che fosse colpa sua. Per una combinazione, in quel tempo, il padre ne faceva una ogni giorno e pareva che lo facesse apposta a farsi odiare. Si era di maggio che è la buona stagione e la gente sale all'osteria per bere il vino e mangiare la fava fresca; ma invece non faceva che piovere a rovesci su quella campagna verde e folta: all'osteria non ci veniva un cane e lui era sempre di malumore. Una mattina, a tavola, lui spinge indietro il piatto dicendo: "Lo fai apposta a darmi questa schifezza di minestra attaccata". E lei: "Se lo facessi apposta, ci metterei il veleno." Lui la guarda e le dà un ceffone, forte, che le fa saltare via il pettine. Eravamo quasi al buio per via della pioggia e il viso della Dirce in quel buio era bianco e fermo come il marmo, con i capelli che da una parte, dove era caduto il pettine, si disfacevano lenti lenti, simili a serpenti che si sveglino. Io dissi al Tocchi: "Ma la vuoi piantare una buona volta?" Lui rispose: "Non sono fatti tuoi," ma stupito perché era la prima volta che intervenivo. Io provai allora quasi un senso di vanità, come a difendere un essere debole, che non era proprio il caso; e pensai che così l'avrei riavuta e che era il solo modo per riaverla e dissi forte: "Piantala, hai capito, non te lo permetto." Ero rosso di fuoco, col sangue agli occhi, e la Dirce sotto la tavola mi prese la mano e capii che ci ero cascato, ma ormai era troppo tardi. Lui si alzò e disse: "Vuoi vedere che te ne do uno anche a te?"

Mi prese sulla guancia, un po' di traverso, e io afferrai un bicchiere e gli tirai tutto il vino in faccia. A quel bicchiere e a quel vino, si può dire che ci pensavo da un mese, tanto mi piaceva il gesto e tanto odiavo il Tocchi. E ora lui il vino l'aveva sulla faccia e io il gesto l'avevo fatto e scappavo su per la scala. Lo udii gridare: "Ti ammazzo sai, vagabondo, pezzente;" allora chiusi la porta di camera mia e andai alla finestra a guardare la pioggia che cadeva e dalla rabbia presi un coltello che avevo nel cassetto e lo piantai nel davanzale con tanta forza che si ruppe la lama.

Basta, eravamo lassù, su quel Monte Mario del malaugurio, e forse, se stavo a Roma, non avrei accettato, ma lassù tutto diventava naturale e quello che il giorno prima era impossibile, il giorno dopo era già deciso. Così io e la Dirce ci mettemmo d'accordo e stabilimmo insieme il modo e il giorno e l'ora. Tocchi, la mattina, scendeva in cantina a prendere il vino per la giornata, insieme con la Dirce che gli portava il bottiglione. La cantina era sottoterra e per scenderci c'era una scaletta montata su un telaio e appoggiata al muro: saranno stati sette scalini. Decidemmo che li avrei raggiunti e, mentre il Tocchi si chinava a spillare il vino, gli avrei dato sulla testa con un paletto corto, di ferro, che serviva ad attizzare i carboni. Poi avremmo ritirato la scaletta e avremmo detto che lui era cascato e si era rotto la testa. Io volevo e non volevo; e dalla rabbia dissi: "Lo faccio per mostrarti che non ho paura... ma poi me ne vado e non torno più." E lei: "Allora è meglio che non fai niente e te ne vai subito... io ti voglio bene e non voglio perderti." Sapeva, quando voleva, fingere la passione: e così io dissi che l'avrei fatto e poi sarei rimasto e avremmo aperto il ristorante.

Il giorno fissato Tocchi disse alla Dirce che prendesse il bottiglione e si avviò verso la porta della cantina, in fondo all'osteria. Pioveva, al solito, e l'osteria era quasi al buio. La Dirce prese il bottiglione e seguì il padre; ma prima di scendere, si voltò e mi fece un gesto d'intesa, chiaro. La madre, che stava davanti il fornello, vide il gesto e rimase a bocca aperta, guardandoci. Io mi alzai dalla tavola, andai al fornello e presi l'attizzatoio sotto il camino, passando davanti alla madre. Questa mi guardava, guardava la Dirce, e faceva tanto d'occhi, ma si capiva di già che non avrebbe parlato. Il padre urlò dalla cantina: "Dirce, Dirce," e lei rispose: "Vengo." Ricordo che mi piacque fisicamente per l'ultima volta, mentre si avviava giù per la scala, con quel suo passo duro e sensuale, piegando il collo bianco e tondo sotto l'architrave.

In quel momento, la porta che dava sul giardino si aprì ed entrò un uomo con un sacco bagnato sulle spalle: un carrettiere. Senza guardarmi, disse: "Giovanotto, mi dia una mano?," e io, macchinalmente, quel ferro in mano, lo seguii. Lì accanto, in un podere, ci costruivano una stalla, e il carro carico di pietre si era interrato al passo del cancello e il cavallo non ce la faceva più. Questo carrettiere sembrava fuori di sé, un uomo storto e brutto, quasi una bestia. Posai il ferro sopra un paracarro, misi due pietre sotto le ruote e spinsi; il carrettiere tirava il cavallo per la cavezza. Pioveva a dirotto sulle siepi di sambuco verdi e folte e sulle acacie in fiore che odoravano forte; il carro non si muoveva e il carrettiere bestemmiava. Prese la frusta e menò al cavallo col manico; poi, inferocito, afferrò quel ferro che avevo posato sul paracarro. Si vedeva che era fuori di sé non per quel carro, ma per tutta la vita sua, e che odiava il cavallo come una persona. Pensai: "Ora l'ammazza" e feci per gridare: "No, lascia quel ferro." Ma poi pensai che se lui avesse ammazzato il cavallo, io ero salvo. Mi pareva che tutta la mia furia stesse passando in corpo a quel carrettiere che sembrava un ossesso; e infatti lui si buttò sulle stanghe, spinse ancora e poi menò al cavallo, in testa, con il ferro. Io, al colpo, chiusi gli occhi, e sentii che lui continuava a colpire, e intanto io mi svuotavo e quasi svenivo, e poi riaprii gli occhi e vidi che il cavallo era caduto sulle ginocchia e che lui sempre gli menava, ma ora non per farlo alzare, proprio per ammazzarlo. Il cavallo cascò giù di fianco, scalciò all'aria, ma debolmente e poi abbandonò la testa nel fango. Il carrettiere ansimante, la faccia sconvolta, gettò il ferro e diede uno strattone al cavallo, ma senza convinzione: sapeva di averlo ammazzato. Io gli passai accanto, senza neppure sfiorarlo, e presi a camminare per lo stradone. Passò il tram che andava a Roma e io ci salii di corsa e poi guardai indietro e vidi per l'ultima volta l'insegna: "Osteria dei Cacciatori, proprietario Antonio Tocchi," tra il fogliame di maggio, lavato dalla pioggia.

NON APPROFONDIRE

Agnese poteva avvertirmi invece di andarsene così, senza neppure dire: crepa. Non pretendo di essere perfetto e se lei mi avesse detto che cosa le mancava, avremmo potuto discuterne. Invece no: per due anni di matrimonio, non una parola; e poi, una mattina, approfittando di un momento che non c'ero, se ne è andata di soppiatto, proprio come fanno le serve che hanno trovato un posto migliore. Se ne è andata e, ancora adesso, dopo sei mesi che mi ha lasciato, non ho capito perché.

Quella mattina, dopo aver fatto la spesa al mercatino rionale (la spesa mi piace farla io: conosco i prezzi, so quello che voglio, mi piace contrattare e discutere, assaggiare e tastare, voglio sapere da quale bestia mi viene la bistecca, da quale cesta la mela), ero uscito di nuovo per comprare un metro e mezzo di frangia da cucire alla tenda, in sala da pranzo. Siccome non volevo spendere più che tanto, girai parecchio prima di trovare quello che faceva al caso mio, in un negozietto di via dell'Umiltà. Tornai a casa che erano le undici e venti, entrai in sala da pranzo per confrontare il colore della frangia con quello della tenda e subito vidi sulla tavola il calamaio, la penna e una lettera. A dire la verità, mi colpì soprattutto una macchia d'inchiostro, sul tappeto della tavola. Pensai: "Ma guarda come ha da essere sciattona... ha macchiato il tappeto". Levai il calamaio, la penna e la lettera, presi il tappeto, andai in cucina e lì, fregando forte col limone, riuscii a togliere la macchia. Poi tornai in sala da pranzo, rimisi a posto il tappeto e, soltanto allora, mi ricordai della lettera. Era indirizzata a me: Alfredo. L'aprii e lessi: "Ho fatto le pulizie. Il pranzo te lo cucini da te, tanto ci sei abituato. Addio. Io torno da mamma. Agnese". Per un momento non capii nulla. Poi rilessi la lettera e alla fine intesi: Agnese se ne era andata, mi aveva lasciato dopo due anni di matrimonio. Per forza di abitudine, riposi la lettera nel cassetto della credenza deve metto le bollette e la corrispondenza e sedetti su una seggiolina, presso la finestra. Non sapevo che pensare, non ci ero preparato e quasi non ci credevo. Mentre stavo così riflettendo, lo sguardo mi cadde sul pavimento e vidi una piccola piuma bianca che doveva essersi staccata dal piumino quando Agnese aveva spolverato. Raccolsi la piuma, aprii la finestra e la gettai di fuori. Quindi presi il cappello e uscii di casa.

Pur camminando, secondo un mio vizio, un lastrone sì e uno no del marciapiede, cominciai a domandarmi che cosa avessi potuto farle, ad Agnese, perché avesse a lasciarmi con tanta cattiveria, quasi con l'intenzione dello sfregio. Per prima cosa, pensai, vediamo se Agnese può rimproverarmi qualche tradimento, sia pure minimo. Subito mi risposi: nessuno. Già non ho mai avuto molto trasporto per le donne, non le capisco e non mi capiscono; ma dal giorno che mi sono sposato, si può dire che cessarono di esistere per me. A tal punto che Agnese stessa mi stuzzicava ogni tanto domandandomi: "Che cosa faresti se ti innamorassi di un'altra donna?". E io rispondevo: "Non è possibile: amo te e questo sentimento durerà tutta la vita." Adesso, ripensandoci, mi pareva di ricordarmi che quel "tutta la vita" non l'aveva rallegrata, al contrario: aveva fatto la faccia lunga e si era azzittita. Passando a tutt'altro ordine di idee, volli esaminare se, per caso, Agnese mi avesse lasciato per via di quattrini e, insomma, del trattamento che le facevo. Ma anche questa volta, mi accorsi che avevo la coscienza tranquilla. Soldi, è vero, non gliene davo che in via eccezionale, ma che bisogno aveva lei dei soldi? Ero sempre là io, pronto a pagare. E il trattamento, via, non era cattivo: giudicate un po' voi. Il cinema due volte la settimana; al caffè due volte e non importava se prendeva il gelato o il semplice espresso; un paio di riviste illustrate al mese e il giornale tutti i giorni; d'inverno, magari, anche l'opera; d'estate la villeggiatura a Marino, in casa di mio padre. Questo per gli svaghi; venendo poi ai vestiti, ancora meno Agnese poteva lamentarsi. Quando le serviva qualche cosa, fosse un reggipetto o un paio di calze o un fazzoletto, io ero sempre pronto: andavo con lei per i negozi, sceglievo con lei l'articolo, pagavo senza fiatare. Lo stesso per le sarte e per le modiste; non c'è stata volta, quando lei mi diceva: "Ho bisogno di un cappello, ho bisogno di un vestito," che io non rispondessi: "Andiamo, ti accompagno." Del resto, bisogna riconoscere che Agnese non era esigente: dopo il primo anno cessò quasi del tutto di farsi dei vestiti. Anzi, ero io, adesso, a ricordarle che aveva bisogno di questo o quest'altro indumento. Ma lei mi rispondeva che ci aveva la roba dell'anno prima e che non importava; tanto che arrivai a pensare che, per quest'aspetto, fosse diversa dalle altre donne e non ci tenesse a vestirsi bene.

Dunque, affari di cuori e denari, no. Restava quello che gli avvocati chiamano incompatibilità di carattere. Ora mi domandai: che incompatibilità di carattere poteva esserci tra noi se in due anni una discussione, dico una sola, non c'era mai stata? Stavamo sempre insieme, se questa incompatibilità ci fosse stata, sarebbe venuta fuori. Ma Agnese non mi contraddiceva mai, anzi, si può dire, neppure parlava. Certe serate che passavamo al caffè o in casa, a malapena apriva bocca, parlavo sempre io. Non lo nego, mi piace parlare e sentirmi parlare, specie se sono con una persona con la quale sto in confidenza. Ho la voce calma, regolare, senza alti né bassi, ragionevole, fluida e, se affronto un argomento, lo sviscero da capo a fondo, in tutti i suoi aspetti. Gli argomenti, poi, che preferisco, sono quelli casalinghi: mi piace discorrere del prezzo della roba, della disposizione dei mobili, della cucina, del termosifone, insomma di ogni sciocchezza. A parlare di queste cose non mi stancherei mai; ci provo tanto gusto che spesso mi accorgo che ricomincio da capo, con gli stessi ragionamenti. Ma, siamo giusti, con una donna questi sono i discorsi che ci vogliono: altrimenti di che cosa si deve parlare? Agnese, del resto, mi ascoltava con attenzione, almeno così mi pareva. Una sola volta, mentre le spiegavo il funzionamento dello scaldabagno elettrico, mi accorsi che si era addormentata. Le domandai, svegliandola: "Ma che, ti annoiavi?" Lei rispose subito: "No, no, ero stanca, questa notte non ho dormito."

I mariti di solito hanno l'ufficio o il negozio o magari non hanno niente e se ne vanno a spasso con gli amici. Ma per me, il mio ufficio, il mio negozio, i miei amici erano Agnese. Non la lasciavo un momento sola, le stavo accanto perfino, forse stupirete, quando cucinava. Ho la passione della cucina e ogni giorno, prima dei pasti, mi infilavo un grembiule e aiutavo

Agnese in cucina. Facevo di tutto un po': pelavo le patate, capavo i fagiolini, preparavo il battuto, sorvegliavo le pentole. L'aiutavo tanto bene che lei, spesso, mi diceva: "Guarda, fa' tu... ci ho mal di testa... vado a buttarmi sul letto." E io allora cucinavo da solo; e con l'aiuto del libro di cucina, ero anche capace di provare dei piatti nuovi. Peccato che Agnese non fosse golosa; anzi negli ultimi tempi le era andato via l'appetito e sì e no toccava cibo. Una volta lei mi disse, così per scherzo: "Hai sbagliato a nascere uomo... tu sei una donna... anzi una massaia." Debbo riconoscere che in questa frase c'era qualcosa di vero: infatti, oltre a cucinare, mi piace anche lavare, stirare, cucire e, magari, nelle ore di ozio, rifare gli orli a giorno dei fazzoletti. Come ho detto non la lasciavo mai: neppure quando veniva a trovarla qualche amica o la madre; neppure quando le saltò in capo, non so perché, di prendere lezioni d'inglese: pur di starle accanto, mi adattai anch'io a imparare quella lingua così difficile. Le ero tanto attaccato che qualche volta mi sentivo perfino ridicolo: come quel giorno che non avendo inteso una frase che lei mi aveva detto a bassa voce, in un caffè, la seguii fino ai gabinetti e l'inserviente mi fermò avvertendomi che era il reparto signore e io non ci potevo entrare. Eh, un marito come me non è facile trovarlo. Spesso, lei mi diceva: "Debbo andare nel tal posto, vedere la tal persona che non ti interessa." Ma io le rispondevo: "Vengo anch'io... tanto non ci ho niente da fare." Lei, allora, mi rispondeva: "Per me, vieni pure, ma ti avverto che ti annoierai." E invece, no, non mi annoiavo e dopo glielo dicevo: "Hai visto: non mi sono annoiato." Insomma, eravamo inseparabili.

Pensando queste cose e sempre domandandomi invano perché Agnese mi avesse lasciato, ero giunto al negozio di mio padre. È un negozio di oggetti sacri, dalle parti di piazza della Minerva. Mio padre è un uomo ancora giovane: capelli neri, ricciuti, baffi neri e, sotto questi baffi, un sorriso che non ho mai capito. Forse per l'abitudine di trattare coi preti e le persone devote, è dolce dolce, calmo, sempre di buone maniere. Ma la mamma che lo conosce dice che lui i nervi ce li ha tutti dentro. Dunque, passai tra tutte quelle vetrine piene di pianete e di ciborii e andai dritto al retrobottega dove lui ha la scrivania. Al solito, faceva i conti, mordendosi i baffi e riflettendo. Gli dissi, trafelato: "Papà, Agnese mi ha lasciato."

Lui alzò gli occhi e mi parve che sotto i baffi sorridesse; ma forse fu un'impressione. Disse: "Mi rincresce, proprio mi rincresce... e come è stato?"

Gli raccontai come era andata la cosa. E conclusi: "Certo, mi dispiace... ma soprattutto vorrei sapere perché mi ha lasciato."

Lui domandò, perplesso: "Non lo capisci?"

"No."

Lui stette un momento zitto e poi disse con un sospiro: "Alfredo, mi rincresce ma non so che dirti... sei figlio mio, ti mantengo, ti voglio bene... ma alla moglie devi pensarci tu."

"Sì, ma perché mi ha lasciato?"

Lui tentennò la testa: "Al tuo posto non approfondirei... lascia stare... che t'importa di sapere i motivi?"

"M'importa molto... più di tutto."

In quel momento entrarono due preti; e mio padre si alzò e gli andò incontro dicendomi: "Torna più tardi... parleremo... adesso ci ho da fare." Capii che da lui non potevo aspettarmi altro, ed uscii.

La casa della madre di Agnese non era lontana, in corso Vittorio. Pensai che la sola persona che potesse spiegarmi il mistero della sua partenza fosse proprio Agnese; e ci andai. Salii di corsa le scale, mi feci introdurre in salotto. Ma invece di Agnese venne la madre, una donna che non potevo soffrire, mercantessa anche lei, coi capelli neri tinti, le guance fiorite, sorridente, sorniona, falsa. Era in vestaglia, con una rosa sul petto. Disse, vedendomi, con finta cordialità: "Oh, Alfredo, come mai da queste parti?"

Risposi: "Lo sapete il perché, mamma. Agnese mi ha lasciato."

Lei disse, calma: "Sì, è qui... figlio mio: che ci vuoi fare? sono cose che succedono."

"Come, mi rispondete in questo modo?"

Lei mi considerò un momento e poi domandò: "Ai tuoi glielo hai detto?"

"Sì, a mio padre."

"E lui che ha detto?"

Ma che cosa poteva importarle di sapere quel che avesse detto mio padre? Risposi malvolentieri: "Lo sapete com'è papà... lui dice che non debbo approfondire."

"Ha detto bene, figlio mio... non approfondire."

"Ma insomma," dissi riscaldandomi, "perché mi ha lasciato? che le ho fatto? perché non me lo dite?"

Mentre parlavo, tutto arrabbiato, l'occhio mi cadde sopra il tavolo. Era ricoperto da un tappeto e sul tappeto c'era un centrino bianco ricamato e sul centrino un vaso pieno di garofani rossi. Ma il centrino era fuori posto. Meccanicamente, senza neppure sapere quel che facessi, mentre lei mi guardava sorridendo e non mi rispondeva, sollevai il vaso e rimisi il centrino a posto. Lei disse, allora: "Bravo... ora il centrino è proprio nel mezzo... io non me ne ero mai accorta, ma tu l'hai visto subito... bravo... e adesso è meglio che te ne vai, figlio mio."

Si era alzata, intanto, e mi alzai anch'io. Avrei voluto domandare se potevo vedere Agnese, ma capii che era inutile; e poi temevo, se l'avessi vista, di perdere la testa, e fare o dire qualche sciocchezza. Così me ne andai e da quel giorno non ho più rivisto mia moglie. Forse un giorno lei tornerà, considerando che di mariti come me non se ne trovano tutti i giorni. Ma la soglia di casa mia non la passa se prima non mi spiega perché mi ha lasciato.

LA BELLA SERATA

In quanti eravamo? Eravamo in sei, due donne: Adele, la moglie di Amilcare e Gemma, la nipote loro di Terni, in gita a Roma; e quattro uomini; Amilcare, Remo, Sirio ed io. Intanto il primo errore fu di far venire Sirio che per via dell'ulcera allo stomaco è irascibile e prende fuoco per ogni nonnulla. Il secondo fu di dar retta ad Amilcare nella scelta della trattoria: siccome aveva da pagare per tre e non voleva spendere, insistette, all'appuntamento in piazza Indipendenza, perché andassimo in un'osteria che conosceva lui, lì vicino: l'oste era amico suo, si mangiava bene, ci avrebbe fatto prezzi speciali. Dovevamo pensarci prima: che può esserci di buono in quei quartieracci intorno alla stazione? Sono parti di Roma dove non capitano che forestieri di passaggio o coscritti delle caserme del Macao. Dunque, ci avviammo per quelle strade dritte, tra quei casamenti grigi, in un freddo proprio di gennaio, secco e tagliente. Amilcare, che è un mangione, badava a ripetere: "Aho, giovanotti, voglio farmi una mangiata numero uno... questa volta voglio mangiare e bere senza pensare al fegato, ai reni, allo stomaco e alle altre budelle... te lo dico prima Adele, perché tu non cominci con la solita lagna." "Per me — disse Adele, una donna secca e triste quanto lui era grasso e allegro — fai pure... se ne riparla domani." Remo intanto scherzava con Gemma, una bella ragazza bruna, e Sirio ed io commentavamo le ultime del calcio. Percorremmo così parecchie di quelle strade smorte coi nomi delle patrie battaglie: Castelfidardo, Calatafimi, Palestro, Marsala, e finalmente, a due lumi a palla, con l'insegna "Trattoria Africa", ci infilammo dentro.

L'osteria, subito ce ne accorgemmo, non era un gran che.

C'era un primo stanzone coi tavoli di marmo per berci il mezzo litro e poi c'era un secondo stanzone diviso in due parti da un tramezzo: da una parte la cucina, dall'altra la trattoria vera e propria con cinque o sei tavoli con le tovaglie. Per il resto il solito squallore dei locali intorno alla stazione: segatura in terra, intonaco scrostato alle pareti, seggiole sgangherate, tavoli idem, tovaglie rammendate, bucate e per giunta sporche. Ma quello che ci colpì soprattutto fu il freddo: intenso, umido, di grotta. Tanto che Sirio entrando esclamò: "Aho, altro che Africa!... qui c'è il caso di beccarsi una polmonite." Faceva effettivamente un gran freddo: nell'osteria i bevitori stavano ai tavoli con il cappello, il cappotto e il bavero rialzato; a respirare, si vedeva nell'aria la nuvoletta, come se fossimo stati per strada. Sedemmo ad uno di quei tavoli, e subito venne l'oste, un omaccione con la faccia tetra, quadrata e gli occhi pesti e malcontenti. Amilcare, tutto allegro, gli domandò: "Sor Giovanni, si ricorda di me?" Ma l'altro, senza sorridere: "Mi chiamo Serafino e non Giovanni... per dir la verità non la ricordo." Amilcare ci rimase male e cominciò a tempestarlo di domande; quello aggrottava la fronte, incerto, e finalmente esclamò: "Ma sì... lei venne qua a Capodanno, a mangiare lo zampone con le lenticchie." Amilcare rispose che il Capodanno l'aveva passato a casa; e, insomma, non si riconobbero. Poi l'oste cavò dalla giubba bianca che era tutta una frittella, la lista dei piatti domandando: "Che mangiano i signori?"; e la discussione dei ricordi finì.

Prendemmo la lista e subito vedemmo che c'era poco da ridere: pasta asciutta, abbacchio o pollo, formaggio e frutta. Amilcare per non far cattiva figura insistette con l'oste: "Ma ci avete la vostra specialità... gli spaghetti all'amatriciana." L'oste disse che ci aveva infatti gli spaghetti all'amatriciana e ordinammo tutti antipasto, spaghetti, chi pollo chi arrosto e chi abbacchio al forno. Per il dolce si disse che ci avremmo pensato. Ma Sirio protestò che voleva la minestrina e l'oste gli assicurò che ci aveva il brodo di pollo. Quindi domandò come volevamo il vino: se bianco o rosso, se asciutto o sulla vena. Decidemmo per il frascati asciutto e l'oste portò i litri, i bicchieri, il pane, le posate involtati nei tovaglioli e se ne andò in cucina. Amilcare, rinfrancato, domandò: "Che ve ne pare... non si sta bene?" Ci guardammo in faccia e finalmente, interpretando il sentimento comune, Sirio rispose: "Per star bene, vedremo...

per ora mi pare di star in una latrina pubblica." Questa risposta non piacque ad Amilcare che impegnò una discussione agretta: tu sei un guastafeste; e tu vuoi risparmiare; tu ci hai l'ulcera e in trattoria non dovresti andarci; e tu vuoi mangiare ma non vuoi spendere; e così via. Intanto il tempo passava e noi, come sempre avviene nei locali non attrezzati, ci abbottavamo di vino e di pane discutendo del più e del meno.

Faceva veramente freddo, avevamo tutti i piedi gelati e il sedere intirizzito; il vino, poi, forse perché era annacquato, come disse Sirio, più se ne beveva e meno ci riscaldava. Amilcare finalmente si inquietò e andò in cucina tornando poco dopo, soddisfatto, ad annunziare che presto avremmo mangiato. Arrivò, infatti, l'oste e distribuì gli antipasti, tutti guardammo nei piatti: miseria. Due carciofini, una fetta di prosciutto, una sardina. Sirio disse ad Amilcare: "Mi sa che stasera la mangiata non la fai." Cominciammo a mangiare ma tutti dissero che il prosciutto era salato arrabbiato, da non mangiarsi. "Prosciutto africano," disse Sirio che pareva fare apposta a canzonare Amilcare. Insomma l'antipasto rimase sui piatti; per fortuna, di rincalzo, arrivarono gli spaghetti. Fumavano, perché l'aria era fredda gelata; ma sotto il dente si rivelarono tiepidi. Sirio, come fa lui, intanto smuoveva la minestrina con il cucchiaio, come se avesse voluto trovarci le perle. Chiamò, poi, l'oste, e con serietà gli domandò: "Lei è un cacciatore?" L'oste rispose che non capiva e Sirio: "Perché in questo brodo ci avete certo sparato una fucilata." "Sarebbe a dire?" "Sarebbe a dire che il brodo sa di fumo." L'oste protestò, brutto: "Ma che fumo... di fumo il mio brodo?... il fumo ce l'ha lei nella testa." E Sirio, impallidendo e alzando la voce: "Ho detto che sa di fumo e lei deve crederlo." Brontolando, l'oste andò in cucina e riportò addirittura la pentola per farci vedere le carni con cui aveva fatto il brodo. Mentre mostrava in giro la pentola, un grido: "Ah, c'è il bacherozzo." Ci voltammo, era Gemma, la nipote di Amilcare, che indicava qualcosa di nero tra gli spaghetti. L'oste disse: "Macché bacherozzo... sarà un pezzo di guanciale che è un po' bruciato." Ma Gemma insistette: "E io le dico che è un bacherozzo... guardi... con tutte le zampe." L'oste andò a guardare e, infatti, era proprio un bacherozzo. Disse, però, prendendolo su con una forchetta: "Si sa, può essere caduto dal camino... sono cose che succedono;" e senza aggiungere altro se ne tornò in cucina con la sua pentola e il suo bacherozzo.

Ci guardammo in faccia stupiti. "Io ho fame e mangio," disse finalmente Amilcare prendendo la forchetta. Lo imitammo, sebbene con ripugnanza. Soltanto Gemma disse che gli faceva schifo e non toccò il piatto.

Faceva più freddo che mai, e dopo gli spaghetti, andammo tutti a riprenderci i cappotti e così sedemmo a tavola incappottati. Tornò l'oste e distribuì rapidamente le porzioni di pollo e di abbacchio. Il pollo era secco, un pollo da rosticceria di quarto ordine; l'abbacchio era tutto costole, pelle e grasso, per giunta riscaldato dalla mattina. Amilcare inforcò l'abbacchio sollevandolo per aria e poi gridò inviperito: "Ma questo non si può mangiare... oste, oste." Ecco di nuovo l'oste, con la sua facciona scura, e Amilcare gli disse: "Ma lei mi vuol dire perché fa l'oste?" "E che dovrei fare?" "Qualsiasi altro mestiere: il tranviere, lo scopino, il beccamorto, ma non l'oste." Insomma, nacque un battibecco, ma svogliato, perché l'oste, nella sua tetraggine, non era neppure permaloso. Poi dalla cucina si affacciò il cuoco con il suo berrettone e chiamò il padrone e questi ci lasciò. Amilcare gridò al cuoco: "Cuoco... ci hai avvelenati." Ma il cuoco non rispose e noi riprendemmo a combattere con le coste dell'abbacchio e con le ossa del pollo.

Eravamo tutti di cattivo umore, infreddoliti peggio che se fossimo stati all'aperto, con lo stomaco pieno di robaccia malcucinata e peggio digerita. Amilcare, che ormai si rendeva conto del suo errore, volle raddrizzare la situazione e ordinò due bottiglie di vino rosso da bere con il panettone. Furono queste le sole cose buone della serata e l'oste non ne ebbe merito, perché le bottiglie erano sigillate e il panettone veniva da Milano. Bevemmo il vino che era barbera, mangiammo il panettone e un poco ci scaldammo. Intanto l'osteria si era vuotata e non era rimasto che un gruppo di giovanotti ad un tavolo accanto al nostro: giocavano a carte e, dopo un poco, a loro si unirono l'oste e il cuoco. Remo, che tutta la sera non aveva cessato di scherzare con Gemma, ringagliardito dal vino, propose allora di cantare. Faceva sempre così, alla frutta si offriva sempre di cantare e non dico che non cantasse bene, ma le canzoni erano sempre le stesse e noi le conoscevamo tutte. Ma lui quella sera voleva cantare per Gemma che era nuova e noi, comprendendo l'intenzione, gli dicemmo che cantasse pure. Per capire, però, che cosa volesse dire per lui cantare, bisogna che io lo descriva: Remo è piccoletto, con la faccia bruna e accesa, la fronte bassa tutta riccioletti neri, gli occhi strizzati e iniettati di sangue. Con questa complessione un po' brutale, Remo tuttavia, quando canta, non è mai volgare, semmai è troppo sdolcinato. Prende la mano alla ragazza, si sporge verso di lei, socchiudendo gli occhi e facendo la bocca piccola, e canta in sordina con voce appassionata, scivolosa, insinuante. Le sue canzoni, poi, hanno tutte le rime in "ore": dolore, cuore, amore; oppure in "one": passione, perdizione, devozione. Basta, quella sera, come il solito, acchiappò la manuccia a Gemma e cominciò a cantarle col viso accosto al viso, mentre noi tacevamo imbarazzati, guardandolo. Gemma sorrideva, e lui incoraggiato da quel sorriso, dopo la prima canzone attaccò la seconda. Intanto, al tavolo accanto si erano azzittiti e ci guardavano; poi incominciarono a ridere tra di loro; e poi uno si mise a cantare rifacendo il verso a Remo e un altro, abbassandosi sotto la tovaglia, imitò il miagolio del gatto. Remo forse non se ne accorse o non volle accorgersene. Ma alla terza canzone, poiché quelli insistevano coi miagolii e le risate, si interruppe dicendo con dignità: "Basta, sarà meglio che smetta..."

Ma Sirio, che non c'entrava, saltò su improvvisamente: "Canta... non ti occupare di certa gente ignorante e maleducata... canta."

Subito, come ad un segnale, un biondino ricciuto, basso, con una maglia rossa che gli arrivava fino alle orecchie, si alzò e affrontò Sirio, domandando: "E chi sarebbe la gente ignorante e maleducata?"

Sirio è un tipo bilioso e non ha paura di nessuno. Rispose "Voialtri."

"Ah sì?... e perché? Siamo all'osteria... è un locale pubblico; facciamo quel che ci pare e piace."

"E anche noi facciamo quel che ci pare e piace... e appunto diciamo che voialtri di quel tavolo siete ignoranti e maleducati."

Intanto l'oste, il cuoco e altri due si erano alzati e s'erano avvicinati anche loro. Al nostro tavolo invece, eravamo tutti restati a sedere. Il biondino disse: "Ma tu chi sei? Che vuoi? Si può sapere che vuoi?" alzando al tempo stesso la mano come per afferrare Sirio alla cravatta.

"Leva mano, leva," gli rispose Sirio, in piedi anche lui, naso a naso, buttandogli giù la mano con una botta. Il biondino allora l'afferrò davvero per i baveri della giubba, piegandolo indietro. Le due donne cacciarono uno strillo; Remo gridò: "Ma andiamocene, che ce ne importa?" Fu un attimo. Poi in maniera imprevista, Amilcare saltò in piedi, acchiappò il biondino per la maglia, al petto, e rovinò con lui, giù giù, fino in fondo allo stanzone, menando colpi all'impazzata. Sbattuto contro la ghiacciaia, il biondino si riparava con un braccio mentre Amilcare gli stava sopra, con tutto il corpo, pestandolo. Ma, ad un tratto, vedemmo le spalle larghe di Amilcare rovesciarsi indietro e poi lo vedemmo crollare giù come un masso, supino. Il biondino, da pugilista, gli aveva tirato un colpo secco al mento, e adesso Amilcare stava disteso in terra, sopra la segatura.

Finì come doveva finire: con le guardie che prendevano i nomi; con le due donne che si lagnavano; con Amilcare che si reggeva il mento con la mano e ripeteva che lui non avrebbe cacciato un soldo; con Sirio, Remo e io che pagavamo il conto; con l'oste che ci gridava dalla cucina: "Ma che ci andate a fare nelle trattorie? Perché non restate a casa?" Come uscimmo, poi, una finestra si aprì, e qualcuno lanciò nella strada un cartoccio di rifiuti che colpì in testa Amilcare. "Oh, scusate," gridò una vocetta, "era per i gatti." Di gatti, infatti, ce n'era una quantità, accoccolati sulla strada, che aspettavano che ce ne andassimo per accostarsi al cartoccio. Ma Amilcare che aveva perduto la testa, convinto, chissà perché, d'essere stato bersagliato dall'oste, voleva tornare indietro; e dovemmo portarlo via, si può dire, di peso, mentre inveiva e si ripuliva il cappello delle lische di pesce. Insomma, quello che si chiama una bella serata.

SCHERZI DEL CALDO

Con l'estate, forse perché sono ancor giovane e non mi sono ancora adattato al fatto d'esser marito e padre di famiglia, mi viene sempre la voglia di fuggire. D'estate, nelle case dei ricchi, si chiudono le finestre alla mattina e l'aria fresca della notte rimane nelle stanze ampie e oscure, dove, nella penombra, brillano specchi, pavimenti di marmo, mobili lucidati a cera. Tutto è a posto, tutto è pulito, riposante, buio. Se poi hai sete, ti portano su un vassoio una bella bibita gelata, un'aranciata, una limonata, dentro un bicchiere di cristallo in cui i blocchetti di ghiaccio, a rimescolarli, fanno un rumore allegro che da solo ti rinfresca. Ma nelle case dei poveri le cose vanno diversamente. Col primo giorno di caldo, l'afa entra nelle tue stanzette affogate e non se ne va più via. Vuoi bere ma dal rubinetto, in cucina, viene giù un'acqua calda che pare brodo. In casa non ti puoi più muovere: sembra che ogni cosa, mobili, vestiti, utensili, si sia gonfiata e ti caschi addosso. Tutti stanno in maniche di camicia, ma le camicie sono sudate e puzzano. Se chiudi le finestre, soffochi perché l'aria della notte non ce l'ha fatta ad entrare in quelle due o tre stanze dove dormono sei persone; se le apri, il sole t'inonda e ti pare d'essere in strada e tutto sa di metallo bollente, di sudore e di polvere. Col caldo, anche i caratteri si scaldano, voglio dire diventano litigiosi: ma il ricco, se gli gira, prende e se ne va in fondo all'appartamento, tre stanze più in là; i poveri, invece, rimangono davanti ai piatti unti e ai bicchieri sporchi, naso a naso; oppure debbono andar via di casa.

Uno di quei giorni, dopo aver fatto una buona litigata con tutta la famiglia e cioè con mia moglie perché la minestra era salata e bollente, con mio cognato perché prendeva le parti di mia moglie e secondo me non ne aveva il diritto essendo disoccupato e a mio carico, con mia cognata perché mi difendeva e questo mi dava fastidio perché sapevo che lo faceva per civetteria essendo innamorata di me, con mia madre perché cercava di calmarmi, con mio padre perché protestava che voleva mangiare in pace, e perfino con la bambina, perché era scoppiata in pianto, tutto ad un tratto mi alzai, presi la giubba dalla seggiola, dissi con semplicità: "Sapete che nuova c'è? Mi avete seccato tutti, arrivederci a ottobre, col fresco," e uscii di casa. Mia moglie, poveretta, mi rincorse e, affacciandosi alla ringhiera della scala, mi gridò che c'era l'insalata di cetrioli che mi piace tanto. Gli risposi di mangiarsela lei e discesi in strada.

Abitiamo sulla via Ostiense. L'attraversai e, macchinalmente, me ne andai al ponte di ferro, dove c'è il porto fluviale di Roma. Erano le due, l'ora più calda della giornata, con un cielo di scirocco, livido, che pareva un occhio che avesse preso un pugno. Giunto al ponte, mi appoggiai alla spalletta di ferro imbullonato: scottava. Il Tevere, incassato tra le banchine, in fondo ai muraglioni a sghembo, pareva, anche per il colore fangoso, una fogna allo scoperto. Il gasometro che sembra uno scheletro rimasto da un incendio, gli altiforni delle officine del gas, le torri dei silos, le tubature dei serbatoi di petrolio, i tetti aguzzi della centrale termoelettrica chiudevano l'orizzonte così da far pensare di non essere a Roma ma in qualche città industriale del Nord. Stetti un pezzo a guardare il Tevere, giallo e piccolo, con una chiatta piena di sacchi di cemento ferma presso la banchina, e mi venne da ridere pensando che quel rigagnolo si chiamava porto come i porti di Genova e di Napoli affollati di navi di tutte le grandezze. Se volevo fuggire davvero, sì e no da quel porto avrei potuto arrivare a Fiumicino, giusto per mangiare la frittura di pesce in vista al mare. Finalmente mi mossi, varcai il ponte, mi diressi verso certi terreni che si trovano dall'altra parte del Tevere. Sebbene abitassi lì vicino, non ci ero mai stato e non sapevo dove andavo. Dapprima camminai per una strada asfaltata, regolare, benché tra campi brulli sparsi di mondezze; poi la strada diventò un viottolo terroso e le mondezze diventarono mucchi alti, quasi collinette. Pensai che ero capitato proprio nel luogo dove vanno a scaricare tutte le mondezze di Roma: non si vedeva un filo d'erba, ma soltanto cartacce, scatolame rugginoso, torsoli, detriti, in una luce che accecava, con un puzzo acido di roba andata a male. Mi sentivo sperduto, come chi non abbia più voglia di andare avanti e d'altra parte non vorrebbe tornare indietro. Ad un tratto, sentii chiamare "pss... pss...," come si fa coi cani.

Mi voltai per vedere dove fosse il cane. Ma cani non ce n'erano, sebbene, con tutte quelle mondezze sbriciolate, quello fosse proprio un luogo da cani randagi; così pensai che chiamassero me e guardai dalla parte donde veniva il richiamo. Vidi allora, a ridosso dei mucchi di mondezza, una baracchetta che non avevo osservato, minuscola, sbilenca, con il tetto di lamiera ondulata. Una bambina bionda, di forse otto anni, stava sulla porta e mi faceva cenno di entrare. La guardai: aveva il viso bianco e sudicio con gli occhi segnati sotto di viola, come una donna. I capelli pieni di festuche, di lanugini e di polvere le facevano una testa gonfia e irta come un nibbio. Il suo vestito era semplice: un sacco di canapa con quattro buchi, due per le braccia e due per le gambe. Mi domandò, appena mi voltai: "Che sei dottore?"

"No," risposi "Perché? Hai bisogno di un dottore?"

"Perché se sei dottore," proseguì, "vieni dentro: mamma sta male."

Non volli insistere a dimostrargli che non ero dottore ed entrai nella baracca. Dapprima mi sembrò di essere entrato in un negozio di rigattiere, a Campo di Fiori. Tutto pendeva dal soffitto: vestiti, calze, scarpe, utensili, stoviglie, stracci. Poi capii che era la roba loro, appesa a chiodi in mancanza di mobili. Mentre chinando la testa sotto tutti quei pendagli, mi giravo di qua e di là, cercando la madre, la bambina mi indicò, con gesto quasi furtivo, un mucchio di cenci in un angolo. Guardai meglio e mi accorsi che quel mucchio di cenci mi fissava con un occhio scintillante, l'altro era ricoperto da una ciocca di capelli grigi. Mi colpì il suo aspetto: pareva una vecchia, tuttavia si capiva che era giovane. Vedendomi, disse subito: "Chi non more, si rivede."

La bambina scoppiò a ridere, come all'inizio di uno spettacolo divertente, e si accovacciò in terra giocando con certe scatolette aperte di conserva. Io dissi: "Io veramente non ti conosco... che hai?... Questa bambina è figlia tua?"

E lei: "Sicuro... e anche tua."

La bambina rise di nuovo, tra sé e sé, a testa china. Credetti a uno scherzo e risposi: "Sarà magari figlia mia, ma anche di qualcun altro."

"No" fece quella levandosi a metà da terra e puntandomi contro un dito, "è proprio figlia tua e soltanto tua... scioperato, scansafatiche, poltrone, impunito che non sei altro."

La bambina a queste ingiurie si mise a ridere di gusto: come se se le fosse aspettate. Dissi, offeso: "Guarda come parli... ti ho già detto che non ti conosco."

"Non mi conosci, eh... non mi conosci ma sei tornato... se non mi conoscevi, come hai fatto a trovarla la strada di casa?"

"Poltrone, impunito," si mise a cantare sottovoce la bambina. Adesso sudavo, un po' per il caldo soffocante un po' per l'angoscia. Dissi: "Passavo, per caso..."

"Ah, sì, poveretto..." Si voltò verso la bambina e le ingiunse: "Dammi la borsa." La bambina, svelta, staccò dal soffitto una borsetta di velluto nero tutta sporca e rotta, e gliela diede. La madre l'aprì, ne trasse un foglio e disse: "Ecco il documento del matrimonio...: Proietti Elvira sposa Rapelli Ernesto... negherai ancora, Rapelli Ernesto?"

Mi colpì il fatto che anch'io mi chiamo Ernesto. Dissi un po' turbato: "Ma io non sono Rapelli."

"Ah no?" La bambina canticchiava "Ernesto, Ernesto;" e lei si levò in piedi. Avevo indovinato bene: con tutto che avesse i capelli grigi e le grinze e fosse senza denti, si vedeva che non aveva più di trent'anni. "Ah no, non sei Rapelli?" Le mani sui fianchi mi venne sotto, mi guardò e poi gridò: "Tu sei Rapelli... davanti a Dio e agli uomini, tu sei Rapelli."

"Ho capito" dissi; "vedo che non stai bene... se non ti dispiace me ne vado."

"Piano, un momento... non così presto." Intanto la bambina, al colmo della gioia, ci ballava intorno. Lei riprese, sarcastica: "Ernesto, il grande Ernesto... che pianta la moglie e scappa di casa e non si fa più vivo per un anno... ma lo sai di che abbiamo campato, io e questa creatura, in quest'anno che sei stato via?"

"Non lo so," dissi brusco, "e non voglio saperlo... lasciami andare."

"Diglielo tu," gridò lei alla bambina, "diglielo tu di che abbiamo campato, diglielo a tuo padre."

"Di carità" disse la bambina tutta giuliva, con una voce cantante, venendomi sotto a sua volta.

Confesso la verità, incominciavo a sentirmi turbato davvero. Tutte quelle coincidenze: il nome di Ernesto, il fatto che anch'io fossi andato via di casa, l'altro fatto che avessi anch'io moglie e una figlia, mi davano come un senso di non essere più io e al tempo stesso di esserlo ma in un modo diverso dal solito. Lei, intanto, vedendomi incerto, mi urlava sotto il naso: "Ma lo sai che c'è per chi abbandona il tetto coniugale? La galera... hai capito delinquente? la galera."

Questa volta ebbi paura e, senza parlare, mi voltai verso la porta per andarmene. Ma qualcuno ci guardava, dalla soglia: una donnetta segaligna, povera, però vestita pulitamente. Disse, vedendomi sperduto: "Non darle retta... ha la fissazione che tutti gli uomini siano suo marito... e quella maligna di sua figlia, attira apposta i passanti in casa per il divertimento di sentirla urlare e dare in smanie... aspetta che ti prendo, sai, brutta strega." Fece un gesto come per dare uno schiaffo alla bambina, ma questa, svelta, l'evitò e cominciò a ballarmi intorno ripetendo, allegra: "Ci hai creduto, di' la verità, ci hai creduto... e hai avuto paura, hai avuto paura... hai avuto paura."

"Elvira, questo non è tuo marito" disse la donna tranquillamente. Subito, come convinta, Elvira tornò ad accovacciarsi in un angolo. La donna, senza più occuparsi di me, andò in fondo alla baracca e prese a rimestare in un fornello. "Sono io che gli faccio da mangiare" mi spiegò, "è vero, càmpano di carità, ma il marito non è andato via, è morto..."

Ne avevo abbastanza. Tolsi dal portafogli cento lire e le diedi alla bambina che le prese senza ringraziare. Poi uscii e rifeci il cammino percorso: dal viottolo alla strada asfaltata e poi, attraverso il ponte, fino alla via Ostiense. A casa, in paragone al caldo che c'era nella baracca, mi parve di entrare in una grotta. E sebbene i pochi mobili nostri fossero roba modesta, erano sempre meglio dei chiodi a cui quelle due disgraziate appendevano i loro stracci. In cucina avevano già sparecchiato; ma mia moglie mi tirò fuori l'insalata di cetrioli che mi aveva messo da parte e io me la mangiai col pane, guardando a lei che lavava i piatti e le posate, ritta davanti all'acquaio. Poi mi alzai, le diedi a tradimento un bacio sul collo, e così facemmo pace.

Qualche giorno più tardi raccontai a mia moglie la storia della baracca e poi decisi di tornarci per vedere se si poteva fare qualche cosa per la bambina. Ormai non avevo più paura di essere scambiato per Ernesto Rapelli. Ma lo credereste? Non trovai né la baracca, né la donna, né la bambina, né quell'altra donna segaligna che faceva loro da mangiare. Girai un'ora, nel sole che accecava, tra i mucchi di mondezza, e poi tornai a casa, sconfitto. Da allora, penso che non ho saputo trovare la strada. Mia moglie, invece, dice che quella storia me la sono inventata io, per il rimorso di aver pensato di abbandonarla.

LA CONTROFIGURA

Dopo un anno che facevamo l'amore, Agata ed io, mi accorsi che, pian piano, lei si raffreddava e diradava gli incontri. Fu proprio come un fuoco che si spegne: da prima non ve ne accorgete, poi, improvvisamente, non c'è più che cenere e tizzi neri e vi sentite gelati. In principio furono cose leggere: mezze parole, silenzi, sguardi. Poi le scuse: raffreddori, impegni, la madre da aiutare nelle faccende di casa, la scuola di dattilografia. Finalmente l'impuntualità e la fretta: arrivare agli appuntamenti magari con un'ora di ritardo e andarsene con un pretesto dopo un quarto d'ora. Intanto mi parlava in tono impaziente come se le cose che dicevo fossero sempre di troppo; e qualche volta mi sembrò perfino che al contatto della mano a allo sfioramento delle labbra, si tirasse indietro. Ora, siccome ci soffrivo, e, d'altra parte, mi accorgevo che, sebbene lei mi trattasse ormai malissimo, io ero sempre innamorato allo stesso modo, e quel piacere che prima provavo a sentirle dire "Ti voglio tanto bene," adesso lo avevo identico se appena pronunziava a labbra strette: "Addio, Gino"; una volta, incontrandoci a piazzale Flaminio, mi decisi e le dissi bruscamente: "Parliamoci chiaro: tu, per me, non senti più nulla." Ci credereste? si mise a ridere e rispose: "Aho, ma sei duro... volevo vedere quanto ci avresti messo... l'hai capito finalmente." Restai a bocca aperta, senza fiato; poi feci un giro su me stesso, come un fantoccio, e mi allontanai. Ma, fatti pochi passi, mi voltai: speravo che mi richiamasse. Era salita, invece, sulla pedana della fermata del tram e lì aspettava, calma, serena. Me ne andai.

Adesso, vedendo le cose a distanza, posso anche riderci sopra; ma allora ero innamorato e l'amore mi faceva travedere.

Passai dei brutti giorni: sentivo che l'amavo e avrei voluto non amarla più; e per non amarla più cercavo di ricordarmi soprattutto i suoi difetti. Mi dicevo: "Ha le gambe storte e cammina male... ha le mani brutte... rispetto al corpo, ha la testa troppo grossa... di passabile non ha che gli occhi e la bocca: ma è pallida, anzi gialla di carnagione, coi capelli crespi e opachi e il naso in forma di manico di bricco, all'insù e largo alla base." Fatica sprecata: mentre pensavo queste cose, mi accorgevo che quelle gambe, quelle mani, quei capelli, quel naso mi piacevano e che, forse forse, mi piacevano appunto perché erano brutti. Allora pensavo: "È bugiarda, ignorante e con un cervello di canarino, vanitosa, interessata, civetta." E subito dopo scoprivo che questi suoi difetti li avevo nel sangue e mi eccitavano la fantasia. Insomma, quando tutto era stato detto, mi rendevo conto che non avevo cessato di amarla.

Decisi di non farmi vivo per un mese almeno, pensando, a torto, che, non vedendomi più, mi avrebbe cercato. Ma non ebbi la forza di tener parola e, dopo una settimana, una mattina presto, entrai in un bar di piazzale Flaminio e le telefonai. Fu lei a rispondere e, prim'ancora che aprissi bocca, mi fissò lì per lì un appuntamento, quella mattina stessa. Uscii dal bar, attraversai il piazzale, andai dal fioraio sotto le mura e comperai un mazzo di violette. Erano le nove, l'appuntamento era per le dieci. Col mio mazzo di violette in mano, presi a camminare in su e in giù sulla pedana, fingendo di aspettare la circolare. Il tram veniva, la gente saliva, poi il tram ripartiva e io restavo a terra. Poco dopo la pedana si affollava di nuovo e io fingevo di nuovo di aspettare il tram, tra gente nuova che non sapeva che non aspettavo il tram bensì Agata. Attesi così quell'ora che dovevo attendere, e poi attesi ancora dieci minuti che non dovevo attendere, e allora fu sicuro che non sarebbe più venuta. Dieci minuti di ritardo non erano molti, specie trattandosi di una donna: ma io sapevo di certo che non sarebbe venuta, come si sa di certo, in certi giorni sereni, che scoppierà un temporale: era per l'aria. Non sarebbe venuta e infatti non venne. Per esserne del tutto sicuro, aspettai ancora mezz'ora e poi ancora un quarto d'ora, e poi cinque minuti e poi contai fino a sessanta e poi aspettai altri cinque minuti per fare un'ora oltre quella fissata. Finalmente, andai alla fontana sotto le mura e gettai il mazzo delle violette nell'acqua sporca. Il fioraio aspettò che mi fossi allontanato e ripescò il mazzo.

Si sa come vanno queste faccende: si comincia col perdere piede; dopo la prima sciocchezza se ne fa un'altra e poi un'altra ancora; e poi non se ne azzecca più una e si sbagliano tutte. Quel pomeriggio stesso mi venne il dubbio che Agata non avesse capito il luogo dell'appuntamento e le telefonai. Buono buono, le domandai: "Agata, perché non sei venuta? Forse non mi ero spiegato bene." Lei rispose subito: "Ti eri spiegato benissimo." "E allora perché non sei venuta?" "Perché non ne avevo voglia." Anche questa volta rimasi senza parola: riattaccai pian piano il ricevitore e me ne andai.

Un altro si sarebbe dato per vinto. Ma io l'amavo e desideravo tanto esserne amato che persino se mi avesse dato una coltellata avrei potuto pensare che non era la coltellata definitiva o addirittura che me l'aveva data per amore e non per odio. L'amore certo non mi faceva vedere quel che non c'era; ma mi faceva sperare che tra le tante specie di amori ci fosse anche questo: di una donna che non viene agli appuntamenti, che risponde male, che disprezza e se ne infischia. Così, il giorno dopo, a punto di orologio, le telefonai di nuovo. Questa volta mi mandò la sorellina a dirmi che non c'era; ma il telefono, come sapevo, era nella sala da pranzo e udii benissimo la voce di lei che dava l'imbeccata alla bambina. Allora persi del tutto la testa e incominciai a telefonarle a tutte l'ore: durante i pasti, la mattina presto, la sera tardi: non c'era mai. Adesso, al momento di entrare nella cabina telefonica mi veniva quasi la nausea: però formavo lo stesso quel maledetto numero. A forza di telefonate e di attese tra una telefonata e l'altra, la mia vita era diventata un pasticcio, una poltiglia senza capo né coda: io lo sentivo, ma non potevo farci niente e continuavo ad impantanarmi sempre più. Da ultimo, disperato, pensai di appostarmi, presto, la mattina, davanti a casa sua. Aspettai un paio d'ore, vergognandomi, perché non c'erano pedane di tram, poi lei apparve sotto il portone, mi vide e tornò indietro. Passarono ancora due ore: mi insospettii, feci una perlustrazione e scoprii che il palazzo aveva due ingressi. Rinunziai agli appostamenti.

Ero così disperato che anche il fatto di trovar lavoro dopo mesi di disoccupazione, non mi recò alcun sollievo. Sono nato per fare l'attore, su questo tutti sono d'accordo; ma un difetto di pronunzia che mi fa mangiare le parole e mi spinge la saliva tra le labbra, mi impedirà di far mai altro che la comparsa.

Questa volta però non ero neppure comparsa: ero controfigura. In un filmettino stupido, da quattro soldi, dovevo prendere il posto dell'attor giovane nei momenti in cui voltava le spalle. L'attore che dovevo sostituire era in tutto e per tutto simile a me: stessa statura, stessi capelli, stesse spalle, stesso modo di camminare. A lui, però, le parole non si bagnavano di saliva e così lui, in quel film, prendeva un milione e io poche migliaia. Controfigura, insomma; come dire uomo di paglia, pupazzo, sosia di occasione.

Stando in teatro a rodermi e ad annoiarmi, il più del tempo senza far nulla, in un angolo buio fuori della luce dei riflettori, mi venne fatto di pensare ad un trucco per rivedere Agata. Sapevo che anche lei, come tutti, tirava al cinema, sperando, chissà perché, un giorno, di diventare attrice. Soltanto, lei, neppure la comparsa le facevano fare: secondo me era negata. Così, pensai che se fossi riuscito a gettarle l'amo del cinema, avrebbe abboccato senza fallo. Il regista era un tipo brusco, che tirava soltanto ai soldi e non faceva piaceri a nessuno. Ma l'aiuto-regista, che conoscevo da un pezzo, era un giovanotto simpatico, della mia età. Lo presi a parte al ristorante del teatro e gli chiesi il favore. Si mise a ridere e poi mi batté la mano sulla spalla e disse che me lo avrebbe fatto.

Agata, naturalmente, aveva mandato ai produttori di quel film fotografie in pose diverse, indirizzo, numero del telefono. Il giorno fissato, di buon mattino, l'aiuto regista le fece telefonare che si presentasse in teatro dentro due ore: avevano bisogno di lei. Il cinema è una forza più forte di qualsiasi forza: se, poniamo, un re avesse invitato Agata a presentarsi alla reggia, lei magari ci avrebbe pensato su; ma il portieraccio della casa di produzione che le diceva di passare al teatro, bastava a farla accorrere a qualsiasi ora. Quel mattino mi appostai all'anticamera, tra le tante comparse e lavoranti del cinema che aspettavano; e, infatti, all'ora fissata, eccola apparire. Erano ormai due mesi che non la vedevo e, sul momento, quasi non la riconobbi. I capelli, che aveva castani e sparsi sulle spalle, adesso erano rossi e tirati su, in un nodo, in cima alla testa, in modo da lasciar scoperte le orecchie e il collo. Si era depilata le sopracciglia con tanto accanimento che pareva che avesse gli oc chi gonfi. Atteggiava la bocca ad una smorfia enigmatica. Pur troppo il naso a manico di bricco non aveva potuto raddrizzai lo. Mi colpì il vestito: una giacca larga, rosso fiamma, nuova, con il bavero rialzato dietro la nuca, e una gonna nera, dritta. Al risvolto aveva un "clip" in forma di vascello con le vele spiegate, di metallo giallo; sotto il braccio stringeva una borsa che pareva di serpente: forse era vero e chissà quanti sacrifici aveva fatto per comprarla. Entrò dignitosa, lenta, distante: come se in quell'anticamera piena di gente simile a lei avesse temuto di sporcarsi. Andò all'usciere e gli disse a bassa voce non so che cosa. Quello, da vero villano, rispose senza alzare gli occhi dal giornale che stava leggendo: "Si metta un po' qua... verrà il suo turno." Lei si voltò e allora mi vide. L'ammirai in quel momento: mi fece un saluto da lontano e andò a sedersi nell'angolo opposto al mio, come se non ci conoscessimo che di vista.

Mi faceva pena adesso, vedendo come si era vestita, preparata, lisciata, azzimata, e quanto si credeva, per quella chiamata falsa della casa di produzione. Mi rendevo conto che era stata una crudeltà attirarla con quel pretesto; e tuttavia non potevo fare a meno di esserne contento: finalmente la rivedevo. Così aspettammo un pezzo, nell'anticamera affollata, piena di gente che camminava in su e in giù, chiacchierando e fumando. Lei ogni tanto apriva la borsetta, si guardava nello specchio, ritoccava un ricciolo, si ridava il rosso sulle labbra, la cipria sul naso. Aveva accavallato le gambe che, mentre stava seduta, potevano anche sembrare belle. Non mi guardò mai, neppure una sola volta: e sì che io, invece, non staccavo gli occhi da lei.

Alla fine venne la sua volta; andò dentro la stanza dell'aiuto-regista e ci rimase forse due minuti; quindi ne uscì sempre con la stessa superbia. Il patto era che l'aiuto-regista doveva guardare alle fotografie e poi dirle: "Signorina, può darsi che presto avremo bisogno di lei... si tenga preparata, una di queste mattine la chiamiamo." Nient'altro. Ma per lei era abbastanza. Da quella povera ragazza che era quando era entrata, ecco che usciva già cambiata, nella sua fantasia, in stellina o addirittura stella.

Mi levai anch'io e la seguii, per i corridoi lunghi e nudi. Camminava senza fretta, dritta e dignitosa, con le sue belle gambe storte. Esitò un momento all'incrocio dei corridoi, poi imboccò l'anticamera e uscì nella strada. I teatri si trovavano alla periferia, lungo uno stradone mezzo di campagna e mezzo di città: da una parte c'erano i campi, pieni di sole in quel mattino di ottobre; dall'altra i palazzoni popolari, alti come torri, pieni di finestre e di panni stesi ad asciugare. Lei camminava piano lungo i palazzi; e io feci presto a raggiungerla. Chiamai, trafelato: "Agata..."

Mi guardò e poi pronunziò a fior di labbra, quasi senza voltarsi: "Ciao, Gino..."

Dissi, tutto in una volta, come un solo lamento: "Agata, perché non vuoi vedermi?... ti voglio tanto bene... perché non mi vuoi bene... Agata vediamoci."

"Ora mi vedi," fece lei stringendosi nelle spalle.

Dissi: "Agata, vuoi sposarmi?"

"Non ci penso neanche," rispose, sempre camminando.

"Perché?"

Per tutta risposta, domandò: "Che fai adesso?"

"Faccio la controfigura, ma..."

"Perché ti ostini a voler fare l'attore," continuò cattiva, "non lo sai che non ci sei tagliato?... fai la controfigura e vorresti sposarmi... ma che, mi prendi per scema?"

"Agata..." esclamai disperato; e feci per prenderla per un braccio. Si svincolò subito con una violenza che mi offese. Persi la testa e gridai: "Controfigura è sempre meglio che nulla... che ti credi? che stamattina ti hanno telefonato sul serio? sono io che ti ho fatto chiamare dall'aiuto-regista, per vederti... a te, cara mia, non ti faranno mai far niente, neppure i rumori di fondo."

Subito mi pentii di aver parlato ma ormai era troppo tardi. Capii dal suo contegno che mi credeva; e capii pure che con quelle parole avevo distrutto ogni speranza di riaverla. Non disse nulla, non si fermò, non cambiò colore, non mi guardò: continuò a camminare piano, calma, la borsa sotto il braccio. Pentito, incominciai a correrle a fianco, supplicandola di perdonarmi: ma lei, questa volta, fece come se io non ci fossi stato. Tirò dritta, senza fretta, per la strada deserta, tra i campi e i palazzi popolari. Finalmente, vedendo che non mi dava retta, mi fermai in mezzo al marciapiede, a guardarla, mentre si allontanava. La delusione doveva essere stata terribile per lei; ma non trapelava se non nel modo di camminare. Prima era stata soddisfatta, pavoneggiante; adesso era soltanto malinconica. Lo si capiva da come muoveva le gambe e teneva la testa un po' inclinata verso la spalla. Mi fece pena e mi parve a un tratto di non averla mai amata tanto. Aprii la bocca come per chiamare: "Agata;" ma, in quello stesso momento, lei svoltò e scomparve. E io rimasi con la bocca spalancata sulla prima "a" di Agata, davanti la strada deserta.

IL PAGLIACCIO

Quell'inverno, tanto per non lasciar intentato alcun mestiere, presi a girare per i ristoranti suonando la chitarra a un mio compagno che cantava. Il compagno si chiamava Milone, anche soprannominato il professore per via che un tempo aveva insegnato la ginnastica svedese. Era un omaccione sui cinquanta, non proprio grasso ma inquadrato, con una faccia spessa e torva e un corpaccio massiccio che faceva scricchiolare le seggiole quando si sedeva. Io suonavo la chitarra da par mio, ossia sul serio, senza quasi muovermi, gli occhi bassi, perché sono un artista e non un buffone; il buffone invece lo faceva Milone. Cominciava come per caso, ritto in piedi, appoggiato a un muro, il cappelluccio sugli occhi, i pollici sotto l'ascella, la pancia, fuori dai pantaloni e la cinghia sotto la pancia: pareva un ubriaco che cantasse alla luna. Poi, via via, si scaldava e, pur senza veramente cantare, perché non aveva né voce né orecchio, finiva per dar spettacolo di sé, o meglio, come ho detto, per fare il buffone. La sua specialità erano le canzonette sentimentali, le più famose, quelle che normalmente commuovono e inteneriscono; ma in bocca sua quelle canzonette non commuovevano bensì facevano ridere perché lui sapeva renderle ridicole, in una maniera tutta sua, spiacevole e triste. Io non so che ci avesse quell'uomo: o che in gioventù qualche donna gli avesse fatto un torto; oppure che fosse nato a quel modo, con un carattere così, da prender gusto a mettere alla berlina le cose buone e belle; fatto sta che non era un semplice caratterista; no, lui ci metteva non so che rabbia e ci voleva tutta l'ottusità della gente mentre mangia per non accorgersi che non era ridicolo ma semplicemente penoso. Soprattutto superava se stesso quando si trattava di rifare le mossette, le smorfie e i vezzi femminili. Che fa una donna, sorride civettuola? e lui, da sotto la falda del cappello, abbozzava un ghigno sguaiato da baldracca. Batte, come si dice, un poco l'anca? e lui si metteva a far la danza del ventre spingendo in fuori la natica quadrata e massiccia come un pacco. Fa la voce dolce? e lui stringendo la bocca, ne tirava fuori una vocetta flautata, alla melassa, addirittura stomachevole. Non aveva, insomma, misura, passava sempre il segno, diventava scurrile, ripugnante. A tal punto che io spesso mi vergognavo, perché un conto è accompagnare con la chitarra un cantante e un conto tener bordone a un pagliaccio. E poi ricordavo di aver suonato non molto tempo addietro quelle stesse canzoni, cantate sul serio da un bravo artista; e mi faceva pietà vederle ridotte a quel modo, irriconoscibili e indecenti. Glielo dissi, una volta, mentre trottavamo per le strade, da un ristorante all'altro. "Ma che ti hanno fatto le donne a te?" Al solito, dopo aver fatto il buffone, era distratto e tetro, come se avesse avuto chissà che pensieri per la testa. "A me," disse, "non mi hanno fatto niente." "Dico così," spiegai, "perché a prenderle in giro ci metti una passione." Questa volta lui non rispose e il discorso finì lì.

L'avrei lasciato se non ci avessi avuto l'interesse; perché, sebbene questo possa sembrare impossibile, faceva più soldi lui con le sue volgarità che tanti bravi posteggiatori con le loro belle canzoni. Giravamo soprattutto per quei ristoranti non proprio di lusso, quasi delle trattorie, alla buona ma cari, dove la gente ci va per rimpinzarsi e stare allegra. Ora, appena entravamo, e io zitto zitto, sfoderavo la chitarra, da quei tavoli affollati era un solo grido: "Oh, il professore... ecco il professore... vieni qua professore." Torvo, sbracato, stralunato, strisciante, Milone si presentava dicendo: "comandino;" e quel "comandino" era già così ridicolo, alla maniera sua, che tutti scoppiavano dalle risate. Intanto arrivava la pasta asciutta; e, mentre il trattore si affannava in giro a servire, Milone, con una vocetta fessa, annunziava: "Una canzonetta proprio bella: Quando Rosina scende dal villaggio... io farò Rosina." Figuratevi quelli: a vederlo fare Rosina, coi soliti lazzi e le solite scurrilità, restavano perfino in sospeso con gli spaghetti penzolanti dalla forchetta, tra la bocca e il piatto. E non erano mica compagnie di macellai o roba simile; era tutta gente fine: gli uomini vestiti di blu scuro, impomatati, la perla sulla cravatta; le donne impellicciate, coperte di gioielli, delicate, preziose. Dicevano tra di loro, mentre Milone faceva il pagliaccio: "È grande... è proprio grande;" oppure qualcuno, allarmato, gridava: "Mi raccomando, non lo dite in giro che l'abbiamo scoperto... se no si guasta." Tra le altre volgarità, Milone aveva una canzone in cui, ad un certo punto, per render più ridicolo il personaggio, faceva con la bocca un certo rumore che non dico. Ebbene, ci credereste?, erano proprio quelle damine così vezzose a volere il bis di questa canzone.

Bisogna dire che a forza di vedersi applaudito, Milone si fosse montato la testa. Abitava presso una sarta, in una camera ammobiliata, buia e umida, in via Cimarra. Adesso, tutte le volte che andavo a prenderlo a casa, lo trovavo che provava davanti allo specchio qualche nuova sguaiataggine, qualche nuova volgarità. Ci metteva uno scrupolo tetro, come di grande attore che si prepari per la recita; e io, seduto sul letto, guardandolo che faceva la danza del ventre davanti lo specchio del canterano, mi domandavo talvolta se, per caso, non fosse un poco matto. "Ma non sarebbe ora," gli domandai un giorno, "di inventare qualche cosa di grazioso, di commovente?" E lui: "Lo vedi che non capisci nulla... la gente mangiando vuol ridere, non commuoversi... e io," soggiunse torvo, "la faccio ridere." Qualche tempo dopo, sempre per quella smania di perfezionare, inventò di portare in una valigetta qualche indumento femminile, come dire un cappellino, una sciarpetta, una gonnella, da indossare lì per lì, per rendere ancor più comica la parodia. Questa di travestirsi da donna, in lui, era quasi una mania; e non so dire che pena fosse vederlo dimenarsi con il cappellino sugli occhi e la gonnella legata alla cintola, sopra i pantaloni. Finalmente, non sapendo più che escogitare, avrebbe voluto che facessi anch'io il buffone, pur pizzicando le corde alla chitarra. E questa volta mi rifiutai.

Giravamo più ristoranti che potevamo, tra le dodici e le tre e tra le otto e mezzanotte. Si andava a gruppi, secondo i giorni: una volta i ristoranti dalle parti di piazza di Spagna; una volta quelli intorno piazza Venezia; una volta quelli di Trastevere; una volta quelli della Stazione. Tra un ristorante e l'altro, pur correndo per le strade, non parlavamo: tra di noi non c'era confidenza. Finito il giro, andavamo in un'osteria e ci spartivamo i denari. Poi, in silenzio, io fumavo una sigaretta e Milone beveva un quartino. Il pomeriggio, Milone provava le parti davanti allo specchio; io, invece, o dormivo o me ne andavo al cinema.

Una sera di tramontana, dopo aver girato le trattorie di Trastevere, entrammo, più per scaldarci che per suonare, in un'osteria dietro piazza Mastai. Era un budello lungo, quasi un corridoio, con i tavoli allineati lungo la parete e, ai tavoli, povera gente per lo più, che beveva il vino dell'oste e mangiava roba incartata nei giornali. Non so perché, la vanità, poiché non poteva essere l'interesse, spinse Milone ad esibirsi anche in quell'osteria. Scelse dunque una delle canzoni più belle e, coi soliti sistemi, la ridusse a forza di ghigni e di contorsioni, ad una porcheria. Finito che ebbe, ci fu un applauso freddo freddo, e poi, da uno di quei tavoli, si udì una voce: "Ora ve la canto io."

Mi voltai e vidi avanzarsi un ragazzo biondo, in tuta di meccanico, bello come un angelo, che guardava Milone con occhi furiosi, come se avesse voluto mangiarselo. "Tu attacca," mi disse con autorità, "e ricomincia da principio." Milone, intimidito, finse di esser stanco e si lasciò cadere sopra una seggiola presso la porta. Il ragazzo mi fece cenno con la mano di attaccare e poi prese a cantare. Non dico che cantasse proprio da cantante vero, ma cantava con sentimento, con una bella voce calda e tranquilla, e, insomma, cantava come si deve cantare, e come la canzone domandava di essere cantata. Inoltre, come ho detto, era bello, con quei suoi riccioli, specie se paragonato a Milone, così massiccio e così squallido. Cantava rivolto all'osteria, guardando ad un tavolo dove stava seduta una ragazza sola, come se avesse cantato per lei. Quando ebbe finito, fece un gesto verso Milone, con la mano tesa, come per dire: "Ecco come si canta;" e se ne tornò al tavolino dove l'aspettava la ragazza che subito gli buttò le braccia al collo. Nell'osteria, a dire la verità, lo applaudirono anche meno di Milone, tutta gente che non aveva capito perché si fosse scomodato a cantare. Ma io l'avevo capito; e questa volta anche Milone aveva capito.

Mentre suonavo, avevo spesso guardato a Milone; e l'avevo veduto passarsi più volte la mano sul viso e sotto i capelli che gli pendevano sulla fronte, come chi non ce la faccia a rimaner sveglio e caschi dal sonno. Ma non riusciva a nascondere un'espressione amara che non gli avevo mai visto; e ad ogni strofa che il ragazzo imbroccava, pareva che l'amarezza gli crescesse.

Finalmente, si levò in piedi stirandosi e fingendo di sbadigliare e disse: "Beh, è ora di andare a dormire... ci ho un sonno..."

Ci lasciammo all'angolo della strada, con il solito appuntamento per il giorno dopo. Quello, poi, che sia avvenuto durante la notte, l'ho ricostruito dopo; ma sono supposizioni. Ho detto che Milone si era montato, credendo di essere chissà che grande artista mentre in realtà era un poveraccio che faceva il buffone per divertire la gente mentre mangiava; così tanto più grande fu il capitombolo che quel ragazzo biondo in tuta gli fece fare con il suo gesto. Penso che mentre il ragazzo cantava, tutto ad un tratto, dovette vedersi com'era e non come aveva sinora creduto di essere: un omaccione sui cinquanta che si metteva la bavarola e recitava la Vispa Teresa. Ma penso pure che dovette capire d'essere incapace di cantare, anche se avesse fatto un patto col diavolo. Lui, insomma, non poteva che far ridere; e non sapeva far ridere che mettendo alla berlina certe cose. E queste cose, per combinazione, erano proprio le cose che in vita sua non era mai riuscito ad avere.

Ma, come ho detto, sono supposizioni. Certo che la sarta che lo teneva a pigione, il giorno dopo lo trovò impiccato tra la finestra e la tenda, nel luogo dove di solito stanno appese le gabbie dei canarini. Se ne accorsero alcuni passanti, in via Cimarra, vedendo, attraverso i vetri, le gambe e i piedi che penzolavano nel vuoto. Dispettoso come tutti i suicidi, aveva chiuso a chiave la porta e appoggiato alla porta il canterano con lo specchio: forse voleva vedersi, come quando provava la parte, in atto di infilare il collo nel nodo. Insomma, dovettero sfondare l'uscio, e lo specchio cascò e si ruppe. Lo portarono al Verano e io fui il solo ad accompagnarlo, senza chitarra questa volta. La sarta ci rimise lo specchio ma si consolò vendendo, a un tanto il pezzo, la corda.

IL BIGLIETTO FALSO

Passavo per piazza Risorgimento quando mi sentii chiamare: "Maschio, che fai?" Era Staiano, un amico d'altri tempi, di quando vendevamo insieme sigarette in borsa nera a via del Gambero. Era ripulito, questo lo vidi subito; e poiché gli dissi che non facevo nulla, sebbene non potessi dirmi veramente disoccupato perché non avevo mai avuto un mestiere, mi prese sottobraccio e mi disse che lui se la sentiva di farmi guadagnare senza fatica mille o duemila o anche tremila lire al giorno. Gli domandai in che modo, e lui, allora, la prese molto larga. Disse che erano tempi duri e che c'era fior di gente che, pur avendo un mestiere, non sapeva come campare. Disse che in tempi come questi gli uomini si dividevano in due categorie: quelli che ci avevano core e quelli che non ce l'avevano; e i primi finivano sempre per spuntarla, mentre i secondi facevano i minchioni. Disse che lui era sicuro che io appartenevo alla prima categoria, perché mi aveva conosciuto in altri tempi non meno duri e difficili. Disse che la proposta che doveva farmi mi avrebbe forse meravigliato, ma io non dovevo interromperlo, non dovevo dire nulla fuorché sì o no. Io l'avevo lasciato parlare e intanto pensavo che doveva essere una proposta molto strana perché tante precauzioni in lui erano veramente insolite. Finalmente tacque e io gli domandai di che si trattava. Lui rispose subito: "Si tratta di spendere quattrini." "Spender quattrini?" "Sì, io ti do per esempio un biglietto da cinquemila lire... tu vai, giri, studi la situazione e poi ci paghi, mettiamo, un caffè, o un pacchetto di sigarette... quindi il resto lo porti a me... io, sul resto, ti do un terzo." "Un terzo di lire buone?" lo interruppi per mostrargli che avevo capito. "Si capisce, buone... per chi mi hai preso?" "E se scoprono che il biglietto è falso?" "Niente... tu dici subito che sai chi te lo ha dato e te lo riprendi fingendo indignazione." Io volevo rispondere: "Ma sei matto, non se ne parla neppure;" e invece, non so come, mi uscì di bocca: "Va bene... siamo intesi." Poi, quello che avvenne dopo non saprei neppure dirlo, tanto ero meravigliato di me stesso, di avere accettato e di continuare ad accettare. Insomma, lui mi diede un biglietto da diecimila lire, dicendo che per quel giorno voleva mettermi alla prova; e mi fissò l'appuntamento per la sera alle otto, nei giardini di piazza Risorgimento. Erano le due del pomeriggio.

Eccomi con un biglietto da diecimila lire falso in tasca e con la speranza di guadagnarne, così, per gioco, più di tremila vere. D'improvviso mi sentii ricco e pieno di ozio, come se avessi avuto davanti a me non un pomeriggio ma una settimana o un mese, e avessi potuto scapricciarmi quanto volevo prima di quel momento, che vedevo ancora molto lontano, in cui mi sarei deciso a spendere il biglietto falso. Oltre alle diecimila lire di Staiano, avevo in tasca circa millecinquecento lire buone, e pensai che ormai potevo anche lasciarmi andare, tanto avevo da due a tremila lire al giorno sicure per chissà quanto tempo. Così andai direttamente ad un'osteria lì accanto, a piazza dell'Unità e, per la prima volta, dopo tante colazioni a base di supplì e di pagnottelle imbottite, mi ordinai un pasto completo: spaghetti, agnello al forno e un litro di vino. Sul punto di pagare, pensai un momento di spendere il biglietto falso, ma poi mi dissi che erano sempre trecento lire di meno che Staiano mi avrebbe dato e lo riserbai per qualche sciocchezza, caffè o sigarette, come lui mi aveva suggerito, e pagai con la moneta buona. Mi ficcai uno stecchino tra i denti, e uscii su via Cola di Rienzo, le mani in tasca.

Era primavera, col cielo pieno di nuvole bianche e un'aria dolce che ogni tanto si rigava di pioggia, roba da poco però, e subito dopo usciva di nuovo il sole. Guardando agli alberi di via Cola di Rienzo, che già buttavano foglioline verdi, mi venne voglia della campagna: stendermi nell'erba, guardare il cielo, non pensare nulla. Ma in campagna mi piace andarci con qualche ragazza: solo mi annoio. Ora la ragazza non ce l'avevo e non vedevo il modo, lì per lì, di trovarne una. Pensando queste cose, passo passo, discesi tutta via Cola di Rienzo, passai piazza della Libertà, il ponte, giunsi a piazzale Flaminio. Qui, sotto la pensilina del tram, mi fermai e mi guardai intorno. Di solito sono timido con le donne, soprattutto perché non ho soldi, ma cosa vuol dire sentirsi ricco: vidi una ragazza che non pareva aspettare il tram, mi piacque, e subito le parlai, quasi senza pensarci. Era una bruna con una facciona rossa e solida e due occhi neri, vestita alla buona di una maglia rossa e una gonnellina marrone, con le gambe nude e i calzerotti rovesciati. Disse che era cameriera, che si chiamava Matilde e che era di un paese vicino a Roma, Capranica, mi pare. Cercava un posto e per il momento stava a pensione presso certe suore che avevano un convento anche al suo paese. Parlava un po' sostenuta; ma poiché le ebbi detto due o tre volte "signorina", diventò più cordiale. Dissi: "Lei, signorina, certo non conosce Roma... vuole che gliela mostro?" Lei, fingendo imbarazzo, rispose: "Veramente dovevo andare a presentarmi da una signora..." Insomma, le proposi di mostrarle il Foro Italico e lei, dopo qualche esitazione, accettò.

Nel tram non feci che scherzare; la ragazza mi ascoltava seria, e poi, tutto ad un tratto, scoppiava a ridere coprendosi la faccia con le due mani, da vera contadina. Scendemmo al piazzale di Ponte Milvio, prendemmo per il Lungotevere, verso l'obelisco. Conoscevo il luogo e sapevo che dietro il Foro c'è la collina, con tanti prati in cui si può stare tranquilli, senza timore d'essere osservati. Però, volli mostrarle lo stadio, che è una vera meraviglia, con tutte quelle statue, una per ogni sport, disposte in cerchio intorno le gradinate. Non c'era nessuno e lo stadio era proprio bello, in un silenzio da far paura, con le statue che si alzavano incontro al cielo pieno di nuvole. Ma lei restava fredda: anche quando le spiegai che quelle statue erano tutte di vero marmo, di un solo blocco, e pesavano ciascuna più di una tonnellata. Disse soltanto che le statue le parevano indecenti; e io le risposi che erano statue e non persone e che le statue hanno da essere nude, se no non sono statue. Per rabbonirla, presi una matita e scrissi sul polpaccio di una di quelle statue, un uomo che portava a spalla due guantoni da boxe: "Attilio vuole bene a Matilde", e la invitai a leggere. Ma lei rispose che non sapeva leggere e così appresi che era anche analfabeta. Adesso non era più tanto cordiale; e quando fummo all'imboccatura del sentiero che saliva verso la collina, si rifiutò di seguirmi, dicendo: "Tu mi hai preso per scema, ma io non sono scema... torniamo in città." Io volevo trascinarla, ma non ci fu verso; e presi anche uno spintone in petto che per poco non mi fece cascare a terra.

Così tornammo, con lo stesso tram col quale eravamo venuti, a piazzale Flaminio; e qui per rifar pace, le offrii in un bar un cappuccino e due paste. Erano le cinque e proposi di andare in un cinema lì accanto dove, oltre un film a colori, davano il documentario della partita Italia-Austria. Anche questa volta lei si fece un po' pregare, dicendo che doveva presentarsi da quella solita signora; ma erano maniere da contadina, come al mercato quando vendono o comprano; e, infatti, accettò subito appena vide che io, spazientito, facevo per salutarla.

Anche al cinema pagai con la moneta buona; e, una volta al buio, le presi la mano e lei mi lasciò fare. Purtroppo il film a colori era appena cominciato e la partita veniva per ultima; e siccome il film mi annoiava, mi feci più ardito e provai a baciarla sul collo. Subito mi respinse, con una manata, dicendo ad alta voce: "Auffa, le mani a posto;" tutti, intorno, zittirono; e io mi vergognai e cominciai a odiarla. Per ingannare la noia di quel film che trattava di Cristoforo Colombo, presi allora a fare mentalmente i conti delle spese della giornata: trecento la colazione, centoventi le sigarette, duecento il caffè e le paste, quattrocento il cinema. Avevo speso, dunque, più di mille lire e non mi ero divertito.

Finì la prima parte del film, si fece luce, e io dissi improvvisamente a Matilde: "Donne come te dovrebbero restare al paese a zappare la terra." "Perché?" "Perché sei un'ignorante e una disgraziata e non sei fatta per vivere in città." Lo credereste? Quella burina dalle guance gonfie mi guardò e rispose, con superbia: "Chi disprezza, compera."

Dalla rabbia, l'avrei strangolata. Non dissi nulla, mi alzai e andai a sedermi cinque file più in là, piantandola in asso, come si meritava. Erano le sette.

La seconda parte del film non finiva mai e io pensavo sempre più al biglietto da diecimila lire che dovevo spendere e a Staiano che alle otto mi aspettava a piazza Risorgimento. Ma mi premeva il documentario e quando, finalmente, alle otto meno un quarto, Cristoforo Colombo si decise a morire e si rifece la luce, sperai di sbrigarmi in una diecina di minuti e poi correre a spacciare il biglietto. Mi sbagliavo, non avevo fatto i conti col programma: prima ci fu l'intervallo, poi la réclame di una calzoleria, poi quella di una fabbrica di mobili, poi un altro intervallo. Erano le otto quando, come Dio volle, cominciò il documentario. Sono tifoso e così, al primo apparire di quelle care facce dei nostri calciatori, dimenticai il biglietto, Staiano, la fretta e ogni cosa, e concentrai tutta la mia attenzione sulla partita. Dico la verità, fu questo il solo momento felice di quella giornata che in principio mi era sembrata così bella.

Uscii dal cinema abbagliato, intontito, stracco: erano le otto e venti. Allora, pensando a Staiano che mi aspettava, al biglietto falso che dovevo spendere e alla moneta buona che avevo già speso, quasi perdetti la testa. Non sapevo dove andare, non sapevo che fare, mi sentivo smarrito. Non so come, mi ritrovai in fondo a via Cola di Rienzo, non lontano da piazza Risorgimento; e, ad una voce che gridava: "Ecco la fortuna... chi vuol tentare la fortuna?", mi voltai pieno di speranza. Era un giovanotto bruno, con una faccia da impunito, appoggiato a un muro, una tavoletta al collo e, sulla tavoletta, il gioco delle tre carte. Accanto gli stava il compare, falso e affamato anche lui, fingendo di interessarsi al gioco. Allora mi venne un'illuminazione e decisi di tentare quella finta fortuna con le diecimila lire di Staiano: mi sarei fatto cambiare il biglietto dal compare, avrei puntato cento lire e poi me ne sarei andato. Il gioco era proibito e così non c'era neppure il pericolo che quei due farabutti andassero a denunziarmi.

Mi avvicinai, guardai con ingordigia alla tavoletta poi dissi mogio: "Mi piacerebbe puntare... ma come si fa? Non ho spiccioli," e mostrai il biglietto. Quello della tavoletta badava a cambiare il posto alle carte, ripetendo come un pappagallo: "Ecco la fortuna... chi vuol tentare la fortuna?"; ma il compare, pronto, mi venne sotto con il portafogli, dicendo: "Che diamine, un giovanotto che vuol tentare la fortuna, bisogna aiutarlo, eccomi qui, datemi il vostro biglietto." Glielo diedi e lui mi contò uno sull'altro nove biglietti da mille e dieci da cento. Puntai cento lire, come avevo deciso; quello della tavoletta disse: "Il signore punta cento lire... prego signore;" e poi scoprì la carta e vidi che avevo vinto. Allora, sebbene sapessi di certo che era una truffa e sapessi pure come si faceva, forse per la stanchezza, mi illusi di rifarmi delle spese della giornata e puntai le altre novecento lire. Questa volta perdetti, come era giusto. Mi allontanai pensando che avevo speso duemila lire e che non mi restavano più che mille lire di guadagno.

Ma la vera sorpresa me la diede Staiano che ritrovai poco

dopo, nel giardinetto di piazza Risorgimento. Come ci ritirammo in un angolo e io cominciai a contargli i biglietti, lui senza esitare prese a ripetere: "È falso, falso, anche questo è falso, falso, falso" finché non ebbi finito. "Questi biglietti sono tutti falsi," concluse, poi, intascandoli e guardandomi, "e non sono dei nostri... i nostri sono perfetti... più falsi di questi ci sono soltanto quelli réclame con sopra scritto: banca dell'amore, mille baci... non c'è che dire, sei proprio bravo." Io rimasi a bocca aperta, stordito. Staiano soggiunse: "Ti avevo dato un biglietto da diecimila che era come se fosse stato buono e tu me ne hai portati nove che neppure un cieco li accetterebbe." Dissi allora: "Almeno ripagami le spese." "Quali spese?" "Beh, pensando che stavo per guadagnare tremila lire ne ho spese, tra una cosa e l'altra, più di duemila." "Peggio per te... e che credi? Che quel biglietto non mi costava? L'avevo pagato trecento lire... sei tu che dovresti ripagarmi del danno." Insomma discutemmo un pezzo, ma lui non volle darmi niente. Anzi, alla fine, siccome io l'accusavo di truffarmi, tirò fuori i biglietti da mille, li stracciò in tanti pezzetti e andò a gettarli nel buco della fogna, sotto il marciapiede. Ma quello che mi bruciò di più fu che, prima di andarsene, mi disse: "Tu non sei fatto per un lavoro onesto, serio, di responsabilità! lascia che te lo dica io, che ho vent'anni più di te... sei troppo leggero, troppo svagato... sei fatto per vendere le sigarette in borsa nera... ti saluto, maschio."

IL CAMIONISTA

Sono magro, nervoso, con le braccia sottili, le gambe lunghe e il ventre così piatto che i pantaloni mi cascano di dosso: insomma sono proprio il contrario di quello che ci vuole per essere un buon camionista. Guardate i camionisti: sono tutti pezzi d'uomini con le spalle larghe, le braccia da facchini, il dorso e il ventre forti. Perché il camionista si basa soprattutto sulle braccia, sulla schiena e sul ventre: le braccia per girare la ruota del volante che nei camion ha un diametro poco meno di un braccio, e certe volte, nelle svolte di montagna, deve farle fare il giro completo; la schiena per resistere alla fatica di star seduto ore e ore, sempre nella stessa posizione, senza indolenzirsi né irrigidirsi; finalmente il ventre per star bene fermo, calato nel seggiolino, incastrato come un masso. Questo per il fisico. Per il morale sono ancora meno adatto. Il camionista non deve aver nervi, né grilli per la testa, né nostalgie, né altri sentimenti delicati: la strada è esasperante e ammazzerebbe un bue. E quanto alle donne, il camionista poco deve pensarci, come il marinaio; altrimenti con quel continuo partire e ripartire, diventerebbe matto. Ma io sono pieno di pensieri e di preoccupazioni; sono di temperamento malinconico; e mi piacciono le donne.

Però, con tutto che non fosse un mestiere per me, volli diventare camionista e riuscii a farmi assumere da una ditta di trasporti. Mi diedero per compagno un certo Palombi che era, si può dirlo, un vero bruto. Proprio il camionista perfetto, non perché i camionisti non siano, spesso, intelligenti, ma lui aveva anche la fortuna di esser stupido, così da formare un pezzo solo con il camion. Con tutto che fosse un uomo sopra i trent'anni, gli era rimasto qualche cosa del ragazzotto: una faccia spessa con le guance abbottate, gli occhi piccoli sotto la fronte bassa, la bocca tagliata come quella di un salvadanaio. Parlava poco, anzi niente e preferibilmente a grugniti. L'intelligenza gli si schiariva soltanto quando si trattava di roba da mangiare. Ricordo una volta che entrammo, stanchi e affamati, in un'osteria di Itri, sulla via di Napoli. Non c'erano che fagioli con le cotiche e io appena li toccai perché mi fanno male. Palombi divorò due scodelle colme; quindi, tirandosi indietro sulla seggiola, mi guardò un momento, con solennità, come se stesse per dirmi qualcosa di importante. Pronunziò, finalmente, passandosi una mano sulla pancia: "Me ne sarei mangiati altri quattro piatti." Questo era il gran pensiero che aveva messo tanto tempo ad esprimere.

Con questo compagno che pareva di legno, non vi dico se fui contento quando incontrammo per la prima volta Italia. In quel tempo facevamo la Roma-Napoli, portando la roba più diversa: laterizi, rottami di ferro, bobine di carta da giornale, legname, frutta e perfino, qualche volta, piccoli greggi di pecore che si spostavano da un pascolo all'altro. Italia ci fermò a Terracina chiedendoci di portarla a Roma. L'ordine era di non prendere su nessuno ma, dopo averle dato un'occhiata, decidemmo che per quella volta l'ordine non valeva. Le accennammo di salire e lei saltò su tutta vispa dicendo: "Viva la faccia dei camionisti che sono sempre gentili."

Italia era una ragazza provocante: non c'è altra parola. Aveva il busto con la vita lunga da non credersi, e, in cima, un petto che si drizzava, aguzzo, proprio velenoso, sotto certe maglie attillate che le scendevano fino ai fianchi. Anche il collo aveva lungo, con una testa piccola e bruna e due grandi occhi verdi. Sotto quel busto tanto lungo, aveva gambe corte e storte, così da dare l'impressione che camminasse con le ginocchia piegate. Non era bella, insomma, ma meglio che bella; e n'ebbi la prova in quella prima gita, quando all'altezza di Cisterna, mentre Palombi guidava, mi introdusse la mano nella mano e me la strinse forte, senza mai lasciarla fino a Velletri, dove diedi il cambio a Palombi. Era estate, verso le quattro del pomeriggio che è l'ora più calda, le nostre due mani scivolavano per il sudore ma lei, ogni tanto, mi lanciava un'occhiata con quei suoi occhi verdi di zingara e a me pareva che la vita, dopo essere stata per tanto tempo nient'altro che una fettuccia di asfalto, tornasse a sorridermi. Avevo trovato quello che cercavo: una donna a cui pensare. Tra Cisterna e Velletri, Palombi si fermò e discese per andare a guardare le ruote e io ne approfittai per darle un bacio. A Velletri diedi volentieri il cambio a Palombi: una stretta di mano e un bacio, per quel giorno, mi bastavano.

Da allora, regolarmente, Italia, una e anche due volte alla settimana, si fece portare da Roma a Terracina e ritorno. Ci aspettava la mattina, sempre con qualche pacco o valigia, presso le mura, e poi, se guidava Palombi, mi stringeva la mano fino a Terracina. Al nostro ritorno da Napoli, ci aspettava a Terracina, rimontava, e ricominciavano le strette di mano e anche, sebbene lei non volesse, i baci di straforo, quando Palombi non poteva vederci. Insomma, mi innamorai sul serio, anche perché era tanto tempo che non volevo bene a una donna e non ero più abituato. A tal punto che bastava adesso che lei mi guardasse in un certo modo e io subito mi commuovevo come un bambino, fino alle lagrime. Erano lagrime di dolcezza; ma a me parevano una debolezza indegna di un uomo e mi sforzavo, senza riuscirci, di trattenerle. Quando guidavo io, approfittando che Palombi dormiva, parlavamo sottovoce. Non ricordo niente di quello che dicevamo: segno che erano cose da poco, scherzi, discorsi da innamorati. Ricordo, però, che il tempo passava svelto: perfino la fettuccia di Terracina, che di solito non finisce mai, andava via come d'incanto. Io rallentavo fino a trenta, a venti all'ora, facendomi passare quasi quasi anche dai carretti: sempre, però, arrivava la fine e Italia smontava. Di notte era anche meglio: il camion andava avanti quasi da solo, io tenevo con una mano il volante e con l'altra cingevo la vita all'Italia. Quando, in fondo al buio, si accendevano e spegnevano i fari delle altre macchine, rispondendo ai segnali avrei voluto comporre con le luci qualche parola che dicesse a tutti quanto fossi felice. Per esempio: Io amo Italia e Italia ama me.

Palombi, o non si accorse di nulla oppure finse di non accorgersi. Fatto sta che non protestò nemmeno una sola volta contro quelle gite così frequenti dell'Italia. Quando lei saliva, le faceva, come saluto, un grugnito e poi si tirava da parte per farla sedere. Lei stava sempre in mezzo, perché io dovevo pur tenere d'occhio la strada e avvertire Palombi, quando si trattava di sorpassare un'altra macchina, che c'era via libera. Palombi non protestò neppure quando, infatuato, volli scrivere sul vetro del parabrise qualche cosa che riguardasse l'Italia. Ci pensai su e poi scrissi a lettere bianche: "Viva l'Italia." Ma Palombi, tanto era stupido, non si accorse del doppio senso se non quando certi camionisti, scherzando, ci domandarono come mai fossimo diventati così patriottici. Soltanto allora, mi guardò a bocca aperta e poi, abbozzando un sorriso, disse: "Credono che sia l'Italia è invece è la ragazza... sei intelligente, l'hai trovata bene."

Tutto questo andò avanti un paio di mesi o forse più. Uno di quei giorni, dopo aver lasciato Italia, al solito, a Terracina, giunti a Napoli, ricevemmo l'ordine di scaricare e tornare subito a Roma, senza pernottare. Mi dispiacque perché l'appuntamento con l'Italia era per la mattina dopo; ma l'ordine era quello. Io presi il volante e Palombi incominciò subito a russare. Fino a Itri tutto andò bene, perché la strada è piena di svolte e di notte, quando comincia la stanchezza, le svolte che fanno stare con gli occhi aperti, sono le amiche del camionista. Ma dopo Itri, tra quei boschetti di aranci di Fondi, mi venne sonno e, per scacciarlo, mi misi d'impegno a pensare all'Italia. Però, pur pensandoci, mi pareva che i pensieri mi si incrociassero sempre più fitti nella mente, come i rami di un bosco che sempre più infoltisce e, alla fine, diventa buio. Ad un tratto, ricordo che mi dissi: "Per fortuna ho il pensiero di lei a tenermi sveglio... altrimenti mi sarei già addormentato." E invece io già dormivo e questo pensiero non lo facevo da sveglio ma dormendo, ed era un pensiero che il sonno mi mandava per farmi dormire meglio e con più abbandono. Nello stesso tempo sentii il camion uscirmi dalla strada e entrare nel fosso; e sentii, dietro, il fracasso e la botta del rimorchio che si rovesciava. Andavamo piano e così non ci facemmo male; ma, una volta discesi, vedemmo che il rimorchio si era capovolto con le ruote per aria e tutto il carico, pelli da concia, stava ammonticchiato nel fosso. Faceva buio, senza luna, ma con un cielo pieno di stelle. Eravamo, per fortuna, alle porte di Terracina: a destra avevamo il monte e a sinistra, oltre le vigne, il mare calmo e nero.

Palombi disse soltanto: "L'hai fatta tonda;" e poi, soggiungendo che dovevamo andare a Terracina a cercare aiuto, si avviò a piedi. Erano pochi passi, ma come fummo alla porta di Terracina, Palombi, che pensava sempre a mangiare, disse che aveva fame e siccome, prima che fosse arrivata la macchina di soccorso con la gru sarebbe passata qualche ora, tanto valeva andare all'osteria. Così, entrati a Terracina, ci mettemmo alla ricerca di un locale. Ma era dopo mezzanotte e in quella piazza tonda tutta sforacchiata dai bombardamenti, non c'era che un caffè aperto, e per giunta, stava chiudendo. Prendemmo una straduccia che sembrava dirigersi verso il mare e, di lì a poco, vedemmo un lume con una insegna. Affrettammo il passo, pieni di speranza, era davvero un'osteria, ma la saracinesca era calata per metà, come se stesse per chiudere. Aveva le porte a vetri e la saracinesca lasciava scoperta una striscia di questi vetri, da poterci guardare dentro. "Vuoi vedere che è chiusa," disse Palombi e si chinò per guardare. Anch'io mi chinai. Allora scorgemmo una stanzaccia di osteria di paese, con pochi tavoli e il banco. Le seggiole erano posate capovolte sui tavoli, e Italia, armata di scopa, faceva svelta le pulizie, uno straccio intorno ai fianchi. Dietro il banco, poi, proprio in fondo alla stanza, c'era un gobbo. Ne ho visti di gobbi, ma perfetto come quello, nessuno. Il viso incastrato tra le mani, la gobba più alta del capo, guardava fisso Italia con gli occhiacci neri e biliosi. Lei scopava svelta, poi il gobbo le disse non so che cosa, senza muoversi, e allora lei gli venne accanto, appoggiò la scopa al banco, gli mise un braccio intorno al collo e gli diede un bel bacio lungo. Quindi riprese la scopa, volteggiando per la stanza come se ballasse. Il gobbo discese dal banco nel mezzo dell'osteria: era un gobbo marino, con i sandali tripolini, i pantaloni di tela blu, da pescatore, rimboccati e la camiciola scollata alla robespierre. Si avvicinò alla porta, e noi due ci tirammo indietro, come con lo stesso pensiero. Il gobbo aprì la porta a vetri e dal di dentro tirò giù la saracinesca.

Dissi, per nascondere il turbamento: "Chi l'avrebbe mai detto?" e Palombi rispose: "Già," con un'amarezza che mi sorprese. Andammo al garage, e poi passammo quella notte a raddrizzare il camion e a ricaricare tutte quelle pelli. Ma all'alba, scendendo verso Roma, per la prima volta, si può dire, da quando lo conoscevo, Palombi cominciò a parlare: "Hai visto quello che mi ha fatto quella strega dell'Italia?"

Dissi, istupidito: "Che cosa?"

"Dopo avermi fatto tante storie," continuò lui lento e ottuso, "che mi stringeva la mano tutto il tempo mentre andavamo su e giù e io le avevo detto che volevo sposarla e, per così dire, eravamo fidanzati, hai visto? Un gobbo."

Restai senza fiato e non dissi nulla. Palombi riprese: "Le avevo fatto tanti bei regali: i coralli, un fazzoletto di seta, le scarpe lucide... dico la verità, le volevo bene e poi era proprio quello che ci voleva per me, quella ragazza... ingrata e senza cuore: ecco quello che è..."

Continuò così un pezzo, lento e come parlando da solo, in quella luce smorta dell'alba, mentre correvamo sferragliando incontro a Roma. Così, non potei fare a meno di pensare, l'Italia per risparmiare i biglietti del treno, ci aveva ingannati tutti e due. Mi bruciava di sentir parlare Palombi perchè diceva le stesse cose che avrei potuto dire io, e poi perché, in bocca a lui che quasi non sapeva parlare, queste cose mi sembravano ridicole. Tanto che, ad un tratto, gli dissi brutalmente: "Ma lasciami un po' in pace con quella sgrinfia... ho sonno." Lui, poveretto, rispose: "Certe cose, però, fanno male;" e poi stette zitto fino a Roma.

Poi, per molti mesi, fui sempre triste; la strada per me era tornata quello che era prima: senza fine né principio, nient'altro che una fettuccia amara da ingoiare e risputare due volte al giorno. Quello, però, che mi convinse a cambiare mestiere fu che l'Italia aprì un'osteria proprio sulla strada di Napoli, all'insegna de "Il ritrovo dei camionisti". Sì, bel ritrovo, da fare centinaia di chilometri per frequentarlo. Naturalmente non ci fermammo mai, ma, lo stesso, vedere Italia dietro il banco e il gobbo che le passava i bicchieri e le bottiglie di birra, mi faceva male. Me ne andai. Il camion con la scritta "Viva l'Italia," e Palombi al volante è sempre in giro.

IL PENSATORE

Al ristorante caratteristico romano, anzi trasteverino, "Marforio", da principio tutto andò bene. Avevo la testa vuota e sonora come quelle conchiglie che si trovano in riva al mare e il verme che ci stava dentro da chissà quanto tempo è morto; e quando i clienti mi ordinavano: "Spaghetti al sugo", la mia testa echeggiava fedelmente spaghetti al sugo"; e quando ordinavano "Zuppa inglese", la mia testa sempre echeggiava "zuppa inglese" e niente di più. Insomma, non pensavo niente, ero cameriere dentro come di fuori, così cameriere che la sera, sul punto di addormentarmi, continuavano a risuonarmi nella testa i vari "spaghetti al sugo... zuppa inglese", che avevo registrato durante la giornata. Ho detto che avevo la testa vuota, ma forse sarebbe più esatto dire che avevo la testa congelata, come l'acqua di certi laghetti di montagna che a primavera, sotto il sole, da ghiaccio che era ridiventa acqua e un bel mattino ricomincia a muoversi e ad incresparsi sotto il vento. Insomma, vuota o congelata che fosse la mia testa, ero proprio un cameriere perfetto, tanto che una volta sentii una ragazza, al ristorante, dire al suo compagno, indicandomi: "Ma guarda quel cameriere lì che faccia di cameriere che ci ha... quello per esempio non potrebbe essere che cameriere... è nato cameriere, e morirà cameriere..." Come poi sia la faccia da cameriere, vall'a sapere. Probabilmente la faccia da cameriere è proprio la faccia che piace ai clienti: i quali non hanno da avere la faccia da clienti perché non hanno da piacere a nessuno, mentre i camerieri, se vogliono continuare a fare i camerieri, hanno da avere proprio la faccia da camerieri. Basta, per un anno filato non pensai mai nulla ed eseguii gli ordini che mi davano i clienti. Anche quando un cliente sgarbato mi gridava: "Ma sei scemo o ci fai?," la mia testa echeggiava fedelmente: "Ma sei scemo o ci fai?" e niente di più. Al ristorante, si capisce, il padrone era contento di me. Tanto che spesso diceva agli altri: "Non voglio storie... prendete esempio da Alfredo... mai una parola di troppo... eccolo il vero cameriere."

Cominciò una sera, proprio come il ghiaccio che, al sole, si squaglia e ridiventa acqua che si muove e scorre. Un cliente vecchio ma gargante, tutto riccio e brizzolato come se gli avessero spruzzata la neve in testa, con una faccia nera di caprone, cominciò a trattarmi male, forse per fare impressione alla ragazza con cui stava, una biondina insignificante, dattilografa o modista. Non era mai contento e, come gli portai il piatto che aveva ordinato, prese ad inveire: "Ma che roba è questa?... ma dove siamo? Non so chi mi tiene dal tirarvi tutto quanto in faccia." Aveva torto, perché aveva chiesto coda alla vaccinara e io coda alla vaccinara gli avevo portato. Questa volta, però, invece di limitarmi, come al solito, ad echeggiare le sue parole, mi sorpresi a dirmi: "Ma guarda che faccia di caprone ci ha questo cornuto." Non era un gran pensiero, lo riconosco, ma per me era importante perché era la prima volta che pensavo da quando servivo nel ristorante. Poi andai in cucina, cambiai i piatti, gli riportai due porzioni d'abbacchio alla cacciatora, e pensai di nuovo: "Tie'... e che tu possa strozzarti." Un secondo pensiero, come noterete, anche questo non un gran pensiero, ma, insomma, un pensiero.

Da quella sera cominciai a pensare, voglio dire che cominciai a fare una cosa e a pensarne un'altra, che è poi, credo, quello che si chiama, appunto, pensare. Domandavo, per esempio, inchinandomi: "I signori comandano?," e dentro di me pensavo: "Ma guarda quel paino che collo lungo ci ha... sembra una papera." Oppure dicevo, tutto premuroso: "Formaggio, signora?;" e pensavo, invece "Ci hai baffetti, bella mia... te li scolorisci, ma si vedono lo stesso." Il più delle volte, però, mi frullavano per la testa minacce, ingiurie, parolacce, insulti: "Cretino, scemo, morto di fame, ti si possa seccare la lingua, li mortacci tuoi", e via dicendo. Era più forte di me, mi bollivano continuamente nella testa, come fagioli dentro una pentola. Finalmente mi accorsi di concludere mentalmente le frasi che dicevo con la bocca. Mettiamo, interrogavo: "Olio e limone?", e finivo dentro di me: "In faccia a te, brutto scemo."

Oppure domandavo: "Lei conosce le nostre specialità?" e finivo: "La roba cattiva e il conto salato." Ora, tutto ad un tratto, scoprii che queste frasi non le finivo più con la mente bensì con le labbra, seppure in tono più basso, anzi bassissimo, in modo da non essere udito. Insomma, parlavo, sia pure con prudenza. Dunque, ricapitolando: prima non avevo pensato affatto, poi avevo incominciato a pensare, e adesso pensavo ad alta voce, ossia parlavo.

Ricordo benissimo come andò la prima volta che parlai. Una sera di sabato, venne a sedersi ad uno dei miei tavoli una coppia proprio da sabato: lei doveva essere una di quelle, ossigenata, sfacciata, formosa, alta, tutta dipinta e profumata; lui un biondino con la faccia rossa, il naso pizzuto, i capelli ricci, basso, con le spalle troppo larghe, vestito di blu ma con le scarpe gialle. Lei doveva essere del Nord; lui parlava con gli « u » stretti, come parlano a Viterbo. Lui prese la carta come se fosse stata una dichiarazione di guerra e la guardò, brutto, un lungo momento, senza decidersi. Poi ordinò per se stesso tutta roba sostanziosa; spaghetti alla carbonara, abbacchio con patate, puntarelle e alici. Lei, invece, roba leggera, gentile. Scrissi le ordinazioni sul taccuino e mi avviai verso la cucina. Ma, avviandomi, non potei fare a meno di gettare un'occhiata a lui e mi accorsi che le mie labbra dicevano in un sussurro, ma chiaramente: "Che faccia da burino." Lui, che stava tuttora studiando la carta, non se ne accorse; ma lei, fina di udito come tutte le donne, sobbalzò sulla seggiola e mi guardò con occhi sbarrati: aveva sentito. Andai in cucina, gridai con quanta voce avevo: "Un consommé e una spaghetti alla carbonara;" e poi tornai a prender posizione contro la parete, a poca distanza da loro. Adesso lei rideva, rideva e rideva, premendosi il petto con la mano, scarlatta in viso; e lui, impermalito, si chinava avanti: doveva domandarle perché ridesse, ma lei continuava a ridere scuotendo il capo e premendosi il petto con la mano. Finalmente lei si calmò un poco, si chinò a sua volta, e disse qualche cosa indicandomi. Lui si voltò e mi squadrò. Finsi di girare gli occhi altrove e poi riguardai, e vidi che lei aveva ricominciato a ridere e che lui mi fissava, a testa bassa, simile ad un montone che stia per avventarsi, con due occhi terribili. Finalmente mi chiamò: "Cameriere." Lei smise di ridere, e io mi avvicinai senza fretta. Avvicinandomi, sebbene avessi un po' di paura, non potei fare a meno di mormorare di nuovo, con convinzione: "Sì, proprio una faccia da burino." Poi mi presentai con un "comandi," e lui alzò gli occhi verso di me e disse, minaccioso: "Cameriere, poco fa voi avete fatto un apprezzamento." Finsi di cascare dalle nuvole: "Apprezzamento... non capisco." "Sì, avete emesso un giudizio... la signora vi ha udito." "La signora avrà udito male." "La signora ha udito benissimo." "Non capisco... forse il signore non vuole più gli spaghetti... possiamo cambiare." "Cameriere, voi avete fatto un apprezzamento e lo sapete..." A questo punto, lei si chinò e pregò: "Guarda, è meglio che lasci correre." Lui disse allora: "Chiamatemi il direttore." Mi inchinai e andai a chiamare il direttore. Questi venne, ascoltò, parlò, discusse, mentre lei continuava a ridere e a ridere e lui si faceva più brutto che mai. Poi il direttore venne da me e mi disse a bassa voce: "Adesso servili e basta... ma guarda che se ne fai un'altra come questa, sei licenziato." "Ma io..." "Mosca... e fila." Così li servii, in silenzio, ma lei continuò a ridere per tutto il pranzo e lui quasi non toccò cibo. Alla fine, senza prender frutta e senza lasciar mancia, se ne andarono. Ma lei continuava ancora a ridere perfino nell'ingresso.

Dopo quella prima volta, invece di correggermi, peggiorai. Ormai non pensavo quasi più: parlavo. Nei giorni che c'era poca gente, e i camerieri stanno in piedi tra i tavoli o lungo le pareti, oziosi, mi accadeva di parlare da solo, fitto fitto, muovendo le labbra, così che gli altri se ne accorgevano e mi dicevano ridendo: "Ma che dici le preghiere? Reciti il rosario?" No, non dicevo le preghiere, non recitavo il rosario, ma guardando una famiglia di cinque persone, padre, madre e tre figli piccoli, mormoravo: "Lui non vuole spendere perché è avaro oppure perché non ce li ha... ma lei è una scema con la testa piena di grilli e ha ordinato tutta roba costosa; primizie, aragosta, funghi, dolce... lui ci sforma e morde il freno... Lei, maligna, ci gode a vederlo soffrire... intanto i bambini fanno i capricci e lui passa un brutto momento." Oppure studiavo la faccia di un cliente che aveva un grosso porro in cima alla fronte: "Ma guarda che patata ci ha quello sulla fronte... deve essere una sensazione strana toccarsela e sentirla così grossa... e come fa a mettersi il cappello?... se lo calza sulla patata, oppure se lo tiene sulla nuca con la patata di fuori?" Parlavo, insomma, da solo e, più parlavo da solo, meno parlavo in compagnia. Intanto il padrone non mi additava più ad esempio, anzi mi guardava storto.

Penso che mi considerasse un po' matto. E che, insomma, aspettasse la prima occasione per mandarmi via.

L'occasione venne. Una sera il ristorante era mezzo vuoto, l'orchestra trasteverina cantava "Anema e core" ai tavoli deserti, io mi torcevo e sbadigliavo davanti ad una gran tavola riservata di dieci posti. I clienti che avevano prenotato non si vedevano, sapevo però chi erano e non mi aspettavo niente di buono. Eccoli finalmente che entrano nello stanzone fortemente illuminato, le donne in vestito da sera, spiritose, eccitate, parlando ad alta voce, la testa voltata all'indietro, gli uomini seguendole, tutti in blu scuro, le mani in tasca, la pancia in avanti, mosci e sufficienti. Era quella che si chiama della bella gente, sicuro, l'avevo sentito dire una volta ad un paino mentre li guardava: "Hai visto? Stasera c'è della bella gente." Comunque, belli o brutti che fossero, a me non mi andavano giù per un sacco di ragioni: la principale era che mi davano del tu: "Porta una seggiola... dammi la carta... muoviti, fa', vieni, corri." Mi davano del tu come se fossimo stati fratelli, e io invece non mi sentivo fratello di nessuno, meno che mai di loro. Davano, è vero, del tu a tutti, anche agli altri camerieri e perfino al padrone, ma a me non m'importava, dessero pure del tu al padreterno, se volevano, ma a me, no. Dunque, entrarono, e, per prima cosa, cominciò la commedia dei posti: "Giulia si mette lì, Fabrizio qui, Lorenzo accanto a me, Pietro lo voglio io, Giovanna tra noi due, Marisa a capotavola." Finalmente, come Dio volle, ciascuno trovò il suo posto e allora avanzai io, con la carta, e la diedi a quello che stava a capotavola, uno grasso, calvo, con l'occhio spento, il naso a becco e la gola bianca e delicata ripassata al borotalco. Questi prese la carta e cominciò a perlustrarla dicendo: "Allora che ci consigli?" Pensai che mi dava del tu e mormorai: "Beccamorto," ma lui per fortuna non mi udì, per via dello schiamazzo che adesso facevano gli altri accapigliandosi sulla questione del menù. Chi voleva mangiare spaghetti e chi antipasto, chi voleva le specialità romane e chi non le voleva, chi voleva il vino rosso e chi il bianco. Soprattutto le donne facevano un baccano del diavolo come tante galline che si spollinano in un pollaio prima di dormire. Non potei fare a meno di mormorare tra i denti, mentre mi chinavo dietro di lui: "Ma guarda un po' che galline."

Dovette sentirmi, perché trasalì e domandò: "Che dici?... gallina?"

"Sì" spiegai "c'è la gallina lessa."

"Macché gallina lessa" gridò uno, "vogliamo mangiare alla romana: fave al guanciale, pagliata."

"Ma che è la pagliata, in sostanza?"

"La pagliata" disse quello che leggeva la carta "è l'intestino del vitellino di latte che non ha mai mangiato erba, cotto con tutto quello che c'è dentro, ossia con gli escrementi..."

"Escrementi... uh, che orrore."

"È quello che ci vuole per voialtri," pensai, o meglio, mormorai chinandomi.

Questa volta lui sentì qualche cosa perché domandò, quasi incredulo: "Cosa?"

"Io non ho parlato."

"Tu hai parlato e hai detto qualche cosa," rispose lui con fermezza, ma ancora senza collera. Intanto, non so come, si era fatto silenzio, non soltanto a quel tavolo ma anche nel ristorante. Perfino l'orchestra, per una combinazione, aveva interrotto di suonare. In questo silenzio, io mi sentii dire, a bassa voce, ma chiaramente: "E dagli col tu... beccamorto."

Subito lui saltò su, con violenza inaudita: "Beccamorto a me... ma lo sai con chi parli?"

"Io non ho detto nulla."

"Beccamorto a me... mascalzone, farabutto, canaglia, ora ti insegno io." Intanto si era alzato, mi aveva afferrato per il bavero, mi aveva sbattuto contro la parete. Quelli del tavolo si erano alzati anche loro in piedi, e chi cercava di metter pace e chi invece inveiva contro di me. Tutto il ristorante, poi, guardava dalla nostra parte. Io mi scaldai e dissi, respingendolo: "Io non ho detto nulla, giù le mani."

"Ah, non hai detto nulla... non hai detto nulla?"

"Non ho detto nulla" ripetei svincolandomi. E poi, con voce più bassa: "Beccamorto."

Così, per la seconda volta, la parola mi era sfuggita. Per fortuna, arrivò di corsa il direttore, pieghevole come un giunco, strisciante come una serpe. "Prego, commendatore... prego, prego." Il commendatore, da vero facchino, urlava: "Ma io gli spacco la faccia." Il direttore mi prese finalmente per un braccio dicendo: "E tu vieni con me."

Ancora del tu. Mentre attraversavamo la sala, con tutta la gente che si alzava in piedi per vederci meglio, non potei fare a meno di pensare ad alta voce: "Ecco un altro beccamorto che mi dà del tu." Lì per lì, lui non disse nulla; ma come fummo in cucina, a porta chiusa, mi gridò in faccia: "Allora tu dici beccamorto ai clienti... e poi lo dici anche a me?"

"Ma io non ho detto nulla... beccamorto."

"Insisti... ma il beccamorto sei tu, bello mio... e te ne vai... te ne vai subito."

"Va bene... me ne vado... beccamorto."

Insomma, le labbra mi si muovevano mio malgrado, senza che potessi impedirlo. Mi ritrovai in strada che protestavo, quasi ad alta voce: "Dànno del tu... come se fossimo fratelli... e chi li ha mai visti né conosciuti... perché non tengono le debite distanze?"

In quel momento una guardia, vedendo che parlavo solo, si avvicinò e mi interpellò: "Hai bevuto eh... e com'era? Abboccato o asciutto?... gira al largo, vattene... qui non ci puoi stare."

"Ma chi ha bevuto?," protestai. E subito dopo, la parola mi uscì di bocca, la stessa che mi aveva fatto cacciare dal "Marforio". Avrei voluto riacchiapparla, come una farfalla che scappa fuori dal berretto. Eh sì, mi era sfuggita e ormai non c'era più niente da fare. Dunque: arresto per oltraggio ad agente, notte in guardina, processo, condanna con la condizionale. Uscito di prigione, mi accorsi che la testa mi si era di nuovo congelata. Intontito, attraversavo la strada all'altezza di ponte Vittorio quando una macchina per poco non mi schiaccia. Non contento, mentre ancora tremavo, l'autista si affaccia e mi urla: "Morto di sonno!" Lo guardai che si allontanava mentre la mia testa echeggiava fedelmente, tale e quale come un anno prima: "Morto di sonno... morto di sonno... morto di sonno."

SCORFANI

Non si sa mai troppo bene chi si è, né chi sono quelli che ci stanno sotto e quelli che ci stanno sopra. Per me, io esageravo nel senso di considerarmi il peggio di tutti. È vero che non sono nato vaso di ferro; diciamo che sono vaso di coccio. Ma io mi ritenevo vaso di vetro, anzi di cristallo, e questo era eccessivo. Mi avvilivo. Spesso mi dicevo: facciamo la rivista delle qualità. Dunque, forza fisica: zero, sono piccolo, storto, rachitico, le gambe e le braccia come due stecchi, un ragno; intelligenza: poco più di zero, dal momento che, tra tanti mestieri, non sono riuscito a andare più su dello sguattero d'albergo; bellezza: meno di zero, ho il viso stretto e giallo, gli occhi color del can che fugge, e un naso che par fatto per una faccia il doppio più larga della mia, grosso e lungo, che sembra venire in giù e poi, alla punta, si leva in su come una lucertola che alzi il muso. Altre qualità, come coraggio, prontezza, fascino personale, simpatia: meglio non parlarne. Naturale che con queste riflessioni mi guardassi dal far la corte alle donne. La sola che mi fossi attentato di accostare, una cameriera dell'albergo, mi aveva rimesso a posto con la parola che ci voleva: scorfano. Perciò, pian piano, mi ero convinto che non valevo nulla e che il meglio per me era di starmene buono, in un cantuccio, così da non dare ombra a nessuno.

Chi passa nelle prime ore del pomeriggio per la strada dietro l'albergo dove lavoro, vedrà una fila di finestre aperte a fior di terra, dalle quali viene un odore forte di lavatura di piatti. Aguzzando gli occhi nel buio, vedrà anche pile e pile di piatti torreggianti fino al soffitto, sui tavoli e sul marmo dell'acquaio. Ebbene, quello era il mio cantuccio, l'angolo della vita che mi ero scelto per non dare nell'occhio. Ma quando si dice la fatalità: tutto mi sarei aspettato fuorché proprio in quell'angolo, voglio dire in quella cucina, qualcuno sarebbe venuto a sorprendermi, a cogliermi come un fiore che se ne sta nascosto tra le erbe. Fu Ida, la nuova sguattera che prese il posto di Giuditta quando rimase incinta. Ida, tra le donne, era quello che ero io tra gli uomini: uno scorfano. Come me, era piccola, storta, magrolina, insignificante. Ma smaniosa, irrequieta, allegra, un diavolo. Diventammo presto amici, per via che stavamo in piedi davanti gli stessi piatti, la stessa acqua grassa; e poi, da una cosa all'altra, lei mi indusse ad invitarla una domenica per andare insieme al cinema. L'invitai per cortesia; e fui sorpreso quando, nel buio del cinema, lei mi prese la mano, facendomi entrare le cinque dita tra le mie. Pensai ad un errore, tentai perfino di svincolarmi, ma lei mi sussurrò di star fermo: che male c'era a stringersi la mano? Poi, all'uscita, mi spiegò che lei mi aveva notato da un pezzo, dal giorno si può dire che era stata assunta all'albergo. Che da allora non aveva fatto che pensare a me. Che adesso sperava che le volessi un po' di bene, perché lei, senza di me, non poteva vivere. Era la prima volta che una donna, sia pure una donna come Ida, mi diceva queste cose e io perdetti la testa. Così le risposi tutto quello che voleva e anche molto di più.

Ma mi restava uno stupore profondo, e sebbene lei continuasse a ripetermi che era pazza di me, non riuscivo a convincermene. Così, le altre volte che uscimmo insieme, tornavo spesso a insistere, un po' per il piacere di sentirglielo dire e un po', anche per incredulità: "Ma dimmi, si può sapere che ci trovi in me? Come fai ad amarmi?" Ci credereste? Ida mi si attaccava al braccio con le due mani, levava verso di me un viso rapito, e mi rispondeva: "Ti amo perché hai tutte le qualità... per me sei la perfezione in terra." Ripetevo, incredulo: "Tutte le qualità? Guarda, e io che non lo sapevo." "Sì, tutte... per prima cosa sei bello." Mi veniva da ridere, lo confesso e dicevo: "Bello io? Ma mi hai guardato bene?" "Altroché, se ti ho guardato... non faccio che questo." "Ma il mio naso? L'hai mai guardato il mio naso?" "È proprio il naso che mi piace," rispondeva lei, e poi, prendendomi il naso tra due dita e scuotendolo come un campanello. "Naso, naso... per questo naso non so che farei." Soggiungeva, quindi: "E poi sei intelligente." "Intelligente io? Ma se tutti dicono che sono scemo."

"Lo dicono per invidia," rispondeva lei con logica femminile, "ma tu sei intelligente, intelligentissimo... quando parli ti sto a sentire a bocca aperta... sei la persona più intelligente che io abbia finora incontrato." "Non dirai, però," riprendevo dopo un momento, "che sono forte... questo non puoi dirlo." E lei, smaniosa: "Sì, sei tanto forte... tanto, tanto." Questa era così grossa che per un momento rimanevo senza parola. Lei riprendeva, allora: "E poi, vuoi che te lo dica, hai un non so che, che mi piace tanto." Le domandavo allora: "Ma che è questo non so che, si può sapere?" "E come faccio a dirtelo," rispondeva lei, "sarà la voce, l'espressione, il modo come ti muovi... certo che nessuno ce l'ha come te." Naturalmente, per un pezzo non le credetti; e me li facevo ripetere, questi discorsi, soltanto perché mi divertiva confrontarli con quello che avevo sempre pensato di me stesso. Ma dàgli oggi, dàgli domani, cominciai, lo confesso, a montarmi la testa. Qualche volta mi dicevo: "E se fosse vero?" Non che credessi veramente di essere diverso, materialmente, da quello che avevo sinora pensato di essere. Ma la frase di Ida sul "non so che" mi lasciava in dubbio. In quella frase, lo sentivo, stava la spiegazione del mistero. Per quel "non so che", come sapevo, piacevano alle donne i gobbi, i nani, i vecchi, perfino i mostri. Perché non avrei dovuto piacere anch'io che gobbo, nano, vecchio e mostro non ero?

Uno di quei giorni, decidemmo, Ida ed io, di andare a vedere un circo che aveva piantato le tende dirimpetto alla Passeggiata Archeologica. Eravamo tutti e due molto allegri; quando fummo sotto la gran tenda del circo, nei posti popolari, ci sedemmo stringendoci l'uno contro l'altro, braccio sotto braccio. Accanto a me c'era una grande donna bionda, giovane e formosa e con lei, un posto più in giù, un giovanotto bruno, anche lui grande e forte, tipo di fiumarolo o sportivo. Pensai che erano quello che si dice una bella coppia; e poi non pensai più a loro e mi occupai soltanto del circo. L'arena coperta di sabbia gialla era ancora vuota, ma in fondo c'era una tribuna con un'orchestra di suonatori in divise rosse, tutta di ottoni e flauti, che non cessava di suonare certe marce bellicose. Entrarono finalmente quattro pagliacci, due nani e due più grandi, con le facce infarinate e i calzoni a bracaloni, e fecero tante capriole e lazzi, dandosi schiaffi e pedate, che Ida, dal gran ridere, quasi le veniva la tosse. Poi, l'orchestra attaccò una marcetta vivace e fu la volta dei cavalli, sei in tutto, tre grigi pomellati e tre bianchi, che presero a girare in tondo, buoni buoni, mentre il domatore, al centro dell'arena, tutto vestito di rosso e oro, faceva schioccare la sua lunga frusta. Una donna in gonnella di tulle e calze bianche entrò al passo di danza, si attaccò con le mani alla sella di uno dei cavalli e prese a scendere e salire in sella mentre i cavalli giravano, prima al trotto e poi al galoppo. Usciti i cavalli tornarono i pagliacci a fare capitomboli e darsi calci, e poi venne una famiglia di trapezisti, papà, mamma e bambino, tutti e tre vestiti di maglia a pelle, azzurra, tutti e tre muscolosi, soprattutto il bambino. Batterono le mani e poi, hop là, eccoli arrampicarsi per una fune a nodi, su su, fino al soffitto del circo. Lì cominciarono a rimandarsi i trapezi volanti, attaccandosi ora con le mani e ora coi piedi, e buttandosi il bambino come una palla. Io dissi a Ida, pieno di ammirazione: "Ecco, mi piacerebbe essere un trapezista... mi piacerebbe lanciarmi nel vuoto e poi afferrare il trapezio con le gambe." Ida, al solito, mi si strinse al fianco, rispondendo in tono di adorazione: "È questione di esercizio... anche tu, se ti esercitassi, ci riusciresti." La donna bionda ci guardò, e poi disse qualche cosa sottovoce al compagno e tutti e due si misero a ridere. Dopo i trapezisti, fu la volta dell'attrazione numero uno: i leoni. Entrarono tanti giovanotti in giubba rossa e arrotolarono il tappeto che era servito ai trapezisti. Portandolo via ci involtarono dentro, senza accorgersene, uno dei pagliacci; e, di nuovo, Ida, vedendo spuntare quella faccia infarinata fuori dal rotolo del tappeto, poco mancò che dalle risate non cascasse dalla poltrona. Lesti lesti, quei giovanotti montarono nel mezzo dell'arena una gran gabbia tutta nichelata e poi, ad un rullo di tamburi, per una porticina, ecco apparire il testone biondo del primo leone. Ne entrarono cinque in tutto, più una leonessa che pareva proprio cattiva e cominciò subito a ruggire. Ultimo venne il domatore, un ometto garbato e cerimonioso, in giacca verde con gli alamari d'oro, il quale prese ad inchinarsi al pubblico agitando in una mano un frustino da cavallerizzo e nell'altra un bastone con un uncino, simile a quelli con cui si tirano giù le saracinesche dei negozi. I leoni gli gironzolavano intorno, ruggendo; lui si inchinava, calmo e sorridente; finalmente si voltò verso i leoni e, a colpi di uncino nel sedere, li costrinse a salire, uno dopo l'altro, su certi sgabelli proprio piccoli disposti in fila in fondo alla gabbia. I leoni, rannicchiati, povere bestie, su quei seggiolini da gatti, ruggivano mostrando i denti; alcuni, come il domatore gli passava a tiro, gli allungavano una zampata che lui evitava con una piroletta; "Mo' se lo mangiano," mi sussurrò Ida stringendomi il braccio. Ci fu un rullo di tamburi; il domatore si avvicinò ad un leone più vecchio degli altri, che pareva morto di sonno e non ruggiva, gli aprì la bocca, e ci mise dentro la testa, tre volte di seguito. Io dissi allora a Ida, mentre gli applausi scrosciavano: "Non ci crederai... ma io me la sentirei di entrare in quella gabbia e mettere anch'io la testa nella bocca del leone." E lei, piena di ammirazione, stringendosi contro di me: "Lo so che ne saresti capace." A queste parole, la donna bionda e il giovanotto sportivo scoppiarono a ridere, guardandoci con intenzione. Questa volta non potevamo ignorare che ridevano di noi, e Ida, impermalita, mi mormorò: "Ridono di noi... perché non glielo dici che sono maleducati?" Ma in quel momento suonò una campana e tutti si alzarono, mentre i leoni se ne andavano via, a testa bassa, per la solita porticina. La prima parte dello spettacolo era finita.

Uscimmo dal circo e quei due ci camminavano davanti; Ida, accanita, non cessava di sussurrarmi: "Devi dirglielo che sono maleducati... se non lo fai, sei un vigliacco"; ed io, punto nell'amor proprio, decisi di affrontarli. Fuor del circo, a ridosso della tenda, c'era un baraccone, dove, a pagamento, si poteva visitare lo zoo del circo: una fila di gabbie da una parte, con gli animali feroci, e dall'altra, sulla paglia, in libertà, gli animali domestici, come dire zebre, elefanti, cani. Questo baraccone era quasi al buio e, come entrammo, scorgemmo nella penombra quei due che stavano osservando la gabbia dell'orso. La donna bionda si sporgeva a guardare l'orso che se ne stava arrotolato, dormendo in santa pace, la schiena pelosa contro le sbarre, e l'uomo la tratteneva per un braccio. Andai dritto all'uomo e con voce ferma gli dissi: "Dite un po'... forse ridevate di noi?"

Lui si voltò appena e rispose senza esitare: "No, ridevamo di una rana che voleva fare il bue "

"E la rana sarei io?"

"La prima gallina che canta ha fatto l'uovo."

Ida mi spingeva con una mano per il braccio e io alzando la voce risposi: "Sa cos'è lei? un ignorante e un cafone."

Lui, brutalmente, ribattè: "E che, mo' anche le pulci hanno la tosse?"

A questo la donna si mise a ridere e allora Ida, inviperita, intervenne dicendole: "C'è poco da ridere... e poi invece di ridere non stia tanto a strofinarsi a mio marito... cosa crede che non l'ho veduta... con il braccio non ha fatto altro che strofinarsi a lui tutto il tempo."

Fui stupito perché non me ne ero accorto: tutt'al più, trovandosi vicina, lei mi aveva forse sfiorato col gomito. La donna, infatti, rispose, indignata: "Figlia mia, sei scema..."

"No, non sono scema, ti ho visto che ti strofinavi."

"Ma che vuoi che me ne importi di uno scorfano come tuo marito?" adesso parlava con disprezzo: "se dovessi strofinarmi, mi strofinerei ad un uomo vero... eccolo qua un uomo vero." Così dicendo prese il braccio dell'amico come si prende in pizzicheria un prosciutto per mostrarlo al cliente. "Eccolo il braccio al quale mi strofinerei... guarda che muscoli... guarda come è forte."

A sua volta, l'uomo mi si avvicinò e mi disse minaccioso: "Ora basta... andatevene... sarà meglio per voi."

"Ma chi l'ha detto?" gridai esasperato, levandomi in punta di piedi per mettermi a paro con lui.

La scena che seguì, me la ricorderò finché campo. Alla mia frase lui non disse nulla, ma tutto ad un tratto, mi prese sotto le ascelle e mi sollevò in aria come un fuscello. Dall'altra parte delle gabbie, come ho detto, su un letto di paglia, c'erano gli animali domestici. Proprio dietro di noi, si trovava una famiglia di elefanti: padre, madre e bambino, quest'ultimo più piccolo ma sempre grande quanto un cavallo. Stavano nell'ombra, poveretti, le orecchie e le proboscidi penzolanti, coi groppponi scuri stretti gli uni agli altri. Quel bullo, dunque, mi solleva e repentinamente mi mette in groppa all'elefante più piccolo. La bestia crede forse che sia venuto il momento di presentarsi nel circo e stacca un trotterello, con me in groppa, per la corsia, lungo le gabbie. Tutta la gente scappa, Ida mi corre dietro urlando, ed io, a cavalcioni sull'elefantino, dopo aver tentato invano di acchiappargli le orecchie giunto in fondo alla corsia, scivolo e casco per terra, battendo la testa a parte dietro. Quello che avvenne poi non lo so, perché svenni, e quando rinvenni mi ritrovai al pronto soccorso, con Ida seduta vicino a me che mi stringeva la mano. Più tardi, appena mi sentii meglio, tornammo a casa senza vedere la seconda parte dello spettacolo.

Il giorno dopo dissi a Ida: "Colpa tua... mi avevi montato la testa facendomi credere di essere chissà chi... invece, quella donna disse la verità: non sono che uno scorfano."

Ma Ida, prendendomi per il braccio e guardandomi: "Sei stato magnifico... lui ha avuto paura e per questo ti ha messo sull'elefante... e poi, a cavallo dell'elefante, eri proprio bello... peccato che sei caduto."

Così non c'era niente da fare. Per lei ero una cosa e per gli altri ero un'altra. Ma si può sapere che vedono le donne quando amano?

IL MEDIATORE

Salendo lo scalone del palazzo, Antonio, il maggiordomo, mi avvertì: "Non ti fare illusioni di guadagnarci molto con la principessa perché è avara da non credersi... da quando le è morto il marito, poi, le è venuta la passione di occuparsi dell'amministrazione e non lascia più beneavere a nessuno."

"Ma che, è vecchia?" domandai a caso.

"Vecchia lei? È giovane e bella... avrà sì e no venticinque anni... a vederla sembra un angelo... eh, le apparenze ingannano."

Risposi: "Beh, può anche essere un diavolo, ma io non voglio se non quello che mi è dovuto... faccio il mediatore, la principessa ha un appartamento da vendere, io glielo vendo, prendo la percentuale e tanti saluti."

"Eh, non è così semplice... ti farà sputar sangue... aspetta che vado ad avvertirla."

Mi lasciò nell'anticamera e andò ad avvertire la principessa che lui chiamava "eccellenza", come se fosse stato un uomo. Aspettai un pezzo in quell'anticamera fredda gelata, proprio di palazzo antico, con le pareti ricoperte di arazzi e la volta affrescata. Finalmente Antonio venne a informarmi che sua eccellenza mi aspettava. Attraversammo una sfilata di saloni e poi, in un salone più grande degli altri, nel vano di una finestra, vidi una scrivania e lei che ci stava seduta, scrivendo. Antonio le si avvicinò, con rispetto, dicendo: "Ecco il signor Proietti, eccellenza," e lei rispose: "Venite pure avanti, Proietti," senza alzare gli occhi. Come le fui accosto, potei guardarla a mio agio e dovetti subito riconoscere che Antonio non aveva esagerato paragonandola ad un angelo. Aveva un viso fine, bianco, delicato, dolce, coi capelli neri e certe lunghe ciglia nere che le ombreggiavano le guance. Il naso, un po' all'insù, era sottile, trasparente, come abituato a non odorare che profumi. La bocca l'aveva piccola, con il labbro superiore più grosso, simile a una rosa. Abbassai gli sguardi alla persona: era vestita di nero, con una giubba stretta: aveva i fianchi e il petto larghi e la vita di vespa, da farne il giro con le due mani. Scriveva: la mano era bianca, magra, elegante, con un diamante all'indice. Poi alzò gli occhi verso di me e vidi che erano bellissimi: enormi, scuri, insieme vellutati e liquidi. Disse: "Allora, Proietti, vogliamo andare a vedere l'appartamento?"

Aveva una voce dolce, carezzevole. Balbettai: "Sì, principessa."

"Venite, Proietti, di qua," lei disse prendendo una grossa chiave di ferro.

Riattraversammo tutti quei saloni, nell'anticamera lei disse ad Antonio che accorreva ad aprirle la porta: "Antonio, dite un po' a quelli, giù, del termosifone che non mettano più carbone... si soffoca qua dentro dal caldo;" e io mi meravigliai perché l'anticamera era gelata e così tutte le altre stanze. Prendemmo per lo scalone, lei avanti e io dietro, e mentre mi precedeva potei vedere che aveva anche una figura bellissima: alta, sottile, con le gambe dritte e quel vestito nero che faceva risaltare la bianchezza della nuca e delle mani. Salimmo due rampe dello scalone, e poi altre due rampe di una scala di servizio e finalmente, in fondo a una soffitta, trovammo la scala a chiocciola, di ferro, che portava all'appartamento. Lei si inerpicò per questa scaletta e io salii dietro, abbassando gli occhi, perché sapevo che avrei potuto guardarle le gambe e non volevo e già la rispettavo come una donna che si ama. Entrammo nell'appartamento che consisteva, come vidi subito, in due stanzoni con il pavimento di ammattonato e le finestre a bocca di lupo, aperte in alto, sotto il soffitto. Una terza stanzetta, di forma circolare, ricavata in un belvedere, dava con una portafinestra su un balcone con la ringhiera, sospeso sopra un gran tetto di tegole brune. Lei aprì la portafinestra e uscì sul balcone dicendo: "Venite, Proietti, guardate che panorama." Effettivamente la vista era bella: da quel balcone si scopriva tutta Roma, con tanti tetti, cupole e campanili. Era una giornata serena e, in fondo al cielo azzurro, tra un tetto e l'altro, si poteva vedere anche la palla di San Pietro. Guardavo imbambolato il panorama, ma in realtà quasi non lo vedevo e non pensavo che a lei, come a qualche cosa che mi preoccupava e che non potevo dimenticare. Lei intanto era rientrata; e io mi girai domandando meccanicamente: "E i servizi?"

"Volete dire il bagno?... Eccolo." Andò ad una porticina che non avevo notato e mi mostrò una stanzetta cieca, bassa e rettangolare, in cui aveva sistemato il bagno. Al primo sguardo potei rendermi conto che le porcellane erano proprio andanti, roba da casa popolare. Lei richiuse la porticina del bagno e, mettendosi nel mezzo dello stanzone, le mani nelle tasche della giubba, mi domandò: "Allora, Proietti, quanto credete che possiamo domandare?"

Ero così preoccupato dalla sua bellezza e dal fatto conturbante di trovarmi solo con lei in quella soffitta, che per un momento non risposi nulla, guardandola. Lei forse si rese conto di quello che mi passava per la testa, perché, battendo in terra il piede piccolo e nervoso, soggiunse: "Si può sapere a che cosa pensate?"

Dissi in fretta: "Facevo un calcolo... sono tre vani... ma non c'è l'ascensore e chi compera dovrà fare dei lavori... diciamo tre milioni e mezzo."

"Ma Proietti," esclamò subito lei alzando la voce, "Proietti, io volevo chiedere sette milioni!"

Dico la verità, per un momento rimasi sbalordito. Questa combinazione di bellezza e di affarismo mi sconcertava. Balbettai finalmente: "Principessa, a sette milioni, nessuno glielo prende."

"Ma questi non sono i Parioli... questo è un palazzo storico... è il centro di Roma."

Insomma, discutemmo un pezzo, lei ritta nel mezzo della stanza, e io a buona distanza, per non essere indotto in tentazione. Parlavo e parlavo ma in realtà non pensavo che a lei, e, in mancanza di meglio, me la divoravo con gli occhi. Alla fine, molto a malincuore, si lasciò convincere per quattro milioni che era già una somma elevata. Infatti a voler calcolare un milione i lavori che bisognava farci, mettendoci anche le tasse e il resto, l'appartamento al compratore sarebbe venuto a costare quasi sei milioni. Io, che avevo già il cliente, le dissi che era un affare fatto e me ne andai.

Il giorno dopo mi presentai al palazzo con un giovane architetto che cercava appunto qualche cosa di pittoresco e di eccezionale. La principessa prese la sua chiave e ci mostrò l'appartamento. L'architetto discusse un poco sul prezzo ma alla fine accettò la somma già fissata: quattro milioni.

Ma il mattino seguente, presto, saranno state neppure le otto, mia moglie venne a svegliarmi dicendomi che la principessa era al telefono. Dal sonno quasi non ci vedevo; tuttavia la voce di lei, dolce e fine, che mi parlava, mi sembrò una musica. Ascoltai questa musica in pigiama, i piedi nudi sul pavimento, mentre mia moglie si inginocchiava per infilarmi le pantofole, e poi mi gettava un soprabito sulle spalle. Capii poco o nulla ma, tra tante parole, due, ad un tratto, mi colpirono: "...Cinque milioni..."

Dissi subito: "Principessa, ci siamo impegnati per quattro milioni... non possiamo ritirarci..."

"Negli affari non esistono impegni... o cinque milioni o nulla."

"Ma, principessa, quello si squaglia..."

"Non fate il fesso, Proietti... cinque milioni o nulla."

Dico la verità, la parola "fesso", pronunziata da quella voce, non mi sembrò né volgare, né ingiuriosa: quasi un complimento. Dissi che avrei fatto come lei voleva e subito dopo telefonai al cliente comunicandogli la novità. Lo udii esclamare subito all'altro capo del filo. "Non scherzate voialtri: un milione di più dalla mattina alla sera."

"Che ci vuol fare... questi sono gli ordini."

"Beh, vedrò... ci penserò."

"Allora lei mi farà sapere..."

"Sì, ci penserò, vedrò."

Morale: non si fece più vivo. Cominciò allora, per così dire, il periodo più intimo dei miei rapporti con la principessa. Lei mi telefonava in media tre volte al giorno e io ogni volta che mia moglie gridava con ironia: "C'è la solita principessa," mi turbavo come se fosse stata una telefonata d'amore. Sì, altro che amore. Era attaccata al soldo in maniera da non credersi, interessata, avara, cocciuta e ingegnosa peggio di un usuraio. Bisogna dire che al posto del cuore ci avesse un salvadanaio: non vedeva e non pensava che al denaro. Ogni giorno poi, al telefono, ne inventava una nuova per aumentare il prezzo, fosse anche di una sciocchezza, cinque o diecimila lire. Oggi era il bagno per il quale bisognava includere il compenso dello stagnaro, domani la vista, un altro giorno il fatto che l'autobus si fermava proprio davanti il portone del palazzo e così via. Ma io tenevo duro sulla cifra di cinque milioni che era già enorme, tanto è vero che i compratori, appena la sentivano, non si facevano più vedere. Finalmente, per un caso fortunato, le trovai l'amatore: un milanese, un industriale, che nell'appartamento voleva metterci una sua mantenutella. Era un uomo sbrigativo e pratico che conosceva il mercato e il prezzo del denaro: di mezza età, alto, con la faccia lunga e bruna e la bocca piena di denti d'oro. Venne a vedere l'appartamento, esaminò con cura ogni cosa e poi disse alla principessa, senza tanti complimenti: "È una topaia, a Milano ci metteremmo le fontane per lavare i panni... vale cinque milioni come io sono turco... quando ci avrò fatto i lavori necessari, come rifare i pavimenti e gli infissi, aprire delle finestre, cambiare questa robaccia," e indicò le porcellane del bagno, "mi verrà a costare sette od otto milioni... non importa... la legge del mercato si regola sulla domanda e sull'offerta... lei ha incontrato la persona che ha bisogno di questo appartamento... dunque ha ragione lei."

Ma fece male a tenere questo discorso, franco e brutale, da uomo di affari. Perché lei, appena se ne fu andato, mi disse, addolorata: "Proietti, abbiamo fatto un errore enorme."

"Quale?"

"Di domandare cinque milioni soli... quello ne pagava anche sette."

Risposi: "Principessa, ho paura che lei non abbia capito il tipo: quello è un uomo pieno di soldi, è vero, vorrà anche bene all'amante, non discuto; ma più di tanto non dà."

"Lei non sa quello che un uomo può fare per una donna che ama," disse lei guardandomi con quei suoi bellissimi occhi in cui non c'era che interesse e denaro. Mi confusi e risposi: "Può darsi... ma io sono convinto del contrario."

Basta, il giorno dopo il milanese si presentò al palazzo con un suo legale e la principessa, appena ci fummo seduti, disse subito: "Signor Casiraghi, mi dispiace... ma ripensandoci non posso più dare l'appartamento per la cifra di ieri."

"E cioè?"

"E cioè ci vorranno sei milioni."

Avreste dovuto vedere il Casiraghi. Con molta semplicità si alzò, e disse: "Principessa, ho il piacere e l'onore di salutarla;" fece un inchino e se ne andò. Dissi, appena fu scomparso:

"Ha visto? Chi aveva ragione?"

Ma lei, nient'affatto sconcertata: "Vedrete che troveremo il compratore anche a sei."

Avrei voluto mandarla al diavolo, ma, purtroppo, ero proprio innamorato. Forse appunto perché ero innamorato, non notai la stranezza del compratore che, per cinque milioni e mezzo, le trovai di lì a qualche giorno. Alla somma, veramente forte, non fiatò. Era un signore di campagna, un giovanotto grande e grosso che sembrava un orso, a nome Pandolfi. Mi fu subito antipatico, quasi per un presentimento. Come lo presentai alla principessa, capii subito perché non aveva protestato contro il prezzo. Intanto, a quanto pare, avevano un sacco di amici in comune. E poi lui la guardava in un certo modo che non lasciava dubbi. Esaminammo al solito le tre stanze e il bagno e poi lei aprì la portafinestra e uscì con lui sul balcone per mostrargli il panorama. Io ero rimasto indietro nella stanza e così potei osservarli. Appoggiavano ambedue le mani sulla ringhiera e allora vidi la mano di lui avvicinarsi come per caso a quella di lei e poi sovrapporsi ricoprendola. Cominciai a contare, piano e giunsi fino a venti. Venti secondi di strofinamento, sembra niente, ma provate a contarli. A venti, lei, con naturalezza, svincolò la mano e rientrò nella stanza. Lui disse, in sostanza, che l'appartamento gli conveniva e se ne andò. Restammo soli e lei, sfacciata, disse: "Avete visto Proietti? Cinque e mezzo... ma saliremo."

Il mattino dopo tornai da lei che mi aspettava, al solito, seduta alla scrivania, nel salone. Mi disse, tutta vispa: "Sapete, Proietti, che cosa ho scoperto ieri mentre guardavo il panorama con quel vostro cliente?"

Avrei voluto rispondere: "Che è innamorato di lei," ma mi trattenni. Lei continuò: "Ho scoperto che in un angolo si vede un bel po' di Villa Borghese. Proietti, bisogna battere il ferro finché è caldo... oggi al signor Pandolfi gli chiediamo sei milioni e mezzo."

Avete capito? Sapeva che Pandolfi era innamorato di lei e voleva specularci sopra. Quei venti secondi che lui le aveva tenuto la mano sulla mano, adesso glieli faceva pagare un milione tondo, cinquantamila lire al secondo. Che appetito. Ma questa volta capivo che avrebbe ottenuto la somma e provai a un tratto insieme rabbia, gelosia e disgusto. Ero stato mediatore di un affare, fin'allora; ma adesso lei mi faceva diventare mediatore di una tresca. Prima ancora che potessi rendermene conto, dissi con forza: "Principessa, faccio il mediatore, non il mezzano," e, rosso in faccia, uscii di corsa. Udii lei che diceva, per niente offesa: "Ma Proietti, che vi prende?"; e quella fu l'ultima volta che sentii quella sua voce così dolce.

Mesi dopo incontrai Antonio, il maggiordomo, e gli domandai: "E la principessa?"

"Si sposa."

"Con chi? Scommetto che si sposa con quel Pandolfi che le comperò l'attico."

"Macché Pandolfi... si sposa con un principe meridionale vecchio bacucco, che potrebbe essere suo nonno... ricco però, dice che possiede mezza Calabria... insomma, l'acqua va al mare."

"È sempre bella?"

"Un angelo."

IL PUPO

A quella buona signora che veniva a portarci gli aiuti del Soccorso di Roma e ci domandava, anche lei, perché mettessimo al mondo tanti figli, mia moglie, che quel giorno aveva le paturne, gliela disse la verità: "Se avessimo i soldi, la sera ce ne andremmo al cinema... invece, siccome i soldi non ci sono, ce ne andiamo a letto, e così nascono i figli." La signora, a questa frase, ci rimase male e se ne andò senza aprir bocca. E io rimproverai mia moglie perché la verità non è sempre bene dirla; e prima di dirla, bisogna sapere con chi si ha a che fare.

Quando ero giovane e non ero ancora sposato, spesso mi divertivo a leggere nel giornale la cronaca di Roma, dove sono raccontate tutte le disgrazie che possono capitare alla gente, come dire furti, omicidi, suicidi, incidenti stradali. E tra tutte queste disgrazie, la sola che mi sembrava proprio impossibile che potesse capitarmi era di diventare quello che il giornale chiamava un "caso pietoso"; ossia una persona tanto disgraziata da fare compassione senza bisogno di alcuna particolare disgrazia, così, per il solo fatto di esistere. Ero giovane, come ho detto, e non sapevo ancora che cosa voglia dire mantenere una famiglia numerosa. Ma oggi, con stupore, vedo che pian piano mi sono trasformato proprio in un "caso pietoso". Leggevo, per esempio: vivono nella più nera miseria. Ebbene oggi vivo nella più nera miseria. Oppure: abitano in una casa che di casa non ha che il nome. Ebbene, io vivo a Tormarancio, con mia moglie e sei figli, in una stanza che è tutta una distesa di materassi e, quando piove, l'acqua ci va e viene come sulle banchine di Ripetta. Oppure ancora: la sciagurata, saputo che era incinta, prese una decisione criminale: disfarsi del frutto del suo amore. Ebbene questa decisione la prendemmo di comune accordo, mia moglie ed io, allorché scoprimmo che era incinta per la settima volta. Decidemmo, insomma, appena la stagione l'avesse permesso, di abbandonare la creatura in una chiesa, affidandola alla carità di chi l'avesse trovata per primo.

Mia moglie, sempre per intercessione di quelle buone signore, andò a partorire all'ospedale e poi, appena si sentì meglio, tornò a Tormarancio col pupo. Entrando nella stanza, disse: "Ma lo sai che, con tutto che l'ospedale è l'ospedale, ci sarei rimasta pur di non tornare più qui?" Il pupo, poi, a queste parole, come se le avesse capite, attaccò un ululato da non dirsi. Era un bambino bello e robusto e aveva una voce forte: così che di notte quando si svegliava e cominciava a piangere non lasciava più dormire nessuno.

Quando fu maggio, con l'aria ormai calda abbastanza per stare all'aperto senza cappotto, ci muovemmo da Tormarancio per andare a Roma. Mia moglie teneva il pupo stretto contro il petto, involtato in una quantità di stracci, manco avesse dovuto lasciarlo in un campo di neve; e una volta che fummo in città, forse per non mostrare che le dispiaceva, prese a parlare in continuazione, trafelata e ansimante, i capelli al vento, gli occhi fuori della testa. Ora parlava delle varie chiese in cui potevamo lasciarlo e mi spiegava che doveva essere una chiesa dove capitassero persone ricche, perché, se il pupo veniva raccolto da qualcuno povero come noi, tanto valeva tenercelo; ora mi diceva che questa chiesa lei voleva che fosse dedicata alla Madonna, perché anche la Madonna aveva avuto un figlio e certe cose poteva capirle e così avrebbe esaudito il suo desiderio. Questo modo di parlare mi stancava e mi metteva l'agitazione addosso; tanto più che anch'io ero mortificato e non mi piaceva di fare quello che facevo; ma mi ripetevo che dovevo tenere la testa a posto e mostrarmi calmo e farle coraggio. Mossi qualche obiezione, tanto per interrompere quel fiume di parole, e poi dissi: "Una idea... se lo lasciassimo a San Pietro?" Lei rimase per un momento incerta e poi rispose: "No, quella è una piazza d'armi... manco lo vedrebbero... invece voglio provare in una chiesa piccola che sta a via Condotti dove ci sono tutti quei bei negozi... lì gente ricca ne capita tanta... quello è il luogo."

Prendemmo l'autobus e, tra la gente, lei si azzittì. Ogni tanto rivoltava più strettamente il pupo nella sua coperta, oppure gli scopriva con precauzione il viso per guardarlo. Il pupo dormiva, il viso bianco e rosso affondato negli stracci. Era vestito male, come noi, di bello non aveva che i guantini di lana azzurra e infatti teneva le mani fuori, bene aperte, come per mostrarli. Scendemmo al largo Goldoni e subito mia moglie riattaccò con la parlantina. Si fermò davanti alla vetrina di un orefice e mostrandomi i gioielli esposti sulle mensole ricoperte di velluto rosso, mi disse: "Guarda che bellezza... la gente in questa strada ci viene soltanto per comprare gioielli e altre cose belle... un povero non ci viene... tra un negozio e l'altro, vanno in chiesa a pregare un momento... sono ben disposti... vedono il pupo e lo prendono." Diceva queste cose guardando ai gioielli, il bambino stretto al petto, gli occhi sbarrati, come parlando a se stessa; e io non osai contraddirla. Entrammo nella chiesa. Era piccola, tutta dipinta a finto marmo giallo, con tante cappelline e l'altare maggiore; e mia moglie disse che se la ricordava diversa e che adesso, rivedendola, non le piaceva affatto. Però si bagnò le dita nell'acqua santa e si fece il segno della Croce. Quindi, col pupo in braccio, cominciò a fare lentamente il giro della chiesa, esaminandola con aria scontenta e diffidente. Dalla cupola, attraverso i lucernari, veniva giù una luce fredda ma chiara; mia moglie andava da una cappellina all'altra, guardando ogni cosa, le seggiole, gli altari, i quadri, per vedere se era il caso di lasciarci il pupo; e io la seguivo a distanza, senza perder d'occhio l'ingresso. Entrò a un tratto una signorina alta, vestita di rosso, con i capelli biondi come l'oro. Sforzando la gonna stretta, si inginocchiò, pregò forse neppure un minuto, si segnò e uscì senza guardarci. Mia moglie, che aveva seguito la scena, disse improvvisamente: "No, non va... qui ci capita gente come quella signorina, che ha fretta di divertirsi e di girare per i negozi... andiamo via." Così dicendo, uscì dalla chiesa.

Risalimmo un bel pezzo del Corso, sempre correndo, mia moglie avanti e io dietro; e verso piazza Venezia entrammo in un'altra chiesa. Questa era molto più grande della prima, quasi al buio, piena di drappi, di dorature e di vetrine zeppe di cuori d'argento che brillavano nella oscurità. C'era un bel po' di gente e così, a occhio e croce, giudicai che fossero tutte persone agiate, le signore coi cappelli, gli uomini ben vestiti. Un prete si sbracciava dal pulpito, predicando; tutti stavano in piedi guardando verso di lui; e io pensai che questo fosse una cosa buona perché nessuno ci avrebbe osservato. Dissi a mia moglie, sottovoce: "Vogliamo provare a lasciarlo qui?"; e lei accennò di sì. Andammo a una cappella laterale, molto buia; non c'era nessuno e quasi non ci si vedeva; mia moglie coprì il viso al pupo con un lembo della coperta in cui era avvoltolato e poi lo mise su una seggiola, proprio come si depone un fagotto ingombrante per restar più liberi. Quindi si inginocchiò e pregò un bel pezzo, il viso tra le mani, mentre io, non sapendo che fare, guardavo a tutte le centinaia di cuori d'argento di ogni grandezza che tappezzavano le pareti della cappella. Finalmente mia moglie si alzò, con un viso compreso, si segnò e, pian piano, si allontanò dalla cappella, seguita a distanza da me. Il predicatore in quel momento urlava: "E Gesù disse: Pietro dove vai?" e io ci feci caso perché mi sembrò che lo domandasse a me. Ma come mia moglie fece per sollevare il materasso della porta, una voce ci fece saltare tutti e due: "Signora, avete lasciato un pacco sulla seggiola." Era una donna vestita di nero, una di quelle pinzocchere che passano la giornata tra chiesa e sacristia. "Ah già," fece mia moglie, "grazie... me ne ero dimenticata." Insomma, riprendemmo il fagotto e uscimmo dalla chiesa più morti che vivi.

Fuori della chiesa, mia moglie disse: "Non lo vuole nessuno questo povero figlio mio," un po' come un venditore che, avendo fatto i conti per un rapido smercio, non trova nessuno al mercato che gli prenda la roba. Intanto aveva ricominciato a correre in quella sua maniera trafelata che, quasi, coi piedi, non toccava terra. Sbucammo a piazza Santi Apostoli; la chiesa era aperta; e, come ci entrammo, vedendola grande, spaziosa e in ombra, mia moglie mi sussurrò: "Questo è quello che ci vuole." Con decisione andò a una delle cappelle laterali, mise il pupo su un banco e, come se la terra le avesse bruciato sotto i piedi, senza segnarsi, senza pregare, senza neppure baciarlo in fronte, si allontanò in fretta verso il portale d'ingresso. Ma aveva fatto appena pochi passi che tutta la chiesa rintronò di un pianto disperato: era l'ora della poppata e il pupo, puntuale, piangeva perché aveva fame. Forse mia moglie perse la testa a quel pianto così forte: prima corse verso la porta, poi tornò indietro, sempre correndo e, senza pensare al luogo, sedette su un banco, prese il pupo in braccio e si sbottonò per dargli il petto. Ma aveva appena tirata fuori la mammella e il pupo, da vero lupo, si era subito azzittato, acchiappandola a due mani, quando una voce sgarbata cominciò a gridare: "Non si fanno queste cose nella casa di Dio... via via.. andate in strada." Era il sacrestano, un vecchietto col barbozzo bianco e la voce più grande di lui. Mia moglie disse, alzandosi e ricoprendo alla meglio la testa del pupo e il petto: "La Madonna, però, nei quadri ci ha sempre il bambino in braccio." E lui: "E tu vorresti paragonarti alla Madonna, presuntuosa." Basta, uscimmo anche da questa chiesa, e andammo a sederci nei giardinetti di piazza Venezia; e lì mia moglie ridiede il petto al pupo finché non si fu saziato, e non si fu addormentato di nuovo.

Ormai era notte, le chiese si chiudevano e noi eravamo stanchi e intontiti e incapaci di farci venire un'idea. Al pensiero di fare tanta fatica per fare una cosa che non avrei dovuto fare, io mi sentivo disperato; e così dissi a mia moglie: "Senti, è tardi e io non ne posso più, decidiamoci." Lei rispose, inacerbita: "Ma è sangue tuo... lo vuoi abbandonare così, in un cantoncello, come si abbandona il cartoccetto di trippa per i gatti?" Dissi: "Questo no, ma certe cose o si fanno subito e senza pensarci oppure non si fanno più." Lei disse: "La verità è che hai paura che ci ripenso e che me lo riporto a casa... voialtri uomini siete tutti vigliacchi." Io capii che in quel momento non dovevo contraddirla e risposi con moderazione: "Ti capisco, non temere... ma renditi conto che per male che gli vada, gli andrà sempre meglio che crescere a Tormarancio, in una stanza senza cesso e senza cucina, tra i bacherozzi d'inverno e le mosche d'estate." Lei, questa volta, non disse nulla.

Senza sapere dove andavamo, prendemmo per via Nazionale, risalendola verso la Torre di Nerone. Poco più giù, notai una straduccia in salita del tutto deserta, con una macchina grigia, chiusa, ferma davanti un portone. Mi venne un'ispirazione, andai alla macchina, provai a girare la maniglia e lo sportello si aprì. Dissi a mia moglie: "Presto, questo è il momento... mettilo sui sedili di dietro." Lei ubbidì e depose il pupo sui sedili posteriori e poi io chiusi lo sportello. Tutto questo lo facemmo in un attimo, senza che nessuno ci vedesse. Quindi la presi sottobraccio e ci allontanammo correndo in direzione di piazza del Quirinale.

La piazza era deserta e quasi al buio, con pochi fanali accesi sotto i palazzi e tutti i lumi di Roma scintillanti nella notte, oltre i parapetti. Mia moglie si avvicinò alla fontana, sotto l'obelisco, sedette su un banco e cominciò a un tratto a piangere, come per un conto suo, chinata, voltandomi le spalle. Le dissi: "Ora che ti prende?" E lei: "Adesso che l'ho abbandonato, ne sento la mancanza... mi sembra che mi manchi qualche cosa qui al petto dove si attaccava." Dissi a caso: "Beh, si capisce... ma passerà." Lei alzò le spalle e continuò a piangere. Poi, improvvisamente, il pianto le si seccò, come si secca la pioggia sulla strada quando soffia il vento. Si rialzò, furiosa, e disse, indicando uno di quei palazzi: "Ora vado lì e mi faccio ricevere dal re e gli dico tutto." "Fermati," le gridai acchiappandola per una mano, "sei matta... o non lo sai che il re non c'è più?" E lei: "E a me che me ne importa?... parlerò con chi ha preso il posto suo... qualcuno ci sarà." Insomma, correva verso il portone e chissà che scandalo avrebbe fatto, se io, a un tratto, disperato, non le avessi detto: "Senti, ci ho ripensato... torniamo a quella macchina e riprendiamoci il pupo... vuol dire che ce lo teniamo... tanto, ormai, uno di più o di meno." Quest'idea, che era poi l'idea principale, soppiantò quella di parlare al re. "Ma ci sarà ancora?" disse avviandosi subito verso la straduccia dove si trovava la macchina grigia. "E come," le risposi, "non sono ancora passati cinque minuti."

La macchina c'era, infatti. Ma proprio nel momento che mia moglie stava per aprire lo sportello, un uomo di mezza età, basso, con una faccia autoritaria, sbucò da un portone gridando: "Ferma ferma... che volete nella mia macchina?" "Voglio la roba mia", rispose mia moglie senza voltarsi, chinandosi a prendere il fagotto del bambino sul sedile. Ma l'altro insistette: "Cosa prendete?... questa macchina è mia... avete capito?... è mia." Avreste dovuto vedere mia moglie. Si raddrizzò e lo investì in questo modo: "Ma chi ti prende niente?... non temere, nessuno ti prende niente... sulla tua macchina io ci sputo sopra... guarda," e sputò davvero, sullo sportello. "Ma quel pacco...," incominciò quello sbalordito. E lei: "Non è un pacco... è il figlio mio... guarda."

Scoprì il viso al pupo, mostrandoglielo, e quindi continuò: "Tu un figlio bello come questo, con la moglie tua, non lo fai neppure se torni a nascere... e non ti attentare a mettermi le mani addosso, se no grido e chiamo le guardie e dico che tu volevi rubarmi il figlio mio." Insomma, gliene disse tante e tante che quello, poveretto, rosso in viso e a bocca aperta, quasi gli veniva un colpo. Finalmente, senza fretta, si allontanò e mi raggiunse all'imboccatura del vicolo.

IL DELITTO PERFETTO

Era più forte di me, ogni volta che conoscevo una ragazza, la presentavo a Rigamonti e lui, regolarmente, me la soffiava. Forse lo facevo per dimostrargli che anch'io avevo fortuna con le donne; o forse, perché non riuscivo a pensar male di lui e, ogni volta, nonostante il tradimento precedente, ci ricascavo a considerarlo un amico. E pazienza se avesse fatto le cose con un po' di delicatezza, un po' di educazione; ma si comportava proprio da prepotente, come se io non ci fossi stato. Arrivava a corteggiare la ragazza in mia presenza; a darle degli appuntamenti sotto i miei occhi. In questi casi, si sa, chi ci rimette è la persona educata: mentre lui non si faceva scrupolo di fare i suoi comodi, io invece tacevo per il timore, provocando una discussione, di mancar di riguardo alla signorina. Una volta o due protestai, ma timidamente, perché non so esprimere i miei sentimenti e quando dentro sono tutto fuoco, di fuori rimango freddo che nessuno penserebbe che sono in collera. Sapete cosa rispose?: "Da' la colpa a te stesso e non a me... se la ragazza ha preferito me, è segno che io ci so fare meglio di te." Era vero: come era vero che lui, fisicamente, era meglio di me. Ma un amico si riconosce appunto dal fatto che lascia stare le donne dell'amico.

Insomma, dopo che mi ebbe rifatto quello scherzo quattro o cinque volte, presi a odiarlo con tanta passione che al bar dove lavoravamo, pur stando dietro al banco con lui e servendo con lui gli stessi clienti, procuravo sempre di mettermi di profilo o di spalla per non vederlo. Ormai non pensavo quasi più ai torti che mi aveva fatto, ma proprio a lui, a come era, e mi accorgevo di non potere più soffrirlo. Odiavo quella sua faccia robusta e stupida, con la fronte bassa, gli occhi piccoli, il naso grosso e ricurvo, le labbra fiorite e leggermente baffute. Odiavo i suoi capelli che gli facevano come un casco, neri e lucidi, con due ciocche lunghe che partendo dalle tempie gli arrivavano fino alla nuca. Odiavo le sue braccia pelose che ostentava manovrando in piedi la macchina del caffè. Soprattutto il naso mi affascinava: largo alle narici, arcuato, grosso, pallido nel mezzo del viso rubizzo, come se la forza dell'osso ne avesse tesa la pelle. Pensavo spesso di sferrargli un pugno in pieno su quel naso e di udire l'osso, crac, schiantarsi sotto il pugno. Sogni, perché sono piccolo e mingherlino e Rigamonti, con un dito solo, avrebbe potuto atterrarmi.

Non saprei dire come fu che pensai di ammazzarlo; forse una sera che andammo insieme a vedere un film americano che si chiamava: "Un delitto perfetto." Io, veramente, da principio non volevo veramente ammazzarlo ma soltanto immaginare come mi sarei regolato per farlo. Mi piaceva pensarci la sera prima di addormentarmi, la mattina prima di levarmi dal letto e, magari, anche di giorno quando al bar non c'era nulla da fare e Rigamonti seduto sopra uno sgabello, dietro il banco, leggeva il giornale, chinando sulla pagina quella sua testa impomatata. Pensavo: "Ora prendo il pestello col quale rompiamo il ghiaccio e glielo do in testa;" ma così, per gioco. Era insomma come quando si è innamorati e tutto il giorno si pensa alla donna e si fantastica che le si farebbe questo e le si direbbe quest'altro. Soltanto che io avevo per innamorata Rigamonti e quel piacere che altri prende a immaginare baci e carezze, io lo trovavo nel sognare la sua morte.

Sempre per gioco e perché ci trovavo tanto piacere, immaginai un piano in tutti i particolari. Ma poi, una volta formulato questo piano, mi venne la tentazione di applicarlo e questa tentazione era così forte che non resistetti più e decisi di passare all'azione. Ma forse non decisi nulla e mi ritrovai nell'azione quando credevo ancora di fantasticare. Questo per dire che, proprio come in amore, feci ogni cosa naturalmente, senza sforzo, senza volontà, quasi senza rendermene conto.

Incominciai, dunque, a dirgli, tra una tazza di caffè e l'altra, che conoscevo una ragazza tanto bella, che questa volta non si trattava di una delle solite ragazze che piacevano a me e poi lui me le soffiava, ma proprio di una ragazza che aveva messo gli occhi addosso a lui e voleva lui e nessun altro. Questo glielo ripetei giorno per giorno, una settimana di seguito, sempre aggiungendo nuovi particolari su quell'amore così ardente e fingendo di mostrarmi geloso. Lui dapprima faceva l'indifferente, e diceva: "Se mi ama, venga al bar... le offrirò un caffè," ma poi cominciò a snervarsi. Ogni tanto, fingendo di scherzare, mi domandava: "Di' un po'... e quella ragazza... mi ama sempre?" Io rispondevo: "E come." "E che dice?" "Dice che le piaci tanto." "Ma come?... Che cosa gli piace in me?" "Tutto, il naso, i capelli, gli occhi, la bocca, il modo come manovri la macchina del caffè... tutto, ti dico..." Insomma proprio le cose che odiavo in lui, e l'avrei ammazzato soltanto per quelle, io fingevo che avessero fatto girare la testa a quella ragazza di mia invenzione. Lui sorrideva e si gonfiava perché era vanitoso oltremodo e si credeva non so quanto. Si vedeva che in quel suo cervellaccio non faceva che pensarci e che voleva conoscere la ragazza e l'orgoglio soltanto gli impediva di chiedermelo. Finché, un giorno, disse stizzito: "O senti... o tu me la fai conoscere... oppure è meglio che non me ne parli più." Io aspettavo queste parole; e subito gli fissai un appuntamento per la sera dopo.

Il mio piano era semplice. Alle dieci staccavamo, ma al bar, fino alle dieci e mezzo, restava il padrone a fare i conti. Io portavo Rigamonti sotto il terrapieno della ferrovia di Viterbo, lì accanto, dicendogli che la ragazza ci aspettava in quel luogo. Alle dieci e un quarto passava il treno e io, approfittando del rumore, sparavo a Rigamonti con una "Beretta" che avevo comprato qualche tempo prima a piazza Vittorio. Alle dieci e venti tornavo al bar a riprendere un pacchetto che ci avevo dimenticato e così il padrone mi vedeva. Alle dieci e mezzo, al massimo, stavo già a letto nella portineria dello stabile, dove il portiere mi affittava una branda per la notte. Questo piano l'avevo in parte copiato dal film, soprattutto per quanto riguardava la combinazione dell'ora e il treno. Poteva anche non riuscire, nel senso che mi scoprissero. Ma allora restava la soddisfazione di aver sfogato la mia passione. E io per quella soddisfazione me la sentivo anche di andare in galera.

Il giorno dopo avemmo da lavorare parecchio perché era sabato e fu bene perché, così, lui non mi parlò della ragazza e io non ci pensai. Alle dieci, al solito, ci togliemmo le giubbe di tela e, salutato il padrone, ce ne uscimmo da sotto la saracinesca mezzo abbassata. Il bar si trovava sul viale che porta all'Acqua Acetosa, proprio a un passo dalla ferrovia di Viterbo. A quell'ora le ultime coppie avevano lasciato la montagnola del parco della Rimembranza e per il viale buio, sotto gli alberi, non ci passava più nessuno. Era aprile, con l'aria già dolce e un cielo che si andava pian piano schiarendo, sebbene la luna ancora non si vedesse.

Ci avviammo per il viale, Rigamonti tutto allegro che mi dava le solite manate protettive sulle spalle, e io rigido, la mano al petto, sulla pistola che tenevo nella tasca interna della giacca a vento. Al bivio, lasciammo il viale e ci inoltrammo per un sentiero erboso, a ridosso del terrapieno della ferrovia. Lì, per via del terrapieno, faceva più buio che altrove, e anche questo l'avevo calcolato. Rigamonti camminava avanti e io dietro. Giunti al luogo designato, poco lontano da un lampione, dissi: "Ha detto di aspettarla qui... vedrai che tra un momento viene." Lui si fermò, accese una sigaretta e rispose: "Come barista sei discreto... ma come ruffiano sei insuperabile." Insomma, continuava ad offendermi.

Era una località veramente solitaria e la luna, sorgendo alle nostre spalle, illuminava tutta la pianura sotto di noi, annebbiata da una guazza bianca, sparsa di macchioni bruni e di mucchi di detriti, con il Tevere che vi serpeggiava, svolta dopo svolta, e pareva d'argento. Mi parve di rabbrividire per la guazza e dissi a Rigamonti, più per me che per lui: "Sai, minuto più minuto meno... sta a servizio e deve aspettare che i padroni siano usciti." Ma lui di rimando: "Ma no, eccola." Allora mi voltai e vidi venirci incontro per il sentiero una figura nera di donna.

Poi me lo dissero che quello era un luogo frequentato da quelle donne per incontrarci i loro clienti; ma io non lo sapevo e, lì per lì, quasi pensai che quella ragazza non me l'ero inventata ed esisteva davvero. Intanto Rigamonti, sicuro di sé, le andava incontro e io lo seguii macchinalmente. A pochi passi, lei uscì dall'ombra, nella luce del fanale, e allora la vidi. E quasi mi fece paura. Avrà avuto sessant'anni, con certi occhi spiritati dipinti torno torno di nero, il viso infarinato, la bocca rossa, i capelli svolazzanti e un nastro nero intorno il collo. Era proprio una di quelle che cercano i luoghi più bui per non farsi vedere e veramente non si capisce, da tanto sono vecchie e malandate, come facciano a trovare ancora dei clienti. Rigamonti, però, prim'ancora di vederla, le aveva già chiesto, con la solita sfacciataggine: "Signorina, aspettava noi?"; e lei, non meno sfacciata, gli aveva risposto: "Sicuro." Poi lui la scorse finalmente e comprese l'errore. Mosse un passo indietro, disse, incerto: "Beh, mi dispiace, stasera proprio non posso... ma c'è qui l'amico mio," fece un salto da parte e scomparve giù per il terrapieno. Capii che Rigamonti aveva pensato che io avessi voluto vendicarmi presentandogli, dopo tante belle ragazze, un mostro di quel genere; e capii pure che il mio delitto sfumava. Guardai la donna che mi diceva, poveretta, con un sorriso che pareva la smorfia di una maschera di carnevale: "Bel biondino, me la dai una sigaretta?"; e mi venne compassione di lei, di me e magari anche di Rigamonti. Avevo provato tanto odio e adesso, non so come, l'odio si era scaricato; e mi vennero le lagrime agli occhi e pensai che grazie a quella donna non ero diventato un assassino. Le dissi: "Non ho la sigaretta, ma prendi questa... se la rivendi ci fai sempre un migliaio di lire;" e le misi in mano la "Beretta." Poi saltai anch'io giù per il terrapieno, correndo verso il viale. In quel momento passò il treno di Viterbo, vagone dopo vagone, con tutti i finestrini illuminati, spargendo faville rosse nella notte. Mi fermai a guardarlo che si allontanava; e poi ascoltai il rumore finché non si fu spento; e finalmente me ne tornai a casa.

Il giorno dopo, al bar, Rigamonti mi disse: "Sai l'avevo capito che sotto c'era qualche cosa... ma non importa... come scherzo è riuscito." Io lo guardai e mi accorsi che non lo odiavo più, sebbene fosse sempre lo stesso, con la stessa fronte, gli stessi occhi, lo stesso naso, gli stessi capelli; le stesse braccia pelose che ostentava sempre nello stesso modo manovrando la macchina del caffè. Tutto ad un tratto mi sentii più leggero, come se il vento di aprile, che gonfiava la tenda davanti la porta del bar, mi avesse soffiato dentro. Rigamonti mi diede due tazzine di caffè da portare a due clienti che si erano seduti al sole, al tavolo di fuori, e io, pur prendendole, gli dissi, sottovoce: "Stasera ci vediamo?... ho invitato l'Amelia." Lui sbatté sotto il banco il caffè sfruttato, riempì i misurini di polvere di caffè fresca, fece sprigionare un po' di vapore e quindi rispose semplicemente, senza rancore: "Mi dispiace, ma stasera non posso." Uscii con le tazzine; e mi accorsi che ero deluso che lui quella sera non venisse e non mi rubasse l'Amelia come tutte le altre.

IL PICCHE NICCHE

Natale, Capodanno, Befana, quando verso il quindici di dicembre comincio a sentire parlare di feste, tremo, come a sentir parlare di debiti da pagare e per i quali non ci sono soldi. Natale, Capodanno, Befana, chissà perché le hanno messe tutte in fila, così vicine, queste feste. Così in fila, non sono feste, ma, per un poveraccio come me, sono un macello. E qui non si dice che uno non vorrebbe festeggiare il Santo Natale, il primo dell'anno, l'Epifania, qui si vuol dire che i commercianti di roba da mangiare si appostano in quelle tre giornate come tanti briganti all'angolo della strada, così che, alle feste, uno ci arriva vestito e ne esce nudo. Forse ai tempi che Berta filava, Natale, Capadanno e Befana erano feste sul serio, modeste ma sincere: ancora non c'erano l'organizzazione, la propaganda, lo sfruttamento. Ma dàgli, dàgli e dàgli, anche i più sciocchi si sono accorti che con le feste si poteva fare la speculazione; e così, adesso la fanno. Feste per i furbi, dunque, che vendono roba da mangiare; non per i poveretti che la comprano. E tante volte ho pensato che per il pasticciere, per il pollarolo, per il macellaio, quelle sono feste davvero, anzi feste doppie: feste perché feste e poi feste perché in quelle feste loro vendono dieci volte tanto quanto nei giorni che non c'è festa. E così, mentre il disgraziato festeggia le feste a mezza bocca, con la borsa vuota e la tavola scarsa, quelli le festeggiano sul serio, con la borsa piena e la tavola traboccante.

Del resto, per farvi capaci che ho detto la verità, guardate la strada dove ho la mia bottega di cartolaio. In fila, uno dopo l'altro, ci sono Tolomei il pizzicagnolo, De Santis il pollarolo, De Angelis che ha il vapoforno, e Crociani che ha la fiaschetteria. Fateci caso, che vedete? Montagne di formaggi e di prosciutti, stragi di polli e gallinacci, sacchi pieni di tortellini, piramidi di fiaschi e di bottiglie, luce e splendore, gente che va e gente che viene, dalla mattina alla sera, senza interruzione, come in un porto di mare, nelle prime quattro botteghe. Nella mia cartolibreria, invece, silenzio, ombra, calma, la polvere sul banco, e, sì e no, qualche ragazzino che viene a comprarsi il quaderno, qualche donna che entra a prendersi la boccetta d'inchiostro per fare i conti della spesa. E io rassomiglio alla mia bottega, vestito di uno zinale nero, magro, affamato, con addosso l'odore della polvere e della carta, sempre acido, sempre pensieroso; e loro, invece, De Angelis, Tolomei, Crociani, De Santis, sono tutto il ritratto dei loro affari che vanno tanto bene, belli, rossi, grassi, con la voce sicura, sempre allegri, sempre strafottenti. Eh, ho sbagliato mestiere; e con la carta stampata o bianca, c'è poco da fare; e ne consumano più loro per involtare pacchi che io per far leggere o scrivere.

Basta, qualche giorno prima di Capodanno, mia moglie, una mattina, mi fa: "Senti, Egisto, che bell'idea... Crociani ha detto che a Capodanno ci riuniamo tutti e cinque noialtri commercianti di questa parte della strada, e facciamo un picche nicche per la fine dell'anno."

"E che cos'è il picche nicche?" domandai.

"Beh, sarebbe il cenone tradizionale."

"Tradizionale?"

"Sì, tradizionale, ma in questo modo: ciascuno porta qualche cosa e così ciascuno offre a tutti e tutti offrono a ciascuno."

"Questo è il picche nicche?"

"Sì, questo è il picche nicche... De Angelis ci metterà i tortellini, Crociani il vino e lo spumante, Tolomei gli antipasti, De Santis i tacchini..."

"E noi?"

"Noialtri dovremmo portare il panettone."

Non dissi nulla. E lei insistette: "Non è una bella idea questo picche nicche?... Allora gli dico che ci stiamo?"

Stavo seduto al banco, scartando un pacco di cartoline d'auguri natalizi. Dissi, finalmente: "Per me, mi pare che questo picche nicche non sia tanto giusto... De Angelis i tortellini ce li ha a bottega, e così Crociani il vino, Tolomei gli antipasti e De Santis i tacchini... ma io che ci ho? Un corno... il panettone debbo comprarlo."

"Che c'entra?... anche loro, la roba la pagano, mica gli cresce in bottega... che c'entra... lo vedi che sei sempre il solito... vuoi sempre fare il difficile, ragionare, fare il sottile... e poi ti lamenti che le cose non ti vanno bene."

Insomma discutemmo un bel po' e finalmente io tagliai corto, dicendo: "Va bene, digli che ci sto al loro picche nicche... porteremo il panettone." Lei si raccomandò, allora, che lo portassi bello grosso, per non fare cattiva figura: due chili, almeno. E io promisi il panettone bello e grosso.

L'ultimo dell'anno lo passai, al solito, a vendere cartoline di auguri e figurine di carta per i presepi. Intanto, i miei vicini vendevano gallinacci e polli, tortellini e tagliatelle, cassette di liquori e di vini pregiati, formaggi e prosciutti. Era una bella giornata e io, dal fondo del mio negozietto nero, vedevo, di fuori, passare nel sole le donne cariche di roba. Era proprio una bella giornata, da Capodanno romano, con un cielo turchino, duro, che pareva il cristallo fino fino e tutte le cose che sembravano dipinte su questo cristallo, con i loro colori. A mia moglie, la sera, chiudendo bottega, dissi: "È inutile che mangiamo... tanto la mangiata la facciamo a mezzanotte con il picche nicche... non fosse altro che il panettone che porto io... c'è da mangiare per cento." Ed effettivamente, lo scatolone del panettone era proprio enorme. Però dissi a mia moglie che non se ne occupasse: l'avrei portato io.

Alle dieci e mezzo, entrammo nel portone di Crociani che aveva la casa proprio sopra il negozio. I Crociani credo che ci abitassero da più di cinquanta anni: ci aveva abitato il nonno quando la fiaschetteria non era che un'osteriola dove gli operai andavano a bere il quintino; il padre che l'aveva ingrandita vendendo il vino all'ingrosso; adesso, ci stava Adolfo, il figlio che, oltre al vino, vendeva anche il whisky e gli altri liquori stranieri. Era uno di quegli appartamenti malandati della vecchia Roma, tutto corridoi e stanzette; ma Crociani, un giovanotto con le guance gonfie e gli occhi piccoli, ci guidò con orgoglio nella stanza da pranzo: salute che bellezza. Tutti mobili nuovi, di mogano lucido, con le maniglie di ottone e le zampette sottili di acero bianco. L'ultima volta che l'avevo veduta, quella stanza, era ancora come in passato: con un tavolone andante, le seggiole di paglia, le fotografie alle pareti, e, nel vano della finestra, la macchina da cucire. Tutto questo, adesso, non c'era più: oltre a quei mobili, notai un grande quadro dorato con un tramonto sul mare; una radio enorme che serviva anche da bar; soprammobili di porcellana in forma di donnine nude, pagliaccetti, cagnolini; e, sulla tavola preparata, un servizio di porcellana dei più fini, stampato a fiorami rosa. "L'ho comprata all'Argentina" mi disse Crociani indicando la stanza, "indovina un po' quanto l'ho pagata." Dissi una cifra e lui me la triplicò, gonfiandosi per la soddisfazione. Intanto arrivava nuova gente; e presto fummo al completo.

Chi c'era? C'era Tolomei, un pezzo di giovanotto coi baffi, che, quando pesa sulla bilancia l'affettato, dice alle serve: "Lascio?"; c'era De Angelis del vapoforno, un ometto piccolo, con la faccia da minchione: ma lui invece è un furbo che da ragazzino andava in giro con la sporta e adesso invece vende tagliatelle a tutto il quartiere; c'era De Santis, il pollarolo, che è rimasto contadino come al tempo che veniva a Roma col panierino delle uova di giornata: con la faccia senza peli, grigia e massiccia come una pagnotta e la parola greve della gente del viterbese. C'erano le mogli loro, tutte infronzolate, ma i figli non c'erano, perché, come disse Crociani offrendo il vermut, questa era una serata tra commercianti, per salutare l'anno che veniva, anno commerciale anzitutto, durante il quale tutti dovevano fare quattrini a palate. Dico la verità, vedendoli seduti a tavola, mi piacevano anche meno di quando li vedevo sulle soglie delle botteghe: durante il commercio, nascondevano la soddisfazione e, magari, anche, si lagnavano; ma adesso che si trattava di far festa i clienti non c'erano, la soddisfazione gli schizzava fuori dai pori.

Ci mettemmo a tavola che erano le undici e attaccammo subito gli antipasti di Tolomei. Qui cominciarono gli scherzi: chi chiedeva a Tolomei se la mortadella era di vero suino, chi gli ricordava la frase: "Lascio?" che lui diceva tanto spesso. Ma erano tutti scherzi con la zampa di velluto, tra gente che se la intendeva e si rassomigliava: se avessi scherzato io, che quegli antipasti me li permettevo di rado, penso che gli avrei lasciato l'unghiata; e perciò preferii mangiare e tacere. Ai tortellini si fece un po' di silenzio, anche perché il brodo scottava e tutti soffiavano nei cucchiai. Ma qualcuno osservò che questi erano tortellini veramente pieni e non mezzo vuoti come quelli che erano in vendita normalmente, e tutti ci fecero una risata. Stetti zitto anche questa volta e mi presi due scodelle colme di minestra per riscaldarmi la pancia. Vennero, finalmente, due tacchini arrosto grandi come due struzzi; e, anche per la grandezza, tutti si misero in allegria e cominciarono a punzecchiare il pollarolo chiedendogli dove li avesse prenotati quei due fenomeni della natura, se dal noto De Santis che forniva tutta Roma. Ma lui, che era contadino e non capiva lo scherzo rispose che, quei due tacchini, lui li aveva scelti tra cento e li aveva ingrassati con le sue mani, tenendoli in casa.

Anche questa volta non dissi nulla ma scelsi con cura una coscia grande come un monumento, e poi tre fette di ripieno, e poi un altro pezzo quadrato che non so dove l'avessero staccato, ma era buono anche quello. Mangiavo tanto di gusto che qualcuno osservò "Guarda Egisto come divora... eh, non ti succede tutti i giorni di mangiare un tacchino simile, Egisto." Risposi a bocca piena: "Proprio così"; e dentro di me pensai che, per una volta almeno, avevo detto la verità.

Intanto i fiaschi di Crociani circolavano, e tutte quelle facce intorno la tavola lustravano, rosse e brillanti, come una batteria di rame da cucina. Salvo, però, quelle frasi sulla roba da mangiare, nessuno parlava veramente perché, in fondo, non avevano nulla da dirsi. Il solo che ci avesse qualche cosa da dire ero io, appunto perché, al contrario di loro, gli affari mi andavano male, e questo mi faceva riflettere, e la riflessione, se non riempie la pancia, almeno riempie il cervello. Finiti i tacchini, venne un'insalata che nessuno toccò, poi il formaggio e la frutta, e quindi Crociani disse che era mezzanotte e andò in giro per la tavola mostrando la bottiglia di spumante, che, come fece notare, era autentico francese, di quello che lui vendeva tremila lire e più la bottiglia. Sul punto, però, di stappare lo spumante, tutti gridarono: "Egisto, tocca a te, facci vedere il tuo panettone."

Io mi alzai, andai in fondo alla stanza, presi la scatola del panettone, tornai a sedere e lo scartai con solennità. Dissi, tanto per cominciare: "Questo è un panettone proprio speciale... ora vedrete." Aprii la scatola, misi la mano dentro e cominciai la distribuzione: una boccetta d'inchiostro, una penna, un quaderno e un abbecedario per uno, ad ognuno degli uomini; per le donne, come dissi, mi scusavo, non ci avevo pensato. Davanti a questa distribuzione, tutti tacevano sbalorditi; non capivano, anche perché erano intontiti dal vino e dal mangiare.

Finalmente, De Angelis disse: "Ma, Egisto, abbi pazienza, che è 'sto scherzo? Mica siamo bambini che andiamo a scuola." De Santis, che pareva abbrutito, domandò: "E il panettone dov'è?" Io risposi, alzato in piedi: "Questo è un picche nicche, non è vero? Ciascuno ha portato la roba che ci aveva a bottega, non è vero... e io vi ho portato quello che ci avevo: inchiostro, penna, quaderno, abbecedario." "Ma che" disse ad un tratto Tolomei, "sei scemo o ci fai?" "No" risposi, "non sono scemo ma cartolaio... tu hai portato gli antipasti che io sono costretto a comprarti tutto l'anno... io ho portato quello che ci avevo e che tu mai ti sogni di comprare". De Angelis disse, conciliante: "Basta, mettiti a sedere, non facciamoci cattivo sangue." E questa fu la proposta che venne accolta. Saltarono fuori alcuni dolci, le bottiglie furono stappate, e tutti bevvero.

Ma, come notai, al brindisi nessuno volle bere alla mia salute. Allora mi alzai e dissi, il bicchiere in mano: "Visto che non volete bere alla mia salute, il brindisi lo faccio io... che possiate dunque, durante questo anno, leggere un po' più, anche se, per caso, doveste vendere un po' meno." Ci fu un coro di proteste e poi Crociani, che aveva bevuto più degli altri, si inferocì e gridò: "Ma piantala, iettatore... ci porti sfortuna... vendi i libri a chi ti pare ma non venirci a seccare a noi... anzi, guarda, è meglio che te ne vai... tanto, ormai, il cenone l'hai mangiato." "Allora" risposi "tu non vuoi bere alla salute del commercio dei libri?" "Ma piantala, buffone, scemo, ignorante, pagliaccio." Ora tutti mi ingiuriavano; io rispondevo per le rime, calmo, sebbene mia moglie mi tirasse per la manica; il più cattivo di tutti era proprio il padrone di casa che insisteva affinché ce ne andassimo.

Insomma, non so come, mi ritrovai in strada, con un gran freddo, e con mia moglie che piangeva e ripeteva: "Lo vedi che hai fatto... ora ci siamo fatti dei nemici e l'anno che verrà sarà peggio di quello che è finito."

Così, discutendo, tra i botti delle lampadine fulminate e i cocci che volavano dalle finestre, ce ne tornammo a casa.

LA VOGLIA DI VINO

Con mio cognato Raimondo, doveva finire in questo modo: mi dispiace per mia sorella, ma la colpa non fu mia. Dunque, il primo giorno di caldo, la mattina, dopo aver fatto un fagotto del costume e dell'asciugamano e averlo legato al sellino della bicicletta, mi avviavo con la bicicletta sulle spalle verso la scala, con l'idea di sgattaiolare inosservato e andare a Ostia. Ma, quando si dice la sfortuna, nell'ingresso chi incontro? Raimondo, proprio lui, tra i tanti che dormono in casa nostra. Subito adocchiò il fagotto e domandò: "Ma dove vai?" "A Ostia." "E il lavoro?" " Ma quale lavoro?" "Non fare lo scemo. A Ostia ci andrai lunedì... adesso andiamo a bottega." Insomma, Raimondo è un giovanotto grande e grosso e io invece sono piccolo e smilzo. Mi tolse la bicicletta con la forza, la chiuse in un ripostiglio e poi, prendendomi per un braccio, mi spinse giù per le scale dicendo: "Andiamo, che è tardi." "Mai abbastanza" risposi "per quello che abbiamo da fare." Questa volta non disse nulla ma, dal viso, capii che l'avevo punto sul vivo. Coi denari di mia sorella, poveretta, aveva aperto una bottega di barbiere, ma gli affari non andavano tanto bene, anzi, a dire il vero, andavano proprio male. Eravamo in due in bottega, lui ed io; ma per i clienti che ci capitavano, tanto valeva che ce ne andassimo a spasso tutti e due, lasciando la bottega in custodia a Paolino, il ragazzo, per impedire, se non altro, che, per giunta, ci rubassero i rasoi e i pennelli.

Ci avviammo in silenzio, sotto il sole che già scottava. La bottega era a poca distanza da casa, nel cuore di Roma vecchia, in via del Seminario; e questo era stato il primo errore perché era una strada dove non passava nessuno, in un quartiere di uffici e di povera gente. Arrivati che fummo, Raimondo tirò su la saracinesca, si tolse la giubba e infilò il grembiule e io feci lo stesso. Arrivò pure Paolino, e Raimondo, subito, gli mise la scopa nelle mani raccomandandogli di scopare bene perché, come disse, la pulizia è la prima condizione per un salone di barbiere. Ma sì, hai voglia a scopare: non è a colpi di scopa che si può far diventare oro quello che è latta. Perché, oltre alla strada infelice, la bottega aveva il torto di essere proprio una miseria: piccola, con lo zoccolo delle pareti dipinto a finto marmo, le poltrone e le mensole di legnaccio verniciato di turchino, le porcellane, rilevate da un altro esercizio, scure e scrostate, i passamani e le tovaglie cucite e ricamate da mia sorella che si vedeva lontano un miglio che era roba fatta in casa. Basta, Paolino spazzò il pavimento che era anch'esso molto andante, di mattonelle grigie, e intanto Raimondo, sdraiato in una poltrona, fumava la sua prima sigaretta. Finita la spazzatura, Raimondo, con un gesto da re, diede a Paolino venticinque lire affinché andasse a prendere il giornale; e come il ragazzo fu tornato, si sprofondò nella lettura delle notizie sportive. Così cominciò la mattinata: Raimondo, sdraiato, leggeva e fumava; Paolino, accovacciato sulla soglia, si divertiva a tirar la coda al gatto; e io, seduto, fuori di bottega, mi intontivo ad osservare la strada. Come ho detto, era una strada poco frequentata: in un'ora avrò visto passare, sì e no, una decina di persone, quasi tutte donne che tornavano dal mercato col fagotto della spesa. Finalmente, il sole, girando dietro i tetti, entrò nella strada; allora mi ritirai in bottega e sedetti anch'io in una poltrona.

Passò ancora mezz'ora, sempre senza clienti. Tutto ad un tratto, Raimondo gettò il giornale, si stirò, sbadigliò e disse: "Su, Serafino... visto che i clienti non vengono, almeno tienti in esercizio: fammi la barba." Non era la prima volta che mi domandava di fargli da barbiere, ma quel giorno, con l'idea che mi aveva impedito di andare a Ostia, la cosa mi indispettì più del solito. Senza dir nulla, afferrai un asciugamani e glielo sbattei con forza sotto il mento, proprio di malagrazia. Un altro avrebbe capito, ma lui no. Vanitoso, già si sporgeva a guardarsi nello specchio, esaminandosi la barba, toccandosi le guance con le dita.

Paolino, zelante, mi porse la ciotola, io feci la saponata e poi, mulinando il pennello come se avessi frullato il zabaione, insaponai Raimondo fin sotto gli occhi. Spennellavo con rabbia e così, in breve, gli feci alle guance due enormi palloni di schiuma. Quindi impugnai il rasoio e presi a raderlo a grandi colpi decisi, di sotto in su, come se avessi voluto scannarlo. Questa volta si spaventò e disse: "Ma piano... che ti prende?" Non gli risposi e, rovesciandogli indietro la testa, con una sola strisciata di rasoio, gli portai via la schiuma dalla fontanella della gola alla fossetta del mento. Non fiatò, ma capii che fremeva. Gli feci anche il contropelo, con lo stesso sistema, e poi lui si chinò sulla vaschetta e si lavò le guance. Gliele asciugai dandogli certi colpi forti che nella mia intenzione avrebbero dovuto essere altrettanti schiaffoni e, a sua richiesta, lo spompettai ben bene di talco. Credevo di aver finito; ma lui, stendendosi di nuovo: "E adesso i capelli."

Protestai: "Ma se te li ho tagliati ier l'altro." E lui calmo: "Li hai tagliati, è vero... ma ora devi spuntare la sfumatura... i capelli crescono." Anche questa volta inghiottii la bile e, dopo aver dato una sgrullata all'asciugamani, glielo legai di nuovo sotto il mento. Raimondo, bisogna riconoscerlo, ha capelli magnifici, folti, neri e lustri che gli crescono in mezzo alla fronte e lui, poi, se li ravviva in lunghe ciocche fin sulla nuca; ma quel giorno, quei capelli così belli mi erano antipatici, mi pareva che ci fosse in essi il suo carattere vanitoso e ozioso, proprio da bullo. Lui raccomandò: "Fa' attenzione... spuntali ma non accorciarli;" e io risposi fra i denti: "Non aver paura." Mentre tagliuzzavo quelle puntine che neppure si vedevano, pensavo a Ostia e mi veniva una gran voglia di dare dentro quella massa lustra un gran colpo di forbici: non lo feci per amore di mia sorella. Lui, adesso, aveva ripreso il giornale, e si godeva il cinguettio delle mie forbici come se fosse stato il canto di un canarino. Disse, ad un certo punto, gettando una occhiata allo specchio: "Ma sai che hai la stoffa per diventare un ottimo barbiere." "E tu per diventare un magnifico magnaccia," avrei voluto rispondergli. Insomma gli pareggiai la sfumatura; poi, preso lo specchio, glielo misi dietro la nuca per mostrargli il lavoro e gli domandai insinuante: "Adesso glieli laviamo i capelli?... oppure una bella frizione?" Scherzavo; ma lui, con faccia tosta: "Frizione." Questa volta non potei fare a meno di esclamare: "Ma Raimondo, abbiamo sei bottigliette in tutto e tu vuoi sciuparne una per farti la frizione!"

Lui alzò le spalle: “Pensa alla salute... non sono soldi tuoi, no?” Avrei voluto rispondergli: “Sono sempre più miei che tuoi”; ma non dissi nulla, sempre per amore di mia sorella che per quell’uomo se ne moriva; e ubbidii. Raimondo, sfacciato, volle scegliersi il profumo, alla violetta; quindi mi raccomandò di strofinargli ben bene i capelli e di massaggiarlo in testa di sotto in su, con la punta delle dita. Mentre gli facevo il massaggio, guardavo alla porte per vedere se entrasse un cliente e interrompere quella buffonata; ma, al solito, non venne nessuno. Dopo la frizione, volle anche la brillantina solida, la migliore, quella del vasetto francese. Finalmente mi prese il pettine di mano e si pettinò da sé, con una cura da non dire. “Ora sì che mi sento bene,” disse alzandosi dalla poltrona. Guardai l’orologio: era quasi l’una. Gli dissi: “Raimondo... ti ho fatto la barba e i capelli, ti ho fatto la frizione... lasciami andare al mare... faccio ancora in tempo.” Ma lui, togliendosi il grembiule: “Io adesso vado a casa a mangiare... se te ne vai anche tu, chi rimane a bottega?... da’ retta, a Ostia ci vai lunedì.” Infilò la giubba, mi fece un cenno di saluto e se ne andò, seguito da Paolino che doveva portarmi la colazione da casa.

Rimasto solo, avrei voluto prendere a calci le poltrone, spaccare gli specchi, buttare pennelli e rasoi nella strada. Ma sempre pensando che, in fondo, quella era roba di mia sorella e dunque anche mia, vinsi la stizza e mi sdraiai in poltrona, aspettando. Adesso per la strada non ci passava proprio nessuno; il selciato, dal sole, accecava; nella bottega non vedevo che me stesso, riflesso in giro per gli specchi, con la faccia scura; e un po’ per la fame e un po’ per quegli specchi, mi girava la testa. Come Dio volle, arrivò Paolino con un piatto annodato in un tovagliolo; gli dissi che andasse pure a casa sua e mi ritirai nel retrobottega, uno sgabuzzino nascosto dietro una stoffetta trasparente, per mangiare in pace. A quell’ora, a casa, Raimondo faceva lo schizzinoso con le buone cose che gli preparava mia sorella; ma io, slegato il tovagliolo, non ci trovai che un piatto di pasta asciutta mezzo fredda, uno sfilatino e una bottiglietta di vino. Mangiai piano, se non altro per far passare il tempo; e intanto, pur mangiando, pensavo che Raimondo aveva trovato la greppia e che era proprio un delitto che mia sorella fosse capitata con lui. Avevo appena finito di mangiare che una voce mi fece trasalire: “Disturbo?”

Uscii in fretta dal retrobottega. Era Santina, la figlia del portiere del palazzo di fronte. Una bruna piccola ma ben fatta, con un bel visetto un po' largo in basso e due occhi neri pieni di malizia. Capitava spesso in bottega, ora con una scusa e ora con un'altra; e io, nella mia ingenuità mi illudevo che ci venisse per me. In quel momento la sua visita mi fece piacere; le dissi di accomodarsi e lei sedette in poltrona: era così piccola che i piedi non le arrivavano a terra. Cominciammo a parlare e io, tanto per avviare il discorso, le dissi che quello era un giorno da andare al mare. Lei sospirò e rispose che ci sarebbe andata volentieri, ma, purtroppo, quel pomeriggio, doveva stendere i panni in terrazza. Proposi: "Vuole che venga su con lei, ad aiutarla?" E lei: "In terrazza con me?... fossi matta... dopo, mamma mi mena." Si guardava intorno, cercando un argomento, disse finalmente: "Non avete molti clienti, no?" "Molti? Nessuno." Disse: "Dovevate aprire un negozio di parrucchiere per signore... io e le amiche mie saremmo venute a farci la permanente." Per ingraziarmela, le proposi: "La permanente non posso farla... ma, se vuole, posso darle una spruzzatina." Lei, subito, civettuola: "Sì? e che profumo avete?" "Un profumo buono." Presi il flacone con la pompetta e incominciai a spruzzarla un po' dappertutto, per gioco, mentre lei gridava che le bruciavo gli occhi e si schermiva. In quel momento arrivò Raimondo.

Disse: "Bravi, vi divertite," con severità, senza guardarci. Santina si era alzata in piedi, scusandosi; io riposi il flacone sulla mensola. Raimondo disse: "Lo sai che non voglio donne in bottega... e lo spruzzatore serve ai clienti." Santina protestò, smorfiosa: "Signor Raimondo, non la facevo così cattivo", e se ne andò senza fretta. Vidi Raimondo lanciarle dietro una sua lunga occhiata e questo mi indispettì perché capii che Santina gli era piaciuta e, tutto ad un tratto, dal modo col quale lei aveva protestato, mi era venuta l'idea che anche lui piacesse a lei. Dissi, di malumore: "La violetta per la frizione per te, sì... ma la spruzzatina a quella ragazza che, almeno, mi ha tenuto compagnia, no... due pesi e due misure." Raimondo non disse nulla e andò a togliersi la giubba nel retrobottega. Così cominciò il pomeriggio.

Passammo un paio d'ore, nel caldo e nel silenzio. Raimondo prima dormì un'oretta, la faccia rovesciata indietro, paonazzo, a bocca aperta, russando come un porco; poi si svegliò e, con una forbice, per mezz'ora buona, si divertì a tagliuzzarsi i peli nel naso e nelle orecchie; finalmente, non sapendo più che fare, si offrì di farmi la barba. Ora se c'era una cosa che mi dispiaceva più di raderlo, era di farmi radere da lui. Finché la barba gliela facevo io che ero garzone, mi sembrava che si fosse nell'ordine; ma che lui, il padrone, la facesse a me, questo voleva proprio dire che eravamo due disgraziati, senza un cane che si servisse da noi. Però, siccome mi annoiavo anch'io a non far nulla, accettai. Mi aveva già portato via la schiuma da una guancia e si apprestava a radermi l'altra, quando dalla strada, ecco di nuovo la voce di Santina: "Disturbo?"

Ci voltammo, io la faccia mezzo insaponata, Raimondo col rasoio per aria: Santina, sorridente, provocante, un piede sulla soglia e il cesto pieno di panni strizzati appoggiato sulla coscia, ci guardava. Disse: "Scusate, siccome sapevo che a quest'ora non avete clienti, avevo pensato: chissà se il signor Raimondo che è così forte, non mi aiuta a portar su in terrazza questo cesto di biancheria?... scusate." Avete visto Raimondo? Posa il rasoio, mi dice: "Serafino, la barba te la finisci da te", getta via il grembiale e via, come un razzo, insieme con Santina. Non ebbi il tempo di riavermi, che erano già scomparsi nell'androne del palazzo di fronte, ridendo e scherzando.

Allora, senza fretta, perché sapevo che avevo tempo, finii di radermi, mi lavai, mi asciugai e poi ordinai a Paolino: "Va' a casa e di' a mia sorella Giuseppina che venga subito qui... va', corri."

Di lì a poco arrivò Giuseppina, trafelata, spaventata. Vedendola così storta e brutta, poveretta, con quella voglia di vino sulla guancia in cui era tutta la storia della bottega messa su con il suo denaro, quasi ebbi compassione e pensai di non dirle nulla. Ma ormai era troppo tardi, e poi volevo vendicarmi di Raimondo. Le dissi: "Non ti spaventare, non è niente... soltanto, Raimondo è andato su in terrazza per aiutare la figlia del portiere qui di fronte, a stendere i panni." Lei disse: "Povera me... ora mi sente", e andò direttamente al portone, attraverso la strada. Mi tolsi il grembiale, mi infilai la giacca, e abbassai la saracinesca. Ma prima di andarmene, attaccai un cartello stampato che avevamo rilevato insieme coi lavandini dell'altro esercizio e che diceva: "Chiuso per lutto di famiglia."

PREPOTENTE PER FORZA

Avevo dato la coltellata senza volerlo e quasi per sbaglio; Gino l'aveva evitata; e io, pieno di paura, ero scappato a casa dove, poi, vennero ad arrestarmi. Ma quando tornai fuori, dopo qualche mese, mi accorsi che tutti mi guardavano con ammirazione, specie al bar di via San Francesco a Ripa, dove si riuniscono i fiumaroli. Prima nessuno sapeva chi fossi, adesso addirittura mi adulavano; e tutti quei ragazzotti facevano a gara a dimostrarsi amici, offrendomi da bere, facendomi raccontare come era andata, informandosi se ce l'avevo ancora con Gino oppure se l'avevo perdonato. Andò a finire che, mio malgrado, mi gonfiai e mi persuasi di essere davvero un prepotente, di quelli che non guardano in faccia a nessuno e per ogni nonnulla menano senza riguardi. Così, quando quei soliti amici del bar insinuarono che, durante la mia assenza, Serafino se l'era fatta con Sestilia, vedendo che mi guardavano come per dire: "Ora cosa farà?," ancor prima che ci avessi pensato, mi uscì di bocca: "Si sa, quando il gatto non c'è, i topi ballano... ma adesso l'aggiusto io." Come ebbi detto queste parole, mi sembrò di aver messo la firma sotto un contratto che non avrei potuto eseguire. Ho detto un contratto che non avrei potuto eseguire; e mi spiego: in primo luogo Serafino era grande e grosso il doppio di me; è vero che non lo facevano coraggioso per via che era moscio come un sacco di cenci, coi fianchi larghi, le spalle cascanti, e una faccia senza un pelo di barba, liscia e sformata; ma insomma era un omaccione e mi faceva paura; in secondo luogo per Sestilia non avevo questa gran passione, e certo non tanta da andare in galera per lei. Le volevo bene, questo sì, ma fino ad un certo punto, e, in sostanza, avrei potuto anche lasciarla a Serafino. Puntiglio di vanità, dunque, perché sentivo che ormai tutti mi consideravano un prepotente; e non avevo il coraggio di deluderli. E infatti dopo quell' "adesso l'aggiusto io", mi furono tutti addosso con i consigli e gli aiuti; e, in breve, si fece un piano. Bisogna sapere che Serafino doveva sposare da tanto tempo una stiratrice che si chiamava Giulia. Si trattava dunque di andare, Serafino, Giulia, Sestilia, io e gli altri del bar, a bere in una osteria fuori Porta San Pancrazio, per festeggiare il mio ritorno in libertà. Lì, ad un certo momento, avrei affrontato Serafino con il mio famoso coltello e gli avrei intimato di lasciar Sestilia e di sposare al più presto Giulia. Quest'idea, mi sa che fosse del fratello di Giulia, che era uno di quelli che si scaldava di più. Ma tutti, chi più chi meno, ce l'avevano con Serafino perché, dicevano, non era un vero amico. A me, se l'avessero detto sei mesi prima, gli avrei risposto: "Siete matti... come posso metter paura a Serafino?... e poi perché? per Sestilia?;" ma ormai era fatta, ero un prepotente, ero innamorato di Sestilia e non potevo tirarmi indietro. Così mi gonfiai, ergendo il petto, e dissi: "Lasciate fare a me." Tanto che qualcuno, più prudente, pensò bene di avvertirmi: "Ma, oh, sta' attento, devi soltanto mettergli paura... mica ammazzarlo." Ripetei: "Lasciate fare a me."

La sera fissata, salimmo tutti a Porta San Pancrazio, all'osteria. Chi c'era? C'erano Serafino, Giulia, Sestilia, Maurizio detto Zio, Federico, il fratello di Giulia, i due fratelli Pompei, Terribili che portava la fisarmonica, ed io. Tutti conoscevano il piano, quelli del bar ed io perché l'avevamo combinato insieme, Giulia e Sestilia perché erano state avvertite, e anche Serafino doveva sospettare qualche cosa perché era venuto malvolentieri e non apriva bocca. Sestilia ed io neppure ci guardavamo, freddi e distanti; invece Giulia, una ragazza esuberante che rideva sempre e quando rideva le si vedevano le gengive come a un cavallo, piena di speranza si strofinava a Serafino. Gli altri scherzavano e chiacchieravano, con sforzo però, perché c'era qualche cosa per l'aria. Io, poi, avevo proprio paura e ogni tanto guardavo Sestilia, quasi sperando che da lei mi venisse tanta gelosia da prender coraggio. E non dico che non mi piacesse: dritta come un fuso dai piedi al naso, con quel modo di camminare da regine che ci hanno le trasteverine, i boccoli neri in cascata lungo il viso, gli occhi grandi e neri, la bocca cattiva; ma dal piacermi a finire in galera per lei, ci correva. Quasi quasi avrei voluto gridare a Serafino: "Prenditela, se ne hai voglia, e non parliamone più." Ma questo era il Luigi vecchio che parlava, quello di prima del fatto di Gino. Il Luigi nuovo doveva invece tirare le coltellate, prendersi la rivincita.

Giunti all'osteria che era all'imboccatura della via Aurelia, proprio di fronte alle mura, sedemmo ad uno di quei tavoli, sotto la pergola, e ordinammo vino e ciambelle. Subito, forse per effetto del vino, quelli del bar diventarono di un'allegria strepitosa. Chiacchieravano, bevevano, si tiravano le ciambelle, cantavano, e, quando Terribili prese a suonare la fisarmonica, siccome le due donne non volevano ballare, si misero a ballare la samba tra di loro. Se non avessi avuto tanta paura, vi dico che avrei riso anch'io. Bisognava vederli ballare tra di loro e quello che faceva la donna dimenava i fianchi con tutte le mossette e le smorfie che fanno le donne e quello che faceva l'uomo acchiappava forte l'altro per la vita, lo sollevava e lo faceva girare e poi ricadere in terra. Tutti ridevano che non ne potevano più; i soli a non ridere eravamo io e Serafino. Lui si era tolto la giubba ed era rimasto in canottiera bianca, mostrando certe braccione marrone, come di donna; e io calcolavo dentro di me che un colpo solo di quelle braccia sarebbe bastato ad atterrarmi. Mi venne a questo pensiero la malinconia e dissi piano a Sestilia, adirato: "Con te, poi, parliamo, strega che non sei altro." Lei alzò le spalle e non disse nulla. Intanto, però, il tempo passava e quelli del bar mi facevano dei segni perché attaccassi. Bravi, come se fosse stato facile. Si trattava, insomma, di mettere a Serafino una paura definitiva, assoluta, da non fargli mai più rialzare il capo. Sembra niente a dirlo così; e chi va al cinema e vede gli attori scambiarsi pugni finti e spararsi revolverate che non fanno male a nessuno, può anche pensare che far paura a qualcuno sia una cosa da nulla. E invece non è vero; per metter paura a qualcuno bisogna dargli l'impressione che si vuole ammazzarlo sul serio; e questo è molto difficile quando, invece, come era il caso mio, non si vuole ammazzarlo ma soltanto mettergli paura. Per fortuna c'era stata quella coltellata a Gino: l'avevo fatto una volta per sbaglio, si trattava adesso di farlo apposta. Guardavo intanto Sestilia, e avrei voluto che facesse la civetta con Serafino: questo mi avrebbe scaldato il sangue. Ma invece se ne stava zitta e contegnosa, in disparte, come offesa. Giulia, al contrario, non faceva che strusciarsi a Serafino e rideva ad ogni nonnulla, mostrando le gengive.

Insomma, un momento che la fisarmonica non suonava, quasi senza pensarci, forse perché prima ci avevo pensato tanto, mi sporsi sul tavolo e dissi a Serafino: "Ma di' un po', che hai?... ti invitiamo a festeggiare il mio ritorno e non bevi, non parli... te ne stai lì moscio come se ti dispiacesse di non sapermi più sottochiave." Serafino rispose: "Ma no, Luigi... che c'entra... ho un po' di mal di stomaco, ecco tutto." E io: "Sì che ti dispiace... perché mentre non c'ero, ronzavi intorno a Sestilia e il mio ritorno non ci voleva... ecco perché ti dispiace." Avevo alzato la voce e dentro di me pensavo: "Sono ancora a terra, ma debbo alzarmi, alzarmi, come un aeroplano che prende quota... se non mi alzo, casco." Tutti ora tacevano, soddisfatti di vedermi affrontare Serafino, come ad uno spettacolo; Serafino, come notai, si era fatto pallido o meglio grigio, su quel suo faccione liscio e senza barba. Allora mi sporsi ancor di più attraverso il tavolo e gli presi in pugno l'orlo della canottiera, sul petto, torcendolo, e dissi con forza: "Tu hai da lasciarla, Sestilia, hai capito... hai da lasciarla perché lei ed io ci vogliamo bene." Serafino guardò Sestilia, quasi sperando che lei smentisse, ma Sestilia da vera strega, abbassò gli occhi, compunta. Giulia prese il braccio a Serafino, dicendogli: "Vieni Serafino... andiamo via." Lei se ne approfittava, cercando di tirare l'acqua al suo mulino, poveretta. Serafino barbugliò non so che cosa, poi si alzò e disse: "Me ne vado, non voglio essere offeso." Tutta contenta, Giulia si alzò anche lei, dicendo: "Vengo anch'io." Ma Serafino le intimò: "Tu rimani... non ho bisogno di te"; quindi prese la giacca e si allontanò sotto la pergola.

Tutti quei giovanotti subito mi guardarono, per vedere che cosa avrei fatto; e il fratello di Giulia disse: "Se ne va, Luigi... che fai?" Io feci un gesto con la mano, come per dire "calma"; e aspettai che Serafino fosse uscito dall'osteria. Poi mi alzai e via di corsa dietro a lui. Lo raggiunsi sul Viale delle Mura Aurelie: camminava solo, in quella strada buia, grande e grosso, proprio un omaccione, e mi venne di nuovo paura. Ma ormai ero lanciato e lo raggiunsi, e prendendolo per un braccio, dissi trafelato: "Aspetta, ho da parlarti." Sentii che il braccio era grosso ma moscio e come senza muscoli; e lui, pur protestando, si lasciò attirare in una di quelle rientranze buie delle mura. Pensavo: "Mamma mia, aiutami"; e, sebbene avessi veramente paura, con una mano lo sbattei contro il muro e con l'altra alzai il coltello dicendo: "Ora ti ammazzo, Serafino." Questo era il momento, e se lui mi prendeva la mano mi disarmava subito perché avevo deciso di lasciarmi disarmare piuttosto che fare uno sproposito. Sentii invece che lui mi scivolava giù, quasi svenuto, lungo il muro contro il quale l'avevo spinto. Disse scioccamente: "Mamma mia," che erano le stesse parole che io poco prima avevo pensato di farmi coraggio e poi rimase lì a guardarmi, con gli occhi sbarrati; e capii che l'avevo spuntata.

Abbassai la mano armata e gli dissi: "Tu lo sai che ho fatto a Gino?" "Sì." "Lo sai che sarei capace di farlo anche a te, ma sul serio?" "Sì." "Allora lascia stare Sestilia." "Ma io manco la vedo," disse lui riprendendo coraggio. "Non basta," dissi, "ma al più presto devi regolare la tua posizione con Giulia... hai capito," e rialzai la mano. Lui disse tutto tremante: "Lo farò, Luigi... ma lasciami andare." Io ripetei: "È inteso, se non la sposi ti ammazzo, non sarà oggi sarà domani, ma ti ammazzo." E lui disse: "La sposerò." "Adesso chiamala," gli comandai. Lui portò la mano alla bocca e chiamò: "Giulia, Giulia." Subito, attraverso il viale, Giulia ci venne incontro correndo, povera ragazza. "C'è qui Serafino che vuol parlarti" dissi, "voi andate pure... io torno all'osteria." Li guardai che si allontanavano insieme e poi tornai sotto la pergola.

Ero fradicio di sudore e quasi cascavo per terra, proprio come Serafino quando l'avevo minacciato col coltello. Ma quelli del tavolo mi accolsero con un applauso: "Viva il campione." Terribili riattaccò con la fisarmonica una samba, quelli ricominciarono a fare i buffoni, e Sestilia mi disse piano: "Balliamo, Luigi." Ballammo, e ballando lei mi accostò la bocca all'orecchio e mi disse in un soffio: "Ma che ci hai creduto che non ti volessi più bene?" Feci un giro più largo, la portai in un angolo buio della pergola, e lì la baciai e così rifacemmo pace.

Il giorno dopo pensavo che Serafino avesse già dimenticato la paura: ma, come entrai nel bar, vidi che mi guardava con timore e poi mi disse: "Facciamo pace, vuoi?" e mi offrì da bere. Quindi prese a parlarmi di sé e di Giulia, e, con molti giri di frase mi fece capire che avevano deciso di sposarsi. Io quasi non credevo alle mie orecchie: Serafino si sposava per paura di me. Avrei voluto dirglielo: "Ma piantala, fatti coraggio, non ti accorgi che siamo della stessa razza?"; e invece, ormai, non potevo: ero il forzuto, quello che ci ha il coltello in saccoccia, quello che mena. E Serafino ci credeva come gli altri.

Si sposarono davvero e io fui invitato alla festa e il fratello di Giulia mi disse che era tutto merito mio. Ma poi toccò a me sposarmi. Avevo fatto tutto quel fracasso per Sestilia, adesso dovevo dimostrarle che l'avevo fatto veramente per lei. Non mi andava per niente di sposare Sestilia, non fosse altro perché, in mia assenza aveva fatto la civetta con Serafino; ma ormai non potevo più ritirarmi. Quando ci sposammo, naturalmente venne anche Serafino insieme con Giulia che era già incinta. E Serafino, poveretto, mi abbracciò dicendo: "Evviva, Luigi." "Sì" pensavo io "evviva un corno." Ma il coltello in tasca da allora non lo porto più.

SCIUPONE

Con mia moglie in tutto andavamo d'accordo fuorché sul capitolo denaro. Avevo un negozio di fornelli, stufe e accessori elettrici in un quartiere non tanto signorile come San Giovanni e perciò il denaro non era mai sicuro. C'erano i giorni buoni in cui vendevo un fornello da quarantamila lire, c'erano quelli cattivi in cui non vendevo una lampadina da trecento lire. Ma questo, Valentina non voleva capirlo. Secondo lei ero avaro; e la mia avarizia consisteva nel fatto che tenevo i conti di cassa, segnavo le entrate e le uscite, e quando non ce li avevo, le dicevo, appunto, che non ce li avevo. Allora lei gridava: "Sei un avaro... ho sposato un avaro." Io le rispondevo: "Ma perché dici che sono un avaro, così, senza averne le prove? perché non vieni a negozio? perché non vieni in banca? ti farei vedere quello che vendo e non vendo... ti farei vedere quant'è calato il mio conto." Lei rispondeva che in negozio non ce l'avrei mai veduta perché lei non era una bottegaia e suo padre era stato funzionario statale; quanto alla banca, non ci sarebbe venuta perché non ci capiva niente e perciò la lasciassi tranquilla. Poi spiegava, quasi affettuosamente: "Vedi, Augusto, tu sei avaro... magari spenderai tutto quello che hai, magari farai dei debiti... ma sei avaro... avaro non è chi non vuol spendere... avaro è chi gli dispiace spendere." "E chi te l'ha detto che mi dispiace spendere?" "Fai sempre una certa faccia quando si tratta di cavare i soldi." "Ma quale faccia?" "La faccia dell'avaro."

In quel tempo ero innamorato di mia moglie: rotonda, bianca e rosa, appetitosa, fresca, Valentina era in cima a tutti i miei pensieri. E non trovavo niente da ridire che passasse la giornata senza far nulla, a fumare sigarette americane, leggere i giornali a fumetti e andare al cinema con le amiche. Amandola come l'amavo, mi pareva che lei fosse sempre dalla parte della ragione e io da quella del torto. L'avarizia, non c'è che dire, è un brutto difetto e io, sentendomi sempre dire che ero avaro, avevo finito per crederci e mi ero convinto anch'io che lo ero. Così, invece di risponderle: "Ma piantala con questa faccenda dell'avaro... e poi avaro o no, soltanto io so quanto possiamo spendere," bastava che lei dicesse: "eccolo l'avaro," perché, terrorizzato, cavassi fuori i soldi e pagassi senza fiatare. Così lei, che aveva capito ormai questa mia debolezza, non mi lasciava beneavere: "Augusto ci vuole la radio... tutti ci hanno la radio." "Ma Valentina, costa cara la radio." "Uh, non farmi l'avaro adesso, con tutti quei soldi che hai in banca vorresti dirmi che non puoi comprarti la radio." "E va bene, compriamo la radio." Oppure: "Augusto, ho visto un paio di scarpe tanto belle... mi dài i soldi?" "Ma se ancora l'altro giorno ne hai comprate un paio." "Ma quelli erano sandali... su, non far l'avaro." "Beh, ecco i soldi." Insomma, aveva trovato il modo di farmi pagare e tacere, infallibile, e non sbagliava mai.

Io pagavo perché speravo che un giorno finalmente lei riconoscesse che non ero avaro, che anzi ero generoso, come mi sembrava di essere. Ma questa era una illusione e mi passò presto. Infatti, più spendevo e più, per lei, ero avaro. Forse lei capiva che spendevo per un impegno dell'orgoglio, per farle cambiare idea e spuntarla con la sua ostinazione a considerarmi avaro; e anche lei per puntiglio, non voleva darmela vinta. Ma forse era soltanto la sua stupidità: si immaginava che le nascondessi chissà quali ricchezze, proprio come fanno gli avari veri, che quando hanno cento, vanno lamentandosi in giro che hanno soltanto dieci. Del resto aveva ragione lei, dicendo che mi dispiaceva spendere. Mi dispiaceva perché sapevo quanto avevamo e sapevo pure che di questo passo presto non avremmo più avuto niente. Mi ero sposato con il negozio avviato e un conto in banca di quasi un milione. Adesso, per quanti sforzi facessi, e sebbene non portassi più denaro alla banca e passassi tutto il guadagno a casa, il conto diminuiva, di mese in mese, sempre più. Prima novecentomila, poi ottocento, poi settecento, poi seicento. Era chiaro, spendevamo più di quanto guadagnassi e di questo passo, in un anno al massimo, il conto si sarebbe esaurito. Decisi che a cinquecento mi sarei fermato e gliel'avrei detto. Debbo dire che aspettavo quel giorno quasi con ansietà: mi rendevo conto che se quel giorno non riuscivo a puntare i piedi, ero perduto. Intanto il tempo passava e il conto diminuiva. Erano seicentomila lire, poi cinquecentocinquanta, poi cinquecentoventicinque. Una di quelle mattine, ritirai venticinquemila lire, andai a casa e dissi a Valentina: "Guarda, li vedi, sono venticinque biglietti da mille."

Lei disse: "Beh perché me li fai vedere? vuoi farmi un regalo?"

"No, non voglio farti un regalo."

"Figurarsi, tu farmi un regalo... sarebbe troppo bello."

"Aspetta... te li faccio vedere perché sono gli ultimi."

"Non ti credo."

"Eppure è vero."

"Vuoi dirmi che tu non ci hai più soldi in banca?"

"Ce li ho... ma sono il minimo per un commerciante come me... se spendiamo anche quelli, posso chiudere bottega."

"Lo vedi che ce li hai... allora perché mi tormenti?... lasciami in pace... e poi non vuoi che ti dica che sei avaro."

Avevo giurato di restar calmo. Ma a quella parola di avaro, saltai su inviperito: "Non sono avaro... spendiamo più di quanto guadagniamo... ecco tutto... ma perché non ci vieni a negozio... perché non ci vieni in banca?"

"Lasciami in pace con la tua banca e il tuo negozio... fa' quello che vuoi, se ti fa piacere di essere avaro, sii pure avaro... ma lasciami in pace."

"Cretina."

Era la prima volta da quando eravamo sposati che l'insultavo. Avete mai veduto il fuoco saltar su da un po' di petrolio se ci avvicinate un fiammifero? Così Valentina, sempre così calma e perfino indolente, a quella parola che mi era sfuggita. Prese a ingiuriarmi e più mi ingiuriava e più trovava nuove ingiurie, quasi che una tirasse l'altra, come le ciliegie. Bisogna dire che ce l'avesse con me da un pezzo e che quello che mi andava dicendo l'avesse rivoltato in mente non so quanto tempo. Non erano, poi, ingiurie semplici, brutali, da uomo, come: "canaglia, farabutto, mascalzone", che in fondo non fanno male a nessuno; no, erano ingiurie da donna, sottili, di quelle che ti entrano dentro come aghi e poi ti rimangono e più tardi, se ti muovi, te li senti pungere il diavolo sa dove. Ingiurie che riguardavano la famiglia, il mestiere, il fisico; non ingiurie proprio ma frasi cattive, rigirate in modo perfido, da lasciare senza fiato. Eh, non la conoscevo Valentina, e se non avessi provato tanto dolore sentendola parlare in quel modo, avrei potuto anche meravigliarmi. Basta, andò a finire che lei si calmò, finalmente, e io un po' per la mortificazione, un po' per la stanchezza di quella scena così lunga, mi misi a piangere come un bambino, inginocchiato davanti a lei, la faccia contro le sue gambe. Ma pur piangendo e domandandole perdono, sentivo che era finita e che non l'amavo più; e questo pensiero per me era così amaro che riprendevo a piangere di nuovo, più forte di prima. Alla fine smisi di piangere, le diedi cinquemila lire in regalo e me ne andai.

Mi restavano ventimila lire, ma non amavo più mia moglie e, per ripicca, ero deciso a mostrarle che non ero avaro, dovessi per questo andare in rovina. Però, prima di fare quello che avevo in mente, provai un dubbio, un'esitazione, quasi un terrore, come quando, al mare, uno va per tuffarsi e l'acqua che si muove laggiù in fondo, sotto i suoi piedi, gli fa paura. Mi trovavo sul lungotevere, dalle parti di Ripetta, con un sole di primavera che scaldava, dolce, senza bruciare. Vidi a capo di un ponte un mendicante che sporgeva il viso verso questo sole, pur tendendo la mano, accoccolato in terra. E vedendo questo viso così contento, con gli occhi socchiusi e la bocca quasi sorridente, pensai: "Ma di che hai paura?... quand'anche diventassi come lui, saresti sempre più felice di adesso." Allora strinsi in pugno tutti quei fogliacci da mille che avevo in tasca e, passando, gliene buttai uno nel cappello. Siccome era cieco, non mi ringraziò e continuò a tendere il viso al sole, ripetendo le solite parole che dicono i mendicanti.

Poco più su, dopo il ponte, c'era un negozio di orologi; ci andai e, lì per lì, senza esitare, comprai un orologio per mia moglie, del valore di diciottomila lire. Mi restavano mille lire, ci presi un taxi e mi feci portare al negozio. Già mi sentivo meglio, sebbene un po' di paura mi restasse; ma mi rinfrancai rifiutando per tutto il mattino la roba ai clienti. A chi dicevo che l'articolo era esaurito; a chi domandavo un prezzo eccessivo; a chi spiegavo che l'articolo ce l'avevo ma non era in vendita perché era un campione. Mi presi anche il lusso di trattare male un paio di clienti, di quelli proprio antipatici. Intanto continuavo a ripetere dentro di me: "Niente paura, il primo passo è il più difficile... poi tutto viene da sé."

Tornai a casa quella mattina quasi temendo di scoprire che dopo tutto amavo ancora mia moglie; lo temevo perché, allora, avrei dovuto ricominciare a lottare per il centesimo, a sentirmi dare dell'avaro, e, insomma, a rifare la vita che avevo fatto in quegli ultimi due anni. Ma come la guardai, mi accorsi che proprio non l'amavo più; mi sembrava un oggetto; notai perfino che sotto la cipria ci aveva il naso un po' lustro. Le dissi: "Cara, ti ho portato un regaluccio: siccome ti lamentavi sempre di non avere un orologio da polso." Mi diede il polso e io, prima di affibbiarci l'orologio, ci misi su un bel bacio sonoro, proprio da marito innamorato. Ma intanto pensavo: "Prendi su... questo bacio è più falso di quello di Giuda." Quel giorno bisogna dire che lei avesse rimorso di tutte le brutte cose che mi aveva detto, perché fu tutta svenevole e graziosa. Ma io non sentivo più nulla: dentro, la molla dell'amore mi si era rotta e non c'era più niente da fare.

I giorni appresso continuai ad eseguire il mio piano. Non passava giorno che non le facessi qualche regalo; a negozio rifiutavo persino di ascoltare i clienti, dichiarando fin da principio: "Non vendo niente;" intanto il conto in banca diminuiva. Mezzo milione poi non è una gran somma, in capo a due mesi o poco più non mi restava quasi più nulla. Valentina non si insospettì. Continuava a leggere le riviste, a fumare sigarette americane, ad andare al cinema con le amiche. Soltanto ogni tanto, pro forma, ad un nuovo regalo, diceva: "Lo vedi che avevo ragione io, quando dicevi che non avevi soldi ed eri povero e non ce la facevi più... ora spendi molto di più, sei, non dico generoso, ma per lo meno meno avaro e i soldi li trovi lo stesso." Io non dicevo nulla ma dentro di me ripetevo: "Aspetta, prima di cantar vittoria."

Uno di quei giorni ritirai alla banca le ultime cinquemila lire e ci comprai tanti pacchetti di sigarette americane in modo da rimanere con non più di trecento lire. Era mattina presto e, invece di andare a negozio, tornai a casa, andai in camera da letto e mi distesi, vestito com'ero e con le scarpe ai piedi, sulle lenzuola ancora disfatte. Valentina, che dormiva, si rivoltò nel sonno dicendo: "Non vai a negozio?... è domenica oggi?"; e si riaddormentò. Cominciai a fumare una sigaretta dopo l'altra aspettando che lei si destasse. Lei dormì ancora un'ora, poi si svegliò e domandò subito: "Ma che, è festa oggi?" e io risposi: "Sì, è festa." Allora lei si alzò e si vestì lentamente, parlando poco e spesso domandando: "Ma che festa è?" come se avesse presentito che non era festa affatto. Io aspettavo il momento che lei mi domandava i soldi per la spesa: era lei, con tutta la sua pigrizia, che faceva la spesa e poi cucinava facendosi aiutare da una ragazzina a mezzo servizio. Lei andò nel bagno, finì di vestirsi, e poi andò in cucina e parlò con la servetta e preparò il caffè. Mi levai finalmente dal letto e andai anch'io in cucina. Prendemmo il caffè in silenzio, salvo che lei insistette: "Ma che festa è... Lucia dice che non è festa e che tutti i negozi sono aperti." Allora risposi con semplicità: "Oggi è la festa mia;" e me andai in camera da letto dove mi distesi di nuovo sulle lenzuola, con scarpe e tutto.

Lì per lì Valentina non disse nulla restando un pezzo in cucina a parlare con la servetta e, come credo, a darmi tempo per mostrare che non mi prendeva sul serio. Finalmente si affacciò sulla soglia, le mani sui fianchi, e disse: "Se non ti va di lavorare, non discuto.... sei padrone di restartene a letto... ma se ti va di mangiare, devi darmi i soldi per la spesa."

Gettai fumo al soffitto e risposi: "Soldi? Non ne ho."

"Come non ne hai?"

"Non ne ho!"

Lei disse, allora: "Senti, che capricci sono questi? Che ti salta in testa?... Se non mi dài i soldi, io la spesa non la faccio, e se non faccio la spesa, non mangiamo..."

"Infatti" risposi "credo proprio che non mangeremo!"

"Beh" disse lei "vado di là, non ho tempo da perdere... metti i soldi sul comodino."

Io continuai a fumare e quando lei tornò, dopo qualche minuto, dissi con sincerità: "Valentina, parlo sul serio, non ho più un soldo... mi restano in tutto trecento lire... non ho più niente."

"Tu hai il tuo conto in banca... che avarizia ti ha preso ora?"

"Non sono avaro, non ho più niente... guarda, del resto." Cavai di tasca il libretto della banca e glielo mostrai: questa volta lei non disse che non se ne intendeva e che la lasciassi in pace, aveva capito che facevo sul serio e mostrava un viso spaventato. Guardò il libretto e poi si lasciò cadere su una seggiola, senza fiato. Spiegai: "Tu mi dicevi che ero avaro; e più spendevo, più, per te, ero avaro... allora mi sono rovinato apposta... ho speso tutto... a negozio non ho più voluto vendere... e adesso è finita... Non ho più niente e non abbiamo manco da mangiare... ma almeno non potrai dirmi che sono avaro."

Lei, tutto ad un tratto, si mise a piangere, più, come pareva, perché sentiva che non l'amavo più che per il fatto in sé. Poi disse: "Non mi hai mai voluto bene, e adesso mi fai anche mancare da mangiare."

"Per forza" dissi "non ci ho soldi."

Lei disse: "Io ti lascio... me ne vado da mamma."

"Arrivederci."

Se ne andò nell'altra stanza e, insomma, anche dalla mia vita perché da quel mattino non l'ho più rivista. Dopo un poco mi alzai dal letto e uscii anch'io. Era una giornata di sole, comprai uno sfilatino e andai a mangiarmelo sul lungotevere. Guardando all'acqua che scorreva mi sentii ad un tratto felice e pensai che quei due anni di matrimonio non erano stati che un'avventura senza conseguenze: quando fossi stato vecchio, me ne sarei ricordato non come di due anni ma come di due giorni. Mangiai piano lo sfilatino e poi mi attaccai alla bocchetta di una fontanella e bevvi. Più tardi andai da mio fratello e gli domandai di ospitarmi finché avessi trovato lavoro. Lo trovai, infatti, da semplice elettricista, di lì a qualche settimana.

Valentina come ho detto, non l'ho più rivista. Ma sapete che va dicendo? Che sono uno sciupone dalle mani bucate, che lei non ce la faceva a farmi risparmiare; e così mi ha lasciato.

LA GIORNATA NERA

Quando si dice. Tanti non ci credono alla iettatura, ma io ci ho le prove. Che giorno era avant'ieri? martedì diciassette. Che successe la mattina, prima di uscire? cercando il pane nella credenza rovesciai il sale. Chi incontrai, per strada, appena uscito? una ragazza gobba, con una voglia pelosa di cotica sul viso, che, nel quartiere, e sì che ci conosco tutti, io non avevo mai visto. Che feci entrando nel garage? passai sotto la scala di un operaio che stava riparando l'insegna al neon. Chi fu il meccanico che nel garage mi parlò per primo? coso, tanto per non nominarlo, che tutti lo sanno che porta male con quella sua faccia storta e quei suoi occhiacci biliosi. Non vi basta? eccovi la giunta: andando al posteggio per poco non schiacciai un gatto nero che mi attraversò la strada, sbucato da non so dove, così che dovetti frenare di colpo con un cigolio del diavolo.

Al posteggio di piazzale Flaminio, a pochi passi dalla stazione dei treni per Viterbo, non aspettai molto. Saranno state le sette, ed ecco arrivarmi di corsa, con certi passi come se ballassero la tarantella, due burini proprio di campagna. Lui basso e tozzo, in pantaloni neri, fascia sulla pancia, farsetto, camicia senza colletto, la faccia schiacciata e nera di barba, guercio, con un occhio chiuso e l'altro spalancato; lei, forse la madre, vestita da zingara, con la gonna nera, lo sciallino nero, la faccia come di bosso giallo, tutta grinze, e gli anelli d'oro alle orecchie. Carichi come somari, poi, con involti, pacchi e mazzi di insalata e fazzoletti pieni di pomodori. Lui mi diede senza parlare un pezzo di carta sul quale, con certe lettere svolazzanti che sembravano note di musica, c'era scritto l'indirizzo: piazza Pollarola; che sta appunto, presso il mercato di Campo dei Fiori. Intanto lei, lesta lesta, caricava tutto quel ben di Dio dentro il taxi. Mi voltai a guardare e osservai: "Ma che, mi avete preso per il camion della verdura?"

Lui rispose tra i denti, senza guardarmi: "È tutta roba buona... corri, su, che abbiamo fretta."

Accesi il motore e corsi. Mentre correvo, sentii lui che diceva alla donna: "Ma guarda dove metti i piedi... mi hai schiacciato un pomodoro;" e subito pensai che mi avessero sporcato il taxi. Come, infatti, giunsi a piazza Pollarola mi voltai e vidi che avevano proprio fatto un macello: foglie di insalata, terra, acqua, pomodori schiacciati, e mica uno solo. Dissi, arrabbiato: "E ora chi me lo ripaga il cuoio dei sedili?"

"Non è nulla," disse lui cavando di tasca il fazzoletto e pulendo dove era più sporco. Risposi inviperito: "È inutile che asciughi... mi hai fatto un danno di migliaia di lire."

Ma lui non mi dava più retta. Aiutava la donna a scaricare gli involti, ripetendo: "Su, fa in prescia... metti giù." Allora gli gridai: "Aho, niente niente, oltre che guercio, saresti anche sordo?... dico a te... chi me lo ripaga il cuoio dei sedili?"

Spazientito, si voltò, dicendo: "Aspetta, non vedi che sto scaricando?"

"Ma io voglio che mi ripaghi il danno."

Ormai aveva finìto. "Tie'" fece mettendomi in mano il denaro della corsa "prendi e vattene."

"Ma che, sei scemo? che me ne faccio?"

"Non ti è bastato?"

"Questa è la corsa, va bene... ma il danno?"

Adesso eravamo di fronte, io e lui. La donna stava in disparte, immobile, tranquilla, tra i suoi fagotti. Lui disse: "Ora ti pago;" quindi, dopo aver dato uno sguardo in giro per la piazza, che a quell'ora era deserta, mise la mano in saccoccia. Credetti che prendesse i soldi. Era invece un coltello a serramanico, da pastore: "Lo vedi questo?" Feci un salto indietro; lui richiuse il coltello e soggiunse: "Allora siamo intesi."

Bollente di rabbia, saltai di nuovo nel taxi, accesi il motore, girai per la piazza e poi, a gran velocità, corsi addosso alla donna che stava tuttora ferma presso i fagotti. Si scansò per miracolo, io entrai col taxi fra tutte quelle verdure, facendo una strage. Lui gridò non so che cosa e saltò sul predellino. Tolsi una mano dal volante e gli diedi un colpo in faccia, costringendolo a scendere; ma persi la direzione e andai a sbattere contro un muro. Però riuscii a raddrizzare la macchina e svoltai. A ponte Vittorio, finalmente, mi fermai e guardai: il parafango era scorticato e storto: oltre al sudiciume, un danno davvero di migliaia di lire. Cominciava bene.

Pieno di malumore, bestemmiando burini e campagna, feci altre cinque corsette da nulla, dalle duecento alle trecento lire. Finalmente, alle due, mi trovai alla Stazione Centrale, in coda ad una fila di altri taxi. Arriva un treno, la gente si sparpaglia, i taxi partono uno dopo l'altro, viene il mio turno, sale un signore grosso e alto, calvo, con le lenti sul viso tondo e sbarbato. Aveva una valigetta, disse asciutto: "via di Macchia Madama."

Ora le strade di Roma, nessuno può conoscerle tutte. Però, più o meno, a naso, si indovina. Ma questa via di Macchia Madama era proprio la prima volta che la sentivo nominare. Domandai: "Ma dove sta?"

"Vada pure fino al Foro Italico... poi gliel'insegno io."

Non dissi nulla e partii. Corsi, corsi e corsi ecco via Flaminia, ecco ponte Milvio; fuori ponte Milvio, presi per il lungotevere, verso il Foro. Lui mi gridò: "Ora, la prima a destra e poi ancora a destra."

Eravamo ormai sotto il pendio di Monte Mario. Presi, dietro lo stadio che ci ha le statue nude, per una strada in salita e cominciai ad arrampicarmi. A mezza costa, un cartello in cima a un palo, tra i cespugli, portava la scritta: "via di Macchia Madama." Ma non era una strada, bensì un viottolo di campagna, tutto sassi e polvere. Domandai: "Debbo entrare là dentro?"

"Sicuro!"

Mi scappò: "Ma abita proprio alla foresta nera."

"Faccia meno lo spiritoso... è una strada come tutte le altre."

Basta, abbozzai, come si dice, e spinsi la macchina su per il viottolo. Le buche e i sassi non si contavano; da una parte ci avevo il fianco del monte, tutto cespugli di ginestre; dall'altro uno sprofondo; e in fondo, il panorama di Roma. Salii e salii; alle voltate, tanto erano strette, dovevo far marcia indietro; finalmente, ecco un cancello, in cima all'ultima salita. Entro nel cancello, giro per uno spiazzo ghiaiato, senz'alberi, di fronte a un villino bianco, mi fermo. Lui discese e mi diede in fretta il denaro della corsa. Protestai: "Questa è la corsa... e il ritorno?"

"Quale ritorno?"

"Qui siamo fuori Roma... lei deve pagare il ritorno."

"Io non pago niente... non ho mai pagato ritorno e non comincerò oggi a pagarlo." Dette queste parole, si allontanò in fretta verso il villino. Gli gridai, esasperato: "Io qui resto finché non mi avrà pagato il ritorno... dovessi aspettare fino a stasera." Lo vidi alzare le spalle e poi, come la porta si apriva, mi parve di intravvedere un uomo in grembiale bianco. Guardai al villino: aveva tutte le persiane chiuse; a pianterreno le finestre portavano le inferriate. Alzai le spalle anch'io, tornai nel taxi, che sotto il sole già si arroventava, sedetti al volante, presi dalla saccoccia lo sfilatino della colazione e lo mangiai lentamente, in quel silenzio profondo, guardando, oltre il ciglio del burrone, al panorama di Roma. Poi mi venne sonno, in quel caldo ardente, mi addormentai e dormii forse un'ora. Mi svegliai di soprassalto, intontito e sudato, e vidi che tutto era come prima: il piazzale deserto, il villino con le persiane chiuse, il sole, il silenzio. Preso da frenesia, cominciai a suonare il clakson pensando: "Qualcuno avrà pure da venire."

A quegli urli del clakson, qualcuno venne, infatti. Un ometto nero che pareva un sagrestano, vestito di seta cruda, spuntò da dietro il villino, trottò attraverso il piazzale, mi si accostò: "Libero?"

"Sì."

"Beh, portami a San Pietro."

Pensai che tutto il male non veniva per nuocere: San Pietro era una bella corsa e, oltre tutto, ci prendevo anche il ritorno. Accesi il motore e partii. Mi parve, è vero, mentre uscivo dal cancello, di vedere qualcuno che da una finestra, mi accennava dei gesti di richiamo, ma non ci feci caso. Discesi piano, svolta dopo svolta, una cinquantina di metri per quel viottolo, poi, ad un gomito più stretto, feci marcia indietro. Ecco, tutto ad un tratto, scendere a precipizio per il pendio, aggrappandosi ai cespugli e agitando le braccia, due omaccioni in grembiale bianco: "Ferma, ferma." Mi fermai. Uno di loro aprì lo sportello e disse, senza tanti complimenti, all'ometto rannicchiato in fondo al taxi: "Su bello mio, scendi... e poche storie."

"Ma io sono aspettato dal Papa."

"Beh, sarà per un'altra volta... scendi, su."

Insomma, discese, e l'omaccione lo prese subito per un braccio, mentre l'altro mi spiegava: "È sempre così tranquillo, per questo lo lasciamo libero... ma coi pazzi non si può mai sapere."

"Ma quella che cos'era? una clinica per i pazzi?"

"Eh già, non l'avevi ancora capito?"

No, non l'avevo capito; e, in sostanza, ci avevo rimesso tutto il tempo che ero stato lassù, più il ritorno. Ormai era il pomeriggio e la mattina era stata proprio nera. Andai al posteggio di Viale Pinturicchio e lì, forse non ci crederete, aspettai circa quattro ore. Finalmente, sull'imbrunire, ecco un giovanotto bruno, in canottiera sotto la giacca, coi capelli lunghi, un vero bullo, al braccio di una ragazzetta formosa e storta. Disse: "Portaci al Gianicolo", e salirono. Mi misi a correre alla disperata e intanto, ogni poco, guardavo allo specchio sopra il parabrezza. All'altezza del Lungotevere Flaminio, in un punto deserto, lui acchiappò la ragazza per i capelli, le rovesciò la testa indietro e la baciò sulla bocca. Lei gemette: "No, no, cattivo;" e poi, naturalmente, gli girò un braccio intorno il collo e rese il bacio. Bacia e bacia, non finivano più; io non sono severo con le coppiette, di solito; ma quel giorno, dopo tante disgrazie, mi venne come una furia. Frenai e arrestai la macchina di botto annunziando: "Siamo arrivati."

"È già il Gianicolo?" domandò lei sbucando fuori dall'abbraccio con tutto il rossetto sbaffato e i capelli in disordine.

"No, non è il Gianicolo... ma se voialtri non state più composti, io non proseguo."

Lui disse, da vero bullo: "Ma a te che te ne frega?"

"Il taxi è mio... se volete far l'amore, ci sono i macchiozzi di Villa Borghese."

Lui mi guardò un momento e poi disse: "E va bene, ringrazia il Cielo che sto con la signorina... portaci al Gianicolo."

Non dissi nulla e li portai al Gianicolo. Era ormai notte, e loro scesero dicendomi di aspettare e si accostarono al parapetto e per un pezzo stettero a guardare il panorama di Roma. Poi tornarono e lui disse: "Adesso andiamo ai Cavalieri di Malta."

"Ma sono già mille lire."

"Cammina, non aver paura."

Dal Gianicolo ai Cavalieri di Malta è un viaggio. Nel taxi,

mi sa che si baciassero ancora, ma ormai non me n'importava più, volevo soltanto i soldi. Ai Cavalieri di Malta, in quelle strade deserte, mi fecero fermare a Santa Sabina. Lì c'è una piazza e c'è l'ingresso di un giardino cinto da mura, che guarda al Tevere. Di nuovo mi dissero di aspettare, discesero ed entrarono nel giardino. Era buio, con l'aria dolce, le ultime rondini che svolazzavano prima di andare a dormire, il profumo delle magnolie così forte che intontiva. Proprio un luogo da innamorati: e pensando che, dopo tutto, quei due avevano ragione di baciarsi e che, al loro posto, io avrei fatto lo stesso, li aspettai volentieri. Così attesi forse mezz'ora, riposandomi in quell'ombra silenziosa e fresca. Tutto ad un tratto l'occhio mi andò al tassametro, vidi che segnava duemila lire, mi riscossi, scesi, entrai nel giardino. Mi bastò uno sguardo per vedere che era deserto, con tutte le panchine vuote sotto gli alberi. C'era un altro ingresso che dava su via di Santa Sabina, di lì certo erano usciti, per scendere poi, allacciati, da veri innamorati, giù giù, fino al Circo Massimo. Insomma, me l'avevano fatta.

Nero, maledicendo la mia disgrazia, andai giù anch'io, al chiaro di luna. All'obelisco di Aksum, una guardia mi fermò: "In contravvenzione... non lo sapete che di notte non si gira coi fanali spenti?"

Ma al Colosseo, ecco finalmente un cliente secondo il mio cuore: un gobbo, in camicia bianca, col collo aperto alla robespierre, la giacca sotto l'ascella, la gobba alta sulla testa senza collo. "Troppo tardi," mormorai tra i denti. "Che dice?" fece lui salendo. "Niente, dove andiamo?" Mi disse l'indirizzo, accesi il motore e partii.

I GIOIELLI

Quando in una compagnia di amici entra una donna, allora potete dire senz'altro che la compagnia sta per sciogliersi e ognuno sta per andarsene per conto suo. Eravamo, quell'anno, una compagnia di giovanotti affiatati come pochi, sempre uniti, sempre d'accordo, sempre insieme. Guadagnavamo tutti molto bene, Tore con il garage, i due fratelli Modesti con la sensaleria di carne da macello, Pippo Morganti con la pizzicheria, Rinaldo con il bar, e io con le cose più diverse: in quel momento trattavo in resina e prodotti affini. Sebbene fossimo tutti sotto i trent'anni, nessuno di noi pesava meno di ottanta, novanta chili: tutti buone forchette, come si dice. Di giorno lavoravamo; ma a partire dalle sette stavamo sempre insieme, prima al bar di Rinaldo, in corso Vittorio, poi in una trattoria con giardino dalle parti della Chiesa Nuova. Le domeniche le passavamo insieme, naturalmente: ora allo stadio per la partita, ora in gita ai Castelli, ora, alla stagione calda, a Ostia o a Ladispoli. Eravamo sei ma si può dire che fossimo uno solo. Così, quando a uno di noi, mettiamo, veniva un capriccio, poi veniva anche agli altri cinque. Per i gioielli, cominciò Tore: una sera si presentò in trattoria, portando al polso un cronometro d'oro massiccio, con il cinturino, d'oro anch'esso, a maglia, largo tre dita. Gli domandammo chi gliel'avesse regalato; e lui: "Il direttore della banca d'Italia," intendendo che se l'era comprato con i soldi suoi. Poi se lo sfilò e ce lo mostrò: era un orologio di marca, con due casse, segnava i secondi e pesava, con quella maglia così erta, non si sa quanto. Fece impressione. Qualcuno disse: "Un investimento." Ma Tore rispose: "Macché investimento... Mi fa piacere di portarlo al polso, ecco tutto." Il giorno dopo, alla solita trattoria, già Morganti aveva il suo orologio, anche lui con il cinturino d'oro, ma non così pesante. Poi fu la volta dei fratelli Modesti che se ne comprarono uno ciascuno, più grande di quello di Tore ma con la maglia più rada e più larga. Quanto a Rinaldo e a me, siccome ci piaceva quello di Tore, gli domandammo dove l'avesse preso e andammo insieme a comprarcelo, in un buon negozio del Corso.

Era maggio e spesso, la sera, andavamo a Monte Mario, all'osteria, a bere vino e mangiare la fava fresca e il pecorino. Una di quelle sere Tore allunga una mano per prendere una fava e tutti noi gli vediamo al dito un anello massiccio, con un brillante non tanto grande ma bello. "Caspita", esclamammo. Lui disse brutalmente: "Ora però non mi imitate, scimmie che siete... Questo me lo sono comprato per distinguermi." Tuttavia se lo sfilò e noi ce lo passammo: era proprio un bellissimo brillante, limpido, perfetto. Ma Tore è un omaccione un po' molle, con una faccia piatta e tremolante, due occhietti piccoli di porco, un naso come di burro e una bocca che sembra una borsa sgangherata. Con quell'anello al dito grasso e piccolo e quell'orologio al polso tozzo, sembrava quasi una donna. L'anello con il brillante, come voleva lui, non fu imitato. Però ci comperammo tutti il nostro bravo anello. I Modesti si fecero fare due anelli eguali, d'oro rosso, ma con due pietre dure diverse, una verde e una turchina; Rinaldo si comperò un anello un po' all'antica, traforato e cesellato, con un cammeo marrone in cui si vedeva una figurina bianca di donna nuda; Morganti, sempre sbruffone, acquistò un anello addirittura di platino, con una pietra nera; io, più regolare, mi contentai di un anello a castone quadrato, con una pietra gialla piatta in cui feci incidere le mie iniziali, così da servirmene per sigillare le ceralacche dei pacchi. Dopo gli anelli, fu la volta dei portasigarette. Cominciò, al solito, Tore, facendoci scattare sotto il naso un astuccio lungo e piatto, d'oro naturalmente, a rigatura incrociata; e poi tutti lo imitarono, chi in un modo e chi in un altro. Dopo il portasigarette, ci sbizzarrimmo: chi si comperò un braccialetto con il ciondolo da portare all'altro polso; chi la penna stilografica aerodinamica; chi la catenella con la crocetta e la medaglia della Madonna da appendere al collo; chi l'accendino. Tore, più vano di tutti, si fece altri tre anelli; e adesso più che mai pareva una donna, specie quando si toglieva la giacca e restava in camiciola con le mezze maniche, mostrando quelle sue braccione molli che finivano nelle mani piene di anelli.

Eravamo carichi di gioie; e, non so perché, fu proprio allora che le cose cominciarono a guastarsi. Roba di poco però: qualche canzonatura, qualche frase un po' pungente, qualche risposta secca. Finché una di quelle sere, Rinaldo, il proprietario del bar, si presentò con una ragazza, la nuova cassiera, alla solita trattoria. Si chiamava Lucrezia, forse non aveva ancora vent'anni, ma era già formata come una donna di trenta. Aveva le carni bianche come il latte, gli occhi neri, grandi, fermi e senza espressione, la bocca rossa, i capelli neri. Pareva proprio una statua, anche perché stava sempre composta e immobile, senza quasi parlare. Rinaldo ci confidò che l'aveva trovata con un annuncio economico e disse che non sapeva niente di lei, neppure se avesse famiglia e con chi vivesse. Era proprio quello che ci voleva, soggiunse, per la cassa: una ragazza così faceva affluire i clienti con la sua bellezza e poi, con la sua serietà, li teneva a distanza; una brutta non attira e una bella ma facile non lavora e provoca disordine. Quella sera la presenza di Lucrezia ci mise in soggezione: stemmo tutto il tempo impettiti, con le giacche addosso, parlando con ritegno senza scherzi né parolacce, mangiando con educazione; e perfino Tore si provò a tagliare la frutta con il coltello e la forchetta, senza molto successo però. Il giorno dopo ci precipitammo tutti al bar per vederla nelle sue funzioni. Stava seduta su uno sgabello minuscolo dal quale traboccavano i fianchi che erano già troppo larghi per la sua età; con il petto prepotente quasi premeva i tasti della macchina contabile. Restammo tutti a bocca aperta vedendola, calma, precisa, senza fretta, distribuire i foglietti col prezzo, premendo via via i tasti della macchina senza neppure guardarli, fissando gli occhi davanti a sé, verso il banco del bar. Ogni volta, con una voce tranquilla, impersonale, avvertiva il barista: "due espressi... un bitter... un'aranciata... una birra." Non sorrideva mai, non guardava mai il cliente; e sì che c'erano di quelli che le venivano fin sotto il naso per essere guardati. Era vestita con proprietà, ma da quella ragazza povera che era: un vestito bianco, sbracciato, semplice. Ma pulito, fresco, stirato. Non aveva gioielli, lei, neppure gli orecchini, sebbene ci avesse i buchi ai lobi degli orecchi. Noi, si capisce, vedendola così bella, cominciammo a scherzare, incoraggiati da Rinaldo che ne era fiero. Ma lei, dopo i primi scherzi, disse: "Ci vediamo stasera in trattoria, no?... Intanto lasciatemi perdere... quando lavoro non mi piace di essere disturbata." Tore a cui erano rivolte queste parole, perché era il più sguaiato e entrante, disse con finta meraviglia: "Scusate, sapete... siamo povera gente... non sapevamo di avere a che fare con una principessa... scusate... non volevamo offendere." E lei, secca: "Non sono un principessa ma una povera ragazza che lavora per campare... e non mi avete offesa... un caffè e un bitter." Insomma, ce ne andammo via quasi mortificati.

La sera, ci incontrammo, al solito, in trattoria, Rinaldo arrivò con Lucrezia per ultimo; e noi si ordinò subito da mangiare. Per un poco, mentre aspettavamo i piatti, ricominciò la soggezione; poi l'oste portò un gran vassoio con il pollo alla romana, spezzato, col sugo di pomodoro e i peperoni. Allora ci guardammo in faccia e Tore, interpretando il sentimento comune, esclamò: "Sapete che vi dico? A tavola mi piace stare in libertà... fate come me e vi troverete bene." Così dicendo afferrò una coscia e, con le due mani piene di anelli, se la portò alla bocca e prese a divorarla. Fu il segnale; dopo un momento di esitazione tutti mangiavamo con le mani; tutti salvo Rinaldo e, naturalmente, Lucrezia che spelluzzicò appena appena un pezzetto di petto. Dopo quel primo momento, rinfrancati, tornammo in tutto e per tutto alla cagnara antica: mangiavamo parlando e parlavamo mangiando; buttavamo giù, sul boccone, bicchieri rasi di vino; ci sdraiavamo sulla seggiola; raccontavamo le solite storie ardite. Anzi, forse per sfida, ci comportavamo peggio del solito; e non ricordo di aver mangiato mai tanto e così di gusto come quella sera. Finito il pranzo, Tore allentò la fibbia alla cinghia dei pantaloni e fece un rutto profondo, da far tremare il soffitto, se non fossimo stati, invece, all'aperto, sotto un pergolato. "Auffa, mi sento meglio," dichiarò. Prese uno stecchino, e, come sempre faceva, cominciò a sforacchiarsi tutti i denti, uno per uno, e poi daccapo; e finalmente, lo stecchino fisso all'angolo della bocca, ci raccontò non so che storia proprio scollacciata. Lucrezia, allora, si alzò e disse: "Rinaldo, mi sento stanca... Se non ti dispiace, accompagnami a casa." Tutti ci lanciammo un'occhiata significativa: era cassiera da due giorni appena e già gli dava del tu e lo chiamava per nome. Altro che annunzio economico nel giornale. Se ne andarono, e, appena partiti, Tore fece un altro rutto e disse: "Era tempo... non ne potevo più... avete visto che superbia?... e lui che le andava dietro buono buono... un agnello... però l'annunzio economico... diciamo piuttosto che era un annunzio matrimoniale."

Per due o tre giorni si ripeterono le stesse scene: Lucrezia che mangiava composta e silenziosa; noialtri che facevamo finta che non ci fosse; e Rinaldo che tra Lucrezia e noi non sapeva come regolarsi. Ma qualche cosa si preparava, tutti lo sentivamo: la ragazza, acqua cheta, non lo mostrava ma voleva tutto il tempo che Rinaldo scegliesse tra lei e noi. Finalmente, una sera, senza alcuna ragione precisa, forse perché faceva caldo e si sa il caldo dà ai nervi, Rinaldo, a metà pranzo, ci aggredì in questo modo: "È l'ultima volta che vengo a mangiare con voi." Restammo tutti stupefatti, Tore domandò: "Ah, ma davvero? E si può sapere perché?" "Perché non mi piacete." "Non ti piacciamo? ci dispiace tanto, proprio tanto." "Siete una banda di maiali, ecco quello che siete." "Guarda come parli, ma che sei pazzo?" "Sì, siete una banda di maiali, lo dico e lo ripeto... a mangiare con voi mi viene da vomitare." Tutti adesso eravamo rossi in faccia dall'ira, alcuni si erano alzati in piedi. "Intanto," disse Tore, "il primo maiale sei tu! Chi ti dà il diritto di giudicarci? Non stavamo sempre insieme? Non facevamo sempre le stesse cose?" "Sta' zitto tu" gli disse Rinaldo "che con tutti quei gioielli addosso sembri proprio una di quelle... non ti manca che il profumo... di', non ci hai mai pensato a profumarti?" Il colpo era diretto a tutti noi; comprendendo donde veniva, guardammo Lucrezia: ma lei, falsa, badava a tirare Rinaldo per la manica raccomandandosi che smettesse e venisse via. Tore gli disse allora: "Anche tu ci hai i gioielli... anche tu hai l'orologio, l'anello, il braccialetto... tu come gli altri." E Rinaldo, fuori di sé: "Ma io, sapete che faccio? Me li tolgo e li do a lei... prendi Lucrezia, te li regalo." Così dicendo, si sfilò anello, braccialetto, orologio, si tolse di tasca il portasigarette e gettò ogni cosa in grembo alla ragazza. "Voialtri" disse insultante "questo non lo fareste... non potreste farlo." "Ma va' all'inferno," disse Tore; però si capiva, adesso, che si vergognava di avere tutti quegli anelli alle dita. "Rinaldo, riprenditi la tua roba e andiamo," disse Lucrezia, calma. Prese in mucchio tutti gli ori che Rinaldo le aveva dato e glieli mise in tasca. Rinaldo però, per non so quale rancore che ci aveva contro di noi, continuò ad inveire, pur lasciandosi trascinare via da Lucrezia. “Siete una banda di maiali, questo ve lo dico io... imparate a mangiare, imparate a vivere... maiali.” “Cretino” gli urlò Tore inferocito “ignorante... ti sei fatto imbeccare da quell’altra cretina che ci hai a fianco.” Avete visto Rinaldo? Salta attraverso il tavolo, afferra Tore per i risvolti della camicia. Insomma, dovemmo dividerli.

Quella sera, dopo che se ne furono andati, non fiatammo e partimmo noi stessi dopo qualche minuto. La sera dopo ci ritrovammo, ma ormai l’antica allegria era finita. Notammo, intanto, che molti degli anelli erano spariti e anche qualche orologio. Dopo due sere, eravamo tutti senza gioielli, ma più mosci che mai. Passò una settimana e poi, chi con una scusa e chi con un’altra, cessammo affatto di incontrarci. Era finita, e, si sa, quando le cose sono finite, non ricominciano: a nessuno piacciono le minestre riscaldate. In questi giorni poi ho saputo che Rinaldo ha sposato Lucrezia; mi hanno detto che, in chiesa, lei era coperta di gioielli meglio di una statua della Madonna. E Tore? L’ho visto tempo fa nel suo garage. Aveva un anello al dito, ma non d’oro e senza brillante: uno di quegli anelli d’argento che portano i meccanici.

TABÙ

Alessandro mi aveva fatto quella scenata indegna in trattoria; ma due settimane dopo, correndo in motocicletta sulla Cassia, si scontrò con un camion e rimase ucciso sul colpo. Giulio mi aveva preso a schiaffi all'uscita del cinema; ma dopo tre giorni appena, si prese ai bagni nel Tevere quella terribile malattia che viene dalle fogne e se andò in poche ore. Remo mi aveva detto: "Brutto scemo, fesso e ignorante," in via Ripetta; ma poco dopo, svoltando in via dell'Oca, scivolò su una buccia e si ruppe il femore. Mario mi aveva fatto un gesto osceno alla partita di calcio, ma quasi subito, si può dire, si accorse che gli avevano sfilato il portafoglio dalla tasca. Questi quattro casi e altri ancora che non dico per non diventare monotono, mi avevano convinto quell'anno che ero protetto da una forza misteriosa la quale faceva morire o almeno puniva chiunque mi si mettesse contro. Notate che non si trattava di iettatura. Lo iettatore danneggia senza motivo, a caso, spargendo disgrazie un po' come l'autopompa sparge l'acqua: a chi tocca tocca. No, io sentivo che, sebbene uomo da nulla, né bello, né forte, né ricco (sono commesso in un negozio di tessuti), né, insomma, particolarmente dotato in alcun modo, io ero protetto da una forza soprannaturale, per cui nessuno poteva farmi del male impunemente. Direte: presunzione. E allora, per favore, spiegatemi la combinazione di quelle morti e di quelle disgrazie capitate a tutti coloro che avevano voluto fare i prepotenti con me. Spiegatemi perché trovandomi in qualche frangente, e invocando, appunto, quella forza, questa accorreva subito, come un cagnolino, e puniva l'imprudente che aveva osato andarmi contro. Spiegatemi finalmente... ma lasciamo andare.

Vi basti sapere che in quel tempo mi ero messo in testa di essere fatato, come per un incantesimo.

Uno di quei giorni d'estate decidemmo, Grazia ed io, di andare a passare la domenica a Ostia. Nel negozio di tessuti eravamo in tre commessi: Grazia, io e uno nuovo che si chiamava Ugo. Un tipo, quest'ultimo, a dir la verità, che non mi piaceva affatto: alto, atletico, sicuro di sé, con un viso da pugilatore, schiacciato al naso e sporgente alla mascella. Ugo aveva una maniera di gettare la pezza sul banco, svolgere la stoffa e farla schioccare tra le dita, guardando non al cliente ma ai passanti, nella strada, attraverso i vetri della porta del negozio, che mi dava proprio sui nervi; e quando un compratore esprimeva qualche dubbio, invece di cercare di persuaderlo, adoperava la maniera forte: ossia si rinchiudeva in un silenzio sprezzante e disapprovatore; oppure diceva, addirittura, seccamente: "La signora ha bisogno di un articolo più andante," e andava a riporre la pezza. Tirava, insomma, a intimidire il compratore; e infatti, quasi sempre, questi lo richiamava, pentito, riesaminava la stoffa e faceva l'acquisto. Ma io, ogni volta che volevo imitarlo, forse perché non avevo la presenza fisica e la sfacciataggine di Ugo, mi sentivo dire che ero maleducato, che la direzione avrebbe fatto bene a licenziarmi e cose simili. Perciò, dopo alcuni tentativi infruttuosi, tornai alla maniera mia che è invece scivolosa, smelata, tutta insinuazioni e compiacenza.

A Grazia, Ugo non piaceva; almeno così mi aveva assicurato più volte: "Quello lì... per carità... che orrore! Sembra un negro." Però quando, dopo aver preso gli accordi per Ostia, Ugo si avvicinò a noi domandando con quella sua voce arrogante: "Che fate di bello domenica?," lei rispose subito, dimenandosi, sorridendo, gonfiandosi tutta di civetteria: "Perché non viene anche lei, Ugo?" Figurarsi Ugo: subito accettò, e anzi disse con aria di protezione che avrebbe provveduto a portare una ragazza, così che ognuno avrebbe avuto la sua. Ma lo disse in un certo modo per cui rimasi incerto: come se lui avesse inteso dire che la sua ragazza era Grazia e che quell'altra l'avrebbe portata per me.

La domenica ci trovammo all'ora fissata alla stazione di San Paolo, tra una folla da non si dire. Grazia che inaugurava un vestito nuovo, celeste, intonato coi suoi capelli biondi; io carico di pacchi, avendo fatto gli acquisti per la colazione; Ugo vestito da Paino, color penicillina; e la ragazza di Ugo, certa

Clementina. Il sospetto che mi era venuto al negozio, però, si trovò subito confermato quando Ugo, con autorità, prese sottobraccio Grazia e disse a me e Clementina: "Ehi, voialtri due, non ve la squagliate, però... fate in modo di non perderci di vista al momento della partenza." Grazia rideva e si stringeva contro di lui, felice. Guardai Clementina: era proprio quello che ci voleva per me, s'intende secondo l'idea che Ugo si faceva della mia persona: una buona ragazza, bianca e grassa, coi fianchi e il petto di mucca e il viso stupido, anch'esso bovino: non le mancava che il campanaccio al collo. Mi disse con un sorriso, guardando a Ugo e Grazia: "Come si vede che quei due si vogliono bene, non è vero?" Era forse un invito a fare lo stesso noialtri. Risposi, invece, acido, tenendomi a distanza: "Ah, ma davvero... guarda un po'... e io che non me ne ero accorto."

Arrivò il treno e Ugo, naturalmente, fu il primo a salire, chissà come, tra la folla che urlava e si accapigliava; il primo, anche, ad affacciare quella sua faccia antipatica al finestrino, gridando: "Ho quattro posti, venite pure su con comodo." Salimmo e ci mettemmo a sedere, coppia di fronte a coppia, e il treno partì. Durante tutto il tragitto si può dire che non staccai un solo momento gli occhi da quei due: era più forte di me. Ugo ormai si era impadronito di Grazia, e ora le parlava sottovoce, facendola ridere e arrossire; ora, così per scherzo, l'abbracciava; ora, senza parer di nulla, le faceva qualche carezza. Grazia, da vera svergognata, ci stava, e non faceva che dimenarsi come un'anguilla e strofinarsi contro di lui. Ma quello che mi offendeva di più era che si comportassero in quel modo come se io non ci fossi stato, ignorando la mia presenza. E almeno avessi potuto rifarmi con Clementina, per bilanciare la condotta di Ugo. Ma oltre a non piacermi, Clementina non sembrava desiderare che le facessi la corte: dormiva, il collo rovesciato indietro, la bocca aperta, le mani in grembo.

A Ostia, andammo allo stabilimento e ci spogliammo, a turno, nella cabina. Una volta tutti e quattro in costume da bagno, le differenze si svelarono ancora di più: Grazia aveva un bel corpo slanciato, con le gambe alte e forti, il busto fiorente; ma Clementina, invece, pareva un guanciale legato per metà, tutta fianchi e petto, senza vita e senza collo. Tra Ugo e me, poi, lo stacco era anche più visibile: lui aveva il corpo da lottatore, muscoloso, sodo, bruno, largo alle spalle e stretto ai fianchi, con lo slip incollato sulle natiche e le cosce pelose tutte frementi; io invece, ero piccolo, con le gambe magre, il corpo senza muscoli, le braccia sfornite: un ragno. Ugo, naturalmente, prese subito Grazia per la mano; e via di corsa, attraverso la rena bollente verso il mare, dove si tuffarono insieme a testa bassa. "Che bella coppia," disse Clementina che pareva fare apposta a invelenirmi. Ora quei due laggiù, in mare, si schizzavano l'acqua addosso, si davano gli spintoni e poi Ugo prendeva Grazia in braccio, e Grazia gli si attaccava al collo e rideva. Domandai a Clementina se voleva fare il bagno e lei rispose che l'avrebbe fatto volentieri ma voleva restare presso la riva perché non sapeva nuotare. Insomma, facemmo il bagno in mezzo metro d'acqua sporca e calda, tra i bambini che piangevano e gridavano e si gettavano i palloni, e le balie e le mamme che li chiamavano per nome, con la radio dello stabilimento che urlava senza posa una vecchia canzonetta: "Il mare è sempre blu, come quando c'eri tu..." Intanto Ugo e Grazia nuotavano lontano, da veri sportivi, e quasi non si vedevano più.

In quel momento, senza volerlo, proprio con naturalezza, mi venne in mente che Ugo, quel giorno, sarebbe affogato. Lo pensai senza sforzo, come una cosa inevitabile e giusta: mi aveva fatto un torto, dunque doveva morire. Questo pensiero mi ridiede ad un tratto la tranquillità. Mi avvicinai a Clementina che stava in piedi nell'acqua, aggrappandosi con le due mani alla corda salvagente, e le dissi: "Ugo è uno di quei bravoni che, poi, gli prende un crampo e affogano... e poi li riportano svenuti sulla spiaggia e gli fanno la respirazione artificiale." Lei mi guardò incomprensiva, e disse: "Ma se nuota benissimo." Io risposi scuotendo il capo: "Nuota benissimo non discuto... ma il tipo dell'uomo che finisce la domenica steso sulla rena mentre gli fanno la respirazione artificiale ce l'ha... lo lasci dire a me."

Dopo un poco, Grazia e Ugo tornarono a riva e presero a correre per la spiaggia, per asciugarsi dicevano loro. Si inseguivano, si acchiappavano a piene mani, si tiravano le palle di rena, cascavano a terra insieme. Io li guardavo fisso, stando presso Clementina che si aggrappava alla corda, e mi pareva di vederlo, Ugo, che si gettava in mare e gli prendeva un crampo, incominciava ad annaspare, affogava e poi lo portavano a riva, e gli facevano la respirazione artificiale. Non ero sicuro che dovesse morire; però non mi dispiaceva pensare che per un'ora, almeno, stesse, come si dice, tra la vita e la morte. Intanto Ugo e Grazia avevano finito di asciugarsi e Ugo venne a proporci una gita in barca. Clementina subito dichiarò che lei in barca non ci veniva perché non sapeva nuotare; e così salimmo in barca noi tre, io ai remi, e Ugo e Grazia seduti l'uno accanto all'altra a poppa.

Presi a remare piano, su quel mare calmo e noioso, nel sole che ardeva, guardandoli fissamente, quasi sperando che tutto il veleno che era nei miei sguardi li facesse vergognare e li rendesse più discreti. Fatica sprecata: come poco fa in treno, continuavano a strofinarsi e a scherzare, quasi io fossi stato il barcaiolo. Anzi Ugo volle sottolineare la cosa, dicendomi burlescamente: "Se non vi dispiace, buon uomo, remate con la sinistra, altrimenti andiamo a sbattere contro quel patino." Questa volta perdetti la pazienza e risposi: "Di' un po' Ugo, nessuno te lo ha mai detto che sei un gran maleducato?" Lui si rizzò a sedere e domandò: "Coooosa?," allungando l'o, come per significare: "Che sento? sento bene?" Ripresi, sempre remando: "Sì, un maleducato e un ignorante... nessuno te l'ha mai detto?" "Ma che ti prende?," domandò lui alzando la voce. "Mi prende" dissi francamente "che sei un cafone numero uno." "Guarda come parli." "Parlo come mi pare, sei un cafone e anche un mascalzone." "Aho, vacci piano, con me c'è poco da scherzare." Così dicendo, si levò in piedi e mi diede un colpo forte, in cima al petto. Lasciai i remi, mi alzai anch'io, e feci per rendergli il colpo; ma lui, pronto, mi strinse il polso con due dita che parevano di ferro. Adesso lottavamo, tutti e due in piedi, mentre Grazia, seduta, strillava e si raccomandava. Ad un movimento più violento, la barca, che era stretta e bassa, si rovesciò e cademmo tutti in acqua.

Non eravamo lontani dalla riva e giuro che, mentre cadevo in acqua, pensai contento: "Ora gli prende un crampo e affoga... e muore come Alessandro, come Giulio." Intanto la barca se ne andava, capovolta e coi remi galleggianti sull'acqua; e noi tre venivamo fuori, nuotando. "Imbecille," mi gridò Ugo; Grazia, come se nulla fosse, si dirigeva nuotando verso la spiaggia. "Imbecille sei tu e anche farabutto," risposi; e così dicendo mi entrò l'acqua in bocca. Ma già Ugo non si occupava più di me, nuotava per raggiungere Grazia. Presi anch'io a nuotare verso la riva, pensando sempre al crampo che tra poco l'avrebbe fatto colare a picco, quando improvvisamente, provai un dolore acuto per tutto il fianco destro, dalla spalla al piede, e capii che il crampo, invece che a lui, stava venendo a me. Fu un attimo e in quell'attimo persi la testa: il dolore non cessava, incominciai ad annaspare, il respiro mi mancava, provavo una paura terribile, cacciai un grido e l'acqua mi entrò in bocca. Urlai: "Aiuto" e di nuovo inghiottii acqua. Il crampo intanto continuava e io andai sotto e poi risalii, gridai di nuovo "aiuto" e andai sotto di nuovo, sempre inghiottendo acqua. Insomma, sarei affogato se, finalmente, una mano non mi avesse afferrato per il braccio, mentre una voce, quella di Ugo, mi diceva: "Sta' fermo, ché ti riporto a riva." Allora chiusi gli occhi e credo che svenni.

Rinvenni non so quanto tempo dopo e sentii sotto la schiena la rena bollente della spiaggia. Qualcuno, stringendomi per i polsi, mi alzava e abbassava le braccia; qualcun altro, accovacciato, mi faceva con le mani dei massaggi al petto e alla pancia. L'aria era piena di un polverone fitto, il sole abbagliava, e intorno a me c'era una foresta di gambe abbronzate e pelose: tutta gente che mi guardava morire. Sentii qualcuno che diceva: "Per me è andato;" e qualcun altro che osservava: "Fanno i bravi e poi ecco qua: affogano." Mi sentivo gonfio di acqua e la testa mi pesava e intanto le mie due braccia andavano su e giù come i manichi di un mantice, e allora mi venne una gran rabbia e dissi, cercando di svincolarmi: "Ma lasciatemi... andate all'inferno;" e poi svenni di nuovo.

Di quel giorno maledetto non voglio dire altro. Ma una settimana dopo, al negozio, un momento che Ugo era lontano, Grazia mi disse sottovoce: "Lo sai perché a Ostia, domenica scorsa, stavi per affogare?" "No, perché?" "Me l'ha spiegato Ugo... lui dice che c'è una forza misteriosa che lo protegge: chi gli si mette contro, può anche capitargli di morire... insomma, dice che lui è tabù... ma si può sapere che vuol dire tabù?"

"Tabù" risposi dopo un momento di incertezza "vuol dire quando una cosa o una persona è sacra."

Lei non disse nulla perché in quel momento Ugo si avvicinava portando in braccio una pezza di cotone e la spiegava con il solito schiocco, dicendo: "Questo è quello che ci vuole per lei, signora." Ma dagli sguardi di Grazia capii che era proprio innamorata: diamine, un uomo bello, forte, giovane e per giunta, anche tabù.

IO NON DICO DI NO

Per capire il carattere di Adele, voglio soltanto raccontare quel che avvenne la prima notte di nozze: come si dice, dal mattino si giudica il buon giorno. Dunque, dopo la cena in una trattoria di Trastevere, dopo i brindisi, le poesie, gli auguri, gli abbracci e le lagrime della suocera, andammo, a casa mia, sopra il mio negozio di ferramenta, in via dell'Anima. Eravamo sposi, ci vergognavamo un poco tutti e due; come fummo in camera da letto, cominciai col togliermi la giacca e, appendendola ad una seggiola, dissi tanto per rompere il ghiaccio: "Dice che porta fortuna... hai visto?... eravamo tredici a tavola." Adele si era tolta le scarpe nuove che le facevano male e stava ritta in piedi di fronte allo specchio dell'armadio, guardandosi. Rispose subito, contenta, come se quella mia frase le avesse fatto passare la soggezione: "Veramente, Gino, eravamo in dodici... dieci gli invitati e noialtri due, dodici." Ora io, al ristorante, anche per regolarmi per le ordinazioni, avevo contato i presenti; e contandoli avevo veduto appunto che eravamo in tredici, tanto che avevo detto a Lodovico, uno dei testimoni: "Siamo in tredici... non vorrei che ci portasse male." E lui aveva risposto: "No, anzi porta bene." Sedetti sul bordo del letto e cominciai a sfilarmi i pantaloni rispondendo con calma: "Ti sbagli.. eravamo in tredici... ci feci caso e lo dissi anche a Lodovico." Adele, lì per lì, non mi rispose, perché aveva il capo e mezzo il corpo imbacuccati nel vestito che stava tirandosi via dall'alto. Ma come ne spuntò fuori, ancor prima di rifiatare, disse, con vivacità: "Non hai contato bene... eravamo in tredici per strada... ma poi Meo se ne andò e rimanemmo in dodici." Adesso ero rimasto in mutande e, non so perché, tutto ad un tratto mi stizzii: "Ma che dodici d'Egitto... e poi che c'entra Meo?... se ti dico che ho fatto il conto dentro il ristorante." "Beh, allora" disse lei andando a riporre il vestito nell'armadio, "vuol dire che quando hai contato avevi già bevuto un po' troppo... ecco tutto." "Ma chi ha bevuto?... se avrò bevuto sì e no un paio di bicchieri compreso lo spumante..." "Insomma" disse lei "eravamo in dodici... e tu non te lo ricordi perché adesso sei ubriaco e la memoria t'inganna." "Ma chi è ubriaco?... eravamo in tredici." "E io ti dico che eravamo in dodici." "In tredici." "In dodici." Ora ci parlavamo sul naso nel mezzo della stanza, io in mutande e lei in sottana. L'acchiappai per le braccia e le urlai in faccia: "In tredici," ma poi cambiai ad un tratto idea e cercai di abbracciarla mormorando: "Tredici o dodici non importa... dammi un bacio." Ma lei pur cascando sul letto e non rifiutando il bacio, sussurrò, quasi, si può dire, sotto le mie labbra, nel momento che incontravano le sue: "Sì, ma eravamo in dodici." Questa volta saltai in mezzo alla stanza e gridai: "Comincia male... tu sei mia moglie e devi obbedirmi... se ti dico che eravamo in tredici, tredici ha da essere e non devi contraddire." Lei allora si alzò dal letto e gridò con forza: "Io tua moglie lo sono, o meglio lo sarò... ma noi eravamo in dodici." "Piglia su... eravamo in tredici." Così era volato il primo schiaffo, asciutto e sonoro. Adele rimase per un poco come intontita, poi corse alla porta del salotto, l'aprì, gridò dalla soglia: "Eravamo in dodici... e lasciami in pace... mi fai schifo," e scomparve. Dopo un momento di stupore, mi riscossi, andai alla porta, chiamai, bussai, pregai: niente. Insomma andò a finire che passai la notte di nozze tutto solo, sonnecchiando, mezzo svestito, sul letto; e lei credo che facesse lo stesso sul divano del salotto. Il giorno dopo, di comune accordo, andammo dalla madre di lei e le domandammo in quanti eravamo. Venne fuori che, in realtà, eravamo in quattordici per via di due ragazzini così piccoli che erano scivolati giù dalle seggiole e si erano messi a giocare sotto la tavola. Quando io avevo fatto il conto, uno di loro stava ancora seduto; quando aveva contato Adele, erano spariti tutti e due. Così avevamo ragione ambedue; ma Adele, come moglie, aveva torto.

Dopo quella prima volta, non si contano le occasioni in cui Adele mostrò questo suo carattere così tignoso. Aveva la smania di discutere su ogni inezia, se io dicevo bianco lei diceva nero, mai cedeva, mai ammetteva di aver torto. A volerle raccontare non si finirebbe più: come quella volta, per esempio, che sostenne per una giornata intera di non aver ricevuto il denaro della spesa e poi, dopo aver discusso per ventiquattro ore di seguito, eccolo il denaro, sul davanzale della finestrella del cesso, a prendere il fresco, come una rosa in un bicchiere. Naturalmente la discussione continuò, perché lei sosteneva che il denaro sulla finestrella ce l'avevo messo io; e io, invece, le dimostravo coi fatti che non poteva essere e che lei era andata, appunto, in quel luogo oscuro dopo aver ricevuto il denaro e non prima. O quell'altra volta che, sempre tignosa, sostenne che Alessandro, il barista del caffè dirimpetto, aveva quattro figli mentre io sapevo benissimo che ne aveva tre, e così andammo avanti a discutere una settimana, perché il barista era assente; e poi lui tornò e allora scoprimmo che aveva tre figli quando la discussione era cominciata e quattro adesso perché uno intanto gli era nato. Sciocchezze; e, come succede, ora avevo ragione io e ora aveva ragione lei; ma quello che cercavo invano di farle capire, era che la ragione non contava, e che quel suo vizio di discutere per ogni nonnulla avrebbe finito per rovinare ogni cosa. Lei rispondeva: "Tu non vuoi una moglie, vuoi una schiava." Così, a forza di discutere, eravamo ormai, come si dice, ai ferri corti; e appena dicevo qualche cosa anche la più sicura, come per esempio: "Oggi c'è il sole," mi sentivo già tutto stizzito dall'idea che lei potesse contraddirmi; e la guardavo, e infatti, ecco, subito, lei diceva: "Ma no, Gino, il sole oggi non c'è... è tutto nuvolo." Allora prendevo il cappello e scappavo di casa, ché, se fossi rimasto, sarei schiattato dalla rabbia.

Uno di quei giorni, passando per Ripetta, incontrai Giulia, una ragazza a cui avevo fatto la corte poco prima che conoscessi Adele. Allora mi ero stancato presto di lei perché non mi sembrava abbastanza indipendente e qualsiasi cosa dicessi mi approvava e non mi dava mai torto, neppure quando l'avrebbe visto anche un cieco che il torto ce l'avevo. Ma adesso che la donna indipendente l'avevo sposata e me la godevo, rimpiangevo Giulia così dolce e arrendevole, e mi mordevo le mani di averle preferito Adele. Quel mattino mi fece piacere di incontrarla, se non altro per la differenza tra il suo carattere e quello di Adele; e così, mentre lei si schermiva dicendo che doveva andare al mercato a far la spesa, la trattenni, soltanto per il piacere di vederla darmi ragione, e rimanere dolce, e non contraddirmi neppure una volta. Le dissi, tanto per metterla alla prova: "Allora ti sei pentita del torto che mi hai fatto? Ti sei accorta che io ero meglio di tanti altri? Di', perché non mi hai voluto?" Ora io sapevo benissimo che questo non era vero: ero stato io a lasciarla, adducendo, appunto, che non mi piacevano le donne come lei, troppo docili. Ma volevo vedere quel che rispondeva a questa mia accusa tanto falsa e ingiusta. Lei, poveretta, a sentirmi parlare in quel modo, sgranò gli occhi, sorpresa. Per un momento, certo ebbe la tentazione di rispondermi che il torto l'avevo fatto io a lei, come era vero, e che ero stato io a lasciarla. Ma poi, invece, il suo carattere si rivelò. Disse, con la sua voce dolce: "Gino... deve esserci stato un malinteso... io, mai e poi mai ti avrei lasciato... ti volevo tanto bene." Noterete che non mi accusava di dire una bugia, come certamente avrebbe fatto Adele; cercava invece di discolparsi e, per farmi piacere, ammetteva che un po' di colpa forse l'aveva avuta anche lei. Scoppiai allora in una risata allegra al pensiero della sciocchezza che avevo commesso preferendole Adele; ed esclamai, facendole una carezza alla guancia: "Lo so che la colpa fu tutta mia... eh, purtroppo, non ci fu alcun malinteso... tutta mia fu la colpa... ho detto così per dire... per vedere che cosa rispondevi." Poi le feci un'altra carezza alla guancia, facendola arrossire dal piacere, e scappai via. Ma prima di scantonare mi voltai: stava ancora lì, sul marciapiede, la sporta della spesa infilata al braccio che mi guardava, sbalordita.

Era la fine di maggio e il giorno dopo andammo, Adele ed io, a Fregene, in motoscooter, per fare il primo bagno. Trovammo la spiaggia deserta, con un cielo azzurro e accecante di sole, con un vento che soffiava forte, radente, pungente, pieno di sabbia. Il mare presso la riva era tutto onde verdi e bianche, che si accavallavano e si gettavano le une contro le altre; più lontano, era strisciato di blu quasi nero, con qualche orlo bianco qua e là. Adele disse che voleva andare in barca e io, sebbene il mare non fosse buono, per non contraddirla e non sentirmi dire, magari, che il mare era un olio, noleggiai una barchetta e me la feci spingere in acqua. Ero in costume da bagno, Adele invece era tutta vestita e io, sempre per la paura delle discussioni, non avevo insistito affinché si spogliasse. Il bagnino mi diede una spinta, io acchiappai i remi e cominciai a remare forte, incontro alle onde. Non erano onde alte, e, come uscii dalle secche, remai più piano; però stavo attento a prendere le onde di prua perché, a mettermi di fianco, c'era il caso che la barca, un guscio di noce, si rovesciasse. Adele stava seduta a prua, e andava su e giù secondo le onde; tutto ad un tratto guardandola e vedendola vestita e ricordandomi che non avevo osato consigliarle di spogliarsi, mi stizzii e mi venne il desiderio di dirle che avevo incontrato Giulia. Così, pur remando, le raccontai come avessi voluto mettere alla prova il carattere di Giulia e come lei non mi avesse contraddetto. Adele mi ascoltò, mentre la barca andava su e giù per le onde, finalmente disse con calma: "Ti sbagli... la colpa fu proprio sua... fu lei a lasciarti."

Diedi un colpo forte con i remi per evitare un'onda più alta delle altre e risposi con rabbia: "Ma chi te l'ha detto?... fui io, una sera, a farle capire che non la volevo più... ricordo perfino il luogo... sul Lungotevere."

Adele, con qualche cosa di maligno nella voce, i capelli tutti svolazzanti nel vento, rispose: "Al solito ricordi male... fu lei a lasciarti... disse che eri, come infatti sei, di carattere troppo litigioso... e che non se la sentiva di vivere con te."

"Ma chi te l'ha detto?"

"Me lo disse lei... qualche giorno dopo."

"Ma non era vero... lo disse per nascondere il suo disappunto: la volpe e l'uva."

"Fu lei, Gino, non insistere... me lo confermò anche la madre di lei."

"E io ti dico che non è vero... fui io."

"Fu lei."

Non so che diavolo mi prese in quel momento. Avrei sopportato di essere contraddetto in qualsiasi cosa, ma non in quella. Suppongo che ci entrasse anche il mio amor proprio di uomo. Lasciai i remi e alzandomi gridai: "Fui io... e poi basta... non voglio più discutere... se parli ancora, ti do un remo in testa."

"Provaci" disse lei, "ma ti arrabbi, dunque hai torto... lo sai che fu lei."

"Fui io."

Ora stavo in mezzo alla barca, in piedi, e urlavo, anche per farmi sentire in quel fracasso dalle onde. La barca andava su e giù coi remi abbandonati e, senza che me ne accorgessi, si era messa di traverso. Adele, ricordo, tutto ad un tratto si alzò anche lei in piedi e mi gridò in faccia: "Fu lei," riunendo le mani alla bocca a far da portavoce. Nello stesso momento un'ondata massiccia si alzò, verde, come di vetro, con la cresta bianca, e ci investì rovesciandosi dentro la barca. Cascai in acqua pensando che per fortuna la barca non si era rovesciata e subito affondai tirato per i piedi da un mulinello. Andai sotto, bevvi un po' d'acqua e poi tornai a galla, lottando contro la corrente e chiamando Adele. Ma come mi guardai intorno, vidi che la barca era già lontana, e che era vuota, e che Adele non c'era. Chiamai ancora Adele e presi a nuotare verso la barca, senza sapere quel che facessi. Ma, ad ogni ondata, la barca si allontanava un poco di più, e io mi riempivo d'acqua la bocca ogni volta che chiamavo Adele, e intanto pensavo che era inutile che rincorressi la barca, visto che Adele non c'era più. Finalmente ci rinunciai e presi a nuotare in cerchio, cercando Adele per il mare. Ma Adele non si vedeva, non si vedevano che le onde che si rincorrevano verso la riva e le forze intanto mi mancavano. Mi venne paura di affogare e presi a nuotare verso la spiaggia. Poi toccai il fondo coi piedi e, sebbene fossi ancora lontano dalla riva, mi fermai e cominciai a gridare, e un patino, difatti, si staccò dalla riva e mi venne incontro. Mentre veniva, io mi guardavo intorno, cercando Adele per il mare che era deserto a perdita d'occhio salvo la barchetta vuota che se ne andava alla deriva, coi remi abbandonati, ed incominciai a piangere ripetendo "Adele, Adele," a bassa voce, come tra me e me. Mi pareva che il mare con il suo fracasso rispondesse: "Fu lei," come se la voce di Adele scomparsa fosse rimasta per aria e ancora mi contraddicesse. Poi arrivarono i bagnini col patino e cercammo per più di tre ore, ma il corpo di Adele non si ritrovò né quel mattino né i giorni dopo.

Così rimasi vedovo. Passò un anno e poi mi feci coraggio e andai a trovare Giulia. La madre mi fece passare nella sala da pranzo e, come lei entrò, le dissi: "Giulia, sono venuto per chiederti se vuoi diventare mia moglie." Lei arrossì per il piacere e rispose con la sua voce dolce: "Io non dico di no... bisogna però che ne parli a mamma." Questa sua prima frase mi colpì e poi me ne ricordai più tardi, come un augurio: "Io non dico di no."

Insomma, ci sposammo; e se volete conoscere una coppia che va d'accordo, venite pure a trovarci. Giulia è sempre rimasta tale quale come quel mattino quando mi rispose: "Io non dico di no."

L'INCOSCIENTE

Quando si agisce è segno che ci si aveva pensato prima: l'azione è come il verde di certe piante che spunta appena sopra la terra, ma provate a tirare e vedrete che radici profonde. Quanto ci avrò pensato a scrivere quella lettera? Sei mesi, poiché erano giusto sei mesi che quel signore si era costruita la villa al ventesimo chilometro sulla Cassia. E l'idea mi venne, appunto, vedendo la villa nuova in cima ad un poggio, nel mezzo della campagna deserta. In quel tempo mi ero montato la testa coi film e con i romanzi a fumetti e inoltre sentivo il bisogno di farmi ammirare da Santina, una ragazza della mia età, figlia del custode del passaggio a livello, una sciocca, ma bella o almeno così allora mi sembrava: Una sera che passeggiavamo insieme, le dissi, mostrandole la villa: "Io me la sentirei uno di questi giorni di scrivere al padrone di quella villa una lettera minatoria." "Che vuol dire minatoria?" "Minacciosa... o dài tanto o se no ti facciamo fuori... minatoria insomma." "Ma non è proibito?" domandò lei sorpresa. "Sì è proibito... ma che importa?... Una lettera con l'indicazione del luogo dove ha da portare il denaro... eh, che ne dici?" Speravo di impressionarla; ma invece, lei, come se le avessi proposto la cosa più naturale del mondo, disse dopo un momento di riflessione: "Io, per me ci sto... e quanto gli chiederesti?" Insomma, la prendeva con la massima naturalezza; tanto che io, per non esser da meno, risposi tranquillamente: "Non so... cento, duecentomila lire." E lei battendo le mani: "Uh che bello... e mi faresti un regalo?" "Si capisce." "E allora perché non lo fai?... Che aspetti?" Dissi allora: "Lasciami il tempo di pensarci."

Così, su uno scherzo, eccomi impegnato a scrivere quella lettera.

Il signore della villa passava spesso nella sua macchina per la Storta, davanti al negozio di frutta e di verdura della mamma. Era un omaccione alto, grande, grosso, con un nasone che pareva di quelli di cartone dipinto che si portano a carnevale, i baffi neri a spazzola, gli occhiacci loschi. Sempre involtato in un paltò di pelo di cammello: un vero orso. Fabbricava profumi nel sottosuolo della villa e, infatti, ad avvicinarsi alle finestre del seminterrato, si sentiva venirne non odori di cucina bensì quelli delle essenze che adoperava nel suo laboratorio. Concepii per quell'uomo un'antipatia profonda e questo era una spinta di più a scrivere la lettera. Ma non l'avrei mai scritta, per quanto l'odiassi e per quanto Santina adesso mi stuzzicasse per via delle centomila lire, se uno di quei giorni, a pochi chilometri dalla villa, tre uomini mascherati non avessero fatto una grassazione. I giornali davano tutti i particolari: il guidatore, un commerciante romano, freddato al volante mentre cercava di scappare, la macchina in un fosso, gli altri viaggiatori spogliati di quanto avevano. Dissi a Santina, la sera stessa: "Questo è il momento di scrivere quella lettera." "Perché?" domandò lei sorpresa. "Perché" risposi, "fingeremo che la lettera l'abbia scritta uno di quei tre che hanno fatto l'aggressione... con quei precedenti, quel signore avrà paura e scucirà i quattrini." E quindi vedendo che Santina mi guardava ammirata, continuai: "Vedi, non c'e coraggio e non c'è paura... ci sono soltanto coscienza e incoscienza... la coscienza è paura, l'incoscienza è coraggio... quel signore adesso è un incosciente... lui non sa di abitare in una villa solitaria, in mezzo alla campagna, a disposizione, per così dire, di chiunque lo voglia aggredire... o meglio lo sa con la testa ma non lo sa con le budelle... è, insomma, incosciente ossia coraggioso... io, con la mia lettera lo renderò cosciente, ossia pauroso... tutto ad un tratto si accorgerà di essere in pericolo... e allora avrà paura e pagherà." Erano tutte cose a cui pensavo da mesi, anzi da anni; e così mi uscivano di bocca come se le avessi lette nelle pagine di un libro. Santina, ammirata, esclamò, infatti: "Ma di' un po', tu come le pensi tutte queste cose?... lo sai che sei intelligente." E io, gonfiato di vanità: "Questo è niente... si vede che non mi conosci."

Ero così esaltato che non posi tempo in mezzo. Andammo

Santina ed io nello spaccio alimentare della Scorta, e lì per lì, ad un tavolino scrivemmo la lettera. Questa diceva: "Beccamorto, da un pezzo ti seguiamo e sappiamo che i soldi non ti mancano. Se non vuoi fare la fine di Vaccarino, prendi centomila lire, mettile in una busta e nascondile sotto un sasso, dietro il cippo del trentesimo chilometro sulla Cassia, domani, lunedì, prima di mezzanotte. L'uomo mascherato."

Vaccarino era, appunto, quel commerciante che avevano ammazzato il giorno prima. Santina avrebbe voluto che ci mettessi un milione invece di centomila lire, ma io non accettai. Per un milione, le spiegai, un uomo rischia anche la pelle; per centomila lire, invece, ci pensa due volte prima di farlo; e dopo averci pensato, finisce per pagare.

Santina mi lasciò per andarsene a casa; e io, dopo aver gironzolato ancora un poco per lo spiazzo della Storta, come si fece sera, inforcai la bicicletta e mi diressi verso la villa di quel signore, giù per la Cassia. Era d'inverno, con la tramontana, con un cielo rosso e intirizzito, e gli alberi neri come il carbone e, tra un albero e l'altro, la campagna già tutta bruna ma limpida come il cristallo. Giunsi in volata al cancello della villa e, senza smontare dalla bicicletta, appoggiandomi con una mano a uno dei pilastri, con l'altra gettai la lettera nella buca. La strada in quel punto fa un rettifilo tra due curve. Proprio nel momento in cui mettevo la lettera nella buca, vidi spuntare alla curva, della parte di Roma, la macchina di quel signore.

Lì per lì non pensai nulla, mi chinai sul manubrio e pedalai. A metà del rettifilo incrociai la macchina: io non vidi il signore perché il vetro del parabrise, specchiante, me l'impediva; ma lui, certo, poté guardarmi quanto volle. Feci di volata tutta la strada fino alla Storta, quasi quasi mi pareva che correndo a quel modo avrei potuto lasciarmi dietro la paura e invece la paura l'avevo dentro di me e, come entrai in casa, perfino la mamma se ne accorse e mi domandò se per caso non mi sentissi male. Le risposi che avevo preso freddo, che non avrei cenato e, senza dar retta a lei che già si preoccupava, passai in camera mia. Mi gettai sul letto, al buio, e presi a riflettere. Ora capivo che il solo cosciente tra tanti incoscienti ero io e che, se non avessi ritrovato l'incoscienza, sarei morto dalla paura. Ero sicuro che quel signore mi aveva veduto gettare la lettera nella buca; e avendomi veduto non c'era speranza che non mi avesse riconosciuto: passava alla Storta almeno due volte al giorno e io ero sempre là, tra le ceste di verdura e di frutta della mamma, oppure in piedi nello spiazzo, appoggiato alla bicicletta insieme con gli altri ragazzotti della località. Io, poi, sono riconoscibile perché ho i capelli rossi, sono lentigginoso e porto gli occhiali e alla Storta non c'è nessuno come me. Forse quel signore ignorava il mio nome; ma sarebbe andato lo stesso dal maresciallo dei carabinieri e gli avrebbe detto: "Ho ricevuto questa lettera minatoria... l'ha impostata un ragazzo così e così." Il maresciallo avrebbe capito subito: "Emilio... ma bravo... adesso lo troviamo." Sarebbero venuti al negozio; e a me, già tutto tremante, tra le ceste di scarola e di arance, avrebbe domandato: "Di' un po' Emilio, dove eri ieri, verso le sei?" Io avrei risposto che ero alla casa cantoniera, da Santina. Allora avrebbero chiamato Santina e lei, per non compromettersi, avrebbe detto: "Ma chi l'ha visto?... io non l'ho visto." Il maresciallo mi avrebbe detto: "Te lo dico io dove eri, Emilio... davanti la Villa Sorriso... e mettevi in buca questa lettera." Nonostante le mie proteste, il signore avrebbe confermato l'accusa e il maresciallo mi avrebbe messo le manette e mi avrebbe portato in prigione. Poi, siccome le disgrazie non vengono mai sole, mi avrebbero attribuito anche l'omicidio di Vaccarino. Mi avrebbero fatto un processo clamoroso: il bandito della Via Cassia, il mostro della Storta, l'assassino del trentesimo chilometro. Con questi bei nomignoli, venti o trent'anni me li sarei presi di certo...

La finestra della mia camera non ha persiane e guarda ai campi: c'era una luna feroce, forbita dalla tramontana come uno specchio d'argento, e in camera ci si vedeva meglio che di giorno. Erano ormai due o tre ore che mi rivoltavo sul letto, sveglio come un grillo, e quella luce della luna mi pareva adesso che facesse una sola cosa con la paura e come non riuscivo a liberarmi della paura così non riuscivo a chiudere gli occhi alla luce della luna. Ma quello che mi bruciava soprattutto era che tutta la situazione mi si fosse rivoltata in mano come una serpe: il pauroso adesso ero io e non quel signore; ero io che sarei stato accusato anche dell'omicidio di Vaccarino e non i veri assassini. Della mia lettera che era successo? Nulla o quasi nulla, avevo visto quel signore giungere in macchina mentre imbucavo la lettera. Ma tanto era bastato per capovolgere la situazione.

Finalmente, non potendone più, saltai giù dal letto, presi

in spalla la bicicletta che a notte ritiravo sempre nella camera, scavalcai il davanzale e raggiunsi la strada. Qui inforcai la bicicletta e mi diressi verso Villa Sorriso. Ormai volevo riavere la lettera, a tutti i costi; anche se avessi dovuto gettarmi ai piedi di quel signore e implorare il suo perdono a mani giunte. Ma non ci fu bisogno di tanto. Come mi affacciai dalla cima del muro di cinta, vidi la mia lettera in terra, sotto il muro, fuori del viale d'ingresso. C'era la buca ma non c'era ancora la cassetta della posta; e quel signore, entrando con la macchina, non aveva visto la lettera perche nascosta da un cespuglio di mortella. Scavalcai facilmente il muro, presi la lettera e, pieno di gioia, pedalando piano questa volta, me ne tornai a casa.

Il giorno dopo, incontrai Santina sullo spiazzo e lei mi domandò se avessi impostato la lettera. Le risposi: "No, non l'ho impostata né l'imposterò." "Come, andava così bene," esclamò lei delusa. E io: "Non ti avevo detto che si è coraggiosi finché si è incoscienti? Ora sai che mi è successo? Da incosciente sono diventato cosciente." "Hai avuto paura, insomma" disse lei con disprezzo. "Già, ma lo vedi che avevo ragione io: il coraggio è incoscienza." "E adesso?" "Adesso non se ne parla più finché non mi sono rifatto una nuova incoscienza." Ma lei, delusa perché aveva contato sulle centomila lire, se ne andò dicendo che ero un vigliacco e non mi facessi più vedere. E da allora, quando mi incontra, mi domanda, canzonatoria: "Beh, l'hai ritrovata l'incoscienza?"

IL PROVINO

Serafino ed io siamo amici sebbene il lavoro ci abbia portato lontani l'uno dall'altro; lui è autista di un industriale e io operatore e fotografo. Anche nel fisico siamo diversi: lui è un biondo ricciuto, con un viso rosa, da bambino, e gli occhi a fior di pelle, di un celeste sfacciato; io bruno, con un viso serio, da uomo, gli occhi infossati e scuri. Ma la vera differenza sta nel carattere: Serafino è un bugiardo e io invece le bugie non le so dire. Basta, una di queste domeniche Serafino mi fece sapere che aveva bisogno di me: dal tono indovinai qualche pasticcio, Serafino ne combina spesso per la sua mania di spararle grosse. Andai all'appuntamento, in un caffè di piazza Colonna; e di lì a poco, eccolo arrivare con la prima bugia: la macchina fuori serie, di gran lusso, del padrone che sapevo assente da Roma. Mi fece di lontano un gesto di saluto, un po' vanitoso, proprio come se la macchina fosse stata sua' e poi andò a parcheggiare. Lo guardai mentre vi veniva incontro: era vestito da paino, con i pantaloni di velluto giallo, a coste, stretti e corti, la giubba con lo spacco sul didietro, un fazzoletto colorato intorno al collo. Mi venne un senso di antipatia, non so perché, e, come lui sedette, osservai un po' acido: "Sembri proprio un signore."

Lui rispose con enfasi: "Oggi *sono* un signore;" e io lì per lì non capii. Insistetti: "E la macchina? Hai vinto al totocalcio?"

"È la macchina nuova del principale," rispose lui con indifferenza. Stette un momento soprappensiero, e poi soggiunse: "Senti, Mario, trappoco verranno due signorine... come vedi ho pensato anche a te... una per uno... sono ragazze di buona famiglia, figlie di un ingegnere delle ferrovie... tu sei un produttore cinematografico... siamo intesi... non mi tradire."

"E tu chi sei?"

"Te l'ho già detto: un signore."

Non dissi nulla e mi levai in piedi, "Che fai... te ne vai?" disse lui allarmato.

"Sì, me ne vado," risposi, "lo sai che le bugie non mi piacciono... arrivederci e divertiti."

"Ma aspetta... tu mi rovini."

"Sta' tranquillo, non ti rovino."

"Aspetta, quelle ragazze vogliono conoscerti."

"Io, no, invece."

Insomma, disputammo un pezzo, io in piedi e lui seduto. Finalmente, siccome sono un buon amico, accettai di rimanere. Però, lo avvertii: "Non ti garantisco di sostenere la tua bugia fino alla fine." Ma già lui non mi dava più retta. Tutto contento, disse: "Eccole."

Dapprima non vidi che i capelli. Avevano tutte e due, in capo, come due palloni fatti di capelli crespi, gonfi, folti. Poi, a malapena, sotto queste due masse enormi, intravvidi le facce, sottili e magre, simili a due uccellini che spuntino dal nido. Di persona, erano ambedue snelle e ondeggianti, tutte fianco e petto, con certe vitine di vespa da farle passare dentro un portatovagliolo. Pensai che fossero gemelle perché erano vestite nello stesso modo: gonnella scozzese, maglietta nera e scarpette e borsetta rosse. Serafino, tutto cerimonioso, si alzò e fece le presentazioni: "Il mio amico Mario, produttore, la signorina, Iris, la signorina Mimosa."

Le guardai meglio, adesso che erano sedute. Dalla premura che le dimostrava, capii che Serafino si era riserbato Iris, lasciandomi Mimosa. Non erano gemelle: Mimosa, che mostrava più di trent'anni, aveva il viso più affamato, il naso più lungo, la bocca più grande e il mento più pronunziato di Iris, e, insomma, era quasi brutta. Iris, invece, poteva avere vent'anni ed era carina. Notai pure che avevano tutte e due le mani rosse e screpolate, piuttosto da operaie che da signorine. Intanto Serafino, che col loro arrivo sembrava diventato scemo, faceva la conversazione: che piacere vederle, com'erano brune, dove erano state quest'estate...

Mimosa incominciò: "A Ven..." Ma già Iris aveva risposto:

"A Viareggio." Allora si guardarono e si misero a ridere. Serafino domandò: "Perché ridete?"

"Non ci fate caso," disse Mimosa, "mia sorella è stupida... siamo state prima a Venezia, in albergo, poi a Viareggio, in una villetta di nostra proprietà."

Capii che mentiva perché, parlando, aveva abbassato gli occhi. Era come me: non so dire bugie guardando in faccia. Lei proseguì, disinvolta: "Signor Mario, lei è un produttore... Serafino ci ha detto che lei vuole farci un provino.

Rimasi sconcertato e guardai Serafino; ma lui stornò la testa. Dissi: "Vede, signorina... il provino è come un piccolo film, non è cosa che si improvvisa... ci vogliono un regista, un operatore, un teatro di posa... Serafino non se ne intende... magari uno di questi giorni..."

"Uno di questi giorni vuol dire mai."

"Ma no, signorina, le assicuro..."

"Via, sia buono, ci faccia un provino." Adesso era diventata tutta scivolosa, mi aveva preso per un braccio, si stringeva contro di me. Capii che Serafino le aveva montato la testa con questa storia del provino e cercai di spiegarle di nuovo che un provino non si poteva fare così, su due piedi. Pian piano, comprese anche lei, finalmente; e allentò la stretta del braccio. Poi disse alla sorella, che parlottava con Serafino: "Te l'avevo detto che erano tutte storie... beh, che facciamo? ce ne andiamo a casa?"

Iris, che non se l'aspettava, rimase male. Disse, con impaccio: "Potremmo restare con loro... fino a stasera."

"Sì," incalzò Serafino, "stiamo insieme... facciamo un giro in macchina."

"Lei ha la macchina?" domandò Mimosa quasi rabbonita.

"Sì, eccola lì."

Seguì il gesto, vide la macchina e subito cambiò tono: "Allora andiamo... al caffè mi annoio." Ci alzammo tutti e quattro. Iris andò avanti con Serafino; e Mimosa mi venne accanto, dicendo: "Non è offeso, no?... ma sa, siamo stufe di promesse... allora, me lo fa il provino?"

Così tutta la mia spiegazione non era servita a nulla: voleva il provino. Non le risposi e salii in macchina, sedendomi accanto a lei, dietro, mentre Serafino e Iris sedevano davanti. "Dove andiamo?" domandò Serafino.

Mimosa adesso mi aveva acchiappato di nuovo il braccio,

mi aveva preso la mano con la sua, me la stringeva. Insistette, piano: "Sia buono, su, dica che andiamo al teatro, a fare il provino." Per la rabbia, stetti un momento silenzioso; e lei ne approfittò per soggiungere, sempre a bassa voce: "Se mi fa un provino, guardi, le do un bacio."

Mi venne un'ispirazione e proposi: "Andiamo a casa di Serafino... ha una gran bella casa... così, lì vi guarderò meglio tutte e due, e vi dirò se è il caso di fare questo provino."

Vidi Serafino lanciarmi un'occhiata di rimprovero: la macchina del padrone, la spacciava per sua; ma nella casa non aveva ancora avuto il coraggio di portarci nessuno. Provò, infatti, ad obiettare: "Non sarebbe meglio fare una bella passeggiata?;" ma le ragazze, soprattutto Mimosa, insistettero: niente passeggiata, bisognava discutere del provino. Così lui si rassegnò e partimmo a tutta velocità verso i Parioli, dove era la casa. Durante il tragitto, Mimosa continuò a strofinarsi contro di me, parlandomi con voce insinuante, bassa, carezzevole. Non l'ascoltavo; ma, ogni tanto, sentivo la solita parola, sulla quale lei batteva come su un chiodo: "Il provino... mi fa il provino?... se facciamo il provino..."

Ecco i Parioli, con le strade deserte, tra le case di lusso, tutte balconi e vetrate. Ecco la palazzina del padrone di Serafino, con l'ingresso di marmo nero, l'ascensore di mogano e cristallo. Salimmo al terzo piano, entrammo al buio, in un odore di naftalina e di chiuso. Serafino avvertì: "Mi dispiace, sono stato fuori, l'appartamento è ancora per aria." Andammo nel salotto; Serafino spalancò le finestre; sedemmo su un divano ricoperto di tela grigia, davanti ad un pianoforte avvolto in lenzuoli appuntati con le spille da balia. Dissi, allora, applicando il mio piano: "Noi due, adesso vi guardiamo e voialtre camminate un po' in su e in giù per il salotto... così mi faccio un'idea per il provino."

"Dobbiamo mostrare le gambe?" domandò Mimosa.

"No, niente gambe... basta che passeggiate."

Docili presero a passeggiare in su e in giù, davanti a noi, sul pavimento di legno lustrato a cera. Non si poteva negare che fossero graziose, con quei due testoni gonfi di capelli, i fianchi e il petto sviluppati, le vite sottili. Ma, come notai, avevano, oltre alle mani, anche i piedi brutti e grandi. E le gambe erano un po' storte, di forma sgraziata, dura. Ragazze, insomma, di quelle che i produttori non gli fanno fare nemmeno le comparse. Loro, intanto, passeggiavano; e ogni volta che, nel mezzo del salotto, si incontravano, si mettevano a ridere. Tutto ad un tratto gridai: "Alt, basta, sedetevi."

Andarono a sedersi e mi guardarono con facce ansiose. Dissi, asciutto: "Mi dispiace, ma non andate."

"E perché?"

"Ve lo dico subito il perché," spiegai serio: "Io, per i miei film, non ho bisogno di ragazze fini, educate, distinte, signorili come siete voi... bensì di ragazze del popolo... ragazze che, magari, all'occorrenza, sappiano dire qualche parolaccia, che si muovano in maniera provocante, che siano, insomma, sguaiate, maleducate, rustiche... voi, invece, siete figlie di un ingegnere, siete ragazze di buona famiglia... non fate al caso mio."

Guardai Serafino: stava affondando nel divano, pareva abbrutito. Mimosa insistette: "Ma che ci vuole?... possiamo fingere di esserlo, ragazze del popolo."

"Niente: certe cose, chi non c'è nato, non le sa fare."

Seguì un breve silenzio. Avevo gettato l'amo ed ero sicuro che il pesce avrebbe abboccato. Infatti, dopo un momento, Mimosa si alzò e andò a sussurrare all'orecchio della sorella. Questa non pareva contenta, ma poi, alla fine, fece un gesto di consenso. Allora Mimosa si mise le mani sui fianchi, ancheggiando mi si avvicinò e mi diede un colpo in petto, dicendo: "Ah, bullo, con chi credi di parlare?"

Se dicessi che era trasformata, direi troppo. In realtà, era lei, al naturale. Risposi, ridendo: "Con le figlie di un ingegnere delle ferrovie."

"E invece siamo proprio quello che ci vuole... due ragazze del popolo basso... Iris sta a servizio, e io faccio l'infermiera..."

"E la villetta di Viareggio?"

"Niente villetta: abbiamo preso la tintarella a Ostia."

"Ma perché avete detto tante bugie?"

Iris disse, ingenua:

"Io non volevo... ma Mimosa dice che bisogna gettare la polvere negli occhi."

Mimosa, positiva, osservò: "Intanto, se non avessimo detto le bugie, il signor Serafino non ci avrebbe presentato a lei... dunque è stato utile... beh, allora, questo provino?..."

"L'abbiamo già fatto," risposi ridendo, "ed è servito a dimostrare che siete due brave ragazze del popolo... anzi, bugia per bugia: io non sono produttore ma un semplice operatore e fotografo... e Serafino, qui, non è quel signore che pretende di essere: è autista."

Questa volta debbo dire che Mimosa resse il colpo magnificamente: "Beh, me l'aspettavo," disse con malinconia, "siamo sfortunate... e se incontriamo uno con la macchina, è un autista... andiamo Iris."

Serafino si svegliò, alla fine: "Un momento... dove andate?"

"Andiamo via, sor bugiardo."

Ad un tratto mi fecero compassione tutte e due, soprattutto Iris, così bellina, che pareva mortificata e aveva le lagrime agli occhi. Proposi: "Sentite... abbiamo detto le bugie tutti e quattro... mettiamoci una pietra sopra e andiamo insieme al cinema... che ne dite?"

Seguì una discussione. Iris avrebbe voluto accettare; Mimosa, ancora offesa, non voleva; Serafino, mogio, non aveva più il coraggio di parlare. Ma io convinsi Mimosa dicendole, finalmente: "Sono operatore, non produttore... però posso presentare Iris ad un aiutoregista di mia conoscenza... non sarà una gran raccomandazione, ma qualche cosa potrebbe fare."

Così andammo al cinema; ma senza macchina, in autobus. E Iris, al cinema, si strinse accanto a Serafino che, con tutto che fosse bugiardo e autista, le piaceva. Invece Mimosa stava sulle sue. E in un intervallo, mi disse: "Io faccio un po' da madre a Iris... non è vero che è una bella ragazza? ma guardi che lei ha fatto una promessa e deve mantenerla.. guai a lei se non la mantiene."

"Promettere e mantenere è da uomo vile," dissi scherzando.

"Lei ha fatto una promessa e la manterrà," disse lei, "Iris ha da avere il suo provino e lo avrà."

PIGNOLO

Adesso, quando m'incontra per strada, Peppino tira in lungo senza salutarmi, ma c'era stato un tempo in cui eravamo amici. Lui cominciava allora a guadagnare bene con il negozio di accessori elettrici e io gli ero amico non perché avessi i soldi ma perché gli ero amico, così, senza secondi fini: tra l'altro eravamo stati sotto le armi insieme. Peppino è un piccoletto con le spalle larghe e le gambe corte che cammina tutto preciso, senza muovere il busto e la testa, come se dalla vita in su fosse di legno. Ha un viso anch'esso che pare di legno con la pelle troppo corta, si direbbe, tutta tirata e liscia, ma quando ride o aguzza gli sguardi gli vengono tante rughettine sottili, da vecchio. Anche a non conoscerlo, lo porta scritto in fronte quello che è: pignolo. E infatti lo è, da non credersi. Ricordo anzi a questo proposito che una volta, andando a spasso con lui e una ragazza per la pineta di Fregene, lei che spesso lo prendeva in giro per la sua pignoleria, gli disse ad un tratto, indicando il suolo: "Guarda... guarda quanti Peppini." Io capii subito e mi misi a ridere. Ma lui, appunto, pignolo, domandò: "Non capisco... che vuol dire?" E lei seria: "Quanti pignoli, guarda, non si vedono che Peppini, cioè pignoli."

Ma oltre che pignolo, Peppino ci ha un altro difettuccio, la vanità. I pignoli, di solito, non sono vanitosi, al contrario: modesti, discreti, chiusi, seri, senza grilli, non dànno fastidio a nessuno. Invece Peppino è un pignolo vanitoso. Eh, già, anche questo può succedere. E se un uomo soltanto vanitoso fa quasi sorridere perché i vanitosi, si sa, sono dei fanciulloni innocenti, il vanitoso pignolo invece è proprio una peste, da scansarlo peggio dello iettatore. Peppino, la pignoleria, insomma, la mette soprattutto nelle sciocchezze. Per fare un esempio, arrivava al bar vicino alla Rotonda, dove ci vediamo con gli amici, e subito incominciava a girare da un amico all'altro, tenendo tra le due dita il lembo della cravatta: "La vedi questa cravatta? Bella eh... l'ho comprata ieri in un negozio di via Due Macelli... l'ho pagata millecinquecento lire... guarda che colori... e poi ci ha anche la fodera..." eccetera, eccetera. Gli amici guardavano la cravatta, giusto un momento, tanto per non offenderlo, e poi riprendevano a parlare dei fatti loro. Ma lui, non per questo si smontava. Continuava un pezzo a girare dall'uno all'altro con la cravatta tra le due dita, come se avesse voluto venderla. Insomma: pignolo.

Un giorno, al bar, Peppino annunciò con solennità, quattro mesi prima di riceverla, che aveva ordinato la macchina ad una fabbrica di Torino. Gli amici, tutta gente sciolta, che non è nata ieri, di macchine ne hanno vedute e discusse a centinaia. Figuriamoci che interesse poté destare Peppino piccoletto quando, con la solita pignoleria, incominciò a spiegare: "Siccome ci ho un amico all'agenzia che è parente di un parente di un direttore di Torino, potrò averla entro quattro mesi... se no, mi toccava aspettare chissà quanto... ne producono neppure la metà della richiesta... ma la mia macchina sarà una cosa proprio speciale."

"Perché" domandò uno che stava appoggiato al banco bevendo un aperitivo, "forse ci avrà cinque ruote?"

Peppino ci ha un'altra particolarità: non capisce lo scherzo. "Ne avrà cinque sicuro... quattro e una di ricambio... no, sarà speciale perché ha un tipo nuovo di carrozzeria... a Torino sono anni che la studiano, e io sarò il primo ad averla, figurati." E giù spiegazioni lunghe eterne, tenendo per il bavero l'interlocutore, quasi temesse che scappasse. Uno gli disse alla fine: "Peppino, ma a noi che ce ne frega?," così, semplicemente, quasi con simpatia.

Disorientato, lui balbettò: "Credevo che vi interessasse." Poi si voltò e, vedendo che stavo solo, in disparte, mi venne incontro dicendo: "Cesare, appena avrò la macchina, vedrai quante gite faremo... di' la verità, Cesare, non vedi l'ora che io ce l'abbia la macchina per farti spupazzare a dovere."

Risposi, asciutto: "Beh, vedremo."

Lui si voltò verso gli amici e riprese: "Ho promesso a Cesare, appena avrò la machina, di portarlo in gita.... io sono fatto così, non mi piace godere da solo delle cose... ma, oh, Cesare, non dovrai abusarne della macchina... ti porterò volentieri in gita, ma non ti immaginare che ti farò da autista... voialtri che ne dite? dico bene? amico sì, ma autista, no... dico bene?"

"Dici benissimo" fece uno di quelli, finto tonto: "Cesare chissà, già si immaginava di sfruttarti... meglio mettere le mani avanti."

"Patti chiari, amicizia lunga... la macchina dopo tutto sarà mia, voglio che tu ne goda, Cesare, non voglio che diventi un'abitudine... passaggi, niente."

Mi urtai alla fine e avvertii: "A dirti proprio la verità, Peppino, a me della tua macchina non m'importa un fico."

Subito mi pentii perché fece un viso mortificato e smarrito. Disse, dandomi una botta sulla spalla: "Ma no, non t'arrabbiare, ho detto così per scherzo... vedrai, la macchina servirà più a te che a me." Mi guardava, pronunziando queste parole, con aria ansiosa, quasi spaventata. E io allora ebbi compassione di lui e gli dissi che eravamo intesi e che, appena la macchina fosse arrivata, avremmo fatto una bella gita insieme, nei dintorni di Roma.

Non credevo che mi prendesse in parola; ma i pignoli, si sa, hanno una buona memoria. Puntualmente, quattro mesi dopo, una mattina, ecco che mi telefona: "È arrivata!"

"Ma chi?"

"È molto bella... vengo subito e andiamo insieme a Bracciano a colazione."

"Ma chi? niente niente, non sarebbe forse quella ragazza?..."

"Macché ragazza... la macchina... allora, tra un minuto sono da te...: tienti pronto."

Mi tenni pronto e di lì a poco, difatti, ecco arriva una comune automobiletta utilitaria, come se ne vedono migliaia a Roma. Lui scese, si chinò ad esaminarla, e finalmente si avvicinò, giubilante:

"Che te ne pare?"

"Dico" risposi secco "che è una bella macchinetta."

"Sì, ma guarda qui;" e prendendomi per un braccio mi trascinò verso la macchina e cominciò la spiegazione. Finsi di ascoltarlo un dieci minuti e poi lo interruppi: "A proposito, Peppino... è proprio impossibile che io oggi venga a Bracciano... ci ho da fare."

Lui fece un viso addolorato: "Me l'avevi promesso... non puoi tradirmi."

Insomma tanto fece e disse, da vero pignolo, che mi vinse, soprattutto per stanchezza. Ma mi irritò subito quando, sul punto di partire, mi avvertì: "Ma fa' attenzione... non puntare contro il fondo con quei tuoi piedacci; non lo vedi che mi sgangheri il sedile?"

Non dissi nulla, però, e partimmo. Lasciammo Roma e prendemmo per la Cassia. Per via che la macchina era in rodaggio, Peppino guidava piano, quasi trenta all'ora, tenendo il volante con le due mani, con delicatezza, come se avesse tenuto la vita di una sposa. Il sole picchiava i sassi. Peppino, sempre tenendo il volante a quel modo che ho detto, cominciò naturalmente a parlarmi della macchina: per questo mi aveva portato. Per chi non lo sapesse, Peppino ha una voce monotona, un po' di naso, senza alti né bassi, che fa pensare alla colata del cemento che viene giù lenta e densa ma liquida e poi invece, una volta rappresa, diventa dura come il ferro. Questa voce, insomma, pian piano allaga il cervello di noia e poi la noia diventa un macigno e si trasforma in sonno. E così avvenne anche a me. Mentre lui parlava, spiegandomi con la sua voce di naso non so che questione sul cambio di velocità, mi venne una cecagna da morire e finalmente mi addormentai. Mi svegliai in un bagno di sudore, ad un fracasso di clakson e di voci. La macchina si era fermata ad un passaggio a livello e parecchie facce irate si sporgevano ai finestrini: facce di camionisti, di automobilisti. Peppino, al solito, pignolo, spiegava: "Io tenevo la mia mano, la strada è stretta." "Nossignore, tu non tenevi la tua mano, stavi in mezzo alla strada e andavi avanti a passo di lumaca." "Morto di sonno" gli gridò un camionista "ma chi te l'ha messo in mano il volante?" Discesi a fatica e vidi allora che dietro la macchinetta di Peppino c'era una colonna di automobili e di camion. Io avevo dormito e Peppino, per dispetto, non aveva dato via libera a tutti quei disgraziati costringendoli ad andare a trenta all'ora sotto quel sole bollente. Per fortuna arrivò il treno, si alzarono le sbarre, e io dissi risalendo a Peppino: "Ora mettiti da parte e pochi scherzi, se no ci ammazzano." Avete mai visto i bambini, a scuola, quando escono dopo le lezioni? Così tutti quei camion e quelle automobili si scatenarono per la strada, appena ci facemmo da parte, avvolgendoci in una nuvola di polvere e di fumo.

Basta, arrivammo ad Anguillara quasi alle tre e andammo subito alla trattoria che sta sul lago. Faceva un caldo da non si dire e il lago fumava, quasi bianco, tra le rive che erano gialle e secche come la paglia. Peppino, un raggio di sole sul viso sudato, continuava a parlare della sua macchina con quel tono eguale che dava lo sfinimento, e io che dalla noia e dal caldo avevo perduto anche l'appetito, mi attaccai al vino che almeno era fresco, proprio di grotta, con un sapore metallico indefinibile che dava la voglia di berne di più, appunto per capire che razza di sapore fosse. Bevvi un primo mezzo litro, poi un secondo e poi un terzo e Peppino sempre mi parlava della macchina. Finalmente, dopo un'ora e più di silenzio e di sbornia, dissi la prima parola: "Allora, andiamo?" Peppino rispose sconcertato: "Sì, andiamo... vuoi che facciamo il giro lungo, per il lago di Vico?" "Per carità... facciamo la strada più breve... debbo tornare a Roma."

Ripigliammo la strada di Roma. Ad un crocicchio una bella ragazza bionda ci fa un gesto per l'autostop. Dissi a Peppino: "Ferma, prendiamola su con noi." Ma lui: "Fossi matto... non faccio salire nessuno... c'è il caso che mi rovini i sedili, e poi stiamo così bene insieme noi due, soli..." Non dissi nulla ma sentii che, il vino aiutando, ormai la mia antipatia era matura e alla prossima occasione non mi sarei più controllato. Intanto, lui discorrendo e io dormicchiando, come Dio volle, arrivammo a Roma. Peppino volle accompagnarmi a casa. Abito al viale della Regina, Peppino prese per via Veneto che a quell'ora già incominciava ad affollarsi. Tutto ad un tratto, una macchina targata francese, davanti a noi, fa una brusca frenata, e Peppino che le veniva dietro va a incastrarsi con il paraurti dentro la parte posteriore di quella macchina. Subito smontò, si avvicinò, esaminò le due macchine e poi andò allo sportello della macchina francese. C'era una signora sola, giovane e graziosa, bionda, le mani dalle unghie dipinte posate sul volante. "Signora, mi favorisca la patente, il numero della macchina, il nome," incominciò Peppino sfoderando un taccuino e un lapis, "lei deve capire che non ho comprato la macchina per farmela rovinare da lei... lei mi ha fatto un danno di migliaia di lire... chi me lo ripaga il danno? ho avuto la macchina proprio stamattina, nuova nuova, non l'ho presa per farmela rovinare da lei." Si capiva che in quell'incidente, lui, ci sguazzava; era quello che ci voleva per ridar fiato alla sua pignoleria. "Ma prima prova a staccare le due macchine," gridò con molto buon senso un giovanotto, dal crocchio di sfaccendati che già ci circondava. Aveva ragione, era una cosa da nulla, bastava far marcia indietro per disimpegnare le due macchine; ma Peppino non la intendeva in questo modo. "Me la stacca lei" incominciò a gridare, autoritario, "me la stacca lei la macchina?... su forza... me la stacchi lei che è così bravo." La folla si addensava e ci guardava male, la signora francese che non capiva niente guardava Peppino e sorrideva.

Peppino insistette: "Signora, prego, prego, il suo nome, la sua patente, il numero della macchina." "E quanti anni ha e se ci ha figli," gridò uno dalla folla. "Ma prova a staccare la macchina," tornò a gridare quello di prima. E Peppino, proprio insultante: "Glielo ho già detto, me la stacchi lei... faccia, si accomodi, senza dubbio lei è meccanico, se ne intende più di me." Quello, allora, si avvicinò, minaccioso, un omaccione alto, grande e grosso, e mettendogli il pugno chiuso sotto il naso: "No, non sono meccanico... sono campione di lotta libera." "Tanto meglio... lei, con la sua forza, può certamente staccarla." Le cose si sarebbero messe male per Peppino se, ad un tratto, io non mi fossi messo in mezzo gridando: "Forza, ragazzi... solleviamo la macchina... è una cosa da nulla." Detto e fatto: ci mettemmo in cinque, la macchinetta di Peppino era leggera, con una sola scossa la sollevammo e la staccammo dalla macchina francese. Però, subito dopo, mi voltai e dissi a Peppino: "Ora prendi il taccuino e scrivi." "Ma che ti prende... sei matto?" "Ti dico di scrivere, scrivi: io sono un pignolo, uno scocciatore, e un rompiscatole... scrivi, su." Si levò una gran risata e anche qualche fischio; Peppino, il taccuino in mano, rimase come smarrito. Soggiunsi: "E ora sali sulla tua macchina e vattene." Questa volta ubbidì, salì sulla macchina e partì, in gran fretta. Quelli del crocchio gli fecero un urlo dietro. La signora francese, intanto, se ne era andata anche lei. Io attraversai la strada e andai in un bar a prendere l'aperitivo.

LA CIOCIARA

Al professore, quando insisteva, gliel'avevo detto e ripetuto: "Badi professore, sono ragazze semplici... roba di campagna... badi a quello che fa... meglio per lei prendere una romana... le ciociare sono rustiche, contadine, analfabete." Quest'ultima parola soprattutto era piaciuta al professore: "Analfabeta... ecco quello che ci vuole... almeno non leggerà i fumetti... analfabeta." Questo professore era un uomo vecchio, col pizzo e i baffi bianchi, che insegnava al liceo. Ma la sua occupazione principale erano le rovine. Ogni domenica e anche in altri giorni lui andava qua e là, sulla via Appia, o al Foro Romano o alle Terme di Caracalla, e spiegava le rovine di Roma. In casa sua, poi, i libri sulle rovine e altri si accatastavano come in una libreria: cominciavano all'ingresso dove ce n'erano una quantità, nascosti dietro certe tende verdi, e continuavano per tutta la casa, corridoi, stanze, ripostigli: soltanto nel bagno e in cucina non ce n'erano. Libri che lui se li teneva come la rosa al naso e guai a chi glieli toccava; libri che pareva impossibile che potesse averli letti tutti. Eppure, come diciamo noi in Ciociaria, non si attrippava mai, e quando non insegnava o dava lezioni in casa o spiegava le rovine, se ne andava ai mercatini di libri usati a frugare per i carrettini e poi rincasava sempre con un pacco di libri sotto il braccio. Faceva collezione, insomma, come i ragazzini fanno collezione di francobolli. Perché, poi, si fosse intignato a volere per cameriera una ragazza del mio paese, per me era un mistero. Diceva che erano più oneste e non avevano grilli per la testa. Diceva che a lui le contadine gli mettevano allegria con quelle belle guance di mele rosse. Diceva che cucinavano bene. Insomma, siccome non passava giorno che non si affacciasse in portineria, sempre insistendo con la ragazza ciociara e analfabeta, scrissi al paese, al comparetto, e lui mi rispose che ci aveva appunto quello che ci voleva: una ragazza delle parti di Vallecorsa che si chiamava Tuda, che non aveva compiuto ancora venti anni. Però, mi diceva il compare nella lettera, Tuda aveva un difetto: non sapeva né leggere né scrivere. Ma io gli risposi che questo, appunto, voleva il professore: un'analfabeta.

Tuda arrivò una sera a Roma insieme con il comparetto e io andai a prenderla alla stazione. Al primo sguardo, capii che era di buona razza ciociara, proprio di quelle che sono capaci di zappare per una giornata filata senza rifiatare, oppure di portare sulla testa, per i sentieri di montagna, un cesto del peso di mezzo quintale. Ci aveva le guance rosse che piacevano al professore, la treccia arrotolata intorno la testa, le sopracciglia nere, unite che le sbarravano la fronte, il viso tondo e, quando rideva, mostrava i dentini bianchi, stretti stretti, che le donne, in Ciociaria, si puliscono strofinandoci una foglia di malva. Non era vestita da ciociara, è vero, ma aveva il passo della ciociara che è abituata a poggiare la pianta del piede in terra, senza tacchi, e aveva quei polpacci muscolosi che sono tanto belli con le cinghie delle ciocie arrotolate intorno. Portava sotto il braccio un panierino, e mi disse che era per me: una dozzina di uova di giornata, nella paglia, ricoperte di foglie di fico. Le dissi che era meglio che le desse al professore, per fare buona impressione; ma lei rispose che non aveva pensato al professore, perché, trattandosi di un signore, ci doveva di certo avere il pollaio in casa. Mi misi a ridere e, così, da una domanda all'altra, mentre in tram andavamo verso casa, capii che era proprio una selvaggia: non aveva mai visto un treno, un tram, una casa di sei piani. Insomma, analfabeta, come voleva il professore.

Arrivammo a casa e io prima la portai in portineria per presentarla a mia moglie; e poi, su, con l'ascensore, all'appartamento del professore. Venne lui ad aprire, perché non aveva servitù ed era mia moglie che di solito gli faceva le pulizie e quel po' di cucina. Tuda, come entrammo, gli mise il panierino in mano dicendo: "Tie', professore, prendi, t'ho portato l'ova fresche." Io le dissi: "Non si dà del tu al professore...;" ma il professore invece l'incoraggiò, dicendo: "Dammi pure del tu, figliola...;" e mi spiegò che quel tu lì era il tu romano, degli antichi romani, che anche loro, come i ciociari, non conoscevano il lei e trattavano la gente alla buona, come se fosse stata tutta una famiglia. Il professore, poi, portò Tuda nella cucina che era grande, con il fornello a gas, le pentole di alluminio e, insomma, tutto il necessario, e le spiegò come funzionava. Tuda ascoltò ogni cosa, zitta e seria. Finalmente, con quella sua voce sonora, disse: "Ma io non so cucinare."

Il professore, sorpreso, disse: "Ma come?... mi avevano detto che sapevi cucinare."

Lei disse: "Al paese lavoravo... zappavo. Cucinavamo sì, ma tanto per mangiare... una cucina come questa non ce l'ho mai avuta."

"E dove cucinavi?"

"Nella capanna."

"Beh," fece il professore tirandosi il pizzo, " anche noi qui cuciniamo tanto per mangiare... mettiamo che tu debba cucinarmi un pranzo tanto per mangiare... che faresti?"

Lei sorrise e disse: "Ti farei la pasta coi fagioli... poi ti bevi un bicchiere di vino... e poi magari qualche noce, qualche fico secco."

"Tutto qui... niente secondo?"

"Come, secondo?"

"Dico niente secondo piatto, pesce, carne?"

Questa volta lei si mise a ridere di gusto: "Ma quando ti sei mangiato un piatto di pasta e fagioli col pane, non ti basta?... che vuoi di più?... io con un piatto di pasta e fagioli e il pane ci zappavo tutto il giorno... tu mica lavori."

"Studio, scrivo, lavoro anch'io."

"Beh, studierai... ma il lavoro vero lo facciamo noi."

Insomma, non voleva convincersi che ci voleva, come diceva il professore, un "secondo". Finalmente, dopo molte discussioni, fu deciso che mia moglie per qualche tempo sarebbe venuta in cucina per insegnare a Tuda. Passammo, quindi, nella camera da letto della cameriera che era una bella camera che dava sul cortile, con un letto, un comò e un armadio. Lei disse subito, guardandosi intorno: "Dormirò sola?"

"E con chi vuoi dormire?"

"Al paese, dormivamo in cinque nella stanza."

"È tutta per te."

Alla fine me ne andai dopo averle raccomandato di stare attenta e di lavorare bene perché ero responsabile così davanti al professore come al comparetto che me l'aveva mandata. Uscendo, udii il professore che le spiegava: "Guarda che tutti questi libri devi spolverarmeli ogni giorno con il piumino e lo straccio." Lei, allora, domandò: "Che te ne fai di tutti quei libri... a che ti servono?" E lui rispose: "Per me sono come la zappa per te, al paese... ci lavoro." E lei: "Sì, ma io di zappa ne ho una sola."

Dopo quel giorno il professore ogni tanto, passando in portineria, mi dava notizie di Tuda. Non era più tanto contento il professore, per dire la verità. Un giorno mi disse: "È rustica, proprio rustica... lo sa che ha fatto ieri? Ha preso un foglio scritto sul mio tavolo, il tema di un alunno, e se ne è servita per turarci i fiaschi del vino." Dissi: "Professore, io l'avevo avvertito... roba di campagna." "Sì, però" concluse lui "è una cara figliola... buona, servizievole... proprio una cara figliola."

La cara figliola, come la chiamava lui, ci mise poco tempo a diventare una ragazza come tutte le altre. Cominciò, appena ebbe lo stipendio, col farsi il vestitino a due pezzi, che sembrava proprio una signorina. Poi si comprò le scarpette con il tacco alto. Poi la borsetta di finto coccodrillo. Si fece anche tagliare la treccia, un vero peccato. Continuava sì, ad avere le guance rosse come due mele, quelle non le sarebbero diventate così presto pallide come alle altre ragazze nate in città, ma proprio quelle piacevano e non soltanto al professore. La prima volta che la vidi con quel disgraziato di Mario, l'autista della signora del terzo piano, le dissi: "Guarda che quello non fa per te... le cose che dice a te, le dice a tutte." Lei rispose: "Ieri mi ha portato in macchina a Monte Mario." "Beh, e allora?" "È bello andare in macchina... e poi guarda cosa mi ha dato." E mi mostrò una spilla di metallo bianco, con un elefantino, di quelle che vendono i merciai a Campo di Fiori. Io le dissi: "Sei un'ignorante e non capisci che quello ti porta per il naso... intanto non dovrebbe andare in macchina per conto suo, con te... se la signora lo viene a sapere, sente lui... e poi sta' attenta... te lo dico ancora una volta, sta' attenta." Ma lei sorrise e poi continuò a uscire con Mario.

Passarono un paio di settimane, il professore un giorno si affacciò in portineria, mi chiamò da parte e mi domandò abbassando la voce: "Senta un po', Giovanni... quella ragazza è onesta?" Dissi: "Questo sì, professore, ignorante ma onesta."

"Sarà" fece lui poco persuaso "ma mi sono scomparsi cinque libri di valore... non vorrei..." Protestai ancora una volta che non poteva essere stata Tuda e che, lui, i libri li avrebbe ritrovati di certo. Ma rimasi impensierito, lo confesso, e decisi di tenere gli occhi bene aperti. Una sera, qualche giorno dopo, vedo Tuda entrare nell'ascensore insieme con Mario. Lui disse che doveva andare al terzo piano, per prendere ordini dalla signora, che era una bugia, perché la signora era uscita da più di un'ora e lui lo sapeva. Li lasciai andare su, e poi presi l'ascensore, salii e andai dritto all'appartamento del professore. Per una combinazione, avevano lasciato la porta socchiusa, entrai, passai per il corridoio, sentii che loro due parlavano nello studio e capii che non mi ero sbagliato. Pian piano mi affacciai alla porta, e cosa vidi? Mario, salito in piedi su una seggiola, che spenzolava contro la libreria, tendendo la mano verso una fila di libri che stava sotto il soffitto; e lei la santarella dalle guance rosse, che gli reggeva la seggiola e diceva: "Quello lassù... quello bello grosso... quello bello grosso rilegato in pelle."

Dissi, allora, uscendo fuori: "Ma brava... ma bravi... vi ho presi... bravi... e il professore che me l'aveva detto e io che non ci credevo... bravissimi."

Avete mai visto un gatto se gli tirate una secchiata d'acqua dalla finestra? Così lui, a sentir la mia voce, saltò giù e scappò via, lasciandomi solo con Tuda. Io, allora, gliene dissi tante e tante che un'altra, per lo meno, sarebbe scoppiata in pianto. Ma sì, con le ciociare è un'altra cosa. Mi ascoltò a testa bassa, senza parlare; poi levò gli occhi, asciutti, e disse "E chi gli ha rubato? I soldi che mi avanzano dalla spesa glieli riporto sempre tutti quanti... mica faccio come certe cuoche che fanno pagare ogni cosa il doppio."

"Disgraziata... e tu non rubi i libri?... E questo non si chiama rubare?"

"Ma ne ha tanti, lui, di libri."

"Tanti o pochi, tu non devi toccarli... e sta' attenta... ché, se ti ripiglio, te ne torni al paese, dritta come un fuso."

Lì per lì, testona, non volle darmi ragione né ammettere, neppure un momento solo, di aver rubato. Ma qualche giorno dopo, eccola che entra in portineria, con un pacco sotto il braccio: "Eccoli, i libri del professore... mo' glieli riporto e così non potrà più lagnarsi."

Le dissi che aveva fatto bene e pensai dentro di me che, dopo tutto, era una buona ragazza e che la colpa era tutta di Mario. L'accompagnai in ascensore e poi entrai con lei in casa, per aiutarla a rimettere a posto i libri. Proprio in quel momento, mentre stavamo aprendo il pacco, ecco arriva il professore.

Dissi: "Professore... ecco i suoi libri... Tuda li ha ritrovati... li aveva prestati a un'amica per guardare le figure."

"Bene, bene... non parliamone più."

Con tutto il cappotto addosso e il cappello in testa, lui si avventò sui libri, ne prese uno, l'aprì e poi diede un grido: "Ma questi non sono i miei libri."

"Come sarebbe a dire?"

"Erano libri di archeologia" continuò lui sfogliando febbrilmente gli altri volumi "e questi invece sono cinque volumi, per giunta scompagnati, di diritto."

Dissi a Tuda: "Ma si può sapere che hai fatto?"

Questa volta lei protestò, con forza: "Cinque libri avevo preso... e cinque ne ho riportati... che volete da me?... li ho pagati cari... più di quanto mi avessero dato quando li ho venduti."

Il professore era così stupefatto che guardò me e Tuda a bocca aperta, senza dir parola. Lei continuò: "Guarda... sono le stesse rilegature... anche più belle... guarda... e anche il peso è lo stesso... me li hanno pesati... sono quattro chili e seicento... come quelli tuoi."

Questa volta il professore si mise a ridere, se pure di un riso amaro: "Ma i libri non vanno a peso come la vitella... ogni libro è diverso dall'altro... che me ne faccio di questi libri?... Non capisci?... Ogni libro contiene cose diverse... di autore diverso..."

Vaglielo a far capire. Ripeté, ostinata: "Cinque erano e cinque sono... rilegati erano e rilegati sono... io non so nulla."

Insomma, il professore la rimandò in cucina, dicendole: "Va' a cucinare... basta... non voglio farmi cattivo sangue." Poi, quando se ne fu andata, disse: "Mi dispiace... è una cara figliola... ma troppo rustica."

"L'ha voluta lei, professore."

"Mea culpa," disse lui.

Tuda restò col professore ancora il tempo per cercarsi un altro posto. Lo trovò, come sguattera, in una latteria del quartiere. Qualche volta viene a trovarci in portineria. Del fatto dei libri, non parliamo. Ma mi dice che sta imparando a leggere e scrivere.

IMPATACCATO

Era venerdì diciassette, ma non ci feci caso. Appena vestito, presi le cinquantamila lire che dovevo a Ottavio, tutte in biglietti da cinque, le cacciai nella tasca dei pantaloni, e uscii di casa. Le cinquantamila lire erano la parte di Ottavio per un affaruccio di gioielli falsi che avevamo fatto insieme e io ero già in ritardo di una settimana. Aspettando la circolare mi venne la stizza al pensiero di dovere dargli quei soldi che avrebbero invece fatto comodo a me. Lui non aveva arrischiato nulla; si era limitato a fornirmi la merce, da quel bravo orafo che era; io, invece, avevo fatto tutta la fatica, esponendomi per giunta al pericolo della galera. Fossi stato preso in castagna, non avrei certo fatto il suo nome e sarei andato in prigione; mentre lui sarebbe rimasto nel suo negozietto a lavorare di fino dietro la vetrina, una lente incastrata nell'occhio. Questo pensiero mi avvelenava; e, salendo in circolare, mi venne addirittura l'idea di non dargli niente. Ma voleva dire non potere più ricorrere a lui e alla sua bravura; voleva dire cercarmi un altro Ottavio, forse peggiore di questo. E poi, per un uomo di coscienza come me, voleva anche dire mancare di parola; sarebbe stata la prima volta che lo facevo in vita mia. Tuttavia quei denari proprio mi dispiaceva darglieli. Tenevo la mano in tasca e ogni tanto li palpavo e li accarezzavo. Erano sempre cinquantamila lire, e quando gliele avessi date, avrei fatto il mio dovere ma avrei avuto cinquantamila lire di meno.

Mentre così mi rodevo, mi sentii urtare al gomito. "Attilio, non mi riconosci?" Era Cesare, un disperato numero uno, che avevo conosciuto nel dopoguerra, ai tempi della borsa nera delle sigarette. Doveva essere rimasto, come si dice, al "carissimo amico," ossia al punto di partenza, più disperato che mai: aveva un pastrano scolorito e rattoppato abbottonato fino al mento ma non tanto che non si scorgesse il collo nudo, senza cravatta né colletto. A testa scoperta, coi capelli arruffati che mi parvero pieni della lanugine e della polvere che si raccatta dormendo nelle baracche: dico la verità, faceva paura. Risposi, imbarazzato: "Cesare, che fai?" Disse: "Scendiamo un momento, dovrei parlarti."

Non so perché, mi balenò, a queste parole, la speranza di trovare il modo di rifarmi di quei denari che dovevo a Ottavio. Gli feci cenno che stava bene e mi avviai verso l'uscita. Il tram si fermò e noi scendemmo: eravamo alla stazione, davanti ai giardinetti, dalla parte di via Volturno.

Cesare mi portò in un punto solitario; qui si fermò e biascicò: "Avresti mille?" "Mille che cosa?" "Mille lire... sono due giorni che non mangio." Risposi: "Bravo, caschi proprio bene... stavo appunto pensando alla maniera migliore di spendere mille lire." Lui capì subito e disse, mogio: "Allora se non vuoi prestarmele... almeno aiutami." Gli domandai con precauzione che specie di aiuto desiderasse; e lui: "Guarda un po' qui." Abbassai gli occhi e vidi che teneva nella palma della mano una moneta dorata, con qualche incrostazione terrosa e una figura di donna nel mezzo. "Aiutami a vendere questa moneta romana... poi faremo a mezzo." Lo guardai e quindi non potei fare a meno di scoppiare in una gran risata, non sapevo neppure io perché: "Pataccaro... pataccaro... sei finito pataccaro... oh, oh, oh,... pataccaro." Più ripetevo "pataccaro" e più ridevo; lui intanto mi guardava, più brutto che mai, la moneta in mano. Disse finalmente: "Si può sapere perché ridi?" Risi ancora un bel po' e poi risposi: "Non se ne parla neppure." "Perché?" "Perché, caro mio, anche i bambini ormai conoscono le patacche... è passato il tempo delle patacche." Mortificato, si rimise la moneta in tasca, dicendo: "Allora, almeno, prestami duecento lire."

In quel momento, mi ricordai di nuovo di Ottavio e del denaro che dovevo dargli, e mi tornò la speranza di rifarmi. Dopo tutto, ogni giorno, si può dire, si leggeva nei giornali di gente che ci cascava, nel trucco della patacca. Perché non dovevamo riuscirci proprio noi? Dissi a Cesare: "Guarda, mi fai pena... voglio aiutarti... ma un patto... caso mai ti acchiappano, tu non mi conosci... sono davvero un signore a cui piacciono le monete romane... ci ho anche i soldi... guarda." Forse per vanità, cavai di tasca il pacchetto di biglietti e glielo sfogliai sotto il naso. "Ci ho i soldi e tu, in tutti i casi, sei un truffatore e io colui che avrebbe potuto essere truffato... intesi?" Lui disse subito, con entusiasmo: "Intesi." Proseguii, ormai sicuro di me: "Vediamo, intanto, di metterci d'accordo, che prezzo vogliamo fissare?"

"Trentamila."

"No, trentamila sono poche... sessantamila almeno.. e di queste, quarantamila le prendo io e venti tu... va bene?"

"Veramente, avevamo detto la metà."

"Allora non se ne fa nulla."

"Ventimila, va bene."

"Vediamo adesso come la presentiamo" continuai; "tu sei un manovale... lavoravi qui, nello sterro della stazione nuova... hai trovato la moneta e l'hai nascosta... siamo intesi?"

"Intesi."

"E quanto alla moneta: io intervengo e dichiaro che è un pezzo di gran valore... bisogna trovare, però, il nome di un imperatore romano... chi diciamo?"

"Nerone."

"No, Nerone no... lo vedi come sei ignorante... Nerone, a Roma, chi non lo conosce?... è il primo che viene in mente... un altro."

Cesare, perplesso, si grattò il mento e poi disse: "Non conosco che Nerone... gli altri non li conosco."

"E invece" dissi "sono stati tanti... almeno un centinaio... Vespasiano, per esempio, quello dei vespasiani, non lo conosci?"

"Ah, sì, Vespasiano."

"Ma Vespasiano non va bene... potrebbe far ridere... vediamo piuttosto che c'è scritto sulla tua moneta... dammela un po'."

Lui me la diede e io guardai: c'erano delle lettere ma confuse, e non si capiva nulla. Dissi, con improvvisa ispirazione: "Caracalla... quello delle terme... hai capito? Caracalla."

"Sì, Caracalla."

"Allora" conclusi "noi facciamo così... ci separiamo, pur restando non tanto lontani l'uno dall'altro... il tipo lo cerco io... quando mi senti tossire vuol dire che è lui e l'abbordi... va bene?"

"Non dubitare."

Così ci separammo: Cesare prese a passeggiare in su e in giù per i giardinetti; e io mi misi in osservazione sul marciapiede. In quel luogo, come sapevo, capitavano, venendo dalla stazione, tutti i provinciali dei dintorni di Roma, gente rustica e ignorante, ma con il portafogli gonfio di biglietti. Gente che crede di essere furba; e non dico che al paesello, tra le pecore e le caciotte, non lo sia; ma a Roma la loro furbizia è ingenuità. Ne vidi parecchi, quali coi fagotti e con le valigie, quali soli, quali con le donne; ma per un motivo o per l'altro, non andavano mai bene. Intanto, per ingannare l'attesa e darmi un contegno, tolsi dall'astuccio una sigaretta e l'accesi. Non so perché, alla prima boccata, il fumo mi andò di traverso e tossii. Subito, quell'imbecille di Cesare filò dritto verso un giovanotto biondo che da qualche momento si aggirava sotto gli alberi, e lo toccò al gomito. La scena era stata così rapida che non feci in tempo a intervenire.

Mentre Cesare parlava, esaminai il giovanotto. Era di piccola statura, vestito da campagnolo, con la giacca a vento dal bavero di volpe, i pantaloni di velluto marrone alla zuava, gli stivali di vacchetta gialla infangati. Aveva il viso bianco, schiacciato, aguzzo, baffetti biondi sotto il naso pizzuto, testa rapata. Pareva furbo; ma, per fortuna, pareva anche rustico. Ascoltava Cesare con curiosità, forse con interesse. Finalmente, Cesare mise la mano in tasca e cavò la moneta. Ormai era giunto il mio momento, e capii che non potevo più tirarmi indietro.

Il giovanotto guardava la moneta, rigirandola, Cesare gli parlava. Mi avvicinai e dissi con tono autorevole: "Scusate l'indiscrezione... Quella non è forse una moneta romana?"

Cesare mi guardò, inebetito. Il giovanotto disse a fior di labbra: "Pare."

Dissi: "Permettete che la guardi... me ne intendo... sono antiquario... permettete." Il giovanotto mi porse la moneta e io l'esaminai a lungo, fingendo curiosità. Poi mi voltai verso Cesare e gli domandai, severo: "Ma tu, come l'hai avuta?"

Bisogna dire che Cesare, così stracciato e sporco, era intonato alla sua parte. Piagnucolò: "Che volete che vi dica?... sono un poveretto."

"Via" dissi "non aver paura... mica sono un questurino in borghese... con me puoi parlare. Come l'hai avuta?"

"Sono manovale," rispose Cesare sempre in tono lamentoso; "l'ho trovata mentre lavoravo allo sterro, qui, della stazione... forse voi potete dirmi quanto vale."

"Valere, vale di certo... è una moneta dell'imperatore Caracalla."

"Ecco, bravo, Caracalla" disse Cesare "qualcuno mi aveva fatto questo nome."

Era giunto il momento delicato, decisivo. Brusco, domandai: "Quanto?"

"Quanto che cosa?"

"Quanto vuoi?"

"Datemi sessantamila lire."

Era la cifra combinata, ma uno meno stupido di Cesare, avrebbe preparato il colpo, magari rispondendo: "Fate un po' voi." Dissi, tuttavia, sempre brusco, come chi non vuol lasciarsi sfuggire l'occasione: "Te ne do cinquantamila... va bene?"

Guardavo intanto il giovanotto e credetti di capire che aveva abboccato. Infatti propose: "Io te ne do dieci di più... vuoi darmela?" in tono dolce, persuasivo, insinuante. Cesare levò gli occhi verso di me e poi disse, con giusta intonazione mortificata: "Lo vedete?... c'era prima lui... mi dispiace... debbo darla a lui."

Il giovanotto si mordeva i baffi biondi, guardandoci. Riprese: "Però i soldi qui non ce li ho... vieni con me e te li do."

"Dove?"

"In questura!"

Cesare sbarrò gli occhi, spaventato, tramortito. Capii che dovevo intervenire con la massima decisione e, facendomi in mezzo: "Un momento... con che diritto? Chi siete?... Siete un agente?"

"Non sono un agente, no" rispose quello beffardo "ma non sono neppure così scemo come voi due credete... volevate rifilarmi la patacca eh?... Venite con me in questura... lì ci spiegheremo meglio."

Cesare mi guardava, disperato. Ebbi un'ispirazione e dissi: "Voi vi sbagliate... può darsi che, all'apparenza, lui sembri un truffatore, io il compare e voi il merlo... ma in realtà io non lo conosco, voi non siete un merlo e io sono veramente un antiquario... e la moneta è buona... tanto è vero che la compro subito..." Mi voltai verso Cesare e gli comandai: "Da' qua la moneta e para la mano." Lui ubbidì e io, una sull'altra, gli contai in mano le cinquantamila lire di Ottavio. Poi dissi al giovanotto: "Questo per regola vostra... imparate a distinguere la gente onesta dai truffatori... imparate a far le differenze."

Ma quello rispose, ostinato: "E chi mi dice che non siete d'accordo?"

Ora che l'avevo pagata sul serio la patacca, mi sentivo aggressivo, l'odiavo. Dissi alzando le spalle: "D'accordo noi?... si vede che vieni dalla campagna... di mozzarelle te ne intenderai, ma di gente onesta, no... ma torna al paese, torna..."

"Ahò" fece lui, arrogante: "con chi credi di parlare? Non alzar la voce... bullo."

"Il bullo sei tu... e anche beccamorto." Ero inferocito, senza motivo, forse perché, ormai, sentivo di aver ragione. Lui rispose: "Mascalzone;" e io mi avventai contro di lui, facendo il gesto di afferrarlo per il bavero di volpe. Intanto, però, si erano radunati i soliti sfaccendati che ci divisero, mentre io mi dibattevo e gridavo: "Ma va a vendere le caciotte... cafone, ignorante, contadino." Lui, alzando le spalle, si allontanò tra la folla; e io, allora, mi voltai per cercare Cesare.

Mi si gelò il sangue vedendo che non c'era. La gente, dopo averci divisi, se ne andava per i fatti suoi; e Cesare non si vedeva né sul piazzale della stazione, né per i giardinetti, né dalla parte di piazza dell'Esedra. Era scomparso; e con lui le cinquantamila lire. Ebbi un gesto di disperazione così violento che qualcuno mi domandò: "Si sente male?"

Basta, tutto tremante per la rabbia, sudato, trafelato, sconvolto, feci di corsa il breve tratto di strada dal piazzale a via Vicenza dove stava il negozio di Ottavio. Lo trovai, al solito, dietro la vetrina; grasso, trascurato, la barba lunga, che esaminava non so che cosa con la sua lente di orafo. Entrai e, ricomponendomi alla meglio, gli dissi: "Guarda, Ottavio, che i soldi non posso darteli... se vuoi puoi prendere in cambio questa moneta romana."

Lui la prese con calma, senza guardarmi, se l'avvicinò all'occhio, l'esaminò un momento solo e poi cominciò a ridere. Come per conto suo. Quindi si alzò e, sempre ridendo e battendomi la mano sulla spalla, disse: "Pataccaro, pataccaro... oh, oh, oh..., sei finito pataccaro."

SCHERZI DI FERRAGOSTO

Tutto mi andava male quell'estate e, come venne Ferragosto, mi trovai a Roma senza amici, senza donne, senza parenti, solo. Il negozio dove ero commesso era chiuso per le ferie, altrimenti, dalla disperazione, pur di trovare compagnia, mi sarei perfino rassegnato a vendere i saldi estivi, mutande, calze, camicie, tutta roba andante. Così, quella mattina del quindici, quando Torello mi venne a strombettare sotto la finestra e e poi mi invitò a andare con lui a Fregene, pensai: "È antipatico, anzi è odioso... ma meglio lui che nessuno" e accettai di buon grado. Torello era un giovanotto atticciato, massiccio come una pagnotta, con la faccia livida tutta protesa in avanti in atto di arroganza, con gli occhi a fior di pelle, duri e stupidi, da far venire voglia di bucarli con uno spillo. Mi era antipatico, come ho detto, ma forse ero il solo a trovarlo antipatico; in generale riusciva simpatico, e le donne, poi, per lui se ne morivano. Era sempre pieno di soldi, perché aveva un garage bene avviato, e così all'insolenza naturale aggiungeva quella dei quattrini. Ma, pazienza l'arroganza; io, Torello, l'avevo sulle corna per un altro motivo: perché diceva e faceva sempre la cosa sbagliata. Era stonato, senza rimedio, sempre inopportuno, sempre offensivo, sempre indisponente. Ci stareste voi a sentire un cantante che sbaglia tutte le note? No, e magari lo paghereste perché stia zitto. Questo era l'effetto che mi faceva Torello. Mi scorticava i nervi e, siccome ho un buon carattere e voglio andar d'accordo con tutti e con lui proprio non mi riusciva di andar d'accordo, l'evitavo più che potevo. Ma quel Ferragosto non l'evitai e feci male.

La prima cosa sbagliata, Torello la disse nel momento che

mi sedevo accanto a lui, nella sua macchina: "T'ha fatto comodo che io sia venuto a cercarti, eh... se no ti tocca passare il Ferragosto a Villa Borghese." Pensai: "Cominciamo"; ma non dissi nulla perché lui, oltre che indelicato, era anche stupido e non avrebbe capito. Poi la macchina partì dirigendosi verso l'Aurelia.

Torello aveva una macchina con la carrozzeria fuori serie, verde e bassa, di cui era fiero non so dir quanto. Ancora dentro l'abitato, dopo San Pietro, cominciò a correre come un pazzo: novanta, cento, centodieci, centoventi. Io gli dicevo: "Ma va' piano... nessuno ci aspetta" e lui, per tutta risposta, premeva sull'acceleratore. Così, in un fulmine, passammo Madonna di Riposo e proseguimmo per l'Aurelia. Per via del Ferragosto, la strada era piena di macchine, e Torello si faceva un punto d'onore di sorpassarle tutte, senza suonare il clakson, senza guardare se la strada fosse libera, a testa bassa, proprio come un toro. Finalmente imbucammo un rettilineo e laggiù, in fondo, si vedeva una grossa automobile americana, che anche lei correva forte, nera e luccicante al sole. "Adesso passiamo anche quella," disse Torello e accelerò. Era una macchina più potente della nostra, ma l'uomo che era al volante guidava con prudenza, regolarmente: al suo fianco era una donna. Torello le giunse sotto, eravamo in curva, le fu a paro e vidi allora la donna: bionda, con la faccia tonda, gli occhi di velluto nero, l'espressione sorniona e viziosa: un grosso gatto. L'uomo pareva basso, con il naso a forma di batocchio. Guidava col sigaro in bocca, in camiciola scollata, le braccia pelose sul volante. Torello gridò: "Addio bella bionda," e lei si voltò e gli sorrise. In quello stesso momento un camion alto come una casa sbucò dalla curva, e l'uomo dal sigaro, pronto, si gettò nel fossato e Torello fece appena in tempo a buttarsi a sua volta dalla parte della macchina americana. L'uomo col sigaro fece un gesto con la mano e ripartì come una freccia. "Quella donna mi piace" disse Torello premendo il pedale, "hai visto, mi ha sorriso." Io gli dissi: "Lascia stare, non è roba per te." E lui, arrogante: "Ti chiederò consiglio quando dovrò comperarmi un pigiama." Insomma, offendeva.

Rincorremmo come diavoli la macchina americana e ad un passaggio a livello ci fermammo fianco a fianco con loro. La bionda ci guardò e sorrise a Torello; che subito le fece un gesto d'intesa. L'uomo dal sigaro vide chiaramente il gesto, si tolse il sigaro di bocca e lì, al passaggio a livello, in presenza di me, del casellante e di certi contadini che aspettavano, diede uno schiaffo alla donna, col rovescio della mano, sulla bocca. In quel momento le sbarre del passaggio a livello si alzarono e la macchina ripartì prima che potessi rivedere la faccia della bionda. Figuratevi Torello. Quello schiaffo gli fu prezioso quanto una dichiarazione d'amore. "Ci siamo" muggiva, curvo sul volante, "vuoi vedere che gliela soffio?" Intanto la macchina americana aveva spiccato una corsa d'inferno e non ci fu verso di riprenderla prima della pineta di Fregene.

Eccoci nella pineta, al crocicchio dove sono i limonari, con i gitanti stesi all'ombra dei pini, le radio accese, i cartocci e le bottiglie di Ferragosto. La macchina americana ci precedeva e noi dietro, lenti lenti. La macchina americana sbucò sullo spiazzo e andò a fermarsi all'ombra, sotto la tettoia. Torello fece un mezzo giro e andò a mettersi accanto alla macchina americana. L'uomo dal sigaro uscì da una parte, la donna dall'altra. Torello, lesto, corse ad aiutarla a scendere. Lei lo ringraziò con un sorriso e si allontanò accanto al suo compagno. Era più alta di lui di tutto il capo, flessuosa come un serpente; camminando dimenava le anche e dondolava di testa. Lui pareva quasi più largo che lungo, le braccia penzolanti, un gorilla. Entrarono nello stabilimento e noi entrammo nello stabilimento. Comprarono il biglietto e noi comprammo il biglietto. S'avviarono verso le cabine, sulla guida di cemento, attraverso la spiaggia, e noi li seguimmo. Il bagnino, vedendoci tutti e quattro insieme, si voltò e domandò: "Stanno insieme, nella stessa cabina?" La bionda si mise a ridere guardando Torello che disse a voce alta: "Magari." L'uomo dal sigaro disse al bagnino: "No, siamo separati."

La bionda entrò nella sua cabina e Torello entrò nella cabina accanto che era la nostra. Restammo fuori io e l'uomo. Lui si tolse di tasca un grosso astuccio e me lo porse: "Un sigaro?" Rifiutai dicendo che non fumavo. Lui insistette dicendo: "Lo prenda allora per il suo amico," in tono cupo, quasi minaccioso. Mi parve che parlasse l'italiano con accento meridionale e al tempo stesso straniero e giudicai che fosse italo-americano. Poi udii Torello che bussava nel tramezzo tra le due cabine e la bionda che soffocava una risata. L'uomo disse: "È un tipo allegro il vostro amico" e poi gridò qualche cosa in inglese e la bionda uscì dalla cabina. L'uomo entrò a sua volta nella cabina e Torello uscì di fuori. Gli dissi: "Questo sigaro te lo regala lui," indicando la porta chiusa. Torello prese il sigaro e gridò: "Grazie, eh, per il sigaro." "Non c'è di che" disse l'uomo affacciandosi con la sola testa alla porta e guardandolo brutto, "volete anche quest'accappatoio?... oppure volete questa borsa?... o preferite quest'astuccio? è d'oro." Così, a modo suo, gli dava una lezione. Torello arrossì fino alle orecchie e la porta si chiuse. Torello mi guardò, strizzò l'occhio e si slanciò dietro la bionda che intanto si era avviata verso il mare.

Dalla cabina lo vidi raggiungere la bionda, parlarle e poi prenderla per un braccio. Non credevo ai miei occhi e adesso, quasi quasi, gli davo ragione. La bionda dimenava i fianchi e le spalle, aveva un corpo snodato, senza muscoli né ossa, come di gomma. Entrarono nell'acqua, il mare era mosso, un'ondata li investì e, quando l'onda fu passata, vidi la bionda tra le braccia di Torello, che gli si aggrappava al collo e rideva. Poi si allontanarono e li persi di vista.

L'uomo uscì dalla cabina, in costume a due pezzi, bianco e nero. Era corto di gambe, bianco come il lardo, con le cosce nere di pelo e tutta un'imbottitura di pelo sul petto. Aveva un giornale in mano e il solito sigaro in bocca. Non andò al mare ma si fece portare una seggiola a sdraio davanti la cabina, vi sedette e spiegò il giornale. In quel momento Torello e la bionda uscivano dall'acqua scherzando e dandosi spintoni. L'uomo li guardò, poi aprì il giornale e cominciò a leggere.

La bionda risalì la spiaggia fino all'uomo e venne ad accovacciarsi accanto a lui. Torello prese, in mezzo alla spiaggia, ad eseguire gli esercizi ginnici: avanti, indietro, da un lato, dall'altro, tutto per farsi ammirare dalla bionda. Allora io andai a fare il bagno e per un'ora non mi occupai più di loro.

Al mio ritorno trovai Torello già vestito e impaziente. "Ma dov'eri? presto, vestiti: loro sono già a mangiare." Mi vestii e lo seguii fuori dello stabilimento, al ristorante. I due stavano a tavola, in fondo ad una lunga pergola gremita di gente. Torello, difilato, andò a sedersi ad un tavolo vicino al loro. L'uomo disse ad alta voce a Torello: "Perché sedervi al tavolo accanto?... potete addirittura sedervi al mio tavolo." Al solito, lo canzonava; ma Torello è così stupido che fece un gesto come per accettare; senonché l'uomo proseguì: "Oppure desiderate che io me ne vada e vi lasci solo con la signora?" Torello sedette accanto a me e per un pezzo non aprì bocca. Mangiammo in silenzio; ma alla frutta la bionda approfittò d'un momento che l'uomo non guardava e sorrise a Torello. Rinfrancato, egli si fece portare una bottiglia di Frascati spumante e con la bottiglia in mano si alzò e andò verso il tavolo accanto. La bionda scoppiò a ridere vedendolo arrivare. L'uomo alzò gli occhi e guardò Torello.

"Vogliamo bere insieme?" disse Torello. "Che gusto c'è a guardarci in cagnesco? beviamo e facciamo pace." L'uomo rispose: "Date qua," e, presa la bottiglia, l'inclinò su un vaso di fiori lì accanto e aspettò che tutto il vino fosse finito nel vaso; e quindi rese la bottiglia a Torello dicendo: "Grazie." La bionda rise.

Più tardi l'uomo si alzò per andare al bar e la bionda, allora, disse a Torello: "Grazie per il vino... ho apprezzato il vostro gesto." Cominciarono così a chiacchierare del più e del meno. Torello infiammandosi sempre di più; ad un tratto l'uomo si parò tra di loro, in piedi, il sigaro in bocca e disse a Torello, abbastanza gentilmente: "Noi andiamo in pineta, volete venire anche voi?" Torello esitava, temeva una nuova canzonatura, ma la bionda lo esortò con autorità: "Se vi dice di venire, venite;" e allora accettammo.

Eccoci di nuovo nella pineta. La macchina americana ci precedeva, sobbalzando dolcemente sul sentiero erboso, nel folto della boscaglia. Andammo avanti un bel pezzo; attraverso il vetro posteriore della macchina americana, vedevo le due teste della bionda e dell'uomo del sigaro, e tutto mi pareva troppo facile per essere vero. Ma Torello era eccitato e mi disse: "Ora lui va a dormire e non sono più Torello se non mi pappo quella bella pupa." Mai l'avevo visto così antipatico.

Giungemmo finalmente in una radura, in un punto solitario: pini, pini e pini d'ogni parte, e su, tra le fronde che si muovevano al vento, il cielo infuocato e azzurro. La macchina americana fece un mezzo giro mettendosi con il cofano verso il sentiero donde eravamo venuti. Torello si fermò, e tutto allegro e baldanzoso discese e venne incontro all'uomo che nel frattempo era disceso anche lui.

Gli tendeva la mano, forse voleva presentarsi. L'uomo stava fermo nel mezzo della radura. Poi prese la rincorsa a due o tre metri da Torello e, tutto ad un tratto, come un ariete, si slanciò a testa bassa e gli diede una terribile testata alla bocca dello stomaco. Sicuro, con la testa, proprio un colpo da lotta libera. Torello fece come un gesto per mettersi in guardia; ma l'uomo si abbassò e gli tirò un pugno in faccia. Torello fece due o tre passi indietro e ricevette un altro pugno, questa volta di nuovo allo stomaco. Torello si appoggiò ad un pino portando una mano alla faccia. L'uomo tornò alla sua macchina, salì, accese il motore e ripartì.

Mi venne quasi da ridere; e confesso che non ero scontento che Torello avesse preso quella testata allo stomaco. Poi mi avvicinai a lui e vidi che aveva la bocca piena di sangue. Si teneva lo stomaco con una mano; quindi andò dietro un pino e vomitò. Io andai alla macchina, salii e rimasi fermo un lungo momento. C'era un silenzio profondo: se ascoltavo, udivo un uccello, nel fitto del bosco, ogni tanto, fischiare. Finalmente Torello risalì anche lui, tenendosi il fazzoletto sulla bocca. Riaccese il motore e ripartimmo.

Per un pezzo non parlammo. Alla fine Torello disse: "Tutta colpa di quella strega." Io avrei voluto dire che la colpa era sua ma tacqui, tanto sapevo che non avrebbe servito a nulla. A Roma ci lasciammo e da quel giorno non l'ho più rivisto.

IL TERRORE DI ROMA

Avevo tanta voglia di un paio di scarpe nuove che spesso me le sognavo durante quell'estate, là, nello scantinato dove il portiere dello stabile mi affittava una branda per cento lire la notte. Non che andassi proprio a piedi nudi, ma le scarpe che portavo me le avevano date gli americani, scarpette basse e leggere, e, ormai, non avevano quasi più tacco e una era rotta al dito mignolo e l'altra si era slargata e mi usciva dal piede e sembrava una ciabatta. Vendendo poca roba in borsa nera, portando pacchi e facendo commissioni, riuscivo sì e no a sfamarmi, e il danaro per le scarpe, sempre qualche migliaio di lire, non riuscivo mai a metterlo da parte. Queste scarpe erano diventate per me un'ossessione, un punto nero sospeso nello spazio che mi seguiva dovunque andassi. Mi pareva che senza le scarpe nuove non avrei più potuto continuare a vivere, e, talvolta, dallo sconforto di essere senza scarpe, pensavo persino di ammazzarmi. Camminando per la strada non facevo che guardare ai piedi dei passanti; oppure mi fermavo davanti alle vetrine dei calzolai e restavo lì, imbambolato, a contemplare le scarpe, confrontandone il prezzo, la forma e il colore e scegliendo mentalmente il paio che avrebbe fatto al caso mio. Nello scantinato dove dormivo, avevo conosciuto un certo Lorusso, che era uno sfollato come me, un ragazzo biondo e riccio, tarchiato, più basso di me; e mi accorsi che lo invidiavo soltanto perché lui, non so come, era riuscito a procurarsi un paio di scarpe proprio belle, alte, allacciate, di cuoio grosso, con i ferri e le suole doppie, di quelle che portavano gli ufficiali alleati. Queste scarpe stavano lunghe a Lorusso e infatti, ogni mattina, ci metteva dei giornali affinché non gli uscissero dal piede. A me, invece, che ero più alto di lui, andavano come un guanto. Io sapevo che Lorusso aveva anche lui una voglia: voleva comprarsi un piffero che sapeva suonare perché prima di venire a Roma era stato in montagna, insieme coi pastori. Diceva che così, piccolo, biondo, con gli occhi azzurri, con la giacca a vento e i pantaloni alleati ficcati nelle scarpe alleate, e il piffero alle labbra, se la sentiva di girare per i ristoranti e guadagnare molti denari suonando, appunto, sul piffero certe ariette dei pastori e anche poche altre che aveva imparato quando faceva il galoppino per gli americani. Ma il piffero costava caro, quanto le scarpe e forse più, e Lorusso che faceva un po' tutti mestieri come me, i soldi per comprarlo non ce li aveva mai. Anche lui pensava spesso al piffero, come io alle scarpe; e senza dircelo ci eravamo messi d'accordo: prima io gli parlavo delle scarpe e poi lui mi parlava del piffero. Ma erano sempre parole e il piffero e le scarpe non riuscivamo a procurarceli.

Finalmente prendemmo una decisione, di comune accordo, veramente fui io che ci pensai ma Lorusso subito l'approvò come se in vita sua non avesse mai pensato ad altro. Saremmo andati in qualche luogo solitario, frequentato dagli innamorati, per esempio Villa Borghese, e avremmo fatto un colpo con una di quelle coppie che si appartano per meglio strofinarsi e sbaciucchiarsi. Scoprii allora con sorpresa che Lorusso era sanguinario, cosa che non avrei mai creduto, visto il suo aspetto di pastorello innocente. Cominciò subito a dire con entusiasmo che lui se la sentiva di far fuori e la donna e l'uomo; e ripeteva quella frase "far fuori" che aveva sentito chissà dove, con un gran gusto, come se già vedesse il momento in cui li avrebbe fatti fuori davvero. Ad un certo punto, persino, come per mostrarmi in che modo si sarebbe regolato, si gettò sopra di me e mi afferrò per il collo fingendo di darmi tanti colpi alla testa con una sua chiave inglese di ferro massiccio. "Così gli darei... e poi così... e poi così... finché non li avessi fatti fuori tutti e due." Ora io sono molto nervoso perché sono rimasto una notte e un giorno in una cantina, sotto le rovine di casa mia, al paese, per via di un bombardamento, e da quel tempo ho tutta la faccia che mi salta ad ogni momento per un tic e basta un nonnulla per mettermi fuori di me. Così, con uno spintone, mandai Lorusso a sbattere contro il muro dello scantinato e gli dissi: "Tieni le mani a posto... se mi tocchi ancora, parola d'onore che prendo questa chiave e ti faccio fuori davvero." Poi mi riebbi e soggiunsi: "Lo vedi come sei ignorante?... non capisci nulla, sei proprio un bue... Non lo sai che le coppie che fanno l'amore all'aperto, lo fanno di nascosto? Altrimenti lo farebbero a casa loro... Dunque se gli prendi i soldi, non ti denunziano perché hanno paura che il marito o la mamma vengano a sapere che facevano l'amore... ma se li fai fuori, i giornali ne parlano, tutti lo vengono a sapere e la questura alla fine ti pesca... Bisogna invece fingere di essere due agenti in borghese: mani in alto, vi baciate, non sapete che è proibito? Siete in contravvenzione... E con la scusa della contravvenzione, gli prendiamo i soldi e ce ne andiamo." Lorusso, che è proprio stupido, mi guardava a bocca aperta, con quei suoi occhi tondi e azzurri, come di porcellana, sotto i capelli che gli crescono in mezzo alla fronte. Finalmente, disse: "Sì, ma... il morto giace e il vivo si dà pace." Ma lo disse così senza espressione, come quando diceva "li faccio fuori", a pappagallo, e chissà dove l'aveva sentito quel proverbio. Io gli risposi: "Non far l'ignorante... Fa' quello che ti dico e chiudi la bocca." Questa volta lui non protestò più e così si rimase d'accordo per il colpo.

Il giorno fissato, di sera, ce ne andammo a Villa Borghese. Lorusso si era messo nella giacca a vento la chiave inglese e io avevo in saccoccia una pistola tedesca che mi avevano dato da vendere, ma non avevo ancora trovato nessuno che la volesse. Per precauzione l'avevo scaricata pensando che o il colpo riusciva subito, oppure, se dovevo sparare, tanto valeva rinunciarci. Prendemmo per il viale, lungo il galoppatoio e qui ogni panchina aveva la sua coppia, soltanto che c'erano i fanali e molti passanti, come per le strade. Da questo viale passammo a quello che porta al Pincio che è uno dei luoghi più bui di Villa Borghese e le coppie lo preferiscono anche perché rimane vicino a piazza del Popolo. Al Pincio faceva buio davvero, per via degli alberi e anche c'erano pochi fanali; e le coppie sulle panchine non si contavano. Ce n'erano anche due per panchina e ciascuna faceva il comodo suo, baciandosi e abbracciandosi, senza vergognarsi di esser vista dall'altra che faceva lo stesso. Adesso a Lorusso gli era passata la voglia di far fuori la gente, perché era fatto così e cambiava idea facilmente; e vedendo tutte quelle coppie che si baciavano, incominciò a sospirare, con gli occhi lustri e la faccia piena di invidia, e poi disse: "Sono giovanotto anch'io e quando vedo tutti questi innamorati che si baciano, ti dico la verità, se non fossi a Roma ma in campagna, farei paura all'uomo in modo che se ne andasse e alla ragazza direi: su bella... vieni bella che non ti faccio male... su vieni, bella, con Tommasino tuo." Camminava nel mezzo del viale, discosto da me, e si voltava a guardare le coppie che era una vergogna, leccandosi le labbra con la lingua grossa e rossa, proprio come un bue; e voleva per forza che anch'io guardassi le coppie e osservassi come gli uomini mettevano le mani sotto le vesti alle donne e le donne si stringevano agli uomini e gli lasciavano mettere le mani sotto. Io gli risposi: "Quanto sei cretino... ma lo vuoi sì o no il piffero?" Lui rispose, girandosi a guardare una di quelle panchine: "Adesso veramente vorrei una ragazza... una qualsiasi, per esempio quella." "Allora," dissi, "non dovevi prendere la chiave inglese e venire con me." E lui: "Quasi, quasi, penso che avrei fatto meglio." Diceva così perché era leggero e cambiava idea ad ogni momento. Aveva veduto, girando per il Pincio, qualche po' di gamba femminile nuda, qualche bacio, qualche strizzata, e questo gli era bastato per sentirsi morir dalla voglia di fare l'amore. Ma io invece non mi distraggo facilmente quando voglio una cosa, ha da essere quella e non un'altra. Volevo, dunque, le scarpe ed ero deciso a procurarmele quella stessa sera, a tutti i costi.

Girammo un pezzo per il Pincio, di viale in viale, di panchina in panchina, lungo tutti quei busti di marmo bianco allineati in fila nell'ombra degli alberi. Non trovavamo mai il luogo adatto perché temevamo sempre che le altre coppie, così vicine, ci vedessero; e Lorusso, al solito, cominciava di nuovo a distrarsi. Ora non era più all'amore che pensava ma, non so perché, ai busti di marmo. "Ma chi sono tutte queste statue?," domandò ad un tratto, "si può sapere chi sono?" Io gli risposi: "Lo vedi come sei ignorante... sono tutti grandi uomini... Siccome sono grandi uomini, gli hanno fatto la statua e l'hanno messa qui." Lui si avvicinò ad una di quelle statue, la guardò e disse: "Ma questa è una donna." Io risposi: "Si vede che era grande anche lei." Lui non pareva convinto e alla fine domandò: "Così, se io fossi un grand'uomo, mi farebbero anche a me la statua?" "Si capisce... ma tu un grand'uomo non lo diventerai mai." "Chi te lo dice?... Mettiamo che io diventi il terrore di Roma... faccio fuori tanta gente, i giornali parlano di me, nessuno mi trova... allora mi farebbero la statua anche a me."

Io mi misi a ridere, sebbene non ne avessi voglia, perché sapevo dove gli era venuta l'idea di diventare il terrore di Roma: eravamo stati, giorni addietro, a vedere un film che si chiamava appunto, "Il terrore di Chicago"; e gli risposi: "Mica si diventa grandi facendo fuori la gente... Quanto sei ignorante... quelli sono grandi uomini che non facevano fuori nessuno." "E che facevano?" "Beh, scrivevano libri." Lui, a queste parole, rimase male perché era quasi analfabeta; e alla fine disse: "Mi piacerebbe, però, avere la statua... dico la verità, mi piacerebbe... Così la gente si ricorderebbe di me." Io gli dissi: "Sei proprio un cretino e mi vergogno di te... ma è inutile che ti spieghi, tanto sarebbe fatica sprecata."

Basta, girammo ancora un poco e quindi andammo sulla terrazza del Pincio. C'erano alcune macchine e la gente ne era discesa e ammirava il panorama di Roma. Anche noi ci affacciammo: si vedeva tutta Roma, simile a una torta nera bruciata, con tante crepe di luce, e ogni crepa era una strada. Non c'era luna ma faceva chiaro e io mostrai a Lorusso il profilo della cupola di San Pietro, nero contro il cielo stellato. Lui disse: "Pensa, se fossi il terrore di Roma... tutta quella gente, in tutte quelle case, non farebbe che pensare a me e occuparsi di me, e io," a questo punto fece un gesto con la mano come se avesse voluto minacciare Roma, "io ogni notte uscirei e farei fuori qualcuno e nessuno mi troverebbe." Io gli risposi: "Ma sei proprio scemo e al cinema non dovresti andarci mai... in America hanno i mitra, le macchine e sono organizzati... Quella è gente che fa sul serio... ma tu chi sei? Un pecoraro mangiaricotte, con una chiave inglese dentro la giacca a vento." Lui tacque, impermalito, e poi, alla fine, disse: "Bello il panorama, non c'è che dire, proprio bello... ma, insomma, ho capito stasera non se ne fa nulla e andiamo a letto." Io domandai: "Che vuoi dire?" "Voglio dire che hai perso la voglia e hai paura." Lui faceva sempre così: si distraeva, pensava ad altro e poi dava la colpa a me accusandomi di essere vigliacco. Io risposi: "Vieni, cretino... ti farò vedere io se ho paura."

Prendemmo per un viale molto scuro, torno torno il parapetto che guarda la strada del Muro Torto. C'erano anche qui panchine e coppie in quantità, ma, per un motivo o per un altro, capivo che era impossibile e facevo cenno a Lorusso di tirare avanti. Ad un certo punto vedemmo due, in un luogo proprio buio e solitario, e io quasi mi decidevo, ma in quel momento passarono due guardie a cavallo e quei due, per timore di essere visti, se ne andarono. Così, sempre seguendo il parapetto, arrivammo dalla parte del Pincio che guarda al cavalcavia del Muro Torto. Lì c'è un padiglione circondato da una siepe di lauri rinforzata di fil di ferro spinato. Ma, da un lato, c'è un cancelletto di legno che è sempre aperto. Conoscevo quel padiglione per averci dormito certe notti che non avevo neppure i soldi per pagare la branda del portiere. È una specie di serra, coi vetri dalla parte del cavalcavia, e dentro ci tengono gli arnesi del giardinaggio, i vasi di fiori e parecchi di quei busti di marmo a cui i ragazzini hanno rotto il naso o la testa, per ripararli. Ci avvicinammo al parapetto, Lorusso vi sedette sopra e accese una sigaretta. Stava in bilico su quel parapetto, fumando con aria spavalda, e in quel momento mi venne una tale antipatia contro di lui che pensai seriamente di dargli una spinta e buttarlo di sotto. Avrebbe fatto un salto di cinquanta metri, si sarebbe schiacciato come un uovo sul marciapiedi del Muro Torto e io allora sarei corso di sotto e gli avrei preso quelle sue belle scarpe che mi facevano tanto gola. Mi venne rabbia a questo pensiero perché mi accorsi che, per un momento, mi ero illuso di provare tanta antipatia contro Lorusso da essere anche capace di ammazzarlo; e poi, invece, in realtà, il vero motivo erano sempre quelle maledette scarpe, e Lorusso o un altro, purché avessi le scarpe, per me era tutto uguale. Ma forse l'avrei gettato veramente di sotto, perché ero stanco di girare e lui mi dava troppo sui nervi, se, ad un tratto, per fortuna, due ombre nere non ci fossero passate accanto, quasi sfiorandoci, allacciate: una coppia. Mi passarono proprio davanti, lui più basso di lei ma per il buio non potei vedere le facce. Al cancelletto, la donna mi sembrò che resistesse e udii lui che mormorava: "Entriamo qui." Lei rispose: "Ma c'è buio." E lui: "Che ti fa?" Insomma ma, alla fine, lei cedette, e aprirono il cancelletto, entrarono e scomparvero nel recinto.

Allora mi voltai verso Lorusso e gli dissi: "Ecco quello che ci vuole per noi... sono andati nella serra per stare tranquilli... Noi adesso ci presentiamo come agenti in borghese... fingiamo di elevare contravvenzioni e gli portiamo via i soldi." Lorusso buttò via la sigaretta, saltò giù dal parapetto e mi disse: "Sì, ma la ragazza la voglio io." Rimasi di stucco e domandai: "Ma che dici?" Lui ripeté: "La ragazza la voglio io... non capisci?... Insomma: me la voglio fare." Allora capii e dissi: "Ma che, sei scemo?... Gli agenti in borghese mica le toccano le donne." E lui: "E a me che me ne importa?" Aveva una voce curiosa, come strangolata, e sebbene non gli vedessi il viso, capii dalla voce che faceva sul serio. Risposi risolutamente: "In tal caso non ne facciamo nulla." "Ma perché?" "Perché no... con me le donne non si toccano." "E se io volessi?" "Ti prenderei a schiaffi, come è vero Dio." Stavamo lì, presso il parapetto, naso a naso, litigando. Lui disse: "Sei un vigliacco." E io secco: "E tu un cretino." Allora lui, per la rabbia di quella voglia di donna che gli impedivo di sfogare, disse ad un tratto: "Va bene, la ragazza non la tocco... ma l'uomo lo faccio fuori." "Ma perché? cretino che sei... perché?" "Così, o la ragazza o l'uomo." Intanto il tempo passava, io fremevo perché un'occasione come quella non poteva tornare più, e, alla fine dissi: "Sta bene.. se è necessario... ma vuol dire che lo farai fuori soltanto se io farò un gesto così," e mi passai la mano sulla fronte. Chissà perché, forse perché era proprio stupido, Lorusso accettò subito e rispose che era d'accordo. Gli feci ripetere la promessa di non muoversi se non facevo il segnale e quindi spingemmo il cancello ed entrammo anche noi nel recinto. Da una parte, contro il parapetto, c'era quel piccolo tram che, di giorno, tirato da un somarello, porta a spasso i bambini per i viali del Pincio. Nell'angolo, tra il parapetto e il cancello c'era un fanale e stendeva la sua luce, attraverso il recinto e i vetri, fin dentro la serra. Si vedevano, nella serra, tanti vasi allineati in ordine, secondo grandezza e, dietro i vasi, parecchi di quei busti di marmo, posati in terra, buffi a vedersi così bianchi e immobili, come persone che venissero fuori dal suolo soltanto con il petto. Per un momento non vidi la coppia, poi indovinai che era in fondo alla serra, fuori della luce del fanale. Era un angolo buio, ma la ragazza stava in parte nel raggio del fanale, e io capii che c'era dalla mano bianca che lei lasciava penzolare inerte, durante il bacio, sullo sfondo scuro della veste. Allora spinsi la porta dicendo: "Chi è là... che fate qui?" Subito l'uomo venne avanti con decisione, mentre la donna restava nell'angolo, forse nella speranza di non essere veduta. Era un giovanotto basso, con la testa grossa e quasi senza collo, la faccia gonfia, gli occhi a fior di pelle e le labbra sporgenti. Sicuro di sé, lo vidi subito, e antipatico. Meccanicamente abbassai gli occhi verso i piedi e gli guardai le scarpe e vidi che erano nuove, di quelle che piacciono a me, all'americana, con la suola di para e le cuciture uso mocassino. Non pareva affatto spaventato e questo mi dava sui nervi così che la faccia mi saltava più che mai per il tic. Lui domandò: "E voi chi siete?"

"Questura," risposi "non lo sapete che è proibito baciarsi nei luoghi pubblici? Siete in contravvenzione... e voi signorina fatevi pure avanti... è inutile che cerchiate di nascondervi."

Lei ubbidì e venne a mettersi accanto all'amico. Era, come ho detto, un po' più alta di lui, sottile, con la vitina e la gonna nera scampanata che le scendeva fino a mezza gamba. Era bellina, con una faccia di madonna e i capelli neri e lunghi e gli occhi neri e grandi e pareva serissima, manco dipinta, tanto che se non l'avessi vista baciarsi con lui, mai l'avrei creduta capace. "Non lo sa, signorina, che è proibito baciarsi nei luoghi pubblici?" le dissi per dar serietà alla mia parte di agente. "E poi, lei, una signorina così distinta, vergogna... baciarsi al buio, nei giardini, come una prostituta qualsiasi."

La signorina fece per protestare ma lui la fermò con un gesto; e quindi, rivolto a me, con prepotenza: "Ah, sono in contravvenzione?... Allora mostrate le carte."

"Quali carte?"

"I documenti di identità che provano che siete davvero due agenti."

Mi venne in mente che fosse della questura: non mi avrebbe sorpreso, data la mia sfortuna. Dissi, però, con violenza: "Poche chiacchiere... Siete in contravvenzione e dovete pagare."

"Ma che pagare;" parlava spedito, come un avvocato; e si vedeva che non aveva paura. "Ma che agenti... agenti, voi con quelle facce? Lui con quella giacca a vento e tu con quelle scarpe... Ahò, mi prendete per scemo?"

A sentirmi ricordare le scarpe, che, effettivamente, così rotte e sformate com'erano, non potevano essere quelle di un agente, mi venne una specie di furia. Tirai fuori dall'impermeabile la pistola, e gliela spinsi forte nella pancia dicendo: "Va bene, non siamo agenti... ma tu scuci i quattrini lo stesso e non far storie."

Lorusso, finora, mi era rimasto a fianco senza dir parola, a bocca aperta, da quello stupido che era. Ma quando vide che avevo smesso la commedia, si svegliò anche lui. "Hai capito?" disse mettendo la chiave inglese sotto il naso all'uomo. "Scuci i quattrini se non vuoi che ti do questo sulla testa." Questo intervento mi irritò ancor più delle maniere superbe dell'uomo. La ragazza, a vedere quell'arnese di ferro, diede un piccolo strillo; e io le dissi con gentilezza, perché so essere gentile quando lo voglio: "Signorina non gli dia retta... e si ritiri in quell'angolo laggiù e ci lasci fare... e tu metti via quel ferro." Quindi dissi all'uomo: "Allora, spicciamoci."

Bisogna dire che quel giovanotto, con tutto che fosse molto antipatico, era però coraggioso; anche adesso che gli tenevo la pistola affondata nella pancia, non mostrava paura. Si mise semplicemente la mano in petto e ne trasse il portafogli: "Ecco il portafogli." Io lo palpai mettendolo in tasca e capii al tatto che di quattrini ce ne erano pochi: "Dammi l'orologio, ora." Lui si sfilò l'orologio dal polso e me lo diede. "Ecco l'orologio." Era un orologio di poco valore, di acciaio. "Ora dammi la penna." Lui si tolse la penna dal taschino: "Ecco la penna." La penna era bella: americana, con il pennino chiuso dentro il cannello, aerodinamica. Ormai non avevo più nulla da chiedergli. Nulla, cioè, salvo quelle sue belle scarpe nuove che mi avevano colpito fin da principio. Lui disse con ironia: "Volete altro?" E io, senza esitare: "Sì, togliti le scarpe."

Questa volta protestò: "Le scarpe, no." E io allora non resistetti. Era un pezzo, fin dal primo momento, che provavo la tentazione di dargli uno schiaffo su quella sua faccia ribattuta e antipatica; e volevo vedere che effetto facesse a me e a lui. Così dissi: "Togliti le scarpe, su... non fare lo scemo," e con la mano libera gli diedi un ceffone, un po' di traverso. Lui diventò rosso rosso e poi bianco e io vidi venire il momento che mi saltava addosso. Ma, per fortuna, la ragazza dal suo angolo gli gridò: "Sì, Gino, dagli tutto quello che vogliono," e lui si morse a sangue le labbra guardandomi fisso, poi disse: "E va bene," chinando il capo; quindi si piegò e prese a slacciarsi le scarpe. Se le tolse una dopo l'altra e, prima di darmele, le considerò un momento con aria di rimpianto: piacevano anche a lui. Senza scarpe era proprio basso, più basso anche di Lorusso; e compresi perché si era comprato un paio di scarpe con la suola così erta. Fu allora che avvenne l'errore. Lui, in calzini, mi domandava: "Che vuoi adesso?... anche la camicia?...;" e io, le scarpe in mano, stavo per rispondergli che bastava così, quando qualche cosa mi sfiorò la fronte.

Era un piccolo ragno calato in fondo al suo filo dal soffitto della serra; e io lo vidi quasi subito. Mi portai la mano alla fronte come per scacciarlo; e Lorusso, da vero bruto, credendo che gli avessi fatto il segnale, subito alzò la chiave inglese e assestò un gran colpo a parte dietro sulla testa dell'uomo. Sentii io stesso il colpo, forte e sordo, come se avesse dato sopra un mattone. E quello subito mi cadde addosso, quasi abbracciandomi, come un ubbriaco; e poi scivolò giù, il viso rovesciato indietro e gli occhi voltati che si vedeva soltanto il bianco. Subito la ragazza diede uno strillo acuto e si precipitò dall'angolo sopra di lui che stava disteso immobile per terra, chiamandolo per nome. Per capire, quanto Lorusso sia cretino, basterà dire che, in quella confusione, alzò di nuovo la chiave inglese sulla testa alla ragazza inginocchiata domandandomi con lo sguardo se dovesse farle lo stesso scherzo che aveva fatto all'amico. Io gli gridai: "Ma sei pazzo? Andiamocene." E così scappammo.

Appena fummo di nuovo sul viale, dissi a Lorusso: "Ora cammina piano come se passeggiassi... Hai fatto abbastanza scemenze oggi." Lui rallentò il passo e io, pur camminando, mi ficcai le scarpe nell'impermeabile, una per tasca.

Mentre camminavamo, dissi a Lorusso: "E poi non debbo dirti che sei cretino... che ti è venuto in mente di dare quella botta?" Lui mi guardò e rispose: "Tu mi hai fatto il segnale." "Ma quale segnale?... Era un ragno che mi sfiorava la fronte." "E che potevo saperne io... mi hai fatto il segnale." In quel momento ce l'avevo con lui che l'avrei strangolato. Dissi con rabbia: "Sei proprio un cretino... Ora l'avrai ammazzato." Lui, allora, come se l'avessi calunniato, protestò: "No... gli ho dato col rovescio... dove non c'è la punta... Se avessi voluto ammazzarlo, gli avrei dato con la punta." Non dissi nulla, mi rodevo dalla rabbia e la faccia mi saltava per il tic al punto che portai una mano alla guancia per farla star ferma. Lui riprese: "Hai visto che bella ragazza... quasi quasi glielo dicevo: su bella, vieni bella... Capace che lei ci stava... Ho fatto male a non provare." Camminava soddisfatto, pavoneggiandosi, e continuava a dire quello che avrebbe voluto fare alla ragazza e come l'avrebbe fatto; finché io gli dissi: "Senti, chiudi quella bocca malefica e sta' zitto... Altrimenti non garantisco." Lui tacque e, in silenzio, passammo piazzale Flaminio, il lungotevere, il ponte, e giungemmo a piazza della Libertà. Lì ci sono le panchine, all'ombra degli alberi, e non c'era nessuno, e c'era perfino un po' di nebbia che veniva su dal Tevere. Io dissi: "Sediamoci qui un momento... così vediamo quanto abbiamo fatto... E poi voglio provarmi le scarpe."

Sedemmo sulla panchina e, per prima cosa, aprii il portafogli e trovai che conteneva soltanto duemila lire e facemmo a metà. Poi dissi a Lorusso: "Non meriteresti niente... ma io sono giusto... a te ti do il portafogli e l'orologio... Io mi tengo le scarpe e la penna... Va bene?" Lui, subito, protestò: "Non va bene per niente... che maniere sono queste? Dov'è la metà?" E io, stizzito: "Ma tu hai fatto un errore... è giusto che paghi." Insomma ci disputammo un pezzo e alla fine convenimmo che io mi sarei tenuto le scarpe, e lui avrebbe avuto il portafogli, la penna e l'orologio.

Io, però, gli dissi: "Che te ne fai della penna... non sai neppure scrivere il tuo nome." E lui: "Per regola tua so scrivere e leggere, ho frequentato la terza elementare... E poi una penna come questa a piazza Colonna me la comprano sempre." Io avevo ceduto perché non vedevo l'ora di buttar via le scarpe vecchie e poi ero stanco di litigare e dal nervoso mi era venuto perfino il mal di stomaco. Mi tolsi, dunque, le scarpe e provai quelle nuove. Ma scoprii con delusione che erano corte; e si sa che a tutto c'è rimedio fuorché alle scarpe corte. Allora dissi a Lorusso: "Guarda, le scarpe sono corte... Sono invece proprio il piede tuo... Facciamo a cambio... tu mi dài le tue che ti stanno lunghe e io ti do queste che sono più belle e più nuove delle tue." Questa volta lui fece un fischio lungo, come di disprezzo, e rispose: "Poveretto... va bene che sono cretino, come dici, ma non fino a questo punto." "Sarebbe a dire?" "Sarebbe a dire che è tempo di andare a letto." Guardò pomposamente l'orologio di quel giovanotto e soggiunse: "Il mio orologio fa le undici e mezzo... e il tuo?" Non dissi nulla, rimisi le scarpe nelle tasche dell'impermeabile e lo seguii.

Prendemmo il tram e tutto il tempo io mi rodevo per l'ingiustizia della mia sorte, e pensavo a quanto era cretino Lorusso, e come dovevo fare per ottenere che mi desse le sue scarpe in cambio delle mie. Come scendemmo dal tram, nel nostro quartiere, ricominciai a discutere e, perfino, visto che la ragione non serviva, lo supplicai. "Lorusso, per me quelle scarpe sono la vita... Senza scarpe non posso più vivere... Se non vuoi farlo per farmi piacere, fallo almeno per amor di

Dio." Ci trovavamo in una strada deserta, laggiù, dalle parti di San Giovanni. Lui si fermò sotto un lampione e cominciò a girare il piede di qua e di là, vanitosamente, per farmi rabbia. "Sono belle le mie scarpe, eh?... Ti fanno gola eh?... ma è inutile che ci sformi... tanto non te le do." Poi si mise a canticchiare: "Fai, fai, fai, non le hai avute e non le avrai." Insomma, mi sfotteva. Mi morsi le labbra e giuro che se ci avessi avuto le pallottole nella pistola, l'avrei ammazzato, non soltanto per le scarpe ma anche perché non lo potevo più soffrire. Così, arrivammo allo scantinato, dove dormivamo. Bussammo alla finestra del seminterrato; il portiere, brontolando al solito, venne ad aprirci; e scendemmo nello scantinato. Lì c'erano cinque brande in fila, nelle prime tre dormivano il portiere e due figli suoi, giovanotti come noi; nelle ultime due, Lorusso ed io. Il portiere si fece pagare anticipato, poi spense la luce e se ne andò a letto, e noi, al buio, cercammo le brande e ci coricammo. Una volta, però, sotto quella copertina leggera, ricominciai a pensare alle scarpe e, finalmente, presi una decisione. Lorusso dormiva vestito, ma sapevo che le scarpe se le toglieva e le metteva in terra, tra le due brande. Al buio mi sarei alzato, mi sarei messo le sue scarpe lasciandogli le mie, e poi me ne sarei andato, fingendo di recarmi al cesso che stava fuori, nell'ingresso dello scantinato. Pensai che mi conveniva far questo anche perché c'era il caso che Lorusso avesse veramente ammazzato quell'uomo nella serra ed era meglio non restare insieme con lui. Lorusso il mio cognome non lo sapeva, conosceva soltanto il mio nome, e così, se l'avessero arrestato, non avrebbe saputo dire chi io fossi. Detto e fatto, mi alzo, metto i piedi in terra, pian piano mi chino, infilo le scarpe di Lorusso. Stavo per allacciarle quando mi sento dare un colpo violento: per fortuna mi mossi e il colpo mi sfiorò l'orecchio e mi prese sulla spalla. Era Lorusso che, al buio, mi aveva dato con quella maledetta chiave inglese. Io, dal dolore, questa volta persi la testa, mi alzai e gli diedi un pugno alla cieca. Lui mi afferrò per il petto cercando di darmi ancora con la chiave, e rotolammo insieme in terra. In quel chiasso, si svegliarono il portiere e i due figli e accesero la luce. Io gridavo: "Assassino;" e Lorusso, dal canto suo, urlava: "Ladro;" e gli altri gridavano anche loro e cercavano di separarci. Poi Lorusso diede un colpo con la chiave al portiere che era un omaccione e bastava un nonnulla per farlo infuriare; e il portiere prese una seggiola e cercò di colpire in testa Lorusso. Allora Lorusso si piantò in fondo allo scantinato, contro il muro, e agitando la chiave, incominciò a urlare: "Venite avanti se ci avete core. Vi faccio tutti fuori quanti siete... Sono il terrore di Roma," proprio come un pazzo, rosso in viso, gli occhi fuori dalla testa. In quel momento, io commisi l'imprudenza, tanto ero fuori di me, di gridare: "Attenti che poco fa ha ammazzato un uomo... è un assassino." A dirla in breve: mentre noi cercavamo di tener fermo Lorusso che urlava e si dibatteva come un ossesso, uno dei figli del portiere andò a chiamare gli agenti; e un po' io, un po' Lorusso, si venne a sapere del fatto della serra e ci arrestarono tutti e due.

Al commissariato dove ci portarono, bastò una telefonata, e subito ci dissero che eravamo quei due che avevano fatto il colpo a Villa Borghese.

Io dissi che era stato Lorusso e lui, questa volta, forse per le botte che aveva preso, non fiatò. Il commissario disse:

"Bravi... siete proprio bravi... Rapina a mano armata e tentato omicidio."

Ma per capire quanto sia incosciente Lorusso, basta sapere che, dopo un momento, come riscuotendosi, domandò:

"Domani che giorno è?"

Gli risposero:

"Venerdì."

E lui allora, fregandosi le mani:

"Uh, bene, domani a Regina Coeli c'è la minestra di fagioli."

Così venni a sapere che era anche pregiudicato, mentre invece mi aveva sempre giurato che in prigione non ce l'avevano mai messo.

Poi mi guardai i piedi, vidi che mi erano rimaste le scarpe di Lorusso e pensai che, dopo tutto, avevo ottenuto quello che volevo.

L'AMICIZIA

Mariarosa è un nome doppio, e la donna che portava questo nome era doppia anche lei così nel fisico come nel morale. Aveva una facciona bianca e rossa, larga come la luna piena, sproporzionata al corpo che era normale; faceva pensare a quelle rose che si chiamano cavolone appunto perché sono fitte e grosse come cavoli; e, insomma, subito, vedendola, si pensava che con una faccia simile se ne potevano fare facilmente due. Questa sua facciona, poi, era sempre placida, sorridente, serafica, tutto il contrario del carattere che, come mi accorsi a mie spese, era, invece, indiavolato. E per questo ho detto che era doppia anche nel morale.

Le avevo fatto la corte in tutti modi: prima rispettosa, galante, insinuante; poi, vedendo che non mi dava retta, avevo provato ad essere più entrante e aggressivo, aspettandola a mezza scala, sul pianerottolo più buio, cercando di baciarla per forza: ci avevo guadagnato qualche spintone e, per finire, uno schiaffo. Allora avevo pensato di fare lo sdegnoso, l'offeso, di non salutarla, di voltarmi dall'altra parte quando l'incontravo: peggio, pareva che non fossi mai esistito. Finalmente, mi ero fatto implorante, supplichevole, fino a pregarla con le lagrime agli occhi che mi volesse bene: niente. E almeno mi avesse scoraggiato completamente, una volta per tutte. Ma, maligna, proprio quando stavo per mandarla al diavolo, mi ripigliava con una frase, uno sguardo, un gesto. Più tardi, ho capito che per una donna i corteggiatori sono come le collane e i braccialetti: ornamenti di cui, se può, preferisce di non disfarsi. Ma allora, a quello sguardo, a quel gesto, pensavo: "Eppure qualche cosa c'è sotto... riproviamo." Improvvisamente seppi che quella civetta si era fidanzata con il mio migliore amico, Attilio. Mi fece rabbia per molti motivi: prima di tutto perché me l'aveva fatta sotto il naso, senza dirmi niente; e poi perché Attilio, ero io che gliel'avevo fatto conoscere; e così, senza saperlo, avevo retto il lume.

Ma sono un buon amico e per me l'amicizia passa avanti a tutto. Avevo voluto bene a Mariarosa; ma dal momento che era diventata la fidanzata di Attilio, per me era sacra. Lei avrebbe voluto, magari, continuare a stuzzicarmi; ma io glielo feci capire in tutti i modi e, alla fine, un giorno, glielo dissi chiaramente: "Tu sei una donna e l'amicizia non la capisci... Ma tu, da quando ti sei messa con Attilio, per me è come se non ci fossi... Non ti vedo e non ti sento... inteso?"

Lì per lì, sembrò che mi desse ragione. Siccome però continuava a civettare, decisi di non vederla più e tenni la parola. Seppi più tardi che si erano sposati ed erano andati ad abitare presso la sorella di lei che faceva l'infermiera. E che Attilio, il quale nove giorni su dieci era sempre disoccupato, aveva trovato da fare come facchino presso una ditta di trasporti. Mariarosa, invece, faceva come prima la stiratrice ma a giornata. Queste informazioni, in certo senso, mi tranquillizzarono. Sapevo, insomma, che non stavano bene e che il matrimonio molto bene non poteva andare. Ma da buon amico leale, continuai a non farmi vivo. Un amico è un amico e l'amicizia è sacra.

Sono stagnaro e, si sa, gli stagnari girano da una casa all'altra e, girando, capitano anche dove non vorrebbero capitare. Uno di questi giorni, mentre andavo da un cliente con la borsa dei ferri a tracolla, e un doppio giro di tubi di piombo intorno al braccio, passando per Ripetta mi sentii chiamare per nome: Ernesto. Mi voltai, era lei. A vederla, con quella sua facciona soda, placida e sorniona sulla personcina dalla vita di vespa e dai fianchi e dal petto rotondi, mi tornò il sentimento e quasi rimasi senza fiato. Ma pensai: "Sei un amico... comportati da amico." Dissi, asciutto: "Chi non more si rivede."

Lei aveva il fagotto della spesa sotto il braccio, pieno di verdura e di pacchi di carta gialla. Disse, sorridendo: "Non mi riconosci?"

"Se ti ho detto: chi non more si rivede."

"Perché non mi accompagni a casa?" riprese. "Giusto stamattina mi sono accorta che il tubo del lavandino in cucina non butta più... accompagnami, su."

Risposi, con lealtà: "Se è per una riparazione, va bene..." Lei mi lanciò una di quelle sue occhiate che un tempo mi facevano girare la testa e soggiunse: "Però dovresti portarmi il fagotto..." E così eccomi, carico come un somaro, con la borsa dei ferri, i tubi di piombo e il fagotto della spesa, dietro di lei che mi precedeva.

Andammo non tanto lontano, in una traversa di via Ripetta, entrammo in un portoncino che pareva l'ingresso di una grotta, salimmo per una scala da vergognarsi, umida, buia, puzzolente. A metà scala, lei si voltò e disse sorridendo: "Ti ricordi quando ti appostavi sul pianerottolo, al buio... che paura mi facevi... o te lo sei già dimenticato?" Risposi, rigido: "Mariarosa, non ricordo niente... ricordo soltanto che sono amico di Attilio e che l'amicizia passa avanti a tutto." Lei disse, sconcertata: "E chi ti ha detto che non dovresti essergli amico?"

Entrammo nell'appartamento: tre stanzette sotto il tetto, con le finestre su un cortile che pareva un pozzo, nero e senza sole. In cucina non ci si rigirava e la porta-finestra dava sul balconcino dove c'era il cesso. Mariarosa sedette su una seggiola, a gambe larghe, il grembo pieno di fagioli da capare; e io, posata la borsa sul pavimento, mi inginocchiai presso l'acquaio per fare la riparazione. Vidi subito che il tubo era marcio e che bisognava rimetterlo nuovo; e l'avvertii: "Guarda che bisogna rimettere il tubo nuovo... te la senti di pagarlo?"

"E l'amicizia?"

"E va bene" dissi con un sorriso, "te lo metto gratis... vuol dire che in cambio mi darai un bacio."

"E l'amicizia?"

Mi morsi le labbra, pensando: "Amicizia a doppio taglio;" ma non dissi nulla. Presi le tenaglie, svitai la guarnizione che era marcia come il tubo, tolsi il tubo, tirai fuori dalla borsa la macchinetta per le saldature, ci versai la benzina, sempre in silenzio. A questo punto la sentii che mi domandava: "Tu sei veramente amico di Attilio?"

Mi voltai a guardarla: stava con gli occhi abbassati, sorridente, melliflua, intenta ai fagioli. Dissi: "E come no..."

"Allora" continuò tranquilla "con te posso parlare liberamente.. vorrei proprio sapere da te che lo conosci bene, se certe mie impressioni sono giuste."

Risposi che parlasse pure; intanto avevo acceso la fiamma e la regolavo. Lei riprese: "Per esempio, non ti pare che quel posto che ha trovato non è roba per lui... fare il portatore..."

"Vuoi dire il facchino..."

"Fare il portatore non è un mestiere, io insisto perché studi da infermiere... poi mia sorella potrebbe farlo entrare al Policlinico..."

Intanto avevo innestato il tubo. Presi la macchinetta e quasi senza pensarci, tenendola sospesa, domandai: "Tu vuoi la verità o vuoi i complimenti?"

"La verità."

"Beh, io sono amico di Attilio, ma questo non mi impedisce di vederne i difetti... Prima di tutto è pigro."

"Pigro?"

Presi un pezzo di stagno, avvicinai la macchinetta e cominciai la saldatura. La fiamma ruggiva e io, per vincere il rumore, alzai la voce: "Sì, pigro... tu cara mia dovrai abituarti ad avere un marito sfaccendato... io sì che sono lavoratore... lui no; a lui piace alzarsi tardi, gironzolare, andare al caffè, leggersi il giornale con le notizie sportive, discuterle... giusto il facchino, magari... ma l'infermiere che è un mestiere di responsabilità... no, non ce lo vedo."

"Ma io" riprese lei sempre con quella sua voce calma e riflessiva "non sono neanche sicura che ce l'abbia questo posto... dice di andare al lavoro... soldi però non ne ho ancora visti... comincio a pensare che possa avermi detto qualche bugia... tu che ne dici?"

"Bugie?" risposi senza riflettere. "Ma quello è il più gran bugiardo che io conosca... quello ti fa vedere lo stravedere... quanto a bugie, puoi stare tranquilla..."

"È proprio quello che pensavo... ma se non va al lavoro che farà? Io non credo che proprio non faccia altro che gironzolare e andare al caffè... qualche cosa ci deve essere... va sempre così di fretta, è sempre così preoccupato." Si interruppe per prendere dal tavolo una pentola in cui mettere i fagioli già capati. La guardai, al di sopra della spalla: sorridente, tranquilla, serena. Riprese dopo un momento: "Sai che penso? che ci abbia una donna... tu che lo conosci, mi puoi dire se è vero."

Una voce, dentro di me, mi avvertiva: "Attento, Ernesto, vacci piano... c'è il tranello." Ma sia che il rancore fosse più forte della prudenza, sia che vedendola sparlare a quel modo del marito, cominciassi di nuovo a sperare per me, non potei fare a meno di rispondere: "Dico che hai ragione... le donne per lui sono tutto... belle o brutte, giovani o vecchie... non lo sapevi?"

La saldatura era finita. Spensi la macchinetta e con il dito pareggiai lo stagno ancora molle. Quindi cominciai a stringere il dado con la chiave inglese. Lei intanto, calma, diceva: "Sì, qualche cosa sapevo, ma niente di preciso... ora, pensa che idea mi è venuta... che se la intenda con Emilia, quella ragazza, la conosci? coi capelli rossi, che lavorava insieme con me nella stireria... tu che ne dici?"

Mi alzai in piedi. Mariarosa, che aveva messo i fagioli nella pentola, si alzò anche lei, scuotendo la veste per farne cadere i baccelli. Poi andò all'acquaio, mise la pentola sotto il rubinetto e fece scorrere l'acqua. Le andai dietro e la presi con le due mani per quella sua vita così snella dicendo: "Sì, è vero, vede Emilia tutti i giorni, verso sera, l'aspetta fuori della stireria e l'accompagna a casa. Ora sai tutto: che aspetti?"

Lei voltò appena il viso, sorridendo, e rispose: "Ernesto, non hai detto che gli eri amico? Lasciami!"

Per tutta risposta, cercai di abbracciarla. Ma lei si svincolò e disse, dura: "Ora hai fatto la riparazione... è meglio che te ne vai." Mi morsi la lingua e risposi: "Hai ragione... ma tu mi fai perdere la testa... bisogna che mi ricordi sempre che sono amico di Attilio e che tu sei sua moglie." Così dicendo, mortificato, raccolsi i ferri, feci per salutarla e andarmene. In quel momento la porta della cucina si aprì e Attilio comparve.

Mi salutò, contento, da amico: "Addio, Ernesto." Risposi: "Mariarosa mi aveva pregato di riparare il tubo... è fatto: ci ho messo il tubo nuovo." "Grazie," disse lui, avvicinandosi; "grazie tanto..." In quel momento la voce di Mariarosa, calma ma sforzata, ci fece voltare tutti e due: "Attilio..."

Stava ritta presso il fornello, un sorriso in mezzo alla faccia, la mano posata sul marmo. Continuò, tutto in un fiato, senza alzare la voce: "Attilio, anche Ernesto dice che sei pigro e che non hai voglia di lavorare..."

"Hai detto questo?"

"E, come pensavo, ha detto pure che sei un gran bugiardo e che, forse forse, non hai neanche il posto di facchino..."

"Hai detto questo?"

"E poi mi ha confermato quello che già sapevo: che vedi

Emilia tutti i giorni e fai l'amore con lei... mentre io faccio la serva, e sgobbo a stirare per le case, tu ti diverti con Emilia... e a me dici che vai al lavoro... è inutile che dici di no, ormai... Ernesto, che ti è amico e ti conosce, mi ha confermato ogni cosa..." Parlava con voce calmissima e io, per la prima volta, compresi che mi ero lasciato andare a confidarmi con una matta. Infatti, aveva appena finito di parlare, mentre lui, brutto, mi si avvicinava ripetendo: "Hai detto questo?," che prese un ferro da stiro, di ferro, che stava sul fornello e glielo scaraventò in testa. Con tanta precisione che se lui non abbassava il capo, lo ammazzava. Poi quel che avvenne, non saprei ridirlo. Lei rigida, tranquilla e pazza, continuava a prendere dal fornello oggetti pesanti e pericolosi, come coltelli, mattarelli, pentole, e a tirarglieli dietro; lui, dopo due o tre tentativi di schermirsi, infilò la porta e scappò. Scappai anch'io abbandonando in terra quei due o tre metri di tubo di piombo, e presi per le scale a precipizio, mentre lui urlava. "Non farti rivedere, sai... se ti rivedo, ti ammazzo." Non mi sentii sicuro se non quando ebbi passato il ponte e mi ritrovai tra i giardinetti di piazza della Libertà. Qui sedetti su una panchina, per rifiatare. Allora pensai che era stata l'amicizia a farmi parlare, proprio perché sapevo che Attilio era fatto a quel modo e mi dispiaceva; e giurai dentro di me che da quel giorno non sarei più stato amico a nessuno.

LA ROVINA DELL'UMANITÀ

Verso la metà di febbraio cadde la tramontana che mi aveva fatto tanto soffrire durante l'inverno, il cielo si riempì di nuvole e prese a soffiare un vento umido che pareva venire dal mare. Ai soffi di questo vento mi sentii rianimare, benché in una maniera triste, come se mi avesse sussurrato all'orecchio: "Su, coraggio, finché c'è vita c'è speranza." Ma proprio perché sentivo che l'inverno era finito e cominciava la primavera, capii che non ne potevo più di andare a lavorare nel laboratorio dello zio. Ero entrato nel laboratorio un anno prima, come un treno entra in una galleria, e ancora non ne ero uscito e non vedevo neppure il chiarore dell'uscita. Non che fosse un lavoro spiacevole o antipatico: c'è di peggio. Il laboratorio era un grande capannone, situato in fondo ad un terreno cintato, che serviva da deposito ad una fabbrica di laterizi, a mezza strada sulla Via della Magliana. Dentro il capannone, l'aria era sempre piena della farina bianca della segatura, come in un mulino; e in mezzo a questo polverio, nel ronzio continuo delle seghe e dei torni elettrici, ci muovevamo noialtri lavoranti e lo zio, infarinati come mugnai, affaccendati il giorno intero a fabbricare mobili e infissi. Lo zio, poveretto, mi voleva bene come ad un figlio; i lavoranti erano tutti buona gente, e, come ho già detto, non era un lavoro antipatico: prima un tronco di quercia o di acero o di castagno, storto, lungo, appoggiato alla parete del laboratorio, con tutta la corteccia e, magari, dentro la corteccia, ancora le formiche che ci abitavano quando era un albero; poi, a forza di sega, tante assi bianche e pulite; poi, fuori da queste assi, col tornio, con la pialla, con gli altri strumenti, secondo i casi, gambe di tavoli, parti di armadi, cornici; e finalmente, una volta inchiodato, avvitato, incollato il mobile, la verniciatura e la lucidatura. Per chi lavora volentieri, questo progresso dal tronco dell'albero al mobile può anche diventare una passione; ed è sempre interessante, o per lo meno non è noioso. Ma si vede che sono fatto in maniera diversa dagli altri: dopo qualche mese, io, di questo lavoro, non ne potevo più. E non tanto perché non sono lavoratore, ma perché mi piace fermarmi ogni poco nel lavoro e guardarmi intorno: così, per vedere chi sono, dove sono, a che punto sono arrivato. Lo zio, invece, era proprio il contrario di me: lavorava sempre, con accanimento, con passione, senza mai rifiatare né riflettere; e così da una seggiola ad un infisso, da un infisso ad un armadio, da un armadio a un comodino, da un comodino ad una seggiola era arrivato a cinquant'anni, che tanti ne aveva, e si capiva che avrebbe continuato a quel modo fino alla morte, che sarebbe stata un po' la morte di un tornio che si spezza o di una sega che perde i denti, la morte, insomma, di uno strumento e non di un uomo. E infatti, la domenica, quando si metteva gli abiti della festa e se ne andava lento lento, per i marciapiedi di Via Arenula, insieme con la moglie e coi figli, gli occhi socchiusi, la bocca storta e due rughe profonde tra la bocca e gli occhi, sembrava proprio uno strumento fuori uso, inutile, spezzato; e non potevo fare a meno di ricordare che quella faccia gli era venuta a forza di chinarsi sul tornio e sulla sega e di strizzare gli occhi nel polverio della segatura; e mi dicevo che non valeva la pena di vivere se ogni tanto non ci si fermava e non si pensava che si stava vivendo.

L'autobus che parte dalla stazione di Trastevere va e torna dalla campagna. Contadini, operai, ogni sorta di povera gente, ci portano il fango delle scarpe, il puzzo di sudore dei panni di fatica e, forse, anche qualche insetto. Così al capolinea ci buttano sul pavimento e perfino sui sedili non so che disinfettante puzzolente che prende alla gola e fa piangere come la cipolla. Una di quelle mattine dolci di febbraio, mentre aspettavo che l'autobus partisse, gli occhi pieni di lagrime per via del disinfettante, il vento marino che entrava dai finestrini mi diede una gran voglia di andarmene per conto mio, per fermarmi un poco a riflettere sopra me stesso. Così, quando discesi davanti il laboratorio, invece di avviarmi a destra, verso il capannone, andai a sinistra, verso i prati che stanno tra lo stradone e il Tevere. Presi a camminare sull'erba pallida, nel vento fiacco e umido, incontro il cielo pieno di nuvole bianche. Il Tevere non lo vedevo perché in quel punto scorre in una piega del terreno; al di là del Tevere vedevo le fabbriche abbandonate dell'E 42, il palazzo con tutti gli arconi che pare una colombaia, la chiesa con la cupola e le colonne che non reggono nulla e sembrano colonne di legno di un gioco di costruzioni per bambini. Dietro di me c'era la zona industriale di Roma: gli alti forni con i lunghi pennacchi di fumo nero; i capannoni delle fabbriche, pieni di finestroni; i cilindri bassi e larghi di due o tre gazometri, quelli alti e stretti dei silos. Pensando agli operai che faticavano in quelle fabbriche, l'ozio mi pareva più saporito. Mi sentivo tutto sornione e in agguato, come se fossi andato a caccia. E, in verità, andavo a caccia, ma non di uccelletti bensì di me stesso.

Giunto al Tevere, ad un punto che la costa è meno ripida, mi lasciai sdrucciolare giù per il pendio fino alla riva e sedetti tra i cespugli. Ad un passo dai miei piedi scorreva il Tevere, e lo vedevo girare come una serpe per la campagna, con la luce abbagliante del cielo rannuvolato sulla pelle gialla e grinzosa. Al di là del Tevere, c'erano altri prati di un verde pallido e, sparse per i prati, tante pecore che brucavano, gonfie di lana sporca, con qualche agnellino proprio bianco qua e là, cui la lana non aveva fatto a tempo di insudiciarsi. Stavo seduto con le ginocchia tra le braccia e guardavo fisso all'acqua gialla che in quel punto faceva un mulinello fuori dal quale sporgeva un ramo nero, ispido e arruffato che pareva la capigliatura di un'annegata. Allora, in quel silenzio, mentre quel ramo nero come l'ebano tremava alle scosse della corrente ma non si muoveva, mi sentii tutto ad un tratto come ispirato; e non con il pensiero ma con un senso più profondo del pensiero mi parve di aver capito una cosa molto importante. O meglio, di poterla capire, soltanto che mi fossi sforzato di arrivarci. Stava, insomma, questa cosa in bilico, come si dice che le parole stanno sulla punta della lingua. E io, per fermarla e impedirle di ricadere giù nel buio, dissi improvvisamente ad alta voce: "Mi chiamo Gerardo Mucchietto."

Subito, una voce canzonatoria che veniva dall'alto, disse: "Soprannominato Mucchio... ma che, parli solo?"

Mi voltai e proprio sopra di me, ritta in piedi sulla costa, vidi la figlia del custode del deposito di laterizi, Gioconda, in gonna di velluto nero e maglia rossa, senza calze, i capelli al vento. Ora, di tutte le persone che conoscevo al mondo, proprio Gioconda era quella che avrei meno desiderato di vedere in quel momento. Si era incapricciata di me e mi perseguitava, sebbene le avessi fatto capire in tutti i modi che non mi piaceva. Così, mi venne subito l'impulso di dirle qualche cosa di sgradevole, in modo che andasse via e io potessi restar solo e tornare a quella cosa che ero stato lì per lì per capire quando lei era venuta. Le dissi, senza muovermi: "Guarda, che ti si vedono le gambe."

E lei, sfacciata, scivolandomi accanto: "Permetti che ti tenga compagnia?"

"Non so che farmene della tua compagnia" dissi sempre senza guardarla "e poi come fai a sederti qui in terra... con tutta quella polvere?"

La vidi sollevare la veste e sedere giù, soddisfatta, dicendo: "Tanto non ho le mutande." La cosa cui volevo pensare era sempre lì, per fortuna, in bilico sull'orlo della mente, come un uccello sopra un davanzale. Gioconda, intanto, tutta zuccherosa, mi si attaccava al braccio e mi diceva: "Gerardo perché sei così perfido?... io ti voglio tanto bene."

"Non sono perfido, non mi piaci, ecco tutto."

"E perché non ti piaccio?"

Dissi in fretta, con la paura che, parlando, quella cosa a cui volevo pensare se ne andasse: "Non mi piaci perché hai una facciona rossa piena di foruncoli... sembri una rosa cavolona..."

Che avrebbe fatto un'altra dopo una frase come quella? Se ne sarebbe andata subito. Ma lei invece, stringendosi contro di me, civetta: "Gerardino, perché non sei più gentile con me?"

"Sì, lo sarò" dissi disperato, "purché tu te ne vada."

"Che, aspettavi un'altra donna, Gerardino?"

"No, nessuno, volevo star solo."

"Perché solo? Stiamo invece insieme... è così bello stare insieme."

Questa volta non dissi nulla: la cosa era sempre là, sull'orlo, e sentivo che sarebbe bastato un nonnulla per farla rientrare nel buio donde era uscita. Fu a questo punto che Gioconda esclamò: "Vuoi vedere che indovino quello a cui stai pensando?"

Punto sul vivo risposi: "Non indovini neppure se ci pensi cent'anni."

"E io invece ti dico che lo indovino... vediamo se ho ragione... io dico che tu stavi pensando a queste mie calzettine arrotolate alla caviglia, assortite con la maglia... di' la verità, stavi pensando a questo." Così dicendo stese la gamba, grossa e rossa, coperta di peli biondi, mostrando il piede con il calzerotto color fragola. Io non potei fare a meno di levare gli occhi verso quel piede e, tutto ad un tratto, avvertii che quella cosa era ricaduta giù, dall'altra parte, nell'oscurità. Non sentivo più niente, non capivo più niente, ero vuoto, morto, inerte, come le palanche di legno stagionato che lo zio teneva appoggiate al muro nel laboratorio. Al pensiero di aver perduto di vista quella cosa tanto bella e importante per colpa delle chiacchiere di quella stupida, mi venne ad un tratto una grandissima rabbia e gridai, voltandomi bruscamente: "Ma perché sei venuta?...Sei la mia disgrazia... non potevi lasciarmi solo?" E siccome lei continuava a stringermi per il braccio, mi liberai con forza e la colpii sulla testa. Ma lei si aggrappava, cocciuta, sebbene la picchiassi su quel testone biondo: allora mi levai in piedi, l'acciuffai per i capelli e la buttai a terra sul greto e la pestai coi piedi per tutto il corpo e persino sulla testa. Lei, acciambellata, il viso tra le mani, gemeva, e cacciò anche qualche strillo, ma non si ribellò: forse era contenta. Però, quando mi fui stancato di pestarla, si levò e, tutta impolverata, si allontanò singhiozzando. Io gridai forte: "Voi donne siete la rovina dell'umanità." Lei, sempre singhiozzando si avviò per un viottolo, lungo il greto del Tevere, e scomparve.

Ma ormai quella cosa era volata via e, adesso, sebbene fossi solo, mi sentivo altrettanto inerte, sordo e vuoto che quando c'era Gioconda. Non c'era nulla da fare, per quel giorno, e chissà per quanto tempo ancora non avrei più ritrovato un'occasione come quella. Pieno di rabbia e al tempo stesso incerto e smanioso, girai tutta la mattina per quei prati, maledicendo Gioconda e la sorte, senza riuscire a fermarmi né con il pensiero né con il corpo. Finalmente capii che non mi restava che tornare al laboratorio e ci andai. Gioconda, tra i mucchi di laterizi, una pentola in braccio, spargeva il mangime alle galline e mi salutò da lontano con un sorriso. Io non risposi ed entrai nel capannone. "Voglia di lavorare saltami addosso," gridò lo zio vedendomi. Non dissi nulla, mi misi la tuta e ripresi il tornio al punto preciso dove l'avevo lasciato il giorno prima.

PERDIPIEDE

Ho cominciato a perdere piede subito, appena nato, per via del mio viso che manca completamente di mento. Non è una parte importante del viso, il mento, meno importante assai del naso o degli occhi, ma se vi manca, non so perché, tutti vi prendono per scemo. Basta, continuai a perdere piede restando orfano a tredici anni, e poi ne persi ancora andando a stare con una mia zia contadina in Ciociaria dove mi ero ridotto a vivere come una bestia, e poi ancora restando un giorno e una notte sotto le rovine della casa quando fu bombardata. Quindi guerra, tedeschi, alleati, fame, dopoguerra, borsanera, scatolette: non feci che perdere piede. Eh, se la vita è fatta a scale, come dice il proverbio, e c'è chi le scende e c'è chi le sale, io, queste scale della vita, non ho fatto che scenderle, sempre per colpa di quel mento che non c'era e avrebbe dovuto esserci. Le ho discese a tal punto che quando, un anno fa, trovai da dormire presso un portiere del centro di Roma e poi incominciai a campare metà di elemosina e metà di servizietti in quella stessa strada dove era la portineria, mi sembrò di salire, per la prima volta da quando ero nato. Non ci crederete, ma fu proprio la mancanza del mento a salvarmi: quella era una strada di grossi negozi di alimentari, come dire pizzicherie, bottiglierie, vapoforni, macellerie, drogherie, norcinerie, e tutti quei negozianti pieni di clienti avevano bisogno di qualcuno che portasse pacchi, ritirasse vuoti, andasse qua e là per commissioni. Vedendomi senza mento ma robusto quei bottegai ebbero compassione di me; e così, ora con uno ora con un altro, mi feci parecchie poste e potei contare su un buon numero di mance. C'erano anche, nella strada, quattro o cinque tra osterie e trattorie; e anche gli osti, sempre per compassione del mento, mi davano ogni tanto una minestra. Avevo una camicia militare e un paio di pantaloni con le ginocchia rattoppate; qualcuno mi diede una giacca con i gomiti sfondati ma per il resto ancora buona; qualcun altro un paio di scarpe basse. Insomma, come mi dissi dopo un mese, ormai non perdevo più piede, anzi, decisamente, ingranavo.

Una strada, la gente la percorre in macchina o a piedi e gli sembra una strada come tutte le altre; ma a viverci, come facevo io, senza mai uscirne, dalla mattina alla sera, una strada è un mondo che non si finisce mai di approfondire. In quella strada in cui conoscevo perfino i gatti, c'erano quelli che mi volevano bene, c'erano quelli che non mi volevano né bene né male, e c'erano quelli che mi volevano male. I negozianti e gli osti mi volevano bene perché ero servizievole e alla mano; il barbiere, la merciaia, il profumiere, il farmacista e tanti altri non mi volevano né bene né male perché io non avevo bisogno di loro e loro non avevano bisogno di me; finalmente un gruppetto di giovanotti che si davano appuntamento al bar della torrefazione mi volevano proprio male. Erano tutti sportivi che passavano il tempo ad accapigliarsi per le squadre di pallone e per le corse in bicicletta, e si vede che lo sport rende gli uomini cattivi, facendoli parteggiare per il più forte e odiare il più debole. Io ero il più debole e loro, appena entravo nella torrefazione, mi prendevano di mira coi nomignoli e con le canzonature. Mi chiamavano Perdipiede perché un giorno, avendomi fatto bere all'osteria, mi ero lasciato andare a spiegare come, dalla nascita, non avessi fatto che perdere piede; mi davano delle commissioni finte; mi domandavano, canzonando: "Perdipiede, hai perduto ancora piede?" Oppure mi consigliavano, seri: "Guarda, per il tuo bene, dovresti farti crescere la barba... così nessuno più si accorgerebbe che non ci hai il mento." Consiglio perfido, perché la barba, chissà perché, io non ce l'ho. Appena qualche pelo lungo e molle, ma niente barba. Tuttavia nonostante questi giovanotti senza cuore, io, come ho detto, ingranavo, ossia riuscivo a campare. Anzi, vedendomi per la prima volta in vita mia vestito e nutrito, con un letto e un tetto, e persino con qualche soldo in saccoccia, mi meravigliavo e quasi non ci credevo e mi ripetevo: "Facciamo corna... ma vuoi vedere che non la dura... facciamo corna."

Non durò infatti. Una mattina, d'estate, entrando nella torrefazione per rilevare una cassetta di lattine di petrolio da portare a un cliente, notai che quel solito gruppetto degli sportivi avevano qualche cosa che li interessava, stando tutti in piedi, in cerchio, in fondo alla bottega. Dignitoso, però, mi avviai al banco, fingendo di ignorarli. Ma loro mi avevano visto e mi chiamarono: "Ahò, Perdipiede, vieni un po' qui... guarda chi c'è." Non volevo dargli retta, ma qualcuno mi afferrò per un braccio e dovetti arrendermi. Dunque, in fondo alla bottega, seduto su una seggiola, contro una piramide di rotoli di carta igienica, c'era un uomo che si tirava i capelli, si dava pugni in testa e piangeva. Era vestito di un paio di pantaloni di velluto e di una canottiera sbracciata. Piangeva e gemeva, ma si tirava i capelli e si dava pugni in testa con una sola mano, perché era monco e al posto della mano ci aveva una cosa rotonda e liscia simile ad un piccolo ginocchio. Poi alzò il viso, che era nero di barba e tutto schiacciato, e vidi che era anche guercio; ma l'altro occhio valeva per due, vivo, scintillante, pieno di malizia. Quei giovanotti mi spiegarono che era un disgraziato più disgraziato di me: non soltanto orfano, non soltanto sinistrato, non soltanto sfollato, non soltanto monco, non soltanto guercio ma anche sciancato. E aggiunsero che lui era il mio concorrente, ormai, perché aveva già trovato da dormire in un sottoscala, in quella stessa strada, e avrebbe campato di servizi come me, e, insomma, era venuto per spiantarmi. "A te manca soltanto il mento e magari un pezzo di cervello," disse uno di loro, "ma a lui mancano una mano, un occhio e perfino è sciancato... sei battuto, Perdipiede." Io dissi che ci avevo da fare e feci per ritirarmi. Ma quelli mi trattennero, dicendo che dovevamo stringerci la mano, visto che eravamo i due più disgraziati della strada. Così ci stringemmo la mano; e poi il monco che era un furbo di tre cotte, ricominciò la commedia strappandosi i capelli, dandosi il pugno in testa e gridando: "Lasciatemi... non voglio più vivere... voglio morire... vado a buttarmi a Tevere... sicuro... a Tevere vado a buttarmi." Insomma, mi toccò assistere ad una scena così finta che mi veniva da vomitare. Tanto che dissi, alla fine: "No, tu a Tevere non ti ci butti... sta tranquillo... te lo dico io." Lui mi guardò con quel suo occhio e gridò: "Ah, non mi ci butto... ora vedi... io ci vado adesso, subito." E fece il gesto per alzarsi e uscire per andare al Tevere che, infatti, non era lontano. Morale: lo trattennero, gli diedero qualche soldo, e poi, quando andai al banco e dissi: "Beh, quelle lattine," mi sentii rispondere: "Perdipiede, abbi pazienza... quelle lattine oggi le facciamo portare a lui che è tanto più disgraziato di te... Un po' per uno non fa male a nessuno." Insomma, lui, dopo un momento, si asciugò le lagrime, acchiappò, con una sola mano la cassetta delle lattine, se la fece volare sulla spalla e, arrancando con la gamba corta, tutto arzillo, uscì dalla torrefazione. E io rimasi a mani vuote, con quei giovanotti che mi canzonavano ripetendomi che era arrivato il concorrente e che dovevo stare attento, altrimenti lui mi soffiava la posizione.

Loro scherzavano, e invece era la verità. Col fatto di essere monco, guercio e sciancato, di dare in smanie e piangere e darsi il pugno in testa ad ogni occasione, quella canaglia di Bettolino (così lo chiamavano perché gli piaceva alzare il gomito e le sere le passava all'osteria), fece presto a soffiarmi parecchie poste. Entravo in questo o quel negozio, mi presentavo per il solito pacco, per la solita commissione e mi sentivo dire: "Abbiamo incaricato Bettolino... abbi pazienza... ha più bisogno di te... sarà per la prossima volta." Così andai avanti un mese e più sempre sentendomi dire: "Bettolino ha più bisogno di te... abbi pazienza." Pazienza ce n'avevo; ma capivo che non poteva andare avanti a questo modo: Bettolino sempre piangendo e dandosi il pugno in testa e dicendo che voleva buttarsi a Tevere, avanzava; e io, di nuovo, come prima, peggio di prima, perdevo piede. Finalmente, la goccia che fece traboccare il vaso fu la risposta che mi diede quello del vapoforno, un giorno che mi rivolsi a lui per una commissione: "Senti, Perdipiede, mi pare che tu stia esagerando... sei forte, sei giovane, sei svelto, perché non ti cerchi un lavoro normale?... Bettolino, capisco, gli manca una mano, un occhio ed è sciancato... ma tu, non ti manca niente, perché non vai a lavorare?" Che potevo rispondere? Che mi mancava il mento? Ma con il mento non si lavora. Non dissi nulla, ma da quel giorno capii che in quella strada ormai non c'era posto per tutti e due: o io o lui.

Una di quelle mattine, mi ricordai che c'era una cassetta di bottiglie di acqua minerale da portare ad un cliente; e che, per una combinazione, Bettolino quella stessa commissione l'aveva fatta il giorno prima, così che oggi toccava a me. Andai dunque difilato alla cassa della torrefazione e dissi al padrone:

"Sono venuto per quelle bottiglie." Il padrone stava facendo i conti e non mi rispose subito; poi, senza alzare la testa, gridò: "Dategli un po' quelle bottiglie." Ma il garzone del bar rispose: "Le abbiamo già date a Bettolino... Perdipiede, sei venuto in ritardo e l'abbiamo date a lui... credevamo che tu non venissi più." "Ma se è presto...," incominciai smarrito e già furente. "Beh, lui è venuto prima di te, non so che farci." Domandai: "È un pezzo che è uscito?" "No, sarà un momento." Dissi: "Ora l'aggiusto io," e uscii dalla bottega. Dovevo avere un viso sconvolto, perché quei soliti giovanotti dello sport, che avevano assistito alla scena, mi seguirono in massa nella strada. Bettolino, infatti, arrancava cinquanta metri più in là, sul marciapiede la cassetta delle bottiglie sulla spalla. Lo raggiunsi di corsa, gli acchiappai il braccio con il quale reggeva la cassetta e gli dissi, ansimante: "Metti giù queste bottiglie... oggi tocca a me." Lui si voltò e disse: "Ma che, sei scemo?" aggressivo. "Ti dico di metter giù quelle bottiglie." "Ma tu chi sei?" "Sono uno che se non le metti giù ti fa passare la voglia di campare." "Ma chi lo dice?" "Lo dico io." Insomma, lottammo un momento e poi io gli diedi uno strattone e la cassetta cascò per terra e le bottiglie si sfasciarono allagando il marciapiede di acqua minerale. Lui, subito, ipocrita, cominciò a urlare, rivolto agli sportivi che ci avevano seguiti e ora ci circondavano: "Siete tutti testimoni... le bottiglie le ha sfasciate lui... siete tutti testimoni." Io allora persi del tutto la testa: avevo un coltellino in tasca, lo strinsi, mi slanciai su di lui, l'agguantai al petto e feci per menare, gridando: "Tu devi andartene, hai capito?... devi andartene." La gente strillò vedendo il coltello, qualcuno mi acchiappò il polso storcendolo, il coltello cascò in terra, un ragazzino, svelto, lo raccolse. Intanto Bettolino urlava, saltando qua e là: "Mi vuole ammazzare, aiuto... mi vuole ammazzare;" ma poi, vedendo che mi trattenevano, e che non c'era pericolo per lui, da vero vigliacco mi tirò un colpo in faccia, duro come una sassata, con l'osso del braccio monco. A questo colpo, cacciai un muggito, mi svincolai e mi gettai su di lui. Ma lui, con tutto che fosse zoppo, era svelto e si nascondeva ora dietro uno ora dietro un altro di quei giovanotti, sempre gridando che volevo ammazzarlo; e io gli correvo dietro e ormai vedevo rosso ed ero come un toro che corre qua e là dando cornate e la gente scappa dove può e il toro le cornate le dà nell'aria.

Correvo, e la folla si apriva, e poi si riuniva di nuovo, e Bettolino sempre mi sfuggiva. Finalmente un certo Renato, il più forte del gruppo degli sportivi, mi agguantò per le braccia dicendo: "Piantala e stai fermo." Bisogna dire che ce l'avessi con lui almeno quanto ce l'avevo con Bettolino, perché mi voltai e gli diedi un pugno in faccia. Questo pugno mi perdette. Ne ricevetti subito uno che mi fece ruzzolare in terra e, quando mi rialzai, mi sentii prendere per il braccio da un agente. Mi trascinarono via che perdevo sangue dal naso, con un codazzo di gente che ci seguiva, con Bettolino che da lontano continuava a gridare che avevo voluto ammazzarlo. Il coltello fu ritrovato e così mi condannarono. Quando uscii di prigione capii che con Bettolino avevo perduto piede definitivamente; e non mi feci più vedere in quella strada. Chi perde piede, non lo rimette dove l'ha perduto.

VECCHIO STUPIDO

Avendo l'abitudine di corteggiare le donne, è difficile accorgersi quando quel tempo è passato e le donne ti guardano come un padre o, magari, come un nonno. Difficile soprattutto perché ogni uomo maturo ha dentro la testa un'altra testa: la testa di fuori ha le rughe, i capelli grigi, i denti cariati, gli occhi pesti; la testa di dentro, invece, gli è rimasta come quando era giovane, coi capelli neri e folti, il viso spianato, i denti bianchi e gli occhi vivi. Ed è la testa di dentro che guarda con desiderio le donne, pensando di esserne veduta. Invece le donne vedono la testa di fuori e dicono: "Ma che vuole quel boccio? Non si accorge che potrebbe essermi nonno?"

Basta, quell'anno il salone dove sono barbiere da quasi trent'anni, si ingrandì: furono cambiati gli specchi e i lavandini, furono riverniciate le pareti e gli armadi e, alla fine, il padrone pensò bene di prendere anche una manicure che si chiamava Iole. Nel salone, oltre al padrone, eravamo in tre: un giovanotto sui venticinque anni, Amato, bruno e serio, che era stato carabiniere; Giuseppe, più vecchio di me di cinque anni, basso, corpulento e calvo; ed io. Come avviene sempre quando in un ambiente di soli uomini entra una donna, ben presto mi accorsi che tutti e tre guardavamo con insistenza Iole. Lei, poi, era proprio quello che si dice un tipo comune, da cartolina illustrata: formosa, sgargiante, con un viso appariscente e i capelli neri; come lei ce ne sono milioni. Bisogna notare a questo punto che io, senza vantarmi, posso dirmi un bell'uomo. Sono magro, di altezza giusta, con un viso pallido e nervoso; e le donne dicono che ho un'espressione interessante. Effettivamente, specie se guardo di sbieco, i miei occhi colpiscono, dolci, pieni di sentimento, appena appena scettici. Ma ciò che ho di meglio sono i capelli: castani chiari, fini, puliti, bene ondulati, tagliati alla nazzarena, cioè ritti come una fiammata, con le basette lunghe che scendono fino a mezza guancia. Inoltre sono elegante: fuori del salone sempre vestito con proprietà, con la cravatta, i calzini e il fazzoletto assortiti; nel salone con un càmice quasi più da chirurgo che da parrucchiere, tanto è bianco. Non è sorprendente, con queste qualità, che io sia fortunato con le donne. E siccome questa fortuna non si è mai smentita, ho preso l'abitudine, se mi piacciono, di guardarle in certo modo insistente e suggestivo che vale cento complimenti. Così, quando, dopo averle guardate ben bene, le accosto, trovo che il frutto è già maturo: non mi resta che stendere la mano e coglierlo.

Nel salone, per quanto riguardava Iole, chi mi faceva più paura era Amato. Non era bello, non era interessante, ma era giovane. Giuseppe non lo tenevo in alcun conto: più vecchio di me, come ho già detto, e proprio brutto, senza rimedio. Iole stava sempre seduta al suo tavolino di manicure, in un angolo, intontita dalla noia e dall'immobilità, assorta a leggere e rileggere i due o tre giornali del salone o a rifarsi le unghie in attesa di rifare quelle dei clienti. Quasi mio malgrado, d'istinto, presi a cucinarla con gli sguardi. Arrivava un cliente, si sedeva nella poltrona: io prendevo l'asciugamani, lo stendevo con un colpo solo, elegantemente, e intanto trovavo modo di lanciarle un lungo sguardo. Oppure lavavo i capelli, massaggiando con le due mani la testa insaponata, e di nuovo un altro sguardo. Oppure ancora, mi esercitavo in punta di forbice su una sfumatura: ogni quattro colpi di forbice, uno sguardo. Se poi si muoveva, indolentemente, per andare a prendere un ferro in un armadio, la seguivo con gli occhi nello specchio. Iole, debbo dirlo, era tutt'altro che sveglia e civetta: aveva, anzi, un'espressione addormentata, sorniona, ottusa, come un grosso micio gonfio di sonno. Ma dàgli oggi e dàgli domani, prima si accorse che la guardavo; poi accettò di farsi guardare; finalmente cominciò anche lei a ricambiarmi gli sguardi. Senza malizia, perché non ne aveva, in una maniera goffa e pesante, ma indubitabile.

Pensai allora, come si dice, che la pera fosse matura; e un sabato l'invitai ad andare ai bagni di Ostia, la domenica pomeriggio. Accettò subito, osservando, però, che non dovevo criticarla per il costume da bagno: era ingrassata e il solo che avesse le stava stretto. Disse, anzi, senz'ombra di civetteria: "Sono diventata un po' ciccetta a forza di star seduta nel salone, senza far movimento." Frase di una ragazza priva di furbizia; anche per questo mi piaceva. Ci demmo appuntamento per il giorno dopo, alla stazione di San Paolo; e io, prima di andarci, feci una toeletta accurata. Mi sbarbai e mi diedi il talco sulle guance; mi ripassai i capelli al pettine fitto per toglierne anche il sospetto della forfora; mi spruzzai un po' di violetta in capo e nel fazzoletto. Avevo la camicia alla robespierre, col collo aperto, la giubba sahariana e i pantaloni bianchi. Iole fu puntualissima: alle due, tra la folla dei gitanti, la vidi venirmi incontro, tutta vestita di bianco, un po' grossa e bassa, ma giovane e appetitosa. Disse, salutandomi: "Che folla... vedrà che ci toccherà fare il viaggio in piedi." Ora io sono cavalleresco e così le risposi che le avrei trovato un posto: lasciasse fare a me. Intanto, il treno entra sotto la pensilina, la folla sulla banchina ha un movimento di panico come se fosse caricata da uno squadrone di cavalleria, tutti gridano e si chiamano, io mi slancio, mi attacco ad uno sportello, mi ergo sulla folla, sto per salire. Un giovanotto bruno mi dà una spinta e fa per passarmi avanti. Restituisco la spinta, lo sorpasso, mi tira per una manica, gli do una gomitata nello stomaco, mi libero e mi slancio nello scompartimento. Ma ho perso del tempo con quel bullo e lo scompartimento è già pieno, salvo un posto. Corro al posto, anche lui ci corre; quasi nello stesso momento ci mettiamo, per fissarlo, io il costume da bagno e lui la giubba. Allora ci affrontiamo. Gli dico: "Sono arrivato prima io." "Ma chi lo dice?" "Lo dico io," rispondo e gli butto la giubba in faccia. In quel momento arriva Iole e si siede senza esitazione dicendo: "Grazie, Luigi." Il giovanotto raccoglie la giubba, esita, poi capisce che non può scacciare Iole e si allontana, pronunziando a voce alta: "Vecchio stupido."

Il treno partì quasi subito e io mi attaccai a un mancorrente, stando in piedi presso Iole. Ma ormai avevo perduto ogni entusiasmo e avrei voluto ridiscendere e andarmene. Quelle due parole: "vecchio stupido" mi avevano sorpreso proprio nel momento in cui meno me l'aspettavo. Pensavo che il giovanotto aveva detto "vecchio stupido" con due diversi sentimenti. L'ingiuria stava nello "stupido"; e fin qui niente di male:

aveva voluto offendermi, mi aveva dato dello stupido. Ma "vecchio" non l'aveva detto per insultarmi. "Vecchio" l'aveva detto come una verità. Come avrebbe detto se, poniamo, invece di cinquant'anni ne avessi avuto sedici: "Scemo di un ragazzo." Insomma, per lui, come per tutti, compresa Iole, ero un vecchio; e poco importava che lui mi vedesse stupido e Iole, invece, intelligente. Forse non sarebbe stato neppure necessario che Iole prendesse il posto. Il giovanotto, alla fine, me l'avrebbe ceduto lo stesso per rispetto all'età. Questo mi fu confermato da uno seduto di fronte a Iole, il quale aveva assistito alla scena e disse: "Ragazzaccio... se non altro doveva cedere per rispetto all'età."

Mi sentivo tutto gelato e smarrito. E ogni tanto mi portavo la mano al viso quasi cercando, in mancanza di uno specchio, di riconoscere con le dita quanto fossi vecchio. Iole, naturalmente, non si rendeva conto di nulla. Mi disse a mezza strada: "Mi dispiace che lei stia in piedi," Io non potei fare a meno di risponderle: "Sono vecchio, sì, ma non tanto da non poter stare in piedi mezz'oretta." Quasi sperando che lei mi rispondesse: "Luigi... vecchio lei... ma che dice?" Invece quella tonta non rispose nulla; e così mi convinsi che avevo ragione.

A Ostia si spogliò prima lei, uscendo, poi, fuori dalla cabina, nel costume che le scoppiava addosso, bianca, fresca, soda, giovane da far rabbia. Entrai a mia volta nella cabina e per prima cosa andai a guardarmi nello specchietto rotto che pendeva dalla parete. Ero proprio vecchio: come avevo fatto a non accorgermene? Vidi in un solo sguardo gli occhi velati e smarriti tra le rughe, i capelli pieni di fili bianchi, la pelle delle guance moscia, i denti gialli. La camicia alla robespierre, così giovanile, mi fece vergognare: scopriva tutto il collo, con tante pieghe slentate sulle canne. Mi spogliai; e mentre mi chinavo per infilare le mutandine la pancia mi risalì allo stomaco e poi ricadde giù, come un sacco sgonfio. "Vecchio stupido," mi ripetevo con rabbia. Pensavo che queste erano le sorprese della vita: un'ora fa mi credevo giovane, da potere fare il cascamorto con Iole; adesso, grazie e quelle due parole, mi vedevo vecchio, da potere essere suo padre. E mi vergognavo di averla tanto occhieggiata al salone e poi di averla invitata: chissà che pensava di me, chissà come mi vedeva.

Lo seppi più tardi quel che pensava. Mentre, attaccati alla

corda salvagente, ci lasciavamo investire dalle ondate perché c'era mare grosso; e ad ogni onda che ci investiva, io rimanevo senza respiro e pensavo: "Resto senza fiato perché sono vecchio;" lei tutta felice mi gridò: "Ma lo sa, Luigi, che non la credevo tanto sportivo." "Perché?" domandai. "Come mi credeva?" "Beh" rispose lei, "un uomo alla sua età, il mare non gli piace più... ci vanno i giovanotti." In quel momento un'ondata si ruppe sopra di noi, alta e spumosa, e io cascai addosso a Iole e, per reggermi, l'afferrai per un braccio: duro, tondo, di carne veramente giovane, che rimbalzava. Le gridai la bocca piena d'acqua salata: "Potrei essere suo padre." E lei, ridendo, tra la schiuma che le ribolliva intorno: "Padre, no... mettiamo: zio." Insomma, uscimmo dal bagno che, dall'impaccio e dalla vergogna, non avevo più neppure la forza di parlare. Mi pareva che in bocca ci avessi una trappola a molla, scattata: da doverla aprire con un paletto. Iole mi precedeva tirandosi sulle cosce e sul petto il costume che, bagnato, era diventato addirittura indecente; poi si gettò sulla spiaggia involtandosi nella rena; e la sua carne era così tesa che la rena non vi aderiva e cadeva giù, fradicia, a pezzi. Sedetti accanto a lei, muto, rattrappito, incapace di muovermi e di parlare. Forse Iole, con tutto che fosse più insensibile di un rinoceronte, si accorse del mio malessere; perché, ad un tratto, mi domandò se mi sentissi poco bene. Dissi: "Stavo pensando a lei. Al salone chi preferisce? Amato, Giuseppe o me?" Lei, scrupolosa, rispose, dopo una lunga riflessione: "Mah, mi siete simpatici tutti e tre." Insistei: "Amato è giovane, però." "Sì" rispose lei, "è giovane." "Credo sia innamorato di lei," ripresi dopo un momento. Lei rispose: "Davvero? Non me ne ero accorta." Insomma era distratta, come preoccupata. Alla fine, disse: "Luigi, mi è successo un guaio: mi si è scucito il costume dietro... mi dia l'asciugamani, vado a rivestirmi." Dico la verità, fui contento di quella scucitura. Le diedi l'asciugamani, lei si involtò i fianchi e corse in cabina. Mezz'ora dopo eravamo in treno, in uno scompartimento vuoto. Io mi ero tirato il bavero della camicia alla robespierre sul collo e pensavo che ormai per me era finita ed ero un vecchio.

Quel giorno giurai che non avrei mai più guardato Iole né alcuna altra donna; e così feci. Mi sembrò che lei fosse un po' stupita e che qualche volta mi fissasse con aria di rimprovero, ma forse fu un'impressione. Passò un mese durante il quale le rivolsi la parola sì e no quattro o cinque volte. Lei, intanto, aveva fatto amicizia specialmente con Giuseppe che, però, la trattava proprio come un padre, senza ombra di corte, bonariamente e seriamente. Io mi sentivo più che mai vecchio, tagliavo capelli, radevo barbe, prendevo mance e non fiatavo. Ma uno di quei giorni alla chiusura, mentre mi toglievo il càmice nello stanzino degli arnesi, il padrone, un buon uomo, annunziò: "Stasera, se non siete occupati, ceniamo insieme... offro io... Iole si è fidanzata con Giuseppe." Mi affacciai: Iole sorrideva nel suo angolo, al tavolino di manicure; Giuseppe sorrideva dall'altra parte, ripulendo un rasoio. Provai ad un tratto un sollievo enorme: Giuseppe era più vecchio di me, Giuseppe era brutto, eppure Iole aveva preferito Giuseppe ad Amato. Corsi con le mani tese a Giuseppe, gridando: "Rallegramenti, rallegramenti vivissimi;" poi abbracciai Iole e la baciai sulle due guance. Insomma, nel salone il più felice dei tre ero io.

Il giorno dopo era domenica; e nel pomeriggio andai a spasso. E mi accorsi, passeggiando, che ricominciavo a guardare le donne, come in passato, una per una, davanti e dietro.

CATERINA

Mi sposai a diciott'anni e tutto avrei potuto prevedere fuorché il cambiamento che più tardi doveva verificarsi nel carattere di Caterina. Allora era una ragazza scialba, con i capelli lisci e la riga in mezzo, con un viso senza espressione, né colori, pallido e regolare. Di bello aveva gli occhi, grandi, un po' smorti, ma dolci. Nella persona non era ben fatta sebbene mi piacesse appunto perché era fatta in quel modo: con il petto forte, i fianchi larghi e per il resto, braccia, gambe, spalle, esili come di bambina. La sua qualità non era di esser bella, ma di essere dolce, e credo che proprio di questa dolcezza mi fossi innamorato. Questa dolcezza, chi non conobbe allora Caterina, non può capire che cosa fosse. Aveva gesti composti e raccolti che incantavano; mai una parola violenta, mai uno sguardo duro; e aveva una maniera di darmela sempre vinta, di rimettersi sempre alla mia volontà e di guardarmi sempre come per chiedere il mio permesso prima di fare qualsiasi cosa, che spesso perfino mi imbarazzava. Talvolta pensavo dentro di me: "Davvero non mi merito una donna come questa." Era paziente, sottomessa, devota, piena di belle maniere e di grazia. La sua dolcezza era conosciuta in tutto il quartiere, tanto che al mercato le donne dicevano a mia madre: "Tuo figlio sposa una santa... beato lui." Io, addirittura, l'avrei voluta un po' meno dolce, pensate; e spesso le dicevo: "Caterina, non hai mai detto una parola dura, non hai mai fatto un gesto brusco in vita tua?," così, scherzando, e quasi mi pareva che avrei desiderato vederla dire quella parola, fare quel gesto.

Ci sposammo, e andammo ad abitare sopra mia madre, al vicolo del Cinque, dove c'erano certe soffitte che non servivano a nessuno. Mia madre abitava di sotto, a pianterreno avevamo il negozio di pane e pasta, e così lavoravamo e abitavamo tutti nella stessa casa. Per i primi due anni Caterina continuò ad essere così dolce come l'avevo conosciuta e forse anche di più, perché mi voleva bene e perché mi era grata di averla sposata, di averle dato una casa e di averla messa in una condizione migliore. Era dolce con me e con mia madre, ma era anche dolce da sola, quando nessuno la vedeva. Qualche volta, rientrando in casa, verso mezzogiorno, andavo in punta di piedi a guardarla che si muoveva in cucina, tra il fornello e il tavolo. E m'incantavo a osservarla mentre si muoveva per la cucina angusta, con certi passetti e certe mosse graziose, senza fretta, senza noia, accurata, diligente, silenziosa. Non pareva che fosse in cucina, a preparare il pranzo, ma in chiesa davanti all'altare. Allora entravo tutto ad un tratto e l'abbracciavo, e lei, dopo il bacio, mi diceva sorridendo: "Mi hai fatto paura," con quella sua voce dolce che pareva un lamento.

Dopo due anni di matrimonio fu chiaro che Caterina non poteva avere figli. Dico questo, così bruscamente, ma la certezza non la raggiungemmo che per gradi. Volevamo un figlio e, quando non venne, anzitutto ne discutemmo non so quanto in famiglia, quindi ci facemmo coraggio e andammo da un primo medico, poi da un secondo, e poi da un terzo e poi Caterina fece certe cure molto costose e alla fine capimmo che non serviva a nulla. Io dissi: "Pazienza... non è colpa di nessuno... è il destino" e per un momento sembrò che anche Caterina si rassegnasse. Ma non sempre si fa quello che si vuole: forse lei voleva rassegnarsi, ma non poté. In quel tempo cominciò, infatti, a cambiare carattere. Forse le cambiò il fisico prima del morale, facendosi duri gli occhi un tempo così dolci, inclinandosi in giù la bocca con due segni cattivi e sottili agli angoli, diventandole aspra la voce che prima era come un canto; ma, forse, lei cercava di controllarsi e io, come avviene, mi accorsi che il morale era cambiato perché il fisico faceva la spia. Prima, comunque, cessò semplicemente di esser dolce; poi, in seguito, si fece ostile, aggressiva, rabbiosa. Cominciò a darmi quelle risposte che levano il fiato: "Se ti piace è così, se non ti piace è lo stesso;" "non seccarmi;" "ma va' al diavolo;" "lasciami perdere." Le prime volte pareva lei stessa sorpresa di parlare a quel modo; ma col tempo si lasciò andare e non disse quasi più altro. Per ogni nonnulla prese a sbattere le porte: in casa mia tutte le porte non facevano che sbattere e a me sembrava ogni volta di ricevere uno schiaffo in faccia. Un tempo mi chiamava con quelle parolette affettuose che dicono le donne quando vogliono bene: caro, amore, tesoro; ma adesso, altro che parolette: "Imbecille, scemo, stupido, ignorante" era il meno che potesse dirmi. Non ammetteva di essere contraddetta e, prima ancora di udire l'obiezione, mi dava del cretino: "Sta' zitto, sei un cretino, non capisci nulla." Quando, poi, non c'era alcun motivo di litigare, allora mi provocava. Aveva certe raffinatezze di cattiveria che, se non fossero state offensive, mi avrebbero meravigliato tanto erano ricercate e sottili. Sapeva trovare, come si dice, il punto debole: e non valeva che io pensassi dentro di me: "Stringo i denti, non parlo, faccio l'indifferente," lei sapeva sempre dire qualche cosa che penetrava sotto la pelle e mi faceva saltare. Adesso tirava fuori la mia famiglia che, a sentir lei, era mondezza mentre lei era la figlia di un impiegato, per la verità uno scrivanello morto di fame del comune; adesso si attaccava al fisico e, siccome ho un occhio che non ci vede e in luogo della pupilla ho una macchia come di sangue coagulato, diceva storcendo la bocca: "Non venirmi accanto... il tuo occhio mi fa schifo... sembra un uovo marcio." Ora si sa che non c'è nulla di peggio, per offendere, che prendersela con la famiglia o con il fisico. E io, infatti, perdevo la pazienza e incominciavo a urlare. Allora, lei, con un pallido sorriso pieno di fiele, diceva: "Vedi che urli... con te non si può parlare... urli sempre... non te l'hanno insegnata l'educazione?" Insomma non mi restava che andarmene; e così facevo. Uscivo e andavo a passeggiare solo sul lungotevere, pieno di rabbia e di tristezza.

Eppure non l'odiavo, anzi mi faceva compassione, perché capivo che era più forte di lei e che la prima a soffrirne era lei. Era la natura che la travagliava a quel modo e la metteva fuori di sé, e questo si vedeva soprattutto nel suo modo di camminare e di guardare: cupido, inquieto, ansioso, avido, rabbioso, come di bestia che cerchi invano qualche cosa. Nella sua voce, quando mi rispondeva male, più che stizza e antipatia, c'era come un ringhio di animale che soffra e non sa perché soffre e se la prende con gli altri che non ne hanno colpa. Il sospetto che il cambiamento di carattere fosse dovuto alla mancanza di figli mi fu confermato da sua madre che, un giorno che mi lamentavo, mi raccontò che Caterina, da bambina, non faceva che cullare bambole e voleva sempre far da mamma ai fratellini più piccoli. Poi, più grande, si era sviluppata al modo che ho detto, proprio come una donna che dovesse fare molti figli; e lei lo sapeva e ci contava. Ma i figli non erano venuti e lei, suo malgrado, ci perdeva la testa.

Andammo avanti così cinque anni. Gli affari andavano bene, la bottega prosperava, ma io ero infelice e sentivo che non vivevo più. Caterina, poi, era peggiorata e non mi parlava più, si può dire, che per ringhi e insulti. Adesso la gente del vicinato non diceva più che mi ero sposato una santa; tutti sapevano che invece di una santa mi ero messo in casa un diavolo. La mamma, poveretta, cercava di consolarmi dicendo che poteva darsi che un giorno questo figlio venisse e Caterina tornasse dolce come un tempo; ma io ero scettico e vedendola girare per la casa, la faccia protesa in avanti, cupida e cattiva, mi veniva paura e pensavo dentro di me che un giorno o l'altro, proprio come un cane che si rivolti e morda il padrone, lei mi avrebbe ammazzato. Intanto non vedevo la fine di questa storia e quando me ne andavo solo a passeggiare sul lungotevere e guardavo il fiume che scorreva, pensavo: "Ho venticinque anni... sono ancora un ragazzo, per così dire... eppure la mia vita è finita e per me non c'è più speranza... sono condannato a vivere tutta la vita mia accanto a un demonio." Sapevo che non potevo separarmi da lei perché le volevo bene e perché non aveva che me al mondo, ma sapevo pure che rimanere con lei voleva dire non vivere più. A questi pensieri mi veniva una malinconia forte e quasi quasi mi sarei buttato nel fiume.

Una notte, rincasando solo, quasi senza pensarci, discesi giù per una di quelle scalette puzzolenti che portano al greto del Tevere e, scelto un punto in ombra sotto l'arcata del ponte, mi tolsi la giacca, la ripiegai e la posai in terra, quindi scrissi un biglietto, così al buio e lo misi sulla giacca. Il biglietto diceva: "Mi ammazzo a causa di mia moglie" e seguiva la firma. Si era al principio dell'inverno e il Tevere era gonfio da far paura, scuro, pieno di rami e di detriti, freddo come la bocca di una grotta; sul punto di saltarci dentro, mi venne paura e incominciai a piangere. Sempre piangendo rifeci la strada indietro sul greto, salii la scaletta, corsi a casa. Andai difilato nella camera da letto, presi Caterina per un braccio che già dormiva, e la destai dicendo: "Vieni con me." Lei questa volta era spaventata, e mi seguì senza fiatare. Forse credette che volessi ammazzarla perché alla scaletta si dibatté un poco. Ma era buio e non c'era nessuno e io con la forza la costrinsi a scendere. Camminammo sul greto lei avanti e io dietro, in maniche di camicia e farsetto; sotto il ponte le mostrai la giacca, e preso il biglietto, glielo diedi e dissi: "Ecco quello che mi facevi fare... ma perché, Caterina, sei così cambiata?... eri così dolce... ora sei un diavolo... perché?" A queste parole anche lei tutto ad un tratto si mise a piangere e piangendo mi abbracciò e ripeteva che d'ora in poi si sarebbe controllata; poi mi aiutò a infilare la giacca e tornammo a casa. Ho raccontato questa storia per dire quanto fossi disperato. Ma Caterina non si corresse, al contrario; anzi da allora prese a canzonarmi per non aver avuto il coraggio di ammazzarmi.

Era il 1943. Ai primi bombardamenti, la mamma decise che avremmo chiuso bottega e saremmo andati al suo paese, Vallecorsa, in Ciociaria. Caterina, al solito, voleva e non voleva, e in quei giorni mi fece proprio disperare. Finalmente partimmo su un camion che andava a prendere farina e altra roba di borsa nera. Sedevamo tutti su certe panchette del camion, sotto il sole che ardeva, con le valigie ai piedi. Corremmo un pezzo e dopo Frosinone ci trovammo in aperta campagna, lontani dalle montagne, tra i campi mietuti e ispidi. Per il gran caldo mi ero quasi addormentato quando, tutto ad un tratto, il camion si ferma di botto, e il camionista grida: "Un aeroplano... tutti nel fossato." L'aeroplano non si vedeva; ma si udiva molto vicino la voce del motore, rabbiosa, metallica, deragliante, punteggiata di scoppietti rauchi; c'era una fila di pioppi e altri alberi folti, la voce del motore veniva di là, l'aeroplano era dietro quegli alberi. Io dissi a Caterina: "Presto... andiamo giù." Ma lei alzò le spalle e rispose cattiva: "Io resto qui." "Ma vieni" insistei; "vuoi morire?" "Non m'importa di morire." Questa risposta mi arrivò che ero già in terra; poi corsi al fossato e subito dopo l'aeroplano oscurò il cielo sopra di noi e il fracasso del motore si scatenò come una tempesta e tra il fracasso udii la grandinata della mitragliera, che sparava: il camion stava fermo in mezzo alla strada, con Caterina seduta e sulla strada la mitraglia sollevava tante nuvolette di polvere che si allontanavano. L'aeroplano era passato, era scomparso dietro gli alberi, adesso si alzava e si allontanava, simile a una libellula bianca, nel cielo infuocato; e il camion stava sempre fermo con Caterina seduta, tutta sola. Allora corsi al camion chiamando Caterina; ma lei non rispose; saltai sul camion e vidi che era morta.

Così a venticinque anni fui vedovo, con tutta la vita davanti a me, vasta e aperta, come l'avevo sognata quando passeggiavo solo sul lungotevere. Ma avevo voluto bene a Caterina e per molti anni non mi consolai. Pensavo che spinta dalla natura che la tormentava, lei aveva desiderato e cercato qualche cosa che lei stessa non sapeva; e siccome questa cosa non l'aveva trovata, era diventata cattiva, ma senza volontà, innocentemente; e alla fine, invece della cosa che cercava, aveva incontrato la morte. E tutto questo era avvenuto senza che noi potessimo far niente: lei era cambiata ed era morta per cause che non dipendevano da lei; io avevo sofferto ed ero stato liberato dalla sofferenza per le stesse cause. E la dolcezza che mi era tanto piaciuta, lei l'aveva avuta in dono come la cattiveria e la morte.

LA PAROLA MAMMA

I casi della vita sono tanti, e trovandomi una sera in trattoria con Stefanini, così, tra un discorso e l'altro, gli domandai se si sentiva capace di scrivermi una lettera come di uno che abbia fame, sia disoccupato, abbia a carico la madre malata di un male che non perdona e, per questi motivi, si raccomandi al buon cuore di qualche benefattore, chiedendogli dei soldi per sfamarsi e per curare sua madre. Stefanini era un morto di fame numero uno, sempre senza un soldo, sempre in cerca di qualche occasione; ma era quello che si chiama una buona penna. Faceva il giornalista, mandando ogni tanto qualche articolo ad un giornaletto del paese suo e, a tempo perso, era anche capace di buttar giù, lì per lì, una poesia, su questo o quell'altro argomento, con tutti i versi e le rime a posto. La mia richiesta lo interessò; e mi domandò subito perché volevo quella lettera. Gli spiegai che, appunto, i casi della vita erano tanti; io non ero letterato e poteva venire il momento che una simile lettera mi servisse e allora non capitava tutti i giorni di aver sotto mano uno Stefanini capace di scriverla secondo tutte le regole. Sempre più incuriosito, lui si informò se mia madre fosse malata davvero. Gli risposi che, per quanto mi risultava, mia madre, che faceva la levatrice al paese, stava in buona salute; ma, insomma, tutto poteva succedere. Per farla breve, tanto insistette e mi interrogò che finii per dirgli la verità; e cioè che vivevo, come si dice, di espedienti e che, in mancanza di meglio, uno di questi espedienti avrebbe potuto essere appunto questa lettera che gli chiedevo di scrivermi. Lui non si scandalizzò affatto, con mia meraviglia; e mi mosse ancora molte domande sul modo col quale mi sarei regolato. Sentendolo ormai amico, fui sincero: gli dissi che sarei andato con quella lettera da una persona denarosa e gliel'avrei lasciata insieme con qualche oggetto artistico, un bronzetto o una pittura, avvertendo che sarei ripassato dopo un'ora per ritirare l'offerta. L'oggetto artistico fingevo di regalarlo, in segno di gratitudine; in realtà serviva a far crescere l'offerta perché il benefattore non voleva mai ricevere più di quanto dava. Conclusi affermando che se la lettera era scritta bene, il colpo non poteva fallire; e che, in tutti i casi, non c'era pericolo di una denunzia: si trattava di somme piccole e poi nessuno voleva ammettere di essersi lasciato ingannare in quel modo, neppure con la polizia.

Stefanini ascoltò tutte queste spiegazioni con la massima attenzione; e poi si dichiarò pronto a scrivermi la lettera. Io gli dissi che doveva puntare soprattutto su tre argomenti: la fame, la disoccupazione e la malattia della mamma; e lui rispose che lasciassi fare a lui, che mi avrebbe servito di tutto punto. Si fece dare un foglio di carta dal trattore, cavò di tasca la stilografica e poi, dopo essersi raccolto un momento, il naso in aria, buttò giù la lettera rapidamente, senza una cancellatura, senza un pentimento, che era una meraviglia a vederlo e quasi non credevo ai miei occhi. Doveva anche spronarlo l'amor proprio perché l'avevo adulato, dicendogli che sapevo che era una buona penna e conosceva tutti i segreti dell'arte. Come ebbe finito, mi diede il foglio e io incominciai a leggere e rimasi sbalordito. C'era tutto, la fame, la disoccupazione, la malattia della mamma e tutto era scritto proprio come si deve, con parole così vere e sincere che quasi quasi commossero anche me che le sapevo false. In particolare, con intuito proprio di scrittore, Stefanini aveva adoperato molte volte la parole "mamma", in espressioni come "la mia adorata mamma", oppure "la mia povera mamma", oppure ancora "la mia cara mamma", ben sapendo che "mamma" è una di quelle parole che vanno dritte al cuore della gente. Inoltre, aveva capito perfettamente il trucco dell'oggetto artistico, e la parte della lettera che ne trattava era proprio un gioiello per il modo come diceva e non diceva, chiedeva e non chiedeva e, insomma, gettava l'amo al pesce senza che questo potesse accorgersene. Gli dissi con sincerità che quella lettera era davvero un capolavoro; e lui, dopo aver riso con aria lusingata, ammise che era scritta bene; tanto bene che voleva conservarla, e mi pregava di lasciargliela ricopiare. Così ricopiò la lettera e poi io, in cambio, gli pagai la cena e poco dopo ci separammo da buoni amici.

Qualche giorno dopo decisi di fare uso della lettera. Con Stefanini, parlando del più e del meno, gli era uscito di bocca il nome di una persona che, secondo lui, ci avrebbe abboccato senza fallo: certo avvocato Zampichelli al quale, come mi disse, per l'appunto era morta la madre da circa un anno. Questa perdita l'aveva affranto, erano sempre informazioni di Stefanini, e lui si era dato a fare del bene, aiutando ogni volta che poteva la povera gente. Insomma, era proprio l'uomo che ci voleva, dato che non soltanto la lettera di Stefanini era commovente e convincente ma anche perché lui, per conto suo, era stato preparato a crederci dai casi della vita sua. Una bella mattina, dunque, presi la lettera e l'oggetto artistico, un leoncino di ghisa dorata con il piede poggiato sopra una palla di finto marmo, e andai a suonare alla porta dell'avvocato.

Abitava in un villino in Prati, in fondo ad un vecchio giardino. Mi aprì una cameriera e io dissi velocemente: "Questo oggetto e questa lettera per l'avvocato. Ditegli che è urgente e che ripasso tra un'ora," le misi ogni cosa in mano e me ne andai. Passai quell'ora di attesa, camminando per le strade dritte e vuote dei Prati e ripetendomi mentalmente quello che dovevo dire una volta in presenza dell'avvocato. Mi sentivo ben disposto, con la mente lucida, ed ero sicuro che avrei saputo trovare le parole e il tono che ci volevano. Trascorsa l'ora, tornai al villino e suonai di nuovo.

Mi aspettavo di vedere un giovane della mia età, era invece un uomo sui cinquant'anni, con una faccia gonfia, rossa, flaccida, calvo, gli occhi lagrimosi, sembrava un cane San Bernardo. Pensai che la madre morta dovesse aver avuto almeno ottanta anni e, infatti, sulla scrivania c'era la fotografia di una vecchissima signora dal viso rugoso e dai capelli bianchi. L'avvocato sedeva ad un tavolo pieno di carte, ed era in vestaglia di seta a strisce, con il colletto sbottonato e la barba lunga. Lo studio era grande, pieno di libri fino al soffitto, con molti quadri, statuette, armi, vasi di fiori. L'avvocato mi accolse come un cliente, pregandomi subito, con voce afflitta, di sedermi. Poi si strinse la testa tra le mani, come per concentrarsi, dolorosamente, alfine disse: "Ho ricevuto la sua lettera... molto commovente."

Pensai con gratitudine a Stefanini e risposi: "Signor avvocato, è una lettera sincera... perciò è commovente... mi è venuta dal cuore."

"Ma perché, fra tanti, si è indirizzato proprio a me?"

"Signor avvocato, voglio dirle la verità, so che lei ha avuto una gravissima perdita," l'avvocato mi stava a sentire socchiudendo gli occhi, "e ho pensato: lui che ha sofferto tanto per la morte di sua madre, capirà lo strazio di un figlio che vede la sua mamma morirgli, per così dire, sotto gli occhi, giorno per giorno, senza potere aiutarla..."

L'avvocato, a queste parole che dissi in tono commosso perché cominciavo a scaldarmi, accennò di sì con la testa, più volte, come per dire che mi capiva e quindi, levando gli occhi, domandò: "Lei è disoccupato?"

Risposi: "Disoccupato? È poco dire, signor avvocato... sono disperato... la mia è un'odissea... ho girato tutti gli uffici, sono due anni che giro e non trovo nulla... signor avvocato non so più come fare."

Avevo parlato con calore. L'avvocato si prese di nuovo la testa fra le mani e poi domandò: "E sua madre che ha?"

"Signor avvocato, è malata qui," dissi; e, per impressionarlo, feci un viso compunto e mi toccai il petto con un dito. Lui sospirò e disse: "E quest'oggetto... questo bronzo?"

Avevo preveduto la domanda e risposi svelto: "Signor avvocato... siamo poveri, anzi siamo indigenti... ma non fu sempre così... Una volta eravamo agiati, si può dire... il babbo..."

"Il babbo?"

Rimasi sorpreso e domandai: "Sì, perché? non si dice così?"

"Sì" disse lui stringendosi le tempie; "si dice proprio il babbo. Continui."

"Il babbo aveva un negozio di stoffe... avevamo la casa montata... signor avvocato, abbiamo venduto tutto, pezzo per pezzo... quel bronzo è l'ultimo oggetto che ci rimane... stava sulla scrivania del babbo."

"Del babbo?"

M'impappinai di nuovo e, questa volta, non so perché, corressi: "Sì, di mio padre... insomma è la nostra ultima risorsa... ma, signor avvocato, io voglio che lei l'accetti in pegno della mia gratitudine per quanto potrà fare..."

"Sì, sì, sì," ripeté tre volte l'avvocato, sempre stringendosi le tempie come per dire che capiva tutto. Poi rimase un lungo momento silenzioso, a testa bassa. Sembrava che riflettesse. Finalmente si riscosse e mi domandò: "Con quante emme lei la scrive la parola mamma?"

Questa volta rimasi davvero stupito. Pensai che, ricopiando la lettera di Stefanini, avessi fatto un errore e dissi, incerto: "Ma la scrivo con tre emme, una in principio e due in fondo."

Lui gemette e disse, quasi dolorosamente: "Vede, sono proprio tutte queste emme che mi rendono antipatica quella parola."

Ora mi domandavo se, per caso, il dolore per la morte della madre, non gli avesse stravolto il cervello. Dissi, a caso: "Ma si dice così... i bambini dicono mamma e poi, da uomini, continuano a dirlo per tutta la vita, finché la madre è viva... e anche dopo."

"Ebbene" egli gridò ad un tratto con voce fortissima, dando un pugno sulla tavola che mi fece saltare, "questa parola, appunto perché ci sono tante emme, mi è antipatica... supremamente antipatica... capisce Lopresto?... Supremamente antipatica..."

Balbettai: "Ma signor avvocato che posso farci io?"

"Lo so" egli riprese stringendosi di nuovo la testa tra le mani, con voce normale "lo so che si dice e si scrive mamma, come si dice e si scrive babbo... lo dice anche il padre Dante... hai mai letto Dante, Lopresto?"

"Sì, signor avvocato, l'ho letto... ho letto qualche cosa."

"Ma nonostante Dante, le due parole mi sono antipatiche" egli proseguì "e forse mamma mi è più antipatica di babbo."

Questa volta tacqui, non sapendo più che dire. Poi, dopo un lungo silenzio, arrischiai: "Signor avvocato... capisco che la parola mamma, per via della sventura che l'ha colpita, non le piaccia... ma dovrebbe lo stesso avere un po' di comprensione per me... tutti abbiamo una mam... voglio dire una madre."

Lui disse: "Sì, tutti..."

Di nuovo, silenzio. Poi lui prese dal tavolo il mio leoncino e me lo tese dicendo: "Tenga, Lopresto, si riprenda il suo bronzo."

Presi il bronzo e mi levai in piedi. Lui cavò di tasca il portafogli, ne trasse sospirando un biglietto da mille lire, e disse, porgendomelo: "Lei mi sembra un buon giovane... perché non prova a lavorare?... Così finirà presto in galera, Lopresto. Eccole mille lire."

Più morto che vivo, presi le mille lire e mi avviai verso la porta. Lui mi accompagnò e sulla soglia mi domandò: "A proposito, Lopresto, lei ha un fratello?"

"No, signor avvocato."

"Eppure due giorni fa è venuto uno con una lettera identica alla sua... la madre malata, tutto uguale... anche il bronzo, sebbene un po' diverso: un'aquila invece di un leone... siccome la lettera era identica, pensavo che fosse suo fratello."

Non potei fare a meno di domandare: "Un giovane piccolo... nero, con gli occhi brillanti?..."

"Esatto, Lopresto."

Con queste parole, mi spinse fuori dello studio e io mi ritrovai nel giardino, il leoncino di finto bronzo stretto al petto, sbalordito.

Avete capito? Stefanini si era servito della lettera secondo le mie istruzioni, prima di me. E con la stessa persona. Dico la verità, ero indignato. Che un poveraccio, un disgraziato come me potesse ricorrere alla lettera, passi. Ma che l'avesse fatto Stefanini, uno scrittore, un poeta, un giornalista, sia pure scalcognato, uno che aveva letto tanti libri e sapeva persino il francese, questa mi pareva grossa. E che diavolo, quando ci si chiama Stefanini, certe cose non si fanno. Ma pensai che anche la vanità doveva averci avuto la sua parte. Doveva aver pensato: "È una bella lettera, perché sprecarla?," e allora era andato dall'avvocato Zampichelli.

GLI OCCHIALI

La sarta Nespola la chiamavano Nespola perché era una nana con la faccia gialla e nera, come, appunto, le nespole quando sono mature: neri gli occhi, i calamari sotto gli occhi, le sopracciglia e i baffetti, gialle le guance, la fronte, il naso. Nespola vestiva sempre come quelle pupazze di pezza che i bambini strascicano con la faccia a terra: avvitata, con la gonnella corta sollevata sulle gambe che aveva grosse e gonfie. Nespola lavorava in casa, al secondo piano, in via dell'Arancio. Aveva tre stanze: la camera da letto, col lettone matrimoniale a due piazze e, tutto intorno, così pigiati che quasi non si circolava, il cassettone col piano di marmo, l'armadio con lo specchio, i comodini, il tavolo, le seggiole; il salottino delle prove dov'era la specchiera a tre luci e nient'altro; infine la cameretta in cui dormiva il figlio, Natale, situata sul terrazzino che dava nel cortile, tra il casotto del cesso e lo stanzino della cucina. Nespola lavorava nella camera da letto, nel vano della finestra, seduta in una poltrona di vimini per bambini. Se qualcuno entrava, non la vedeva perché lei era dentro il vano, tra la tenda e la finestra; e la tenda, tutta ricamata a uccelli e canestri di fiori, era calata. In quel vano, oltre alla poltroncina, Nespola ci aveva il tavolino dei rocchetti e una gabbia con il canarino. Quando, poi, disegnava o tagliava, stendeva la stoffa sul letto, si arrampicava sulla coperta e, in ginocchio, lavorava intorno il vestito. Le prove, come ho detto, le faceva in quel salottino minuscolo: la cliente si spogliava e si metteva ritta davanti la specchiera; Nespola, un ago o uno spillo tra le labbra, saliva su un taburé e così riusciva a mettersi al livello della cliente. Mentre provava, Nespola non faceva che parlare, fitto fitto, in tono confidenziale e premuroso. Per lo più faceva, quasi sottovoce, dei complimenti alla cliente, esaltandone la bianchezza della pelle, la bellezza dei capelli, il colore degli occhi, le forme della persona. Se, poi, la cliente era tanto tanto graziosa, Nespola addirittura chiamava a testimone il figlio: "Natale, vieni qui, guarda e dimmi se questa non è la Madonna scesa in terra." Le clienti, che erano per lo più ragazzette del vicinato, non protestavano; anche perché Natale non era un uomo da mettere soggezione. Nespola con questi complimenti, del resto sinceri, si era fatta una buona clientela. Ci capitavano, appunto, molte ragazze che abitavano nello stabile e in quelli accanto.

Tutte queste cose le so per aver frequentato la casa di Nespola al tempo che Natale ed io eravamo amici. Allora, Natale cercava lavoro e l'aveva trovato, difatti, nell'officina di vulcanizzazione dove io facevo il meccanico. Ma, in capo a due mesi, disse che quella non era la strada buona per riuscire e piantò l'officina e tornò a casa. Mi fece impressione quella frase sul riuscire perché non avevo mai pensato che con la vulcanizzazione si potesse riuscire ad altro che a campare; e così, anche per altri discorsi che mi aveva fatto e che mi avevano stuzzicato la curiosità, continuai a frequentarlo, sebbene, a dire la verità, non mi fosse neppure simpatico. Natale, nel fisico, era tozzo e grosso, con la faccia come gonfia, senza colori, pallida e fredda; una faccia che, chissà perché, mi faceva pensare ad un pesce che avesse le guance. Ma avendo gli occhiali tondi e doppi e l'aria sempre grave e compresa, lo chiamavano il professore, sebbene, come credo, non avesse fatto che le elementari. Questa faccia e i modi posati ispiravano fiducia; e, infatti, i lavori che aveva trovato prima della vulcanizzazione erano sempre stati lavori non da operaio ma quasi da impiegato: fattorino, custode, magazziniere, copista. Tutti lavori, insomma, basati sulla fiducia che destava quella sua facca di luna piena con gli occhiali. Ma qui c'entra il diavolo: tutti quei lavori, Natale li aveva perduti perché, a quanto pareva, ad un certo punto ne aveva fatta qualcuna grossa assai, come dire sgraffignare, imbrogliare, rubare. Andava sempre nello stesso modo, a quanto capii: dapprima il principale si fidava di lui, giurava sulla sua onestà, gli avrebbe dato le chiavi della cassaforte; e poi, non si sa come, tutto ad un tratto lo cacciava, dicendogli immancabilmente: "Vattene e non farti più vedere...

e ringrazia quella santa donna di tua madre se non ti denunciamo." Queste cose le sapevo e non le sapevo, perché, anche a frequentare la loro casa, nulla trapelava. Nespola, tutta vispa, sempre occupata, è molto se si lasciava andare qualche volta a sospirare; lui, poi, avrebbero potuto sputargli in faccia che non si sarebbe scomposto. Salvavano le apparenze, insomma; però, tra di loro, è da credersi che lei si disperasse e piangesse e lui promettesse di cambiar sistema. Ma appena trovava un altro lavoro, ci ricascava.

Natale, a vederlo, non pareva molto forte: di statura mezzana, corpulento, strappato nei vestiti che sembravano sempre troppo stretti. E invece era un toro; e io l'avevo veduto sollevare da solo, all'officina, una macchinetta utilitaria. Questa forza dissimulata era un po' il simbolo del suo carattere vero, anch'esso nascosto sotto quelle apparenze così serie e composte. Era, insomma, quello che si chiama una gattamorta: di fuori in un modo e dentro in un altro. Soltanto la madre, ormai, sapeva quel che lui fosse veramente: Natale le aveva aperto gli occhi col fatto di Napoli qualche anno addietro. In quel tempo che a Nord c'era ancora la guerra, Natale, che non si era ancora scatenato e la dava a bere anche alla madre con la sua faccia compunta e i suoi occhiali, convinse lei e alcune amiche di lei ad affidargli una somma per andare a Napoli a fare incetta di calze da donna; a Roma mancavano, le avrebbe rivendute a prezzo maggiorato, c'era da diventare ricchi tutti quanti. Non so perché, si era sparsa per lo stabile la voce che Natale avesse il bernoccolo degli affari, e tutte quelle povere donne gli diedero qualche cosa, la madre gli diede tutti i suoi risparmi. Natale andò a Napoli in macchina, ma non riportò le calze, anzi ritornò senza giacca. Raccontò che, all'altezza di Formia, i fuorilegge l'avevano assalito. Peccato, però, che di lì a poco, l'autista che l'aveva portato a Napoli, disse invece la verità: a Napoli, aveva incontrato alcuni napoletani, giocatori arrabbiati. Si erano impancati per una partita, e lui aveva perduto. Nespola, mi dicono che ci facesse una malattia, soprattutto, come ripeteva, per tutte quelle sue amiche che si erano fidate di lei. Volle ripagare e penò qualche anno. Natale, invece, non si scompose, come se nulla fosse stato. Ma la madre, credo, non si fidò mai più di lui.

Era, insomma, giocatore, Natale, non per la passione del gioco ma perché lui, come diceva, si era accorto presto che un poveraccio non può fare molta strada col lavoro onesto e che soltanto la fortuna può farlo uscire dalla condizione di poveraccio. Anzi, aveva le sue idee sulla vita e sul successo nella vita e le esponeva volentieri; e, come ho già detto, anche dopo che lasciò la vulcanizzazione, continuai a frequentarlo perché le sue idee mi incuriosivano e quel ladro che pareva un professore, quel giovanotto che pareva un uomo maturo, quell'ignorante che non cessava mai di sdottoreggiare, un po' mi faceva rabbia e un po' mi soggiogava. Dunque Natale diceva che nella vita tutto è fortuna e la fortuna è di chi se la prende; che, però, la fortuna, bisogna aiutarla; che tutto stava ad avere prontezza: cogliere il momento opportuno e fare il colpo. Peccato, però, che nella sua smania di fare questo colpo, lui non guardasse troppo per il sottile, anzi ci andasse all'ingrosso. Queste cose, Natale, poi, le diceva come se fossero state Vangelo, guardando fisso attraverso gli occhiali, con una sicurezza da fare sbalordire, come se lui non fosse stato quel disgraziato che era, ma uno che, la fortuna, appunto, aveva saputo acchiapparla per i capelli e non la mollava più. Mi faceva rabbia; e una volta non resistetti alla tentazione e lo interruppi dicendo: "Ma tu... allora?" Lui, però, non si scompose, perché aveva una faccia di bronzo numero uno, e rispose alzando le spalle: "Che c'entra... Roma non è stata fatta in un giorno."

Intanto, in attesa che Roma si facesse, continuava a inseguire la fortuna, giocando alle carte dove gli capitava e con chiunque. Giocava soprattutto in una latteria, poco distante da casa sua, la notte, dopo la chiusura, nel retrobottega, mentre il barista, calata la saracinesca, spargeva la segatura in terra e ripuliva il banco. Lui, il padrone della latteria, il cameriere e un altro. Vinceva? Perdeva? Forse vinceva qualche volta perché altrimenti non vedo dove potesse procurarsi il denaro per continuare a giocare; ma, alla fine, perdeva perché lui, povero e figlio di una sarta, era il vaso di coccio contro i vasi di ferro, gli altri tre che avevano più denaro di lui. Allora, quando perdeva, non sapendo come fare per tappare i buchi, tradiva la fiducia di chi lo faceva lavorare. Sgraffignava e vendeva. Qui era tutto il mistero di quei licenziamenti improvvisi, con quelle parole di congedo che avrebbero fatto arrossire un negro e che a lui non facevano né caldo né freddo. La madre che, ormai, lo conosceva a fondo, non gli diceva, infatti, come tante madri: "Non correre dietro alle donne," oppure: "Non perdere tempo con lo sport;" bensì soltanto: "Lasciale quelle carte, figlio del sole."

Lo chiamava figlio d'oro e figlio del sole perché, quando tutto era stato detto e sebbene lo sapesse disonesto e anche ladro, era pur sempre il figlio suo e lei sperava che un bel giorno si sarebbe ravveduto, avrebbe infilato la via giusta e sarebbe diventato un bravo lavoratore. Ma sì; il figlio d'oro, il figlio del sole, invece, una mattina che Nespola era uscita per consegnare un vestito, prese un paletto, fece saltare la serratura dell'armadio e aggranfiò tutto il denaro che trovò. Alla madre, poi, mi risulta che spiegò che voleva fare una partita, una sola, e quindi renderle quel denaro moltiplicato per cento. Per disgrazia, invece, al solito, aveva perduto. Penso che Nespola, per i soldi, ci mettesse una croce sopra, tanto ci era abituata. Ma il paletto fu come se lui glielo avesse conficcato nel cuore. Da quel giorno lei diventò triste e, arrampicandosi sul taburé per provare i vestiti alle clienti, cessò perfino di far dei complimenti.

Uno di questi giorni, Natale tornò a casa verso sera e alla madre disse che era stato in giro per cercare lavoro. Non aveva più gli occhiali e spiegò che li aveva dimenticati in un caffè dove se li era tolti per leggere il giornale. Lui, sempre, quando doveva fare qualche cosa che richiedeva una cura particolare, si toglieva gli occhiali e li riponeva, forse per il timore di romperli o perché, davvicino, ci vedeva meglio senza occhiali. La madre gli aveva preparato la cena, al solito, sul tavolino da lavoro, nel vano della finestra della camera da letto; e lui divorò un piatto di vermicelli con le alici, un piatto di bieta ripassata in padella e uno sfilatino di pane. Insomma, aveva una gran fame; e Nespola, più tardi, ebbe a dire che non l'aveva mai visto mangiare tanto di gusto. Dopo mangiato, Natale accese una sigaretta e poi dormì forse un'ora sul letto a due piazze. Poi si svegliò, chiese a Nespola i soldi e andò al cinema lì accanto, dove davano un film comico americano. Io ero nella sala e lo vidi in prima fila, senza occhiali, che rideva ogni tanto, scuotendosi per tutto il corpo insaccato dentro la poltrona, come se tossisse. Breve: all'uscita del cinema, gli agenti, che erano già stati a casa sua, lo arrestarono e lo portarono di peso in questura. La mattina dopo tutti i giornali pubblicarono la notizia: Natale era andato a pagare la pigione e aveva colto l'occasione per ammazzare a martellate il padrone di casa vecchio e podagroso. Se non fosse stato un uomo così preciso, forse non l'avrebbero mai scoperto. Ma per tirare meglio la martellata, si era tolto prima gli occhiali, posandoli sopra il davanzale della finestra; poi, nell'orgasmo, li aveva dimenticati, e lì erano stati ritrovati dalla polizia. La madre, poveretta, che non credeva ormai di potere avere altre sorprese, si ritrovò, invece, quella mattina con la sorpresa più grossa di tutte. Non so come la prendesse i primi giorni, quando tutti i giornali parlavano del figlio e di lei; ma poi, è da credersi che si raccomandasse alla Madonna, perché era religiosa; e che la Madonna le facesse la grazia di ritrovare il coraggio di tirare avanti. Certo che, passato qualche tempo dal delitto, Nespola andò a trovare il figlio in prigione dove lui, grazie al suo aspetto serio e alla sua buona condotta, aveva ottenuto un posto di fiducia negli uffici dell'infermeria.

IL CANE CINESE

Quell'inverno, non sapendo più dove sbatter con la testa, pensai di fare l'accalappiacani. Ma non per conto del comune che poi, i cani li manda a morire, ma per conto mio, per prendere la mancia su ogni cane che rubavo. Me ne andavo in un quartiere elegante, all'ora che le serve portano a spasso i cani, e avevo in tasca una funicella con un nodo scorsoio. Appena una di quelle serve usciva, la seguivo a distanza. Le serve, si sa, non hanno molte distrazioni e approfittano di ogni uscita per incontrarsi con qualche amica oppure con il fidanzato. La serva, dunque, lasciava libero il cane, che correva subito avanti annusando e levando la zampa ad ogni cantone. Appena vedevo che la serva si era distratta, mi avvicinavo al cane, gli gettavo lesto la funicella al collo e scantonavo. Poi il difficile era arrivare a Tormarancio dove abitavo. Ma un po' a piedi, un po' con certi autisti di taxi che stavano di casa da quelle parti, giungevo alla Garbatella. Di lì, arrivavo con la camionetta a casa. Fatemi ridere, però: a casa. Diciamo piuttosto che arrivavo ad un angolo di stanza in una di quelle casettacce di Tormarancio che, insieme con la branda, mi affittava Bonifazi, un operaio mio amico. Nella stessa stanza ci dormivano lui, la moglie e tre figli, e così, la notte, era tutta una distesa di materassi e per uscire bisognava che qualcuno si alzasse e arrotolasse il suo. Io lasciavo il cane in deposito a Bonifazi che conosceva questo mio traffico, e il giorno dopo mi recavo a quel palazzo da cui avevo veduto uscire la serva. Al portiere dicevo di aver trovato un cane così e così. Subito mi chiamavano, mi facevano entrare in un ingresso tutto marmi e specchi e quasi mi abbracciavano per la gratitudine. Il mattino dopo riportavo il cane, prendevo la mancia e poi ricominciavo.

Un giorno, col solito sistema della funicella, presi un cane strano, non mai visto prima: sembrava un leone, con la testa grossa, a palla, tutta pelliccia, il corpo col pelo raso, il muso corto e la lingua di un nero violetto. Era una bestia buona ma poco vivace, anzi triste e come pensierosa, e mi seguì a testa bassa, quasi avesse già saputo quello che l'aspettava. Quel giorno pioveva, io non avevo che una giacchettina rotta e una maglia sotto e le scarpe erano sfondate e, insomma, presi tant'acqua che nella camionetta battevo i denti e a muover le dita dei piedi sentivo che spremevo acqua dalla calza e dal cuoio della scarpa. A Tormarancio, poi, la pioggia, al solito, siccome sta in fondo valle, aveva allagato le case e così, invece di trovare il caldo in quella stanza di Bonifazi, ci trovai l'acqua, con la moglie che urlava dalla disperazione, i figli che piangevano e lui che cercava di gettare delle passerelle sul pavimento inondato. Andai a letto senza cena, e quella stessa notte mi venne la febbre, e il giorno dopo rimasi a letto. Questa febbre non mi lasciò per una settimana intera. Io stavo in un angolo, sulla branda, sotto le due funi legate da una parete all'altra sulle quali penzolavano i miei quattro stracci, e guardavo dal fondo della febbre alla stanza, con tutti i materassi arrotolati negli angoli, e altre funi con altri stracci penzolanti che si incrociavano in tutte le direzioni, e in terra non so che di viscido sparso di macchie nere che si muovevano ed erano di scarafaggi che ad ogni pioggia escono dai mattoni di quei muri marci. C'era quasi buio, perchè pioveva sempre e due finestre su tre avevano cartoni in luogo di vetri. La moglie di Bonifazi cucinava nella stanza accanto e io sempre solo e non mi dispiaceva perché quando sto male non ho voglia di parlare: penso tante cose e sto zitto. Il cane, lui, stava veramente buono e io, affinché non si ammalasse per l'umidità, gli avevo fatto coi trucioli e gli stracci una cuccia, proprio sotto la branda, e ogni tanto sporgevo la mano e gli carezzavo la testa. Avevo la febbre proprio alta, rovente, e tuttavia non pensavo che al cane e ogni tanto davo dei soldi alla moglie di Bonifazi perché gli comprasse della roba da mangiare, non tanto per la mancia quanto perché voglio bene alle bestie e non mi piace farle soffrire. Il settimo giorno incominciai a delirare e mi venne la fissazione che volessero portarmi via il cane e domandai a Bonifazi che me lo mettesse sulla branda. Ce lo mise, e io allora abbracciai forte il cane, ficcando il viso in quel suo pellicciotto tanto caldo e mi addormentai abbracciandolo: il cane non si muoveva. Durante la notte, forse per via di quella pelliccia del cane, sudai tanto che ero fradicio da strizzare, e poi mi sentii come slegare e la mattina non avevo più febbre affatto. Il cane, tutta la notte, non si era mai mosso e quando mi svegliavo lo sentivo che mi respirava sul viso, col fiato un po' corto, forse perché lo stringevo così forte.

Stetti qualche giorno ancora riguardato, intanto era tornato il sole e io andavo a spasso tra le case di Tormarancio, tirandomi dietro il cane con una funicella. Fuori di Tormarancio ci sono alcune baracche che sono peggio delle case di Tormarancio e figuratevi che cosa possono essere: assi e latte di benzina, tetti di bandone ondulato, steccatelli di sambuco intorno, e le porte così basse che per entrarci bisogna chinarsi. In una di queste baracche ci stava un cinese di quelli che vendono le cravatte. Era venuto lì qualche anno prima e poi ci era rimasto e viveva con una donna che chiamavano Fesseria. Lei faceva quel mestiere; era magra, bianca, allampanata, con un viso lungo e certe grandi sopracciglia nere e gli occhi neri. Aveva i capelli folti e neri, dolci come la seta e quando si metteva un po' di rossetto, sembrava perfino bella. Il cinese era un cinese; visto di dietro poteva anche sembrare un italiano, basso e tarchiato com'era; ma poi si voltava e si vedeva che era cinese. Andai dunque a passeggiare con il cane davanti la baracca del cinese e subito vennero fuori ambedue, lei con un secchio pieno d'acqua che quasi mi buttò tra le gambe e il cinese con una pentola in mano: sempre cucinava. Il cinese mi si avvicinò e in buon italiano disse: "Questo è un cane del mio paese... è un cane cinese." E mi spiegò che quei cani lì, in Cina, sono comuni come da noi i barboni. Disse che, se volevo, lui se lo prendeva il cane, perché gli ricordava il suo paese e l'avrebbe avuto caro. Ma non poteva darmi nulla, soltanto un paio di quelle sue cravatte di seta naturale; e io, rifiutai; altro che cravatte, volevo la mancia. Fesseria col secchio in mano, mi gridò. "Luigi, allora non ce lo dai il cane?" provocante, allegra, saltando da una pozza all'altra con quelle sue gambe lunghe, magre e bianche. Sebbene mi sentissi ancor male, non potei fare a meno di provar desiderio di lei così magra e bianca, con quelle grandi sopracciglia nere. Ma non dissi nulla e tornai da Bonifazi.

Il giorno dopo andai a Roma, a quel palazzo da cui avevo veduto uscire la serva con il cane. Ma quando si dice la sfortuna: "Era una famiglia di americani" mi disse la portiera "e sono partiti proprio ieri... hanno fatto tante storie per il cane ma poi dovevano partire e sono partiti."

Eccomi dunque con un cane di razza e non sapevo cosa farne. Pensai dapprima di venderlo ma nessuno lo voleva: mi guardavano gli stracci e poi dicevano che era roba rubata, come era vero. D'altronde mi dispiaceva portarlo al Comune perché l'avrebbero fatto morire, povera bestia, e non potevo dimenticare quella notte che mi aveva guarito con il suo pellicciotto e non si era mai mosso. Intanto, però mi costava, perché mangiava molto e non era un cane piccolo.

Uno di quei pomeriggi, invece di andare in città, uscii da Tormarancio che con il sole, da quel pantano che era, adesso era diventata una fossa di polvere, e mi arrampicai su una delle colline intorno. Ormai era primavera, senza una nuvola nel cielo, con l'aria dolce e il sole, e perfino Tormarancio, vista di lassù, con tutte quelle casette lunghe e basse dai tetti rossi, sembrava meno galera del solito. La collina era coperta di erba tenera, fresca e verde che era un piacere guardarla, e qua e là sembrava che avesse nevicato per via delle margherite che crescevano fitte e nascondevano l'erba. Presi a girare da una collina all'altra, le mani in tasca, fischiettando: la malattia mi aveva fatto bene e mi sentivo non so che speranza nel cuore, guardando all'orizzonte pieno di sole, con certe grandi farfalle bianche appaiate che sembravano volargli incontro. Il cane, caso strano, era diventato perfino vivace e prese a corrermi avanti. Poi tornava indietro e mi abbaiava. Tutto, però, goffamente e pesantemente, da quella bestia triste che era. Ad un certo punto discesi in fondo valle e costeggiai un ruscello, tra due colline alte. Poi udii il cane abbaiare, levai gli occhi e vidi Fesseria che se ne andava a spasso anche lei, tutta sola, i capelli sciolti sulle spalle, un filo d'erba tra i denti, le mani nelle tasche dello zinale di rigatino. Lei si fermò e si chinò a far feste al cane e poi disse ridendo: "Allora ce lo dai il cane?" E io prim'ancora di averci pensato, risposi: "Te lo do ma ad un patto."

Insomma, facemmo l'amore in terra, tra quelle due colline

alte, presso il ruscello. Il cane, intanto, leccava l'acqua nel ruscello con la sua lingua violetta e poi si mise a sedere sull'erba, poco discosto da noi, e rimase lì a guardarci, che perfino mi dava soggezione. E io feci quello che feci non soltanto perché quella donna mi piaceva ma anche perché mi piaceva dar via il cane per il prezzo di un po' d'amore: perché mi ero affezionato a lui e mi sembrava che così fosse stato pagato per quello che valeva. Alla fine ci rialzammo e Fesseria prese la funicella del cane dicendo: "Lui sarà contento perché gli ricorda il suo paese." Io rimasi dov'ero guardandola mentre si allontanava col cane, e ancora mi piaceva. Poi mi distesi in terra e dormii un paio d'ore.

La mattina dopo andai in città e vi rimasi anche la notte, con un bassotto che avevo preso dalle parti di piazza Santiago del Cile. Dormii in un dormitorio pubblico e poi tornai a Tormarancio. Più tardi, nel pomeriggio, andai a spasso con il bassotto e, non so come, capitai davanti la baracca del cinese.

Fesseria non c'era, doveva essere andata a Roma. Ma lui c'era e venne fuori con una secchiata di immondizie che gettò dietro la baracca. Non so perché avrei voluto che mi ringraziasse per il cane e gli domandai dove fosse. Lui sorrise e mi fece un gesto che non capii e poi tornò nella baracca. Il bassotto frugava nella spazzatura, io mi avvicinai, e allora vidi, tra le cartacce e i torsoli, la zampetta del cane, sporca di sangue ma con tutto il pelo.

Poi mi fu spiegato che al paese loro i cani li mangiano e tutti lo fanno e non c'è nulla di male. Ma in quel momento mi salì il sangue alla testa; entrai nella baracca, lui stava voltato, frugando nel fornello. Si girò sorridendo, con un piatto che conteneva certa carne scura in un intingolo; e compresi che era carne del cane e che lui me la offriva affinché la mangiassi. Con un pugno gli mandai il piatto in faccia, urlando: "Assassino, che hai fatto al cane?," e subito mi resi conto che lui non capiva perché fossi tanto in collera. Mi sfuggì, uscì dalla baracca e prese a correre verso Tormarancio. Io raccolsi un selcio e glielo tirai e poi lo rincorsi e lo presi per il collo. Venne fuori tanta gente; e lui, con la faccia stupita e tutta imbrattata di sugo di carne, ripeteva: "Tenetelo, è pazzo;" e io lo scuotevo per il collo e urlavo che non avevo più voce: "Che hai fatto al cane?... Assassino... Che hai fatto al cane?" Finalmente ci separarono; e Bonifazi e gli altri mi fecero salire sulla camionetta che andava a Roma.

Quel giorno stesso riportai ai padroni il bassotto e mi diedero la mancia. Ma non tornai a Tormarancio. Non possedevo nulla e da Bonifazi non ci avevo lasciato nulla. Gli dovevo una mesata e pensai che non tutto il male vien per nuocere. D'altronde questa storia del cane cinese mi aveva disgustato del mestiere e decisi di cambiare. Mi feci venditore ambulante, andando in giro con un carrettino pieno di un po' di tutto: olive dolci, semi di popone, castagne secche, noccioline americane, fichi secchi e noci. Facevo cartoccetti tutto il giorno, al ponte nuovo, all'imbocco del traforo del Gianicolo e riuscivo sì e no a campare. In quel tempo ero sempre triste e la vita non mi diceva niente, forse per via del cane. Una volta sola vidi Fesseria, di lontano, ma non le parlai: se mi avesse detto che anche lei aveva mangiato il cane, credo che l'avrei ammazzata.

MARIO

Fu così. Di mattina presto, mi alzai che Filomena ancora dormiva, presi la borsa dei ferri, uscii di soppiatto di casa e andai a Monte Parioli, in via Gramsci, dove c'era uno scaldabagno che buttava. Quanto tempo ci avrò messo per fare la riparazione? Certo un paio d'ore perché dovetti smontare e rimontare il tubo. Finito il lavoro, con l'autobus e con il tram tornai a via dei Coronari, dove ho casa e bottega. Notate il tempo: due ore a Monte Parioli, mezz'ora per andarci, mezz'ora per tornare: tre ore in tutto. Che sono tre ore? molto e poco, dico io, secondo i casi. Io ci avevo messo tre ore per rimettere a posto un tubo di piombo; qualcun altro, invece...

Ma andiamo per ordine. Alla imboccatura di via dei Coronari, mentre camminavo svelto lungo i muri, mi sentii chiamare per nome. Mi voltai: era Fede, la vecchia affittacamere che sta di casa di fronte a noi. Questa Fede, poveretta, ha due gambe così grosse, per via della podagra, che manco un elefante. Mi disse, tutta affannosa: "Che scirocco, oggi... vai in su? mi dai una mano per la sporta?"

Risposi che l'avrei fatto volentieri. Mi passai la borsa dei ferri sull'altra spalla e afferrai la sporta. Lei prese a camminarmi accanto, trascinando quelle due colonne di gambe sotto la palandrana. Dopo un poco, domandò: "E Filomena dov'è?"

Risposi: "Dov'ha da essere? A casa."

"Già, a casa" disse lei a testa china "si capisce."

Domandai, tanto per parlare: "Perché si capisce?"

E lei: "Si capisce... eh, povero figlio mio."

Insospettito, lasciai passare un momento e poi insistetti:

"Perché povero figlio mio?"

"Perché mi fai compassione," disse quella befana senza guardarmi.

"E cioè?"

"E cioè non sono più i tempi di una volta... le donne oggi non sono più come al tempo mio."

"Perché?"

"Al tempo mio, uno poteva lasciare la sposa a casa, tranquillo... come la lasciava, così la ritrovava... oggi invece..."

"Invece?"

"Oggi non è così... basta... ridammi la sporta: grazie tanto."

Ormai tutta la gioia di quella bella mattinata mi era andata in veleno. Dissi, tirando indietro la sporta: "Non ve la do se non vi spiegate... che c'entra Filomena in tutto questo?"

"Io non so nulla," disse lei "ma, uomo avvisato mezzo salvato."

"Ma insomma" gridai "che ha fatto Filomena?"

"Domandalo ad Adalgisa," rispose lei; e questa volta acchiappò la sporta e si allontanò con un'agilità che non le conoscevo, quasi correndo nella sua palandrana lunga.

Pensai che non era più il caso di andare a bottega, e feci dietro-front per cercare Adalgisa. Per fortuna stava anche lei in via dei Coronari. Adalgisa ed io eravamo stati fidanzati prima che incontrassi Filomena. Era rimasta zitella e sospettavo che quella storia su Filomena l'avesse inventata proprio lei. Salii quattro piani, bussai forte col pugno, per poco non la presi in faccia poiché lei aprì la porta di botto. Aveva le maniche rimboccate, teneva in mano una scopa. Disse secca secca: "Gino, che vuoi?"

Adalgisa è una ragazza non tanto grande, piacente, ma con la testa un po' grossa e il mento in fuori. Per via del mento, la chiamano scucchiona. Ma non bisogna dirglielo. Io, inviperito, invece glielo dissi: "Sei stata tu, scucchiona, a raccontare in giro che Filomena, mentre sto a bottega, fa non so che in casa?"

Lei mi fissò con due occhi arrabbiati: "L'hai voluta, Filomena... mo' te la tieni."

Entrai e l'acchiappai per un braccio. Ma glielo lasciai subito perché lei mi guardò quasi con speranza. Dissi: "Dunque sei stata tu?"

"Io non sono stata... come l'ho avuta, così l'ho data."

"E chi te l'ha data?"

"Giannina."

Non dissi nulla e feci per uscire. Ma lei mi trattenne e soggiunse guardandomi, provocante: "E non chiamarmi più scucchiona."

"E che, non ce l'hai la scucchia?" risposi liberandomi e scendendo la scala a rompicollo.

"Meglio la scucchia che le corna," gridò lei affacciandosi alla ringhiera.

Ora cominciavo a sentirmi male. Non mi pareva possibile che Filomena mi tradisse, visto che in tre anni che eravamo sposati lei non aveva fatto che ricoprirmi di tenerezze. Ma guarda che cos'è la gelosia. Proprio queste tenerezze, alla luce dei discorsi di Fede e di Adalgisa, mi sembravano una prova di tradimento. Basta, Giannina era cassiera in un bar lì accanto, sempre in via dei Coronari. Giannina è una bionda linfatica, coi capelli lisci e gli occhi di porcellana azzurra. Calma, lenta, riflessiva. Andai alla cassa e le sussurrai: "Di' un po', sei stata tu a inventare che Filomena, quando non ci sono, riceve gente in casa?"

Lei stava dando retta ad un cliente. Batté con le dita sui tasti della macchina contabile, staccò il biglietto, annunziò, senza alzare la voce: "Due espressi...;" quindi domandò, tranquilla: "Che mi dici, Gino?"

Ripetei la domanda. Lei porse il resto al cliente e poi rispose: "Per carità Gino, ti pare che inventi una cosa simile su Filomena... la mia migliore amica?"

"Allora Adalgisa se l'è sognato."

"No" corresse lei "no... non se l'è sognato... ma io non l'ho inventato... l'ho ripetuto."

"Che buon'amica," non potei fare a meno di esclamare.

"Ma ho anche detto che non ci credevo... questo, certo, Adalgisa non te l'ha detto."

"E a te, chi te l'aveva raccontato?"

"Vincenzina... è venuta apposta dalla stireria per farmelo sapere."

Uscii senza salutarla e andai dirimpetto, alla stireria. Dalla strada potei subito vedere Vincenzina, ritta in piedi davanti al tavolo, che pesava con le due braccia sul ferro, stirando. Vincenzina è una ragazza minuscola, con un viso schiacciato, come di gatto, bruna bruna, vivace. Sapevo che aveva un debole per me e, infatti, a un cenno che le feci col dito, lasciò subito il ferro e venne fuori. Disse, speranzosa: "Gino, beato chi ti vede."

Risposi: "Strega, è vero che vai dicendo in giro che Filomena, mentre sto a bottega, riceve gli uomini in casa?"

E lei, un po' delusa, dondolandosi, le mani nelle tasche del grembiale: "Ti dispiacerebbe?"

"Rispondi" insistetti: "sei stata tu a inventare quest'infamia?"

"Uh, quanto sei geloso" disse lei alzando le spalle "che sarà? una donna ora non potrà far quattro chiacchiere con un amico..."

"Dunque sei stata tu."

"Senti, mi fai compassione" disse ad un tratto quella vipera; "che vuoi che me ne importi di tua moglie... io non ho inventato niente... me l'ha detto Agnese... lei sa anche il nome di lui."

"Come si chiama?"

"Fattelo dire da lei."

Ormai ero sicuro che Filomena mi tradiva. Si sapeva anche il nome. Pensai involontariamente: "Per fortuna nella borsa non ho alcun ferro grosso, altrimenti potrei perder la testa e ammazzarla." Non riuscivo a capacitarmi: Filomena, mia moglie, con un altro. Entrai nella tabaccheria dove Agnese vendeva le sigarette per conto del padre. Gettai il denaro sul banco, dicendo: "Due nazionali."

Agnese è una ragazzetta di diciassette anni, con una foresta di capelli crespi e secchi ritti sulla testa. La faccia l'ha gonfia, infarinata di cipria rosa, pallida, senza colori, con due occhi neri come due bacche di lauro. La conoscevo come la conoscono tutti, in via dei Coronari. E come lo sapevano tutti, così sapevo anch'io che era interessata, capace, per denaro, di vendersi l'anima. Mentre mi dava le sigarette, mi chinai e le domandai: "Di' un po' come si chiama?"

"Ma chi?" rispose lei stupita.

"L'amico di mia moglie."

Mi guardò esterrefatta: dovevo avere una brutta faccia. Disse subito: "Io non so niente."

Cercai di sorridere: "Via, dimmelo... lo sanno tutti ormai, io soltanto non lo so."

Mi guardava fisso, scuotendo il capo; allora soggiunsi: "Guarda, se me lo dici ti do questo." E cavai di tasca un foglio da mille che avevo avuto quel mattino per la riparazione.

Alla vista del denaro, lei si turbò, manco le avessi parlato d'amore. Il labbro le tremò, si guardò intorno e poi mise la mano sul foglio, dicendo piano: "Mario."

"E tu come l'hai saputo?"

"Dalla tua portiera."

Dunque era proprio vero. Come nel gioco del freddo e del caldo, adesso eravamo già nel mio palazzo. Presto saremmo stati nel mio appartamento. Uscii dalla tabaccheria e corsi a casa mia, qualche portone più in là. Intanto ripetevo: "Mario", e a quel nome tutti i Marii che conoscevo mi sfilavano davanti gli occhi: Mario il lattaio, Mario l'ebanista, Mario il fruttivendolo, Mario che era stato soldato e ora era disoccupato, Mario il figlio del norcino, Mario, Mario, Mario... A Roma i Marii saranno un milione e a via dei Coronari ce ne saranno cento. Entrai nel portone di casa mia, andai difilato alla bussola della portiera. Vecchia e baffuta come Fede, stava a gambe larghe, un braciere tra i piedi e un mucchio di cicoria da capare in grembo. Domandai, affacciandomi: "Dite un po' l'avete inventato voi che Filomena, in mia assenza, riceve un certo Mario?"

Irritata rispose subito: "Ma chi si inventa niente? è tua moglie che me l'ha detto."

"Filomena?"

"Già... mi ha detto: deve venire un giovanotto così e così che si chiama Mario... se Gino è in casa, digli che non salga... ma se Gino non c'è, fallo pure salire... ora è su."

"È su?"

"E come... è salito che sarà quasi un'ora."

Dunque, non soltanto Mario esisteva, ma adesso stava con Filomena, in casa, da un'ora. Mi gettai per le scale, salii di corsa tre piani, bussai. Filomena stessa venne ad aprirmi: e subito notai che lei, sempre così placida e serena, sembrava spaventata. Dissi: "Brava... quando non ci sono, ricevi Mario."

"Ma quando mai?..." incominciò lei.

"So tutto," gridai; e feci per entrare. Allora lei mi sbarrò il passo dicendo: "Lascia perdere... che te ne importa? Torna più tardi."

Questa volta non ci vidi più. Le diedi uno schiaffo gridando: "Ah, è così, non deve importarmi?;" e poi, con una spinta, la misi da parte e corsi in cucina.

Accidenti alle chiacchiere delle donne e accidenti alle donne. C'era, sì, Mario, seduto al tavolo, in atto di bere il caffellatte, ma non era Mario l'ebanista, né Mario il fruttivendolo, né Mario il figlio del norcino, né insomma alcuno dei tanti Marii a cui avevo pensato per strada. Era semplicemente Mario il fratello di Filomena che era stato in galera due anni per furto con scasso. Io, sapendo che un giorno sarebbe uscito, le avevo detto: "Guarda che in casa mia non ce lo voglio... non voglio neppure sentirne parlare." Ma lei, poveretta, che al fratello voleva bene con tutto che fosse ladro, aveva voluto riceverlo lo stesso in mia assenza. Mario, vedendomi così fuori di me, si era alzato in piedi. Dissi, ansimante: "Addio, Mario."

"Me ne vado" disse lui, moscio. "Non aver paura... me ne vado... eh che sarà?... manco fossi appestato."

Sentivo Filomena nel corridoio che singhiozzava e adesso mi vergognavo di quello che avevo fatto. Dissi, confuso: "No, rimani... per oggi rimani... rimani a colazione... non è vero Filomena" soggiunsi rivolto a lei che si era affacciata sulla soglia asciugandosi le lagrime "che Mario può rimanere a colazione?"

Basta, rimediai alla meglio, e poi andai in camera da letto, ci chiamai Filomena, le diedi un bacio e facemmo pace. Restava, però, il fatto delle chiacchiere. Esitai e poi dissi a Mario: "Andiamo, Mario... vieni a bottega: può darsi che il padrone qualche cosa ti faccia fare." Lui mi seguì; quando fummo per le scale soggiunsi: "Nessuno ti conosce qui... tu, in questi anni, sei stato a lavorare a Milano... intesi?"

"Intesi."

Scendemmo la scala. Come fummo davanti la bussola della portineria, presi Mario per un braccio e lo presentai, dicendo: "Questo è Mario... mio cognato... viene da Milano... ora starà qui con noi."

"Piacere, piacere, piacere."

"Il piacere è tutto mio," pensai uscendo per la strada. Per le chiacchiere delle donne, ci avevo rimesso mille lire; e, adesso, per giunta, ci avevo anche il ladruncolo in casa.

GLI AMICI SENZA SOLDI

Se ne dicono tante sull'amicizia, ma, insomma, che vuol dire essere amico? Basterà, come feci io, per cinque anni di seguito, vedere al bar di piazza Mastai sempre lo stesso gruppo, far la partita sempre con gli stessi giocatori, discutere di calcio sempre con gli stessi tifosi, andare insieme in gita, allo stadio, a fiume, mangiare e bere insieme alla stessa osteria? Oppure bisognerà, d'ora in poi, dormire nello stesso letto, mangiare con lo stesso cucchiaio, soffiarsi il naso nello stesso fazzoletto? Io, più ci penso a questa faccenda dell'amicizia, e più ci perdo la testa. Crediamo per anni e anni di essere intimi, pappa e ciccia come si dice, di volerci bene, di esser fratelli. E poi, tutto a un tratto, scopriamo invece che gli altri avevano tenuto le debite distanze e ci criticavano e magari ci avevano sulle corna e, insomma, non provavano per noi non dico il sentimento dell'amicizia ma neppure quello della simpatia. Ma allora, dico io, l'amicizia sarebbe un'abitudine come prendere il caffè o comprare il giornale; una comodità come la poltrona o il letto; un passatempo come il cinema e la foglietta? Ma se è così perché la chiamano amicizia e non la chiamano piuttosto in un altro modo?

Basta, io sono un uomo tutto cuore, di quelli che non credono al male. Così, quell'inverno, dopo aver avuto la polmonite, tra il medico che mi diceva che dovevo passare un mese almeno al mare, e i soldi che non c'erano perché tutti i pochi risparmi se ne erano andati in medici e cure, dissi alla mamma che quelle trentamila lire che ci volevano me le sarei fatte prestare dagli amici del bar di piazza Mastai. La mamma non è come me: tanto io sono entusiasta, credulo, avventato, altrettanto lei è scettica, amara, prudente. Così, quel giorno, mi rispose, senza voltarsi dal fornello: "Ma quali amici, se durante la malattia non è venuto a trovarti neppure un cane?" Rimasi turbato dalla frase, perché era la verità ma subito mi riebbi spiegando che era tutta gente molto occupata. Lei scosse la testa, ma non disse nulla. Era la sera, l'ora in cui si riunivano tutti al bar. Mi coprii ben bene, perché era la prima volta che uscivo, e ci andai.

Avvicinandomi al bar, con le gambe che non mi reggevano dalla gran debolezza, dico la verità, sorridevo mio malgrado e sentivo che quel sorriso mi illuminava come un raggio di sole la faccia smunta e sbiancata dalla malattia. Sorridevo di allegria anticipata perché mi figuravo la scena: io che apparivo sulla soglia, loro che mi guardavano un momento e poi si alzavano tutti insieme e mi venivano incontro; e chi mi batteva una mano sulla spalla, chi mi chiedeva notizie della salute, chi mi raccontava quello che era successo in mia assenza. Mi accorgevo, insomma, da quel sorriso, di voler bene agli amici; e quell'incontro mi faceva trepidare un po' come quando si rivede, dopo molto tempo, una donna amata. Provavo il sentimento dell'amicizia e, come succede, quel che provavo mi pareva che dovessero provarlo anche gli altri.

Come mi affacciai al bar vidi, invece, che era deserto. Non c'erano che il barista, Saverio, intento a pulire il banco e la vaporiera, e Mario, il padrone, che leggeva il giornale, seduto alla cassa. La radio aperta suonava in sordina un ballabile. Con Mario, un giovanottone grande e moscio, con la testa piccola, e gli occhi di donna sempre pesti e languidi, eravamo, si può dire, fratelli. Eravamo cresciuti insieme nella stessa strada, eravamo andati a scuola insieme, eravamo stati sotto le armi insieme. Felice, trepidante, mi avvicinai a lui che leggeva e dissi in un soffio, ché, un po' per la debolezza e un po' per la gioia, quasi mi mancava la voce: "Mario..."

"Oh, Gigi," fece lui alzando gli occhi, con voce normale, "chi non muore si rivede... che hai avuto?"

"La polmonite e sono stato tanto male... ho dovuto fare la penicillina... non ti dico quello che ho passato."

"Ma davvero?," disse lui ripiegando il giornale e guardandomi, "si vede... sei un po' sbattuto... ma ora sei guarito?"

"Sì, sono guarito... per modo di dire, però... non mi reggo

in piedi... il dottore dice che dovrei andare per un mese almeno al mare..."

"Ha ragione... sono malattie pericolose... prendi un caffè?"

"Grazie... e gli amici?"

"Saverio, un caffè forte per Gigi... Gli amici? Sono usciti proprio ora per andare al cinema."

Adesso aveva aperto di nuovo il giornale, come desideroso di riprendere la lettura. Dissi: "Mario..."

"Che c'è?"

"Guarda, dovresti farmi un favore... per passare un mese al mare ci vogliono quattrini... io non li ho... potresti prestarmi diecimila lire? Appena ricomincerò con le mediazioni, te le renderò."

Lui mi guardò con quei suoi occhi neri e languidi, un lungo momento. Poi disse: "Vediamo," e aprì il cassettino della macchina contabile. "Guarda," disse poi mostrandomi il cassetto quasi vuoto, "proprio non li ho... ho fatto un pagamento poco fa... mi dispiace."

"Come non li hai?" dissi sperduto, "diecimila lire non sono molte..."

"Anzi, sono poche," disse lui, "ma avercele." Come per una improvvisa ispirazione, levò gli occhi verso il banco e gridò: "Saverio, ci avresti diecimila lire da prestare a Gigi?" Il barista, un poveruomo con famiglia, naturalmente rispose. "Signor Mario... io, diecimila lire?" Allora Mario si voltò verso di me e disse: "Sai chi può prestartele? Egisto... lui ci ha il negozio che gli rende... lui te le presta di certo." Non dissi nulla: ero gelato. Ma, per la forma, bevvi il caffè e poi volli pagarlo io. Lui capì e disse: "Mi rincresce, sai..."

"Figurati," risposi, e uscii.

Egisto era un altro di questi cari amici che avevo veduto tutti i giorni per anni. Il mattino dopo, presto, uscii di casa e andai da Egisto. Aveva un negozio di mobili usati dietro piazza Navona, in via di Parione. Come giunsi davanti al negozio, lo vidi subito attraverso i vetri della porta, ritto in piedi tra cataste di seggiole e di panchetti, sullo sfondo di un comò, in cappotto, con il bavero rialzato sulla nuca e le mani in tasca. Egisto era un tipo proprio comune: né alto né basso, né magro né grasso, con una faccia prudente e infastidita. Aveva sempre ora un occhio ora l'altro, rosso e mezzo chiuso, per qualche orzarolo; e si mangiava le unghie, a fondo, fino alla carne. Sebbene mi sentissi già meno entusiasta, pure quando chiamai "Egisto" c'era ancora un fremito di gioia nella mia voce. Lui disse: "Addio Gigi," freddamente; ma non ci feci caso perché sapevo che aveva un carattere freddo. Entrai e dissi francamente: "Egisto, sono venuto per chiederti un favore."

Lui rispose: "Intanto chiudi la porta perché fa freddo." Chiusi la porta e ripetei la frase. Lui andò in fondo al negozio, in un angolo buio dove c'era una vecchia scrivania e una seggiola e sedette dicendo: "Ma tu sei stato male... raccontami un po'... che hai avuto?"

Capii dal tono che voleva parlare della malattia per evitare il discorso sul favore che stavo per chiedergli. Tagliai corto rispondendo seccamente: "Ho avuto la polmonite."

"Ma davvero?... E lo dici così? Racconta un po'..."

"Non è di questo che volevo parlarti," dissi; "il favore piuttosto... avrei bisogno urgente di quindicimila lire... prestamele: tra un mese te le restituisco." Avevo aumentato la somma perché, venuto meno Mario, ormai erano in due soltanto che potevano prestarmele.

Lui prese subito a rosicchiarsi l'unghia dell'indice e poi attaccò quella del medio. Finalmente disse, senza guardarmi: "Quindicimila lire non posso prestartele... ma posso indicarti la maniera di guadagnare cinquecento lire al giorno e anche mille, senza fatica."

Lo guardai, confesso, quasi con speranza: "E come?"

Lui aprì il cassetto della scrivania, ne cavò un ritaglio di giornale e me lo porse dicendo: " Leggi qui." Lo presi e lessi: Da cinquecento a mille al giorno guadagnerete senza fatica, a domicilio, fabbricando oggetto artistico ricorrenza anno santo. Inviare cinquecento lire casella postale ecc. ecc.

Per un momento rimasi a bocca aperta. Bisogna sapere che quell'annunzio lo conoscevo già: si trattava di certi furboni di provincia che sfruttavano la credulità dei poveretti. Mandavate cinquecento lire e ricevevate in cambio un modellino di carta con i buchi da ripassare all'inchiostro di Cina, sulle cartoline postali. Veniva fuori il profilo di San Pietro. Poi bisognava piazzare le cartoline, e loro dicevano che, data la grande affluenza dei pellegrini, se ne potevano vendere facilmente da cinquanta a cento al giorno, a cinquanta lire l'una. Gli restituii il ritaglio osservando: "Ti credevo un amico."

Lui adesso si mangiava l'unghia dell'anulare. Rispose senza alzare gli occhi: "E lo sono..."

"Ciao, Egisto..."

"Ciao, Gigi."

Da via di Parione andai a prendere l'autobus in corso Vittorio e mi recai in via dei Quattro Santi Coronati. Lì stava l'altro amico sul quale avevo contato per il prestito: Attilio. Era il terzo e l'ultimo perché gli altri del gruppo erano poveretti che, anche se l'avessero voluto, non avrebbero potuto prestarmi un centesimo. Io avevo calcolato bene, come potete vedere: Mario possedeva il bar ben avviato, Egisto trafficava non so quanto con il suo negozio di mobili usati, e quest'Attilio, poi, addirittura, saccheggiava con un garage, affittando macchine e facendo riparazioni. Anche con lui ero, si può dire, fratello: perfino gli avevo tenuto a battesimo la bambina. Lo trovai disteso sotto una macchina, sul marciapiede, la testa e il petto sotto e le gambe fuori. Lo chiamai: "Attilio," ma questa volta la mia voce non aveva più alcun tremito. Lui armeggiò ancora un momento e poi venne fuori pian piano, asciugandosi la faccia tutta sporca di olio di motore con la manica della tuta. Era un uomo tarchiato, con una faccia fosca, color del pane crudo, gli occhi piccoli, la fronte bassa, e una vecchia cicatrice sul sopracciglio destro. Disse subito: "Guarda, Gigi che se è per una macchina, niente da fare... le ho tutte fuori e la giardiniera è in riparazione."

Risposi: "Non si tratta di una macchina... sono venuto per chiederti un favore: prestami venticinquemila lire."

Mi guardò accigliato, e poi disse: "Venticinquemila lire... te le do subito... aspetta;" e io rimasi sbalordito perché ormai non ci avevo più sperato. Andò lentamente alla giubba appesa a un chiodo dentro il garage, ne trasse il portafogli e poi tornò verso di me, domandando: "Le vuoi in biglietti da mille oppure in biglietti da cinquemila?"

"Come ti fa più comodo; non importa."

Mi guardava fisso, con una faccia che pareva gonfia di non capivo che minaccia. Insistette: "O forse le vuoi in parte in biglietti da cento?..."

"Grazie, in biglietti da mille va bene."

"Ma forse," disse come preso ad un tratto da un sospetto. "te ne servono trentamila... se ti servono, dillo pure, non aver paura."

"Beh, hai indovinato, facciamo trentamila... è proprio la somma che mi serve."

"Para la mano."

Tesi la mano. Allora lui fece un passo indietro e disse con una voce truce: "Ma di' la verità, ci hai creduto, povero cocco, che il denaro che fatico tanto a guadagnare, io debba spenderlo per uno sfaccendato come te... ci hai creduto eh? Ma ti sei sbagliato."

"Ma io..."

"Ma tu sei scemo... manco cento lire... lavora, datti da fare invece di passare il tempo al caffè..."

"Potevi dirmelo subito," incominciai inferocito, "non si fa così..."

"E ora vattene," disse lui, "vattene subito... pussa via."

Non potei più tenermi e dissi: "Carogna."

"Eh, che hai detto?" gridò lui afferrando un paletto di ferro, "ridillo un po'."

Insomma, dovetti scappare, se no mi menava. Tornai a casa, quel mattino, che mi sembrava di essere invecchiato di dieci anni. Alla mamma che dalla cucina mi domandò: "Beh, il denaro te l'hanno prestato i tuoi amici?," risposi: "Non li ho trovati." Ma, a tavola, vedendomi avvilito, lei disse: "Confessa la verità: non hanno voluto prestarteli... per fortuna ci hai tua madre... eccoli i denari;" e si cavò dalla tasca tre biglietti da diecimila, mostrandomeli. Le domandai come avesse fatto, e lei rispose che l'amico del povero è il Monte di Pietà; intendendo con questo che aveva impegnato qualche cosa per procurarmi quei soldi. S'era, infatti, impegnati gli ori; e, tutt'oggi, non ha ancora potuto spegnarli. Basta, passai quel mese a Santa Marinella. Andavo in barca, la mattina, al sole, e, qualche volta, chinandomi a guardare sott'acqua a tutti i pesci grandi e piccoli che ci nuotavano, mi domandavo se, almeno tra i pesci, ci fosse l'amicizia. Tra gli uomini no, sebbene la parola l'abbiano inventata loro.

BU BU BU

Verso la mezzanotte accompagnai a casa i padroni e poi, invece di riportare la macchina in garage, andai a casa mia, mi tolsi la divisa d'autista, infilai il vestito blu delle feste e, senza fretta, mi recai all'appuntamento, a via Veneto. Giorgio mi aspettava in un bar, coi due clienti di quella notte, due sudamericani, lei più che matura, coi capelli neri che parevano tinti, il viso sciupato tutto dipinto e gli occhi azzurri, spiritati; lui molto più giovane, con un viso liscio, sornione, impunito, simile a quello dei manichini dei sarti. Conoscete Giorgio? Quando l'incontrai per la prima volta era un ragazzino dalla faccia da angelo, biondo e rosa; era il tempo degli Alleati e lui, in giacca a vento e pantaloni militari, saltellava su e giù, nei giorni di tramontana, per i marciapiedi del Tritone, sussurrando ai passanti: "America." Così, un po' con l'America e un po' con altre cose, incominciò a parlare l'inglese e poi, quando gli Alleati se ne andarono, restò da quelle parti, tra il Tritone e via Veneto. Faceva la guida turistica, per i monumenti di giorno, per i locali da ballo la notte, diceva lui. Certo, si era ripulito: sempre con il cappottino da sbarco col cappuccio sulla spalla, i pantaloni strettini, le scarpe con la fibbia di ottone; ma in compenso si era imbruttito parecchio e non era più l'angioletto dei tempi della borsa nera: già pelato sulla fronte e alle tempie, gli occhi azzurri come di vetro, le guance smunte e senza colori, la bocca troppo rossa, con qualche cosa di sguaiato e di violento. Giorgio, dunque, mi presentò come un amico e i due sudamericani cominciarono subito a parlarmi in quello che loro credevano che fosse italiano e invece era spagnolo bello e buono. Giorgio pareva scontento e mi disse sottovoce che quei due erano fissati sui locali loschi, frequentati dalla malavita, e a Roma questi locali non c'erano, e lui non sapeva come contentarli. La signora, infatti, in quell'italiano che poi era spagnolo, mi disse ridendo che Giorgio non era gentile, e non ci sapeva fare come guida: loro volevano andare nei locali dove si riunivano i pistoleros. Io domandai che diavolo fossero questi pistoleros; e Giorgio intervenne, di malumore, spiegando che i pistoleros erano assassini, ladri, magnaccia e simili che in quelle città del Sudamerica si riunivano, appunto, in certi locali tranquilli, insieme con le loro donne, per preparare, d'amore e d'accordo, qualche buon colpo.

Allora dissi, deciso: "Niente pistoleros a Roma... a Roma c'è il Papa e i romani sono tutti padri di famiglia... ha capito?"

Lei domandò guardandomi con quei suoi occhioni elettrici: "Niente pistoleros?... e perché?"

"Perché Roma è fatta così... senza pistoleros."

"Niente pistoleros?" insistette lei guardandomi quasi con tenerezza "proprio neanche uno?"

"Neanche uno."

Il marito domandò: "Ma allora, a Roma, che fanno i romani la sera?"

Risposi a caso. "Che fanno? Vanno in trattoria, mangiano gli spaghetti all'amatriciana e l'abbacchio al forno... poi vanno al cinema... qualcuno va anche a ballare." Lo guardai e poi soggiunsi, svolgendo il mio piano, come d'accordo con Giorgio: "Conosco un locale dove si balla, proprio qui accanto."

"Come si chiama?"

"Le grotte di Poppea."

"E ci sono i pistoleros?"

Dàgli coi pistoleros. Arrischiai, tanto per non scontentarli: "Qualche volta può capitarne uno o due... secondo le sere."

"Il suo amico è meglio di lei" disse la signora rivolta a Giorgio, "lo vede che c'è il locale coi pistoleros... andiamo, andiamo alle Grotte di Poppea."

Così ci levammo e uscimmo dal bar. Le Grotte di Poppea non era troppo lontano, si trovava in uno scantinato dalle parti di piazza dell'Esedra. Mentre guidavo la macchina e la signora, che mi si era seduta accanto, continuava a parlarmi dei pistoleros, io mi preparavo all'emozione di rivedere Corsignana, per la prima volta dopo tanto tempo. Avevo creduto di non amarla più, ma adesso, dal turbamento che mi stringeva il petto, capivo che il sentimento c'era ancora. Non l'avevo più rivista da quando ci eravamo litigati, appunto per via delle Grotte di Poppea, dove lei cantava e ballava e dove io non volevo che lavorasse; e l'idea di rivederla mi metteva in agitazione. Persino la signora se ne accorse, perché ad un tratto mi domandò: "Luigi, lei permette che la chiami Luigi non è vero? Luigi, a che cosa pensa che è tanto distratto?"

"Non penso a niente."

"Non è vero, lei pensa a qualche cosa, scommetto che è una donna."

Basta arrivammo alle Grotte di Poppea: una porticina in un vicolo, con una lanterna e un tettino di tegole, finto rustico. Si discese per una scaletta uso romano antico, con l'ammattonato, le lapidi mezzo rotte, le anfore nelle nicchie illuminate al neon. Il sudamericano, adesso pareva soddisfatto; però, osservò: "Voialtri italiani non potete dimenticarvi dell'impero romano... lo mettete dappertutto, perfino nei locali notturni."

Risposi, dando il cappotto alla guardarobiera che aveva il guardaroba incastrato sotto un arcone di travertino: "Non ci dimentichiamo dell'impero romano perché siamo gli stessi romani di allora... ecco il motivo."

Le Grotte di Poppea erano una sfilata di salette dai soffitti bassi, una dopo l'altra, a cannocchiale. Nella saletta più vasta, in fondo, c'era il bar, la pedana di linoleum per le danze e l'orchestra. Puzzavano di fumo, le Grotte di Poppea, e le voci e la musica si smorzavano come nell'ovatta. Mentre attraversavamo quelle salette, diedi uno sguardo in giro; c'era un po' di gente, mettiamo una mezza dozzina di persone per sala, ma niente pistoleros: alcuni americani, parecchie coppie di fidanzati, qualche giovanottino del genere di Giorgio, due o tre coppie di ragazze in cerca di clienti. Ma Corsignana, che temevo di vedere seduta ad uno di quei tavoli, non c'era. Andammo a metterci ad un tavolo nella sala del bar, proprio di fronte al microfono e subito avemmo tutti i camerieri intorno. Domandai, a caso, facendo l'indifferente: "Niente niente, che canta qui una ragazza che si chiama Corsignana?"

"Corsignana?... no, stasera non s'è vista," disse premuroso uno dei camerieri.

"Una ragazza molto bruna, coi capelli crespi, gli occhi neri, uno sfregio sulla guancia."

"Ah, la signorina Tamara," disse ossequioso il direttore. "trappoco canta... vuole che gliela mandiamo?"

La signora pareva incerta; ma il marito tagliò corto dicendo che gli avrebbe fatto piacere offrire un liquore alla signorina Tamara. E poi ordinammo da bere. L'orchestra attaccò una samba e Giorgio si alzò invitando la signora a ballare. Restammo a sedere il sudamericano ed io.

Ecco Corsignana. Venne fuori da una porticina che non avevo notato, andò al microfono e cominciò a cantare. La guardai con attenzione e vidi subito che era lei ma non era più lei. Intanto era bionda, di un biondo rosso, color carota, con gli occhi che, per contrasto, parevano due carboni; e poi era dipinta, male, con una seconda bocca di rossetto soprapposta a quella vera. Era vestita con un corpetto scollato, verde, e una gonna nera; e la sola cosa che le fosse rimasta della Corsignana che conoscevo, erano le braccia robuste e muscolose, con le mani rosse e un po' gonfie, braccia e mani di ragazza del popolo che ha fatto l'operaia. Anche la voce era cambiata: rauca e sguaiata, con certe cadute sommesse di tono che volevano essere sentimentali. La canzone che cantava aveva un ritornello che pareva l'abbaiare di un cane alla luna: "Bu, bu, bu, lo sai che sei bugiardo, bu, bu, bu, lo sai che sei bugiardo, bu, bu, bu, lo stesso non m'azzardo, bu, bu, bu, a dirti non m'azzardo, bu, bu, bu, che sei proprio bugiardo." Era una canzonetta cretina e quando lei ripeteva "bu, bu, bu," levava le mani aperte in aria, all'altezza delle tempie dove ci aveva appuntato un fiore rosso e dimenava il petto e i fianchi. Domandai al sudamericano: "Le piace?"

"Hermosa," rispose lui con convinzione.

Rimasi incerto sulla parola e tacqui. Corsignana cantò per tutta la durata della danza, e poi Giorgio e la signora tornarono alla tavola, e il direttore parlò a Corsignana e lei venne al nostro tavolo, ancheggiando e cantarellando. Facemmo le presentazioni; e lei disse, noncurante: "Ciao, Luigi," e io risposi: "Ciao Corsignana;" quindi lei sedette, e il sudamericano le domandò che cosa voleva bere, e lei, pronta, rispose che voleva un whisky e il direttore, deferente, le portò il whisky. L'orchestra attaccò una rumba, io mi alzai e invitai Corsignana a ballare. Accettò e incominciammo a girare per la pedana.

Subito le dissi: "Non te l'aspettavi di rivedermi, no?"

Lei rispose, mettendosi in bocca una gomma americana e masticandola; "Perché? Questo è un locale pubblico, ci può venire chiunque."

"Allora sei contenta?"

"Così così."

Non mi guardava e voltava la testa da una parte, masticando la gomma. Le diedi una stranita al fianco, dicendo: "Aho, guardami."

"Ahi," fece lei guardandomi.

"Così va bene... e quanto guadagni?"

"Venticinquemila al mese."

"E per così poco..."

Ma lei animandosi ad un tratto, in tono polemico: "Aspetta, non correre... venticinquemila al mese fisse... e poi duecento lire per ogni whisky che mi faccio offrire... e poi gioco ai dadi coi clienti," mise la mano in tasca, ne cavò i dadi e me li mostrò, "e arrotondo... e poi ci sono gli incerti."

"Quali incerti?"

"Beh, un po' di tutto." Ora era diventata più amichevole, quasi confidenziale: "Ma questo non è che un trampolino... spero di passare ad un altro locale migliore... qui sono dei tirchi e degli imbroglioni... figurati che, invece del whisky, nel mio bicchiere ci mettono l'acqua sporca, e ciononostante tirano a truffarmi, e se non me li segno, i finti whisky che bevo, loro fingono di dimenticarli... il padrone poi dice che se mostro di volergli bene, ci intendiamo facilmente... ma io: cuccù."

Insomma, adesso era a suo agio e parlava spedita; ma io ero disgustato. L'avevo lasciata una brava ragazza perfino timida e la ritrovavo sfacciata e calcolatrice. Parlava in tono duro e consapevole e si capiva che per lei ormai contavano soltanto i soldi e niente altro che i soldi. Le canzonette, era vero, le aveva sempre cantate, ma un tempo le cantava per me, andando a spasso fuori porta, di primavera; e adesso, anche quelle le aveva vendute e ci faceva i soldi. "Beh" dissi ad un tratto "mi sono stancato... torniamo al tavolo."

"Come vuoi."

Tornammo al tavolo e Corsignana subito ordinò un altro whisky e poi cavò di tasca i dadi e invitò il sudamericano ad una partita. La signora adesso non si curava più di Giorgio e sorvegliava il marito con quei suoi occhi spiritati. Corsignana giocò e vinse tre volte, a mille lire la volta. Il sudamericano cavò di tasca il denaro, prese la mano di Corsignana, ci chiuse i biglietti e poi gliela baciò e l'invitò a danzare. Lui e Corsignana andarono a ballare; la signora li seguì con gli occhi e poi mi disse scontenta: "Questo locale non mi piace... ce ne andiamo?"

Finito il ballo, quei due tornarono al tavolo e poi Corsignana andò al microfono e cantò un'altra canzonetta più cretina della prima. Quindi rivenne al nostro tavolo, si fece portare un altro whisky e ricominciò a giocare ai dadi con il sudamericano. La signora adesso insisteva per andarsene, ma il marito non le dava retta e fece venire da bere per tutti. Giorgio allora invitò la signora a ballare, e lei accettò di malavoglia. Appena andata via la signora, il sudamericano e Corsignana cominciarono a farsi le civetterie e lui le stava addosso e con le ginocchia le toccava le ginocchia. Io li guardavo e soffrivo ma, in fondo, ero contento di soffrire perché volevo non provare più nulla per Corsignana e non soffrire più. Finalmente il sudamericano disse non so che all'orecchio di Corsignana e lei, sempre all'orecchio, gli rispose qualche cosa; e poi lui cavò di tasca un biglietto grosso di banca, prese la mano di Corsignana sul tavolo e glielo mise dentro la palma. Tutto ad un tratto, la signora si parò davanti al tavolo e piombò con la mano sulla mano di Corsignana: "Apra quella mano."

Corsignana aprì la mano e il biglietto cascò sul tavolo. Corsignana si alzò in piedi e disse lesta alla signora: "Cara signora, se a lei preme tanto suo marito, se lo tenga a casa... io sono qui per lavorare, non per divertirmi... lui mi ha detto all'orecchio che voleva farmi un regalo per le mie canzoni e io gli ho detto che lo facesse pure... perché non dovrei accettare?"

"Insolente, sguattera." La signora alzò la mano e schiaffeggiò Corsignana sulle due guance.

Poi non so quello che avvenne. A me quei due schiaffi mi avevano fatto piacere, come se li avessi dati io. Ma poi, vedendo la faccia di Corsignana dopo gli schiaffi, rossa e mortificata, mi parve di rivedere la faccia di lei quando eravamo fidanzati e mi venne compassione. Intanto erano accorsi il direttore, i camerieri e la signora, infuriata, usciva seguita dal marito e da Giorgio. Io mi avvicinai a Corsignana e, approfittando del trambusto, le dissi sottovoce: "Ti aspetto fuori, quando hai finito ci ho la macchina... a che ora stacchi?"

"Alle quattro," disse lei con una luce di speranza negli occhi, "mi accompagni a casa in macchina?"

Capii ad un tratto che per lei, veramente, tutto ormai era interesse; alle quattro mi avrebbe raggiunto, ma non per me, per la macchina. Ed era giusto, in fondo: abitava a San Giovanni. Ma capii che per me era finita, non avrei resistito allo strazio di vederla sempre interessata. Così le dissi che l'avrei aspettata e poi uscii. Di fuori, in strada, non trovai più né Giorgio né i sudamericani. Salii in macchina e me ne andai a casa, a dormire. Finita, Corsignana.

LADRI IN CHIESA

Che fa il lupo quando la lupa e i lupetti hanno fame e stanno a pancia vuota, lamentandosi e bisticciandosi tra loro, che fa il lupo? Io dico che il lupo esce dalla tana e va in cerca di roba da mangiare e magari, dalla disperazione, scende al paese ed entra in una casa. E i contadini che l'ammazzano hanno ragione di ammazzarlo; ma anche lui ha ragione di entrare in casa loro e di morderli. Così tutti hanno ragione e il torto non ce l'ha nessuno; e dalla ragione nasce la morte. Quell'inverno io ero come il lupo e, anzi, proprio come un lupo non abitavo in una casa ma in una grotta, laggiù, sotto Monte Mario, in una cava abbandonata di pozzolana. Ce n'erano parecchie di grotte, ma le più erano ostruite dai rovi, due sole erano abitate, quella mia e quella di un vecchio che un po' mendicava e un po' andava in giro a raccogliere stracci e si chiamava Puliti. Il luogo, a ridosso del monte, era giallo e pelato, con le aperture delle grotte tutte affumate e nere. Davanti la grotta di Puliti c'era sempre un mucchio di stracci e lui che ci frugava; davanti alla mia c'era un bidone di benzina che ci serviva da fornello e mia moglie, in piedi, con il bambino al petto, che menava la ventola per accendere i carboni. Dentro, la grotta era perfino meglio di una camera in muratura; spaziosa, asciutta, pulita, con il materasso in fondo e la roba appesa ai chiodi. La famiglia, dunque, la lasciavo alla grotta e andavo a Roma a cercar lavoro; ero bracciante e per lo più lavoravo negli sterri. Poi venne l'inverno e, non so perché, di sterri se ne fecero sempre meno, e io cambiai mestiere tante volte ma sempre per poco tempo, e, alla fine, restai senza lavoro. La sera, quando tornavo alla grotta, e vedevo, alla luce della lampada a olio, mia moglie accovacciata sul materasso che mi guardava, e il bambino che teneva al petto che mi guardava, e i due bambini più grandi che giocavano in terra che mi guardavano, e leggevo in quegli otto occhi la stessa espressione affamata, mi pareva proprio di essere un lupo con una famiglia di lupi e pensavo: "Uno di questi giorni se non gli porto da mangiare, vuoi vedere che mi mozzicano?" Puliti, quel vecchiaccio, che a vederlo con la sua bella barba bianca pareva un santo e poi invece, appena apriva bocca, subito si capiva che delinquente era, mi diceva: "Perché li mettete al mondo i figli? Per farli soffrire? E tu, intanto, perché non fai il ciccarolo? Con le cicche, sempre, qualche cosa ci rimedi." Ma io non me la sentivo di andare in giro a raccattare cicche: volevo lavorare con le mie braccia. Una sera, dalla disperazione, dissi a mia moglie: "Non ce la faccio più... sai che ti dico? Mi apposto all'angolo di una strada e il primo che viene..." Mia moglie mi interruppe: "Vuoi andare in galera?" E io: "Almeno in galera si mangia." E lei: "Tu sì... ma noi?" Quest'ultima obiezione, lo confesso, fu decisiva.

Fu Puliti che mi suggerì l'idea della chiesa. Frequentava le chiese per mendicare e le conosceva, si può dire, tutte, una per una. Disse che se mi facevo chiudere la sera in una chiesa, poi, se ci sapevo fare, la mattina potevo scappare senza che mi vedessero. Avvertì poi: "Fa' attenzione, però... i preti mica sono scemi... la roba buona la tengono nella cassaforte e quelli che vedi sono fondi di bicchieri." Finalmente affermò che se la sentiva, una volta che avessi fatto il colpo, di rivendere la roba. Insomma, mi mise una pulce nell'orecchio, sebbene, poi, non ci pensassi e non ne parlassi più. Ma le idee, si sa, sono come le pulci, camminano da sole e, quando meno te lo aspetti, ti dànno un morso e ti fanno saltare in piedi.

Così, una di quelle sere, l'idea mi diede il morso e io ne parlai a mia moglie. Ora bisogna sapere che mia moglie è religiosa e al paese, si può dire, stava più in chiesa che in casa. Disse subito: "Che, sei diventato matto?" Io avevo preveduto l'obbiezione e le risposi: "Questo non è un furto... la roba, nella chiesa, perché ci sta? Per fare il bene... Se noi prendiamo qualche cosa, che facciamo? Facciamo il bene... a chi, infatti, si dovrebbe fare il bene se non a noi che abbiamo tanto bisogno?" Lei parve scossa e domandò: "Ma tu come le hai pensate tutte queste cose?" Io dissi: "Non te ne occupare e rispondi: non è scritto forse che bisogna dar da mangiare agli affamati?" "Sì." "Siamo o non siamo affamati?" "Sì" "Ebbene in questo modo facciamo il nostro dovere... anzi facciamo un'opera buona." Insomma tanto dissi, sempre insistendo sulla religione che era, come sapevo, il suo punto debole, che la convinsi. Soggiunsi, poi: "Ma siccome non voglio che rimani sola, verrai con me... così, in galera, se ci scoprono, ci andremo insieme." "E le creature?" "Le creature le lasciamo a Puliti... poi ci penserà il Signore." Così ci mettemmo d'accordo e quindi ne parlammo a Puliti. Lui discusse il piano, approvandolo; ma alla fine disse, lisciandosi la barba: "Domenico, dà retta a me che sono vecchio... i cuori d'argento lasciali stare... è roba da poco... attaccati alle gioie." Quando ripenso a Puliti, alla sua barba e alla gravità con cui mi dava questi consigli, quasi quasi mi viene da ridere.

Il giorno fissato, lasciammo i bambini a Puliti e scendemmo con il tram a Roma. Proprio come due lupi affamati che scendono dal monte al paese; e chiunque, vedendoci, ci avrebbe preso per due lupi: mia moglie bassa e tarchiata, tutto petto e spalle, con i capelli crespi ritti che le facevano come una fiamma sulla testa, la faccia risoluta; io magro scannato, il viso a coltello nero di barba, gli occhi incavati e scintillanti. Avevamo scelta una chiesa antica, dalle parti del Corso, in una traversa. Era una chiesa grande e molto buia per via che ci aveva case tutt'intorno; con due file di colonne e, al di là delle colonne, due navate strette e buie con tante cappelline, piene di tesori. Di vetrine con cuori d'argento e dorati, ce n'erano in quantità, appese alle pareti. Ma io avevo messo gli occhi su una vetrinetta più piccola, dove, tra pochi cuori più preziosi, stava in mostra una collana di lapislazzuli su un fondo di velluto rosso. Questa vetrinetta si trovava in una cappella dedicata alla Madonna; e, infatti, in cima all'altare, sotto un baldacchino, c'era la statua della Madonna, di grandezza naturale, tutta dipinta, con la testa circondata da un nimbo di lampadine e, ai piedi, molti vasi di fiori e molti candelabri. Entrammo in chiesa che era già notte e, un momento che non c'era nessuno, ci nascondemmo dietro l'altare, in quella cappella dove era la vetrina. C'erano due o tre scalini, dietro la statua, e sedemmo su quelli. A un'ora tarda, il sacrestano prese a girare per la chiesa, strascicando i piedi e borbottando: “Si chiude;” ma dietro quell’altare non ci venne e si limitò a spegnere tutte le lampadine all’infuori di due lumettini rossi, uno per parte. Poi lo udimmo che chiudeva le porte e alla fine traversò la chiesa per tutta la sua lunghezza e se ne andò dalla parte della sacristia. Eccoci dunque al buio, in quel corridoietto, tra l’altare e la parete dell’abside. Io avevo la febbre e dissi sottovoce a mia moglie: “Su, facciamo presto... apriamo la vetrina.” La udii rispondere: “Aspetta... che fretta c’è?;” e poi la vidi uscire dal nascondiglio. Andò in mezzo alla cappella, fece lì, in quella penombra, un inchino, si segnò, poi, camminando a ritroso, fece un altro inchino e si segnò una seconda volta. Finalmente la vidi inginocchiarsi in terra, in un angolo della cappella, e giungere le mani come per pregare. Che preghiere fossero non saprei, ma capii che non era poi tanto convinta di far bene, come le avevo detto, e voleva premunirsi per quanto poteva. La vedevo chinar la testa nascondendo il viso sotto la massa dei capelli e poi rialzare il viso in quella lucetta rossa muovendo le labbra e poi riabbassarlo, proprio come al rosario. Mi avvicinai e le mormorai, inquieto: “Le preghiere potevi anche dirle a casa, no?” Ma lei, rude: “Lasciami perdere... va’, gira, la chiesa è tanto grande... proprio qui hai da stare?” Sussurrai: “Vuoi intanto che tu preghi, che io apra la vetrina?” E lei, sempre sgarbata: “Non voglio nulla... anzi, quel ferro, dallo a me.” Il ferro era un paletto più che sufficiente per aprire quella vetrinetta traballante: glielo diedi e mi allontanai.

Presi a girare per la chiesa, senza sapere che fare. La chiesa, in penombra, mi faceva paura, con le volte alte e buie che a un sospiro rintronavano; con l’altare maggiore, laggiù in fondo, monumentale, luccicante appena, con i confessionali neri e chiusi, appiattati al buio nelle navate laterali. Camminando in punta di piedi, andai alla porta, tutto solo, tra le due file di banchi vuoti, e mi sentivo freddo alle spalle, come se qualcuno mi seguisse. Provai ad aprire la porta, vidi che era proprio chiusa, e allora tornai indietro e andai a sedermi nella navata di sinistra, davanti una tomba illuminata da una lucernetta rossa. La tomba, murata nella parete, aveva una grande lapide di marmo nero, lucido, e due figure, una per parte; uno scheletro che impugnava una falce e una donna nuda avvolta nei propri capelli. Ambedue le figure erano di marmo giallino, brillante, scolpito benissimo; e io mi distrassi un poco a osservarle e a furia di guardare mi pareva, forse a causa del buio, che si muovessero e che la donna accennasse a fuggire dallo scheletro e questi, galante, la trattenesse per un braccio. Allora, per rinfrancarmi, pensai alla grotta, ai figli, a Puliti, e mi dissi che, se in quel momento mi avessero proposto di tornare indietro e di scegliere di nuovo quello che dovevo fare, avrei fatto la stessa cosa o per lo meno una cosa molto simile a questa. Insomma, non era un caso che fossi in quella chiesa, e non era un caso che ci fossi per quello scopo, e non era un caso che non avessi trovato niente di meglio da fare. Tra questi pensieri mi venne sonno e mi addormentai. Fu un sonno pesante, senza sogni, sigillato dal freddo che in quella chiesa pareva di cantina. Così dormii e non mi accorsi di nulla.

Poi qualcuno mi scoteva e io, nel sonno, dissi: "Ahò, vacci piano... che ti prende?" Finalmente, siccome continuavano a scuotermi, aprii gli occhi e vidi gente: il sacrestano che mi guardava con gli occhi fuori dalla testa; il parroco, un vecchio, coi capelli bianchi spettinati e la veste ancora sbottonata; due o tre guardie e, tra le guardie, mia moglie, più tetra che mai. Dissi, così, senza muovermi: "Lasciateci stare... siamo sfollati e siamo entrati in chiesa per dormire." Allora una delle guardie mi mostrò qualcosa che, lì per lì, tanto ero intontito dal sonno, scambiai per un rosario: la collana di lapislazzuli: "E questa... anche questa per dormire?" Insomma dopo qualche altra spiegazione, le guardie ci presero in mezzo e uscimmo dalla chiesa.

Era ancora notte, ma verso l'alba, con le strade deserte e bagnate di guazza. Andavamo di fretta, per quelle straducce, tra le guardie, a testa china, muti. Vedendo mia moglie che camminava davanti, poveretta, così tarchiata e bassa, con la gonnella corta e i capelli ritti sulla testa, mi venne compassione e dissi a una delle guardie: "Mi dispiace per lei e per i miei figli." La guardia mi domandò: "Dove ce l'hai i figli?" Glielo dissi, e lui: "Ma tu, un padre di famiglia... come ti è saltato in mente?... Non hai pensato ai tuoi figli?" Io gli risposi: È proprio perché ci pensavo che ho fatto quello che ho fatto."

Al Commissariato, un giovane biondo, seduto dietro una scrivania, come ci vide, disse: "Ladri sacrileghi, eh." Ma mia moglie, tutto ad un tratto, gridò con una voce terribile: "Davanti a Dio, non sono colpevole." Io non le conoscevo quella voce e rimasi a bocca aperta. Il commissario disse "Allora è tuo marito il colpevole." "Neppure." "Sta' a vedere che il colpevole sono io... e la collana come l'hai avuta?" E mia moglie: "La Madonna è scesa dall'altare, ha aperto con le sue mani la vetrina e mi ha dato la collana." "La Madonna eh... e anche il piè di porco ti ha dato la Madonna?" E mia moglie, sempre con quella voce, alzando una mano: "Potessi morire se non ho detto la verità." Continuarono a interrogarci, non so quanto tempo, ma io dicevo che non avevo visto niente, come era vero; e mia moglie ripeteva che la Madonna le aveva dato la collana. Ogni tanto gridava: "Uomo inginocchiati davanti al miracolo." Insomma, pareva esaltata o addirittura matta. Andò a finire che la portarono via, mentre continuava a gridare e a invocare la Madonna: credo che la mandassero all'infermeria. Poi il commissario voleva sapere da me se mi risultava che mia moglie fosse matta e io gli risposi: "Magari lo fosse davvero;" pensando che i matti non soffrono e le cose le vedono come pare a loro. Ma pensavo pure che poteva darsi che mia moglie avesse detto la verità e quasi quasi mi dispiaceva di non aver visto coi miei occhi la Madonna scendere dall'altare, aprire la vetrina e consegnarle la collana.

PRECISAMENTE A TE

Quando ero bambino, giocavo con altri della mia età al gioco della conta, con la filastrocca che comincia: "Centocinquanta, la gallina canta," e finisce: "che toccherebbe precisamente a te." E ricordo quanto ci tenevo a che il dito di chi contava si fermasse sul mio petto e io fossi scelto a far da capo. Amor proprio; e si sa che nella vita l'amor proprio è tutto; e chi non capisce questo, non capisce niente della vita. Poi, da grande, sono rimasto quello che spera sempre che "toccherebbe precisamente a lui." Purtroppo non tocca spesso a me; anzi quasi mai. Fino a poco tempo fa, all'inconveniente del mio carattere troppo modesto, si aggiungeva quello del mestiere: facevo il mondezzaro. Se ne dicono tante sulla mondezza e sui mondezzari. Al disotto del mondezzaro, dicono, non c'e nulla, neppure il mendicante. Sarà anche vero. Ma se non ci fossero i mondezzari, che succederebbe? Lo vediamo nei giorni di sciopero della categoria: tutta la città sporca, triste, piena di cartacce, con le pattumiere che traboccano. E le strade più belle, sono le più sporche, perché, si sa, i ricchi fanno più mondezza dei poveri; e dalla mondezza si può capire come vive la gente. In quei giorni, ripeto, si vedeva che cosa sia il mondezzaro e quanta importanza abbia nella vita moderna.

Basta, in quel tempo che giravo con il carro a raccogliere la mondezza, mi pareva che quella frase: "che toccherebbe precisamente a te," non sarei mai riuscito a sentirmela dire. Toccava sempre agli altri; specie con le donne. Tutte le volte, infatti, che, stando con una ragazza che mi piaceva, arrivavo a dire: "faccio il mondezzaro," la vedevo oscurarsi e storcere il naso; quindi, più o meno presto, mi lasciava. Manco avessi detto: "faccio il ladro." Sulle prime non capivo; poi, dàgli e dàgli, cominciai a sospettare che forse mi sarebbe convenuto nascondere il mestiere. Ma fu Silvestro, un vecchio che mi era compagno sul carro, il quale, si può dire, mi aprì veramente gli occhi. Una mattina che giravamo, al solito, da una casa all'altra, e io mi lamentavo che le donne trovassero da ridire sul mestiere, lui rispose senza complimenti: "Perché è un mestiere zozzo... alle donne, i mestieri zozzi non piacciono... ma tu nascondilo."

"E come faccio?"

"Di' che sei impiegato al comune... è la verità, dopo tutto... siamo tutti impiegati al comune... noi che raccattiamo la mondezza e quelli che stanno all'anagrafe dietro gli sportelli... tutti impiegati."

L'altro compagno, Ferdinando, uno della mia età, rosso di capelli e lentigginoso, occhialuto, intervenne a questo punto: "Secondo me, hai torto... perché nascondere il mestiere?... È un mestiere come un altro... siamo lavoratori come tutti gli altri... nascondendolo, la dài vinta al pregiudizio."

"Bravo" disse Silvestro, "ma il pregiudizio c'è o non c'è? E per Luigi, l'importante è andar contro il pregiudizio oppure farsi voler bene dalla ragazza? D'altronde, guarda i facchini... anche loro son lavoratori... però si fanno chiamare portabagagli o portatori o che so io... cambiano la parola, non il fatto... anche loro per via del pregiudizio."

"Da' retta, Luigi" disse Ferdinando, ostinato "non nascondere nulla... se una donna dà importanza al pregiudizio, è segno che vuol più bene al pregiudizio che a te."

Insomma, discutemmo un bel po', mentre il carro pieno di mondezza andava piano piano, da una strada all'altra, nella nebbia del mattino di novembre. Poi il carro si fermò davanti a una di quelle case. Ferdinando acchiappò il sacco, discese dal carro e si ingolfò fischiettando nel portone. Io dissi a Silvestro: "Tu sei vecchio e conosci la vita... dimmi che debbo fare."

Lui si tolse la pipa dalla bocca e rispose: "Ferdinando ha scelto di vantarsene... ma per me è una maniera come un'altra di vergognarsene... chi non si vergogna sono io... non me ne vanto e non lo nascondo... sono mondezzaro e tanto basta."

"Sì, ma io..."

"Tu è un'altra cosa... è il tuo interesse nasconderlo... te l'ho già detto: fatti passare per impiegato al comune."

Questo consiglio, lì per lì, non mi piacque. Mondezzaro ero e non vedevo perché dovessi nasconderlo. Ma di lì a pochi giorni, trovandomi in libertà, senza berretto né zinale, seduto a una panchina di Villa Borghese, ci ripensai e mi dissi che, in fondo, Silvestro poteva anche aver ragione. Provai, a questo pensiero, ad un tratto, un sentimento come in certi sogni, quando si sogna di passeggiare in camicia e con il sedere nudo, e non lo si sa, e poi qualcuno fa l'osservazione e allora ci si accorge che si è nudi, e si prova vergogna e ci si sveglia. Dunque, per due anni ero stato mondezzaro e non me ne ero accorto. Dunque avevo passeggiato in camicia ed ero stato il solo a non rendermene conto. Dunque...

Era una giornata della metà di novembre, proprio bella, con l'aria dolce e un po' nebbiosa, e gli alberi tutti gialli e rossi e i viali pieni di donne e di bambini. Ero così sprofondato nelle mie riflessioni che non mi ero accorto che sulla stessa panchina si era seduta una ragazza con una bambina, forse una cameriera o una governante. Poi, alla sua voce che diceva: "Beatrice non ti allontanare," mi voltai e la guardai. Era giovane, robusta nella persona, con la faccia tonda, bianca e rossa, e una treccia bionda, grossa come un canapo, girata intorno alla testa. Mi colpirono gli occhi: neri e luccicanti, come di velluto, sorridenti. La bambina si era accoccolata a giocare con la ghiaia. Lei stava seduta, tenendo in mano il secchiello e la paletta della bambina. Vedendosi guardata, si voltò verso di me e mi disse tranquillamente: "Lei non mi conosce... ma io conosco lei."

Cosa vuol dire la suggestione di certi discorsi. Sentii di arrossire e pensai: "Mi avrà veduto con il sacco della mondezza sulle spalle." E subito risposi: "Signorina, lei si sbaglia con qualcun altro... io non l'ho mai vista."

"Eppure la conosco."

Dissi, ormai lanciato nella bugia: "È impossibile... a meno che non mi abbia visto all'anagrafe, dove sono impiegato... gente ne capita tanta..."

Questa volta, lei non disse nulla, ma mi guardò a lungo, in una maniera strana. Disse finalmente: "Lei è impiegato all'anagrafe?"

"Sicuro."

"In che ufficio?"

"Be', ora qui e ora là... di uffici ce ne sono tanti."

"Allora" disse lei lentamente "l'avrò visto là... ci sono andata due giorni fa."

"Proprio così."

La bambina, intanto, si era allontanata di qualche passo e frugava con le due mani in un mucchio di detriti e di foglie morte. Lei le gridò: "Lascia stare Beatrice... è mondezza... le bambine buone non toccano la mondezza;" e io, alla parola "mondezza", non potei fare a meno di trasalire e diventar rosso in faccia. Come se non bastasse, ecco avvicinarsi uno spazzino, nella sua brutta uniforme grigia, con la carriolina di zinco e la scopa, e cominciare a spazzare via il mucchio. Lei disse: "Con tutte queste foglie morte, chissà quanto hanno da fare gli spazzini."

Arrossii di nuovo; e risposi sperando che mi desse ragione: "È il mestiere loro... sono impiegati al comune come me... loro spazzano e io scrivo... non c'è altra differenza." Ma lei mi guardò, sempre in quella maniera strana, e poi disse: "Mi chiamo Giacinta... e lei?"

"Luigi."

Così cominciò la relazione. Lei non volle mai darmi l'indirizzo di casa sua, dicendo che non voleva che la padrona sapesse che ci vedevamo; abitava, però, come capii, nella zona che ogni mattina percorrevo col carro. Ci vedevamo spesso, qualche volta durante la settimana, e tutte le domeniche. Andavamo al cinema, oppure alla partita di calcio oppure al caffè. Mi innamorai di lei, si può dire, soprattutto per il carattere. Un carattere così non l'ho mai conosciuto: tranquillo, dolce, calmo, forse sornione, tutto coperto e tutto nascosto, simile ad un'acqua cheta e profonda. Stava sempre zitta e, mentre le parlavo, scuoteva continuamente il capo, con dolcezza, come per approvarmi e, al tempo stesso, faceva un gemito leggero leggero, quasi a dire: "È vero, proprio così, hai ragione." Ma se non parlava, per lei parlavano gli occhi: sempre sorridenti, sempre attenti, in un luccichio di velluto nero, misteriosi. Confidenza non me ne diede mai molta: sì e no, due o tre volte, al cinema, si lasciò prendere la mano. Intanto continuavo a dirle che ero impiegato all'anagrafe; anzi, come succede, aggiungevo sempre qualche particolare nuovo, in modo da rafforzare l'impressione della verità. Però, ogni tanto mi tradivo, perché, come mi accorsi, mondezza e mondezzaro entrano nel linguaggio più di quanto non si creda. Come quella volta che, avendomi fatto aspettare all'appuntamento, la rimproverai e finii, senza volerlo: "Sono un uomo... mica sono mondezza." Subito mi morsi la lingua ed arrossii fino alle orecchie. Mi parve che lei sorridesse, ma non disse nulla.

Ero così innamorato che incominciai a pensare di fidanzarmi. Ma capii subito che se volevo sposarla, dovevo prima di tutto cambiare mestiere. Le avevo detto troppe bugie; riconoscere ad un tratto che ero mondezzaro, voleva dire rovinare ogni cosa. Prima di tutto per la delusione: mondezzaro. Poi perché avrebbe scoperto che ero bugiardo e, si sa, le donne non amano i bugiardi. Però non era facile cambiare mestiere. E io dovevo cambiarne due: quello vero e quello finto. Cominciai, nelle ore di libertà, a girare per Roma cercando lavoro. Non ne trovavo; e mi venne in mente che perduto per perduto, tanto valeva licenziarmi e restar disoccupato. Chissà perché, disoccupato suona meglio di mondezzaro. A questo punto, avvenne il fatto nuovo che, in fondo, avevo sempre temuto.

Il carro percorreva la mattina sempre la stessa zona. Come ho detto, eravamo in tre sul carro: Ferdinando ed io che, a turno, andavamo a riempire i sacchi, e Silvestro che guidava i cavalli e ci aiutava a pareggiare la mondezza. Parlavamo poco: Silvestro seduto sulla stanga, le redini in mano, fumava la pipa; Ferdinando, appollaiato sulla mondezza, sempre leggeva una rivista o un giornale pescato in qualche pattumiera; e io pensavo a Giacinta e alle mie bugie. Ora, una mattina che toccava a me riempire i sacchi, il carro, al solito, si fermò davanti una palazzina gialla di tre piani, nei pressi di piazza della Libertà. Senza dir parola, afferro il sacco, scendo dal carro ed entro. Non c'era ascensore; era una casa vecchia e così tranquilla che pareva disabitata, con tre appartamenti soli. Salii, due scalini alla volta, la prima rampa, il sacco in mano, e poi, al pianerottolo, andai direttamente al primo appartamento. Sulla porta c'era una targa con un nome qualsiasi: "Ginesi". Vagamente ricordavo che a quella porta si affacciava sempre la stessa persona: una cuoca di mezza età, friulana, robusta, arcigna, triste, quasi un uomo. Anche quel mattino, come ero solito fare, appena sentii aprire la porta, non levai neppure gli occhi e dissi meccanicamente, parando il sacco: "Mondezzaro."

Ma alla vista delle due mani che mi tendevano la pattumiera di alluminio, non quelle grandi e scure della cuoca, ma piccole e bianche, levai gli occhi; e vidi che era lei. Poi, ho saputo che in quella casa erano in due: lei e la cuoca; e che lei, cameriera fine, non veniva mai alla porta ma mi aveva osservato dalla finestra; e che quel mattino, per combinazione, la cuoca era malata. E ho anche saputo che fu la timidezza a impedirle di parlare, come mi vide apparire sulla soglia. Senno del poi. Ma in quel momento, mentre lei, in silenzio, mi tendeva la pattumiera, mi parve di indovinare non so che canzonatura in quei suoi occhi neri che mi guardavano. Mi accorsi che arrossivo e poi diventavo pallido. Rovesciai la spazzatura nel sacco, me lo tirai sulla spalla e voltai la schiena. Mi ero visto com'ero, col berrettino schiacciato sull'orecchio e lo zinale di rigatino che puzzava: mondezzaro, non impiegato. E pensai che non avrei mai più avuto il coraggio di rivederla. Però non salii agli altri appartamenti. Tornai in strada, gettai a Ferdinando, in cima al carro, il sacco quasi vuoto, e poi, gli gettai il berretto e lo zinale, e dissi: "Prendi anche questi... per me è finita... me ne vado... avverti la centrale."

"Ma che ti prende? Sei matto?"

"No, non sono matto... arrivederci."

Quel giorno avevo un appuntamento con Giacinta; ma non ci andai. Rimasi disteso sul letto, nel sottoscala che mi affittava una sarta, con una voglia di pianto che non si decideva, come quando prude il naso e si vorrebbe starnutare e non si può. Verso sera, invece di piangere, mi addormentai; e quando mi svegliai mi accorsi che era proprio finita. Temevo, però, di restare disoccupato non si sa quanto. Invece, per fortuna, dopo pochi giorni trovai un posto di custode, in un cantiere fuori mano, dalle parti della Magliana.

Rimasi in quel cantiere, in campagna, a fare il cane da guardia, senza mai uscirne, forse quattro mesi. Ma una domenica che andai a Roma, a piazza Risorgimento, incontrai Silvestro. Appena mi vide mi disse: "Poi l'abbiamo saputo perché te ne sei andato... quella ragazza... ma hai fatto male... lei ti voleva bene sul serio, anzi ti voleva bene proprio perché eri tu e non un altro... diceva che lei, ormai, non avrebbe più amato che uno di noi... diceva che soltanto vedere un uomo col sacco sulle spalle e il berrettino della nettezza urbana, le faceva battere il cuore... diceva che per lei il carro della spazzatura era più bello che le macchine di lusso... morale: adesso se la fa con Ferdinando."

"Con Ferdinando?"

"Eh già, voleva il mondezzaro e l'ha avuto... lui non lo nascondeva il suo mestiere anzi se ne vantava... sono fidanzati."

Me ne andai in tronco, lasciandolo a bocca aperta. Avrei voluto mordermi le mani. Per una volta che la conta si era fermata a me, anzi, come dice la filastrocca, "precisamente a me", non l'avevo capito. Tra tutte le donne, ero capitato su quella a cui piaceva il mestiere del mondezzaro e non l'avevo indovinato. Ah, nella vita, come si fa, si sbaglia; e così, ancora una volta, non era toccato a me.

FACCIA DI MASCALZONE

Non ricevo mai pacchi, ma uno di questi giorni voglio spedirmene uno per prendermi il gusto di andare alla posta, all'ufficio pacchi e ritirare il pacco. Perché lì, in quell'ufficio così brutto e così vecchio, tra le cataste di pacchi di ogni peso e di ogni genere, le macchie d'inchiostro, l'odore di chiuso e di segatura bagnata, lì, dico, è cominciata la mia fortuna. Non grande fortuna, intendiamoci, ma sempre meglio che distribuire pacchi.

Chissà se Valentina è ancora là, nel suo grembiale nero, coi capelli castani ondulati sparsi sulle spalle come quelli delle bambine nei collegi a semiconvitto, gli occhi che sembrano due stelle tranquille, il viso palliduccio e tondo che il nero del grembiale sbatte e rende quasi livido? Con tutta la sua dolcezza, io so che Valentina è orgogliosa e, probabilmente, vedendomi apparire allo sportello, fingerebbe di non riconoscermi e si limiterebbe a porgermi lo scartafaccio delle ricevute, tutto strappato e macchiato, e a dirmi, indicandomi il punto con il suo dito rosa di ragazza seria che non si tinge le unghie: "Firmi qui." E poi mi butterebbe il pacco in faccia, senza neppure guardarmi; e se ne andrebbe nel retrobottega, tra gli scaffali pieni di pacchi, a leggersi uno dei suoi tanti giornaletti cinematografici.

Eppure la mia fortuna, come ho detto, è cominciata proprio in quell'ufficio; e per essere più precisi è cominciata proprio da Valentina; o per meglio dire dalla sua passione per il cinema. In quell'ufficio, io brutto e con la faccia tutta nera e storta, non pensavo che a distribuire pacchi, contento di farlo, dopo qualche anno di disoccupazione. Ma Valentina, con la sua faccia bella, non era contenta e pensava al cinema. Perché ci pensasse, non lo so; forse perché ci andava spesso; e c'è gente a cui basta andare al cinema per illudersi di poterne fare. Ma era fissata; e tra noi due non si parlò mai non dico di volersi bene, quantunque fossi un po' innamorato di lei e gliel'avessi anche detto, ma neppure di uscire insieme, foss'anche per sedersi in un caffè. Ci guardava dall'alto in basso tutti quanti, nell'ufficio, Valentina; e preferiva star sola piuttosto che farsi vedere in giro con noialtri, gente da poco. A me, poi, me lo disse un giorno, senza tanti complimenti: "Renato, con te non voglio uscire, perché ci hai una faccia troppo brutta."

"Ma quale faccia brutta?"

"Non ti offendere, lo so che sei una brava persona, ma hai la faccia, scusami, proprio del mascalzone."

Uno di quei giorni si affacciò allo sportello una testolina bionda, azzimata, con una cravatta a farfalla sotto il mento. Valentina prese la bolletta e si avviò pian piano verso gli scaffali. Ma quel giovanotto, ad un tratto, la richiamò: "Signorina."

Lei si voltò subito. "Signorina," disse quello, "nessuno le ha mai detto che potrebbe fare del cinema?"

Stavo in un canto, osservando, e vidi Valentina diventar rossa fino ai capelli: per la prima volta in vita sua era colorita: "No, nessuno, perché?"

"Perché" disse quello sempre con la stessa leggerezza "lei ci ha una gran bella faccia."

"Grazie," balbettò Valentina, ritta nel mezzo dell'ufficio, le mani riunite davanti. Ma il giovanotto, adesso, non pareva avere più niente da dire. Guardò ancora ben bene, un lungo momento, Valentina e poi riprese: "Beh, intanto, vada a prendermi quel pacco."

Lei ubbidì e io, senza parer di nulla, le andai dietro e la raggiunsi mentre, con mani tremanti, spostava i pacchi negli scaffali. Mi avvicinai e le sussurrai: "Mica gli crederai a quel bulletto?"

Valentina, anche lei sussurrando, mi rispose: "Lasciami perdere."

"Allora tu gli credi?"

"Lasciami perdere, ti ho detto."

Poi trovò il pacco e lo portò al giovanotto che, intanto,

aveva cavato la stilografica e aveva scritto qualche cosa su un biglietto. Lui ritirò il pacco e le diede il biglietto dicendo: "Venga martedì a quest'indirizzo, agli studi... abbiamo bisogno proprio di una faccia come la sua... domandi di me." Più morta che viva, Valentina si mise il biglietto nella tasca del grembiale e quello se ne andò.

Ho detto che Valentina non aveva mai voluto accettare i miei inviti. Ma quando venne il momento di recarsi agli studi, fu proprio a me che lei ricorse. "Accompagnami," disse la sera prima, "da sola non me la sento." Ancora oggi non so perché mi domandò di accompagnarla: forse per timidezza, perché era molto timida; o forse, sia pure senza rendersene conto, per sfregio, per farmi assistere al suo trionfo.

Martedì, all'appuntamento a piazzale Flaminio, Valentina si presentò tutta vestita come per la festa: un bel cappotto nuovo di lana blu, calze di seta, scarpe coi fiocchetti e, nella mano, un ombrellino rosso, anch'esso col fiocco. Il quarto fiocco se l'era annodato in cima alla testa, sui capelli che, al solito, portava sciolti per le spalle. Dico la verità, vedendola così bellina, con quei suoi occhi dolci simili a due stelle, non potei fare a meno di provare un sentimento di affetto: "Sta' tranquilla" le dissi "ti prendono sicuro... all'ufficio non ti rivedremo più."

Gli studi erano sotto Monte Mario, in cima a una straduccia erbosa di campagna tutta allagata dal cattivo tempo. Percorremmo quel sentiero saltando da una pozza all'altra, in fondo si vedeva il muro di cinta e il cancello e i tetti dei capannoni degli studi che spuntavano al di sopra del muro. Il guardiano, aprendoci, disse non so che cosa; ma poi, intimiditi, non avemmo il coraggio di insistere e ci addentrammo nello spiazzo, sebbene non sapessimo dove avevamo da andare. Lo spiazzo era molto vasto, con tante macchine allineate per ogni lato, e c'erano gruppi di persone che passeggiavano per lo spiazzo e alcuni erano come noi, e altri invece erano vestiti in maniere buffe e avevano le facce tinte di color mattone. Io dissi allora a Valentina: "Quelli sono attori... presto anche tu passeggerai con quella tintarella sulla faccia."

Valentina non parlava, dalla gioia e dalla compunzione le era andata via la parola. Non sapevamo dove fossero gli studi, ma poi vedemmo certi numeri sulle porte dei capannoni e io, a caso, mi avvicinai a una di quelle porte, afferrai la maniglia e l'aprii: era una porta materassata, pesante quanto quella di una cassa forte. Entrai e Valentina mi venne dietro in punta di piedi. Adesso eravamo dentro lo studio, e si stava quasi al buio, salvo in un punto in cui una lampadina illuminava una costruzione bassa, che pareva di cartapesta, con un mezzo tetto di tegole sopra un mezzo muro di mattoni, con una mezza porta, e, attraverso la mezza porta, una mezza stanza, con una mezza parete e un mezzo letto. Una donna mezza nuda stava sdraiata sul letto e un fascio di luce bianca l'investiva e la donna si torceva le mani e un uomo le stava addosso, con il pugno alzato e un ginocchio sul letto. Dissi sottovoce a Valentina: "Vedi, recitano;" e in quello stesso momento un urlo: "silenzio", e mi fece fare un salto e mi sembrò che l'avessero detto a me. Ci avvicinammo e, allora, dietro a quel mezzo letto, scoprimmo la macchina da presa, con tanta gente raggruppata intorno; e altri stavano appollaiati su su, nel buio del capannone, come tante cornacchie; e quella povera attrice mezza nuda adesso doveva ricominciare a torcersi le mani e lui doveva ricominciare ad alzare il pugno. Poi un tale tirò fuori due pezzi di legno e li sbatté con un suono di nacchere e ci fu un altro urlaccio di silenzio e poi incominciò il ronzio della macchina da presa che filmava, filmava, e intanto l'attrice si torceva le mani sul letto e l'attore le dava finalmente quel pugno, ma sul serio, tanto che lei ebbe un gemito che secondo me non era finto. Così mi apparve lo studio la prima volta che ci entrai. E così dovette apparire a Valentina, poveretta, che l'aveva tante volte sognato e mai veduto.

Poi, al grido di "basta" il ronzio cessò, l'attrice si levò dal letto, le lampade si spensero e tutti si mossero e circolarono. Capii che era il momento buono, mi avvicinai ad un macchinista e gli domandai: "Per favore, il signor Zangarini."

"E chi è Zangarini?" domandò quello, da vero ignorante.

Rimasi smarrito. Per fortuna, un altro macchinista, più gentile, intervenne: "Zangarini... ma non è qui... è al teatro numero tre."

Uscimmo in fretta e, attraverso lo spiazzo, ci dirigemmo al teatro numero tre. Riaprimmo una di quelle porte così pesanti, entrammo in un capannone molto simile al primo. Ma qui non si girava: c'era molta luce e si vedevano parecchie persone che discutevano. Ci avvicinammo, ma non troppo, perché eravamo intimiditi e quelli facevano degli urli da belve e parevano arrabbiati sul serio. Uno magro come un chiodo, con gli occhiali cerchiati di tartaruga e un paio di baffi neri che gli ballavano sui denti bianchi, urlava dimenandosi: "Non va, non va, non va." E Zangarini, proprio lui, domandava: "Ma perché non va?"

L'uomo coi baffoni rispondeva, sempre urlando: "Ma perché è troppo buono... perché ci ha la faccia del buonuomo... e io invece voglio una faccia di delinquente, di teppista, di barabba."

"Prendi Proietti, allora."

"Ma no, ma no, anche lui è troppo buono... è una pasta, un pacioccone... non va, non va."

"Prendi Serafini."

"Ma non va, non va... Serafini non è buono, è un angelo, anzi un serafino... chi gli crede se fa il cattivo?... chi gli crede?"

Capii che eravamo capitati male, ma tant'era: oramai eravamo nel ballo e dovevamo ballare. Colsi un momento che il regista, sempre smaniando e urlando, si era allontanato, mi avvicinai a Zangarini e gli dissi sottovoce: "Signor Zangarini, siamo venuti."

"Chi, siamo?" domandò lui con voce stizzita.

"La signorina Valentina," risposi facendomi da parte. Valentina si avanzò e fece un piccolo inchino. "La signorina dell'ufficio pacchi... lei le aveva detto di venire."

Zangarini doveva essersi dimenticato di ogni cosa. Poi guardò Valentina, parve ricordarsi e disse, sforzandosi di far la voce gentile: "Mi dispiace, signorina, ma non c'è nulla da fare per lei."

"Ma come, venerdì lei aveva detto che c'era bisogno di una ragazza proprio come questa."

"C'era... ma adesso non più: l'abbiamo trovata."

"Ma dica" feci scaldandomi "questa non è la maniera... farci venire qui e poi dirci che ne avete trovata un'altra."

"E che posso farci io?"

Stavo per rispondergli proprio male, quando ad un tratto, scoppiò un urlo: "È lui... è lui... eccolo quello che ci vuole."

Era il regista che mi stava addosso, puntandomi in petto l'indice, con occhi fiammeggianti. Domandai, imbarazzato: "Ma chi, lui?" E il regista: "Lei è un mascalzone, uno sfruttatore di donne, un teppista, un magnaccia, nevvero?... dica, lei è un mascalzone?"

"Guardi come parla" risposi offeso, "sono un funzionario statale... mi chiamo Renato Parigini."

"No, lei è il mascalzone di cui avevamo bisogno, lei, con quella faccia lì, è proprio il mascalzone che cercavo... lei è il mascalzone."

Insomma per farla breve, Zangarini intervenne e mi spiegò che stavano appunto cercando una faccia di mascalzone per una particina di contorno; che la faccia mia faceva proprio al caso loro; e così, se volevo, potevo passare quel giorno stesso per il provino. E Valentina? "No, niente da fare, ne abbiamo quante ne vogliamo," urlò il regista al colmo dell'entusiasmo. Ma poi, vedendo che Valentina aveva gli occhi pieni di lagrime, si corresse e soggiunse con voce affettuosa: "Signorina, oggi avevamo bisogno di una faccia di mascalzone e l'abbiamo trovata... quando avremo bisogno di una faccia di angelo, penseremo a lei."

Così, ce ne andammo. Ma appena fuori degli studi, nel sentiero erboso, Valentina si staccò da me e non disse più nulla. Alla fermata del tram, sulla pedana, c'era la solita folla e lei si guardò intorno smarrita. Dovette sembrarle un'umiliazione di prendere il tram, da poveretta, dopo aver sognato la ricchezza, perché, improvvisamente, disse: "Ciao, Renato... prendo un taxi perché ho fretta... non ti dico di venire perché abitiamo in due parti opposte." E senza lasciarmi il tempo di rifiatare, si allontanò, con tutti i suoi fiocchetti, attraverso la strada allagata, verso i taxi.

Non l'ho più rivista perché il giorno dopo non andai all'ufficio e feci il provino e questo provino andò bene e cominciai a lavorare negli studi e da allora, più o meno, non ho mai smesso. Sono specializzato in particine di sfondo, anche mute, di teppista, sfruttatore di donne, baro, ladruncolo, e simili. Da ultimo ho saputo da un antico compagno dell'ufficio pacchi che ho incontrato per strada, che Valentina si è fidanzata con un impiegato del fermo posta, quattro sportelli più in là del suo.

UN UOMO SFORTUNATO

La sfortuna mi perseguita e sicuramente, il giorno della mia nascita, c'era in cielo qualche cattiva stella o cometa o altro astro maligno. Ricordo di aver conosciuto, qualche tempo fa, un meccanico che era stato a lavorare in Francia e poi ne era tornato; e diceva anche lui di essere sfortunato. Quel meccanico si mise insieme con certi giovanotti: andavano in giro la notte con una macchina, attaccavano una catena alle saracinesche e poi mettevano in moto la macchina e la saracinesca saltava fuori e si arrotolava e loro entravano nei negozi e rubavano. Bene, quel meccanico aveva una ghigliottina tatuata sul petto e, sopra, la scritta: "Pas de chance", che in francese, appunto vuol dire: niente fortuna. Muovendo lui i muscoli del petto, sembrava che il coltello della ghigliottina cadesse giù e lui diceva che quella sarebbe stata la sua fine. A dire il vero non finì sulla ghigliottina, ma si buscò cinque anni di prigione. Ora, anch'io dovrei avere una scritta simile sul petto o addirittura sulla fronte: niente fortuna. Tutti fanno quello che ho fatto ma agli altri va bene e a me no. Dunque sono sfortunato e certamente qualcuno mi vuole male o addirittura il mondo intero ce l'ha con me.

Ho sempre cercato di lavorare onestamente, non più onestamente degli altri, s'intende, perché, dopo tutto veniamo al mondo imperfetti e soltanto Dio è perfetto. Cominciai, subito dopo essermi sposato, col metter su, coi soldi di mia moglie, una bottega di ciabattino. Mi ero scelto il quartiere degli impiegati e feci bene: gli impiegati, poveretti, le scarpe se le tengono da conto e, siccome sono impiegati e debbono far bella figura in ufficio, non possono andare in giro, come noialtri del popolo, con le scarpe rotte. La mia bottega si trovava proprio nel cuore del quartiere degli impiegati, tra quei casoni che ne contengono ciascuno almeno un migliaio; nella stessa strada, proprio di fronte a me, c'era un altro ciabattino. Era un vecchio, avrà avuto settant'anni, e mezzo cieco che quasi non ci vedeva. Il giorno stesso che aprii bottega, venne a farmi una scenata: era proprio cattivo, con certi occhi da gufo, tanto che mia moglie mi disse di stare attento al malocchio. Io non le diedi retta e feci male. In principio tutto andò bene: ero bravo, giovane, simpatico, lavorando cantavo, e per quelle serve che venivano a portarmi le scarpe dei padroni, avevo sempre qualche scherzo o qualche buona parola. La mia bottega era diventata il salotto del quartiere, e ben presto, a quel vecchiaccio, gli portai via tutta la clientela. Lui si arrovellava, ma non c'era niente da fare, anche perché io, per abbattere la concorrenza, facevo pagare di meno. Naturalmente avevo il mio piano: appena mi sembrò di avere in mano la clientela, l'applicai. Cominciai ad alternare: a uno gli mettevo la suola di cuoio e ad un altro gli mettevo la suola di pasta, imitazione cuoio. Uno sì e uno no. Poi, vedendo che non se ne accorgevano, mi feci coraggio e misi le suole di cartone a tutti. Non era, veramente, proprio cartone, ma un prodotto sintetico fabbricato durante la guerra e giuro che era quasi meglio del cuoio. Così, lavorando con zelo, sempre allegro, sempre gentile, sempre di buon umore, cominciai a guadagnare discretamente. Tutti mi volevano bene, salvo quel vecchio ciabattino, s'intende; e in quel tempo mi nacque il primo figlio. Purtroppo, avvenne non so come, forse per la pioggia, che una di quelle scarpe che avevo risuolato si spaccasse. Il cliente venne a bottega a protestare; e per caso, proprio in quei giorni, tutte le mie scarpe cominciarono a scollarsi. Si sa come vanno queste cose: se lo dissero gli uni con gli altri, per tutto il quartiere, nessuno venne più da me, e tutti tornarono dal vecchio. Il quale adesso se la rideva, dietro il vetro della bottega, e non faceva che battere e tirare lo spago. Adesso io mi sgolavo a spiegare che il grossista mi aveva imbrogliato e che non era colpa mia, ma nessuno mi credeva. Finalmente trovai qualcuno che rilevò la bottega, presi quei pochi soldi e me ne andai.

Capii che non era il caso di insistere con le scarpe e decisi di cambiar mestiere. Da ragazzo avevo lavorato presso un idraulico e pensai di metter su una bottega di stagnaro. Anche questa volta feci le cose con giudizio: scelsi un quartiere del centro, dove tutte le case sono antiche e hanno le tubature marce e gli impianti vecchi. Trovai un locale in una straduccia umida e senza sole, proprio un buco, tra la bottega di un carbonaio e quella di una stiratrice. Comprai i ferri, qualche tubo di piombo, qualche lavandino, qualche rubinetto e mi feci stampare un biglietto in cui c'era scritto: "Officina idraulico-meccanica. Lavori a domicilio. Preventivi a richiesta." Cominciò subito ad andar bene: quell'inverno ci fu un gran freddo e perfino nevicò e non si contano i tubi che scoppiarono in tutte quelle case vecchie e marce. D'altronde, di stagnari buoni ce ne sono sempre pochi, e quando c'è un guasto ad uno scaldabagno o ad una macchina da caffè, la gente si raccomanda allo stagnaro come a un dio. Non si ha idea della disperazione in cui cadono persone anche ricche allorché l'acqua non gli viene più o gli allaga il bagno: telefonano, supplicano, si raccomandano e, venuto il momento, pagano senza fiatare. Lo stagnaro è proprio indispensabile, e infatti tutti gli stagnari sono superbi, e guai a trattarli male. A me cominciò, come ho detto, ad andar subito bene. La bottega era buia e piccola e in vetrina non ci tenevo che una dozzina di rubinetti; ma molta gente mi chiamava e ben presto ebbi da fare tutto il giorno. E le cose sarebbero andate lisce, questa volta, se un altro stagnaro non fosse venuto ad aprir bottega proprio di fronte alla mia. Era un giovane biondo, piccolo, silenzioso, con una testa dura e incassata nel petto per via che quasi non aveva collo. Costui si mise in capo di portarmi via la clientela e siccome pareva deciso perfino a rimetterci, mi convinsi che se non provvedevo, ci sarebbe riuscito. Pensandoci, mi venne una buona idea per conservare i clienti e, magari, accrescere il lavoro. Mettiamo che avessi da applicare uno scaldabagno. Stringendo i dadi con la chiave inglese, davo una storta al tubo, ma appena, in modo che il tubo, vecchio e logoro com'era, si spaccasse dentro il muro. La notte la casa si allagava, il cliente mi chiamava, io rompevo il muro, cambiavo il tubo, ed era tutto un lavoro. Insomma provocavo qualche guasto, avendo cura di non farlo là dove avevo eseguito prima la riparazione. Con questo sistema fronteggiai la concorrenza e persino migliorai la mia situazione. Intanto mi nacque il secondo figlio e respirai: questa volta ero davvero fuori dalla sfortuna. Ma non bisogna mai cantar vittoria. Uno di quei guasti provocati da me andò più in là di quanto non avessi preveduto. Saltò uno scaldabagno, e appiccò il fuoco ad un armadio e poi all'appartamento. Disgrazia volle che qualcuno mi aveva osservato, un ragazzo, appassionato, a quando sembra, di meccanica. Non dico quello che passai, per poco non finivo in galera. Dovetti anche questa volta chiudere bottega e andarmene dal quartiere.

Ostinato, volli aprir bottega una terza volta. Ormai di soldi ne rimanevano pochi e con due figli e un terzo per via, non c'era da sperar molto. Andai in un quartiere proprio popolare, alla periferia, dalle parti del mattatoio, e aprii un negozietto di materassaio. Questa volta l'idea era di mia moglie, perché mio suocero era, appunto, materassaio. Comperai una macchina da cucire, qualche rete metallica, qualche branda, qualche rotolo di stoffa da materassi, qualche po' di lana e di crine. Mia moglie, poveretta, con tutto che aspettasse un bambino, cuciva a macchina, e io facevo il lavoro più pesante, come, per esempio, cardare la lana. Il quartiere era poverissimo e le ordinazioni venivano raramente. Non si riusciva neppure a mangiare e, come dissi a mia moglie, questa volta la sfortuna sarebbe stato molto più difficile scarognarsela di dosso. Ma verso la primavera le cose cominciarono ad andar meglio. Anche i poveri vogliono essere puliti; e le famiglie povere fanno qualsiasi sacrificio pur di tenere in ordine la casa. A primavera, dunque, molte donne del quartiere vennero da me per farsi rifare i materassi. Si sa come vanno queste cose: un mese prima non veniva nessuno, un mese dopo non sapevo più dove metter le mani. Siccome da solo non ce la facevo, presi un garzone. Era un ragazzaccio di diciassette anni e lo chiamavano Negus per via che aveva la pelle scura e i capelli ricci, proprio come il Negus dell'Abissinia. Lui andava in giro a riportare o prendere i materassi, e io restavo a bottega a lavorare. Questo Negus era la disperazione di sua madre che faceva la lavandaia; e un giorno che l'avevo mandato a farsi pagare una fattura, non tornò a bottega. Andò alla partita di calcio e poi non so dove e, insomma, si mangiò i quattrini. Ma poi ebbe la fronte di venire a bottega e di dirmi che gli avevano rubato il portafogli. Io gli dissi che era un ladro, lui mi rispose male, e io gli diedi uno schiaffo e poi dovetti ricorrere alla forza per cacciarlo dalla bottega. Fu questa l'origine della mia nuova sfortuna. Quel mascalzone andò in giro per tutto il quartiere raccontando che io, tempo addietro, nel rifare cinque materassi, avevo trovato in uno le cimici, e allora non soltanto ce le avevo lasciate ma anche ne avevo aggiunto un paio per ciascuno degli altri quattro materassi. Questo per ottenere che, alla prossima buona stagione, me li mandassero a rifare. Era vero, ma, si sa, bisogna ingegnarsi e tutti si ingegnano. In breve: ci fu quasi una rivoluzione, le donne mi assediarono nella bottega, e volevano bastonarmi. Venne perfino la questura e fui diffidato. Questa volta fu l'ultima volta. Vendetti la macchina da cucire e quella poca roba, e me ne andai alla chetichella, di notte, come un ladro.

Ora dico: si può essere più sfortunati di me? Volevo lavorare onestamente, tranquillamente, tutt'al più aiutando il lavoro con un po' di destrezza, ma non più di quanto facciano tanti altri. Volevo, insomma, diventare un buon lavoratore; e, invece, eccomi disoccupato. Almeno avessi un po' di soldi, aprirei un'osteria e così, siccome è inteso che nel vino ci va l'acqua, forse potrei sfangarla. Ma non ho più soldi, e mi toccherà andare garzone. E, come tutti sanno, chi vive di stipendio, muore di fame. Sono proprio sfortunato, anzi iettato. Mia moglie mi ha cucito un santino nel portafogli, e io porto addosso non so quanti tra corni e portafortuna. Sull'uscio di casa, poi, ho appeso un ferro da cavallo con tutti i chiodi. Ma tant'è, sono sfortunato, ho vissuto da sfortunato, e morirò da sfortunato. La chiromante da cui sono andato per sapere chi mi vuol male, come ha veduto la mia mano, ha levato le braccia al cielo, e ha gridato: "Uh! che vedo! che vedo!" Io mi sono messo paura e le ho domandato che cosa vedeva. E lei ha risposto: "Figlio mio, una stella nera nera.. tutti ti vogliono male." "E allora?", le ho domandato. "Allora fatti coraggio e fida in Dio." "Ma io," ho protestato "ho sempre fatto il mio dovere." E lei: "Figlio mio, troppa gente ti vuol male... che serve fare il proprio dovere quando la gente vuol male? Serve soltanto ad avere la coscienza tranquilla." Allora io ho risposto: "A me basta d'avere la coscienza tranquilla come ce l'ho. Tutto il resto non m'importa."

TIRATO A SORTE

La domenica, spesso, ci davamo appuntamento Remo, Ettore, Luigi ed io, fuori porta San Paolo, davanti al cinema del quartiere che dà i film in terza visione; ma il più delle volte non entravamo perché non ci avevamo i soldi per il biglietto. Eravamo tutti e quattro sui diciott'anni; tutti e quattro disoccupati; e tutti e quattro senza un soldo. Cioè, un po' di soldi li avevamo ma questi dovevano servirci per le sigarette che, dopo tutto, sono più importanti del cinema. Anche le sigarette, del resto, ci pensavamo due volte prima di sprecarle: ne fumavamo una per volta, passandocela e prendendo una boccata ciascuno. La domenica, si sa, tutti si mettono i vestiti migliori; ma per noialtri, i nostri vestiti migliori erano i peggiori dei nostri fratelli e padri, quelli che non si mettevano più e che ci passavano quando erano proprio sfiniti. Io, per esempio, portavo il vestito di mio fratello: le maniche e i pantaloni, a casa, me li avevano accorciati, ma le spalle scendevano, larghe il doppio delle mie. Per fortuna, sotto la giacca ci avevo una maglia rossa accollata che mi stava bene perché sono biondo e ho gli occhi azzurri. Gli altri tre non se la passavano meglio di me: pantaloni sformati, giacche idem, maglie da ciclisti. Eravamo amici soprattutto per via della miseria che ci riuniva nelle voglie che non potevamo toglierci: insieme ci arrampicavamo sulle palizzate per goderci le partite di calcio senza pagare l'ingresso; insieme, da una finestra di Luigi, guardavamo al cinema all'aperto, d'estate; insieme giocavamo alle carte, in qualche luogo tranquillo, sotto le mura, ma senza soldi, con sassi e bottoni.

Una di quelle domeniche, ci riunimmo, al solito, davanti al

cinema perché Remo conosceva il padrone, un giovanotto grasso che si chiamava Alfredo, e questi, qualche volta, quando la sala non era piena, ci aveva fatto entrare gratis. Ma quel giorno Alfredo ce lo disse subito: "Ragazzi, niente ingresso gratis, oggi." E indicò, sopra la cassa, un cartello in cui appunto c'era scritto: sono aboliti gli ingressi di favore.

Remo insistette: "Senti... due per volta... due adesso e due al prossimo spettacolo." Ma Alfredo, senza levare gli occhi dal blocchetto dei biglietti, fece di no con la testa, irremovibile.

Però, ci era rimasta la voglia e così indugiammo sotto la pensilina del cinema a guardare i cartelloni e la gente che entrava. Ecco che si accostano ai cartelloni due ragazze, timide timide, una bruna e l'altra bionda. La bruna aveva un corpetto di velluto nero, un po' spelacchiato e una gonna rossa, di tela leggera, che pareva una sottoveste tanto era ciancicata e macchiata. Però mi piacque subito: scura di pelle come una zingara, con due occhi di carbone, vivi, la bocca larga e rossa, la persona snodata e sottile. La bionda, invece, non mi piacque: grossa, col petto e i fianchi traboccanti, un vestito marrone che pareva una ragnatela, le calze rammendate sulle gambe grasse e bianche, la faccia larga, rosa e pelosa come una pesca. La bionda non ci aveva nemmeno la borsetta; la bruna ce l'aveva, di velluto nero, ma così piatta e magra che ci avrei giurato che dentro non ci aveva nemmeno il fazzoletto. Diedi col gomito a Remo, indicandole con gli occhi, e lui mi incoraggiò con uno sguardo. Allora mi avvicinai e dissi: "Signorine, possiamo offrirvi il cinema?"

La bruna si voltò subito rispondendo: "No, grazie, aspettiamo qualcuno."

Domandai un po' ironico: "Chi aspettate? I fidanzati?"

Lei rimbeccò: "E perché? Non ci credete che ce li abbiamo i fidanzati?"

Dissi: "Chi ha detto niente... la prima gallina che canta ha fatto l'uovo."

E lei: "Allora noi saremmo le galline?"

"Eh, già."

"E voialtri i galli?"

"Sicuro."

"Siete galletti spennacchiati," disse lei con la sua voce rauca, "galletti senza penne."

"Insomma, che ci avete da ridire su di noi?"

"Niente," disse lei decidendosi ad un tratto, "anzi, se volete offrirci il cinema, accettiamo;" e fece una piccola riverenza, prendendosi con le due mani i lembi della gonna, come per dire "su, coraggio, fatevi avanti."

Restai male. Avevo parlato del cinema tanto per rompere il ghiaccio. Ma i soldi non ce li avevamo manco per noi, figuriamoci per loro. Risposi: "A dire la verità, i soldi per il cinema non ce li abbiamo... avevo detto così per dire."

La bruna si mise a ridere, mostrando due file di denti bianchi e belli, da selvaggia: "L'avevamo capito da un pezzo." La bionda le disse qualche cosa, piano; ma lei che mi guardava, provocante, alzò le spalle. Quindi soggiunse: "Beh, non importa... ci siete simpatici lo stesso, anche se non avete soldi... non ci teniamo al cinema... vogliamo fare quattro passi?"

"Facciamoli."

Ci allontanammo dal cinema avviandoci per una strada deserta che accompagna le mura, fuori porta San Paolo. La bruna camminava avanti e noi quattro le stavamo tutti e quattro intorno, perché, come mi accorsi subito, piaceva a tutti e quattro. La bionda, immusonita, veniva dietro, sola sola. La bruna faceva le civetterie ridendo e scherzando e aveva un suo modo di muover le gambe dentro la gonna rossa per cui ad ogni passo questa gonna sventolava come una bandiera; e noi quattro facevamo a gara per ingraziarcela; ma alla bionda neppure una parola. Come ho detto, la bruna mi piaceva proprio tanto; ma la corte degli altri tre mi impacciava e mi dava fastidio. Se la prendevo sotto braccio, subito un altro le acchiappava l'altro braccio; se la guardavo, subito un altro si sporgeva a guardarla anche lui; se le dicevo una frase gentile, subito un altro ci metteva il becco. Finalmente spazientito, dissi a Luigi, che era il più scorfano dei quattro: "E piantala... perché non tieni compagnia ad Elisa?"

Elisa era la bionda che camminava un po' in disparte, un filo d'erba tra i denti. La bruna confermò, ridendo: "Già, nessuno tiene compagnia ad Elisa."

"Oh, per me, non ho bisogno di compagnia... sto bene sola," disse Elisa imbronciata.

"Perché non le tieni tu compagnia ad Elisa?," disse Luigi.

"Già" disse la bruna ridendo, "perché non tiene lei compagnia ad Elisa?"

Tutto ad un tratto mi venne la stizza e risposi: "Sapete che mi sembrate?... Tanti cani intorno un osso... Io terrò compagnia ad Elisa... sissignore.. divertitevi voialtri." E, senza esitare, mi avvicinai ad Elisa e la presi sotto braccio, dicendo: "Allora Elisa... facciamo pace?"

"Non ci siamo mai litigati," rispose lei un po' sostenuta.

Riprendemmo a camminare per quella strada polverosa, da una torre all'altra delle mura. Ben presto capii che la manovra era riuscita: adesso, infatti, la bruna non pareva più tanto contenta e, pur ridendo e civettando, ogni tanto si voltava a lanciarci, a me e ad Elisa che venivamo dietro, certi sguardi pieni di gelosia. Dissi ad Elisa: "Ma che ci ha la tua amica?... che vuole?"

Lei rispose: "È civetta... gli uomini li vuole tutti lei."

Dissi: "E io invece sto con te.. mi vuoi?"

Lei non rispose nulla, forse per timidezza; ma si fece rossa e mi premette il braccio.

Intanto eravamo arrivati in fondo alla strada e poi eravamo tornati indietro, sempre ridendo e scherzando; e adesso eravamo al punto di prima, davanti al cinema. La bruna, ad un tratto, si fermò e disse con decisione: "Sentite un po'... è un'ora che ci fate camminare nella polvere... insomma che ci offrite? Se non avete nulla da offrirci, tanto vale che ci separiamo."

Elisa, contenta che io la tenessi sotto braccio, arrischiò: "Ci offrono la loro compagnia." Ma la bruna non fece caso a queste parole e proseguì: "Sentite, ho un'idea... almeno i soldi per fare entrare al cinema due persone ce li avete fra tutti e quattro?"

Ci guardammo in viso. Dissi: "Credo di sì... no, Remo?"

"Sì," disse Remo.

"Bene... adesso io scrivo i vostri nomi su quattro bigliettini... poi li mettiamo in un berretto e tiriamo a sorte... chi vince si sceglie una di noi due e va al cinema con lei a spese degli altri tre... ci state?"

Ci guardammo di nuovo in faccia. Era tentante e non era tentante. Era tentante perché lei ci piaceva a tutti e quattro e sapevamo che chi fosse stato scelto, avrebbe scelto a sua volta lei; non era tentante perché a nessuno piaceva l'idea di pagare il cinema e la ragazza ad un altro. Alla fine dissi: "Io per me, ci sto;" e tutti gli altri, per non fare brutta figura, accettarono.

"Benissimo," disse lei, "datemi prima di tutto i soldi e poi un berretto e un lapis." Un po' seccati rovesciammo le tasche: saltò fuori il denaro per i due biglietti e anche qualche cosa di più. Remo le diede il suo berretto e Luigi un pezzo di lapis. Lei prese il denaro, raccattò un vecchio giornale, ne strappò quattro striscioline e poi, appartandosi presso un mucchio di rovine, sotto le mura, ci gridò da lontano: "Ditemi un po' i vostri nomi."

Glieli dicemmo. Lei scrisse i nomi, mise i biglietti nel berretto e, agitandolo, venne incontro all'amica e le disse: "Prendine uno."

Elisa ubbidì, lei svolse il biglietto e disse con voce trionfante: "Giulio."

Era il mio nome. Mi alzai dicendo: "Tocca a me;" e senza esitare indicai la bruna, soggiungendo: "Scelgo lei."

La bruna fece una risata, una piroletta, e venne ad appendersi al mio braccio. Tutto era avvenuto in un attimo: adesso la bruna mi stava accanto e il cinema era là, sull'altro marciapiede, e la bionda era rimasta come attonita, il berretto in mano. Poi Remo gridò: "Non ci vedo chiaro... Lei voleva Giulio e Giulio è venuto."

Un altro disse: "Non vale."

Risposi: "Perché non vale?... abbiamo tirato a sorte."

Ma Remo aveva ripreso il suo berretto ed esaminava gli altri tre biglietti. Poi diede un urlo: "Non vale, non vale... c'è scritto Giulio in tutti e quattro i biglietti."

"Ma chi l'ha detto?"

"Guarda."

Era vero. La bruna si mise a ridere, sfacciata, e disse: "Beh, ormai è fatta... noi andiamo al cinema, arrivederci."

Remo deciso ci sbarrò il passo: "Tu intanto ridacci i soldi."

Risposi: "Ve li ridò domani."

"Niente domani... ce li ridai subito."

La bruna intervenne dicendomi sottovoce: "Non farti metter sotto;" e io, incoraggiato, affrontai Remo dicendo: "Ve li ridò domani... e adesso sciò, levatevi dai piedi."

Avevo appena detto queste parole che lui mi era saltato addosso e gli altri due con lui e tutti e quattro stavamo in terra, avvinghiati, lottando e menandoci. Sono forte; ma loro erano tre e io ero uno solo, e loro avrebbero certamente finito per mettermi sotto, se, per combinazione, una guardia che gironzolava lì accanto, non si fosse avvicinata, gridando con voce autoritaria: "Ehi, ragazzacci... ma dove credete di essere... dico a voialtri... ehi."

Ci levammo tutti e quattro, ansanti e coperti di polvere. Remo gridò inferocito: "Ridacci i soldi;" ma la bruna, franca e pronta, subito si avanzò e disse: "Noi due, io e lui, siamo fidanzati... e andavamo a spasso per i fatti nostri... quei tre ci seguivano e ci davano fastidio... signora guardia, gli dica un po' di andarsene a quegli impuniti... Chi li conosce? che vogliono? chi sono?... noi vogliamo passeggiare in pace."

Dico la verità, tanta faccia tosta non meravigliò soltanto loro ma anche me. La guardia disse, severa: "Andatevene, circolate... o se no...;" e loro, attoniti, cominciarono ad indietreggiare, pur guardandoci. Il cinema era lì, sul marciapiede di fronte: presi la bruna sotto braccio e attraversai la strada. Remo mi gridò: "Domani facciamo i conti;" ma tanto lui che gli altri non avevano il coraggio di muoversi perché la guardia era rimasta ferma, là dove si trovava. Entrai nel cinema e dissi ad Alfredo: "Due poltrone di platea;" e la bruna gettò i soldi sul banco della cassa. Come entrammo nella sala, lei mi disse: "Ce l'abbiamo fatta."

Domandai: "Come ti chiami?"

Lei rispose: "Mi chiamo Assunta."

PIGLIATI UN BRODO

Il tappezziere è un mestiere difficile. Non parlo dell'occhio che ci vuole per inchiodare e stendere senza grinze né difetti le stoffe sui mobili; né della pazienza per cucire a mano, mettiamo, quattro o cinque teli di chinz; né della pulizia, trattandosi di roba delicata. Parlo dello spazio. Mettiamo che il tappezziere abbia da ricoprire un paio di divani e cinque o sei tra poltrone, seggiole e seggioloni che è un lavoro normale, ed ecco tutto il posto occupato, anche ad avere una bottega grande assai. Per questo le botteghe per tappezzieri si trovano difficilmente e io, con tutto che sono tappezziere da più di quarant'anni (cominciai a sedici anni a lavorare con mio padre ch'era tappezziere anche lui), io dico, ho sempre lavorato a casa. Abito alla Lungara, non tanto lontano da Regina Coeli, in uno stanzone lungo, largo e alto che guarda al Tevere con quattro finestre. In questo stanzone, finché è vissuta la mia prima moglie, non soltanto ci ho lavorato ma anche ci ho dormito insieme con tutta la famiglia: in un angolo c'era un lettino per mio figlio Ferdinando; nell'angolo opposto, dietro un paravento, un lettone per mia moglie e per me. Sistemazione obbligatoria, visto che, oltre allo stanzone, nell'appartamento non c'erano che due ripostigli per la cucina e per il cesso. Poi mia moglie morì, a soli cinquant'anni e io, che ne avevo quasi sessanta, dopo aver provato a star senza moglie, mi accorsi che non ce la facevo e mi risposai, e tutto cambiò. Giuditta, la mia seconda moglie, aveva trent'anni meno di me e poteva anche dirsi bella sebbene molti uomini affermassero che c'era in lei qualche cosa che respingeva: pallida come una morta, con gli occhi neri sporgenti come quelli degli agnelli sgozzati che si vedono dai beccai, i capelli neri, le carni bianche e toste ma fredde. Prima di sposarsi, Giuditta era stata una povera operaia, dopo sposata volle fare la signora. Prima di sposarsi era stata un angelo, dopo sposata diventò un diavolo. Prima di sposarsi, le ero andato bene io, la casa, tutto quanto; dopo sposata non le piaceva più nulla: né io, né la casa, né tutto il resto. Eh già, sono le sorprese del matrimonio. Cominciò col dire che non poteva stare che dormissimo nella stessa stanza con Ferdinando e mi fece tirar su un tramezzo di mattoni in modo da formare un'altra stanzuccia da metterci il letto. Poi volle che rifacessi la cucina, con un fornello nuovo. Poi che mettessi la vasca nel cesso. Finalmente, trovò modo di litigare coi nostri vicini dai quali, per vent'anni, ero andato a telefonare e ricevere telefonate. Così mi toccò mettere anche il telefono.

Vennero a mettermi il telefono, poniamo, lunedì; il pomeriggio di mercoledì, mentre stavo inchiodando il raso su una poltroncina impero e sospiravo tra me e me pensando ai casi miei, il telefono squillò. Ci andai, staccai il ricevitore e dissi: "Parla Pericoli, ed io?" All'altro capo del filo, un vocione grosso, sguaiato, proprio romanesco, domandò: "Pericoli il tappezziere?" "Sissignore, per servirla," risposi, pensando che fosse un cliente.

"Beh" fece il vocione "si può sapere perché ti sei sposato, Pericoli...? non lo sapevi che alla tua età non si prende moglie? E poi che ti credi? Che tua moglie ti vuole bene? Povero scemo..."

Mi montò subito il sangue alla testa, anche perché quel vocione, pur nella sua maniera sguaiata, esprimeva il dubbio che in quel momento mi tormentava. Risposi, con forza: "Ma tu chi sei?"

E lui, in tono strascicato: "Chi sono io, non te l'immagini manco se torni a nascere... senti, piuttosto, voglio darti un consiglio..."

"Ma che vuoi? Chi sei?"

"Un consiglio proprio da amico: pigliati un brodo."

Questa telefonata la considerai lo scherzo di qualche sfaccendato che ci conosceva. Però mi riempì di veleno lo stesso perché, come ho detto, anch'io da qualche tempo cominciavo a pensare che il mio matrimonio fosse stato un errore. Naturalmente non dissi nulla a Giuditta la quale, sia detto tra parentesi, da qualche giorno era diventata proprio impossibile e mi trattava peggio che se fossi stato mondezza. Passò forse una settimana e poi, su per giù alla stessa ora della prima volta, il telefono squillò e il vocione mi domandò: "Buon giorno, Pericoli, che stai facendo?"

"Risposi: "Quello che mi pare e piace."

"Te lo dico io quello che stai facendo: stai imbullettando le seggioline che ti hanno portato ieri sera... bravo, lavora... ma posso anche dirti quello che sta facendo tua moglie."

"Ma chi sei, si può sapere chi sei?"

"Tua moglie sta facendo la civetta con il barista di Porta Settimiana... ecco quello che sta facendo."

"Ma chi te l'ha detto?"

"Te lo dico io... del resto vacci e vedrai... da' retta, Pericoli: sei vecchierello, le donne coi bocci non ci vogliono stare."

"Ma chi sei, canaglia?"

"Invece di arrabbiarti, da' retta: pigliati un brodo."

Questa volta non seppi trattenermi, e come Giuditta tornò a casa, ad una delle sue solite rispostacce da pescivendola, glielo dissi: "Io lavoro e tu intanto fai la civetta col barista di Porta Settimiana." Non l'avessi mai fatto: prima mi coprì di male parole, poi volle sapere chi me l'aveva detto; e come glielo dissi, ricominciò ad ingiuriarmi: "Ah tu dài retta a qualsiasi mascalzone che ti telefona... credi a lui piuttosto che a me... ma lo sai chi sei? un vecchio rimbambito... meriteresti davvero che te le mettessi le corna... e grandi così da non passare sotto le porte." Eccetera, eccetera. Andò a finire che mi fece piangere e che io mi trascinai in ginocchio ai suoi piedi, domandandole perdono, con tutti i miei capelli bianchi e la pancia. E che, per rabbonirla, dovetti darle il denaro per comprarsi le calze di seta; e Dio sa se avevo quattrini, ormai, con tutte le spese che mi aveva fatto fare.

Dopo, però, mi sentii triste e disgustato: mi vergognavo e al tempo stesso ero ormai sicuro che lei non mi voleva bene. Passò ancora qualche giorno e poi ecco il telefono squillò e il solito vocione domandò: "Pericoli, come stai?"

Risposi fingendo disinvoltura: "Io bene, e tu?"

"Benone... chi invece non sta bene è tua moglie."

"Perché?"

"Perché sei vecchio, Pericoli, e non le basti."

Vedete come si è. Avevo giurato di mantenermi calmo. Ma

a sentirmi parlare di vecchiaia, saltai su: "Guarda, canaglia, d'ora in poi, come ti sento, butto giù il telefono."

"Uh quanto sei fanatico... ma non t'impressionare Pericoli... tua moglie presto starà bene."

"Piantala, canaglia."

"Pericoli, perché ci sformi tanto?... fa' come ti dico, invece: pigliati un brodo."

Questa volta non dissi nulla a Giuditta. Ma mi rodevo e più mi rosi i giorni seguenti perché le telefonate continuarono. Il vocione ripeteva sempre le stesse cose: che Giuditta era giovane e io ero vecchio, che mi tradiva con questo o con quest'altro, che tutti lo sapevano e così via. Oppure senza tanti complimenti; mi diceva: "Pericoli, tua moglie...", e giù qualche parolaccia proprio da carrettiere. Era uno che ci conosceva bene, al punto da consigliarmi di farmi la barba tutti i giorni per non mostrarmi a Giuditta con barbozzo bianco. C'era poi la questione del brodo. Che voleva dire con quella frase? Capivo che c'era un'allusione maligna, si dice appunto ai convalescenti o ai vecchi: pigliati un brodo. Ma perché sempre quella stessa frase? Qualche cosa mi diceva che quella parole le avevo già sentite, ma non mi riusciva di ricordarmi quando né dove. Intanto, di pari passo, le cose con Giuditta andavano in male in peggio. Si può dire che ormai non mi parlasse più se non in tono insofferente, irascibile, proprio da strega. Io, per amor della pace, ingoiavo; ma a forza di ingoiare, mi avvelenavo e capivo sempre meglio che la mia vita non era più una vita. Basta, una di quelle sere, tutto ad un tratto, Giuditta si mostrò gentile con me, per la prima volta dopo molto tempo; e propose addirittura che andassimo tutti e tre a mangiare in una certa osteria di Trastevere. Era l'osteria dove avevamo fatto il pranzo di nozze e, come ci arrivammo, improvvisamente mi ricordai un fatto di quel pranzo: sia l'emozione, sia il vino che avevo già bevuto prima, quella sera mi ero sentito lo stomaco un po' imbarazzato. Allora, mentre tutti ordinavano gli spaghetti, Giuditta, vedendo che esitavo, aveva insistito, proprio da buona moglie che vuole bene al marito: "Pigliati un brodo... da' retta, Meo... pigliati un brodo". Capii così che quella era stata l'origine della frase che il vocione mi ripeteva al telefono; ma non potei immaginare chi fosse il vocione perché quella sera, oltre naturalmente ai camerieri e agli altri clienti, a tavola saremo stati una ventina. Beninteso, non dissi nulla di questa mia scoperta; e tutto andò assai allegramente. Giuditta, anzi, alla fine, volle bere alla mia salute e mi diede anche un bacio. Bevvi molto quella sera, forse perché mi sentivo felice, e poi tornai a casa con Giuditta e Ferdinando, pieno di speranze. Dormii come un piombo; quando mi svegliai, Giuditta era già uscita per la spesa. Mi alzai e, sempre con quell'impressione che Giuditta finalmente si fosse decisa a volermi bene, cominciai a lavorare. Era una bella giornata, dalle finestre entrava il sole, il canarino cantava a perdifiato nella sua gabbia, e io, tanto ero contento, pur lavorando cantavo anch'io, come il canarino, seppure in sordina. Ecco, tutto ad un tratto suona il telefono, ci vado, stacco, e il vocione mi dice: "Pericoli, è l'ultima volta che ti telefono."

Rispondo, tutto allegro: "Manco male... L'hai capita finalmente che tanto era inutile... Allora arrivederci e stai bene."

"Aspetta, Pericoli, lo sai perché è l'ultima volta che ti telefono?"

"Perché?"

"Perché tua moglie ti ha piantato... È andata via stamattina con Gigi, quello che noleggia le macchine... Lui è passato a prenderla alle sette con la millecento verde."

Così, quella fu davvero la volta che mi telefonò per l'ultima volta. Di Giuditta non voglio più dir nulla: so io quello che soffersi prima che la cosa mi diventasse indifferente; e a parlarne avrei paura di soffrire di nuovo. Piuttosto, mi restava la curiosità di sapere chi fosse quel vocione così bene informato, che mi aveva avvertito del mio errore, si può dire, fin dal primo giorno. Curiosità è dir poco, veramente: non facevo che pensarci e alla fine era diventata una vera ossessione. Lo scoprii per caso, e ancora adesso, più ci ripenso e meno mi capacito. Ferdinando aveva ormai quasi quindici anni e da tempo non andavo più a riprenderlo a scuola. Ma una mattina mi venne l'idea di passare all'istituto tecnico, così, tanto per rincasare insieme con lui. Lo trovai che era già uscito e che giocava al pallone coi compagni, sullo spiazzo davanti la scuola. Era una giornata di sole e per un momento stetti a guardarli mentre giocavano. Non so perché, allora confrontai mio figlio con gli altri e mi dissi che anche in questo non ero stato fortunato. Forse perché era nato da genitori ambedue anziani, non era bello Ferdinando: piccolo, coi piedi e le mani enormi, giallo in faccia, con un nasone che gli scendeva in bocca e due occhi con un difetto che colpiva: strabici. Notai che era robusto, mandava il pallone in aria con certi calci che rintronavano, ma anche questa sua robustezza non era normale, era eccessiva per la sua statura, un po' come quella dei nani e dei gobbi. Mentre facevo queste riflessioni, appoggiato a un muretto, al sole, lo udii strillare, arrabbiato: "Non vale... hai toccato il pallone con le mani;" e allora, in un lampo, riconobbi la voce. Era lo stesso vocione che mi telefonava, il vocione, insomma, del ragazzo che sta per diventare uomo, straziato, sguaiato, stonato come l'età. Poi alzando il piede verso il pallone, lui soggiunse: "Piglialo," e riconobbi anche la parola.

Lì per lì mi venne la voglia di chiamarlo, prenderlo per un braccio e fargli fare tutta la strada fino a casa a forza di sganassoni. Dire "vecchio scemo e boccio" al padre e tutti quei nomi che non dico della matrigna: forse era vero, ma un figlio, che è un vero figlio, deve portare rispetto ai genitori. Poi lui mi vide, lasciò il pallone e tutto trafelato mi venne incontro gridando, sempre con quel suo vocione: "Ah, pa'... Ma che fai qui?... Non t'avevo visto;" e io mi sentii ad un tratto disarmato. Era così brutto, con il suo cappotto troppo lungo e il nasone e gli occhi strabici; e al tempo stesso si capiva che era così contento di vedermi. Balbettai: "Ferdinando, se vuoi continuare la partita, fa' pure... Io vado a casa." Ma lui disse: "Io ho finito... Andiamo;" e tutto contento mi prese sottobraccio, avviandosi con me verso il lungotevere. Camminammo piano, al sole, in silenzio. Ora pensavo che, dopotutto, sia pure per telefono, lui mi aveva detto la verità e avvertito del mio errore. E se un figlio non dice al padre la verità, chi l'ha da dire?

LA VITA IN CAMPAGNA

Dopo quella faccenda della sorpresa nella bisca, l'aria di Roma non faceva più per me, e gli amici mi consigliarono di allontanarmi per qualche tempo. Anche la mamma che, pur fingendo di non sapere, si capiva che sapeva dal suo viso lungo e dalla sua aria preoccupata, mi diceva: "Sei sciupato, Attilio... perché non te ne vai a Bracciano, dal compare?" Io resistetti un poco perché sono nato e vissuto in città e la campagna non mi dice niente, anzi non posso soffrirla; e poi finalmente mi decisi. Così la mamma telegrafò al compare; e, appena ricevuto il telegramma di risposta, mi preparò lei stessa la valigia. Voleva metterci la mia roba più andante: tanto, diceva, era campagna; ma io le dissi che invece volevo portare via i miei panni migliori, perché se io non sono vestito bene, campagna o non campagna, non sono più io. Lei mi ripeteva: "Ma con chi farai il paino? Con le vacche? Con i maiali?" Io le risposi: "Lascia fare... è una debolezza... anche tu ci hai le tue." Così mi fece la valigia come la volevo io; soltanto che, per ogni capo, tirava un sospiro: un sospiro per ogni paio di calze. Tanto che alla fine le dissi: "Ma la vuoi piantare con tutti quei sospiri... mi porti malaugurio." E lei guardandomi: "Figlio mio... tua madre ti porta malaugurio?" "Eh, sì, con tutti quei sospiri." "Figlio mio, tua madre vuole il tuo bene... se non ti mettevi con certe compagnie adesso non dovresti andarci a Bracciano." Insomma lei finì la valigia; e il giorno dopo, di mattina presto, dopo averla abbracciata, scesi abbasso dove mi aspettava Gino con la macchina; e partimmo.

Uscimmo da Roma per la Cassia. Era luglio e, con tutto che fossero le nove, il sole, sull'asfalto riscaldato della strada, tra i campi aridi, già scottava e abbagliava come se fosse stato mezzogiorno. Il luogo dove andavamo, veramente, non era proprio Bracciano, che almeno è un paese e ha il lago, ma una località in campagna aperta chiamata Castelbruciato. Come nome già prometteva male, ma quando, dopo un'ora di corsa, ci arrivammo, mi accorsi che era peggio assai di come l'avevo immaginato. Prima vedemmo un grande albero polveroso e aggrondato, un eucalitto, che spuntava dietro una collinetta pelata, poi vedemmo certe stalle e cascine intorno un'aia, e poi, alla fine, una casaccia di tre piani, coi muri a sghembo come una prigione, annerita, massiccia, antica, addossata alla collina; e questo era Castelbruciato. Tutt'intorno la campagna deserta, senza un albero, senza una casa, coi campi già mietuti, ispidi e rapati. "Vedrai che ti divertirai," mi disse Gino dandomi la valigia. Io ero così costernato che neppure gli risposi. Quando mi voltai era già ripartito e io ero solo.

Dalla fattoria, attraverso l'aia, venne una ragazza camminando a piedi nudi per la polvere. Disse, quando fu vicina: "Io sono Filomena... la figlia del tuo compare." Parlava con le vocali trasformate in u, come parlano i burini di quelle parti. Era una ragazza proprio di campagna, con la testa grossa, i capelli crespi, la fronte bassa, gli occhietti infossati, la faccia bruna e ruvida. Robusta, con un petto esuberante che le spingeva in su la camicetta e due fianchi da cavallo. Mi prese la valigia come se fosse stato un fuscello e io la seguii attraverso lo spiazzo, badando dove mettevo i piedi per via delle tante porcherie che ci avevano fatto le galline e gli altri animali. Entrammo in uno stanzone buio e fresco ma puzzolente: c'era un gran camino tutto nero di fuliggine e un tavolone e certe seggiole che parevano tagliate con l'accetta. Con tutto che dal soffitto pendessero parecchie strisce di carta gommata nere di mosche appiccicate, dove entrava la luce per le finestre a inferriate, si vedevano altre nuvole di mosche che volavano a mezz'aria. Alle pareti, come ornamento, pendevano selle e finimenti di muli e di cavalli, così che pareva di essere in una stalla. Lei prese per una scala di pietra, coi soffitti a voltini, e mi portò al secondo piano. Lì, in un corridoio, tra le tante porte in fila, ne spinse una e mi fece entrare in una camera con un gran letto di ferro, un comò e un treppiedi con la catinella. E il cesso? Mi fece un cenno e mi condusse in un'altra camera quasi più grande della prima, tutta vuota. In un angolo c'era un buco, nero, a fior di pavimento, e sopra, le solite mosche. Disse che aveva da fare e mi piantò in asso davanti a quel buco.

Così cominciò la mia vita in campagna. La mattina era l'ora migliore perché restava ancora il fresco della notte e perché mi vestivo. Ma appena avevo finito di vestirmi, cominciava la disperazione. Scendevo abbasso e mi sedevo al tavolo per la colazione. Qualche volta c'era il padre, rustico come la figlia, grande e grosso, coi baffi neri, sempre vestito da buttero, con i gambali di vacchetta e i pantaloni rinforzati al cavallo. La mamma, alla partenza, mi aveva detto: "vedrai, hanno il latte appena munto, squisito." Altro che latte: caffè allungato di cicoria, salame pieno di grani di pepe, di quello che chiamano culatello, e pane rifatto tagliato a fette da un quarto di chilo ciascuna. Il padre, poi, così di buon mattino, si beveva il vino, nero, denso, aspro e caldo, che pareva sugo di more. Era proprio sgarbato e, quando credeva di essere gentile, era la volta che insultava; figuratevi che cos'era quando voleva insultare davvero. Ce l'aveva coi miei vestiti: "Ma che, a Roma andate a lavorare con la camicia di seta?" Oppure: "Per chi ti vesti? Mica è domenica oggi... Che, vai a messa?" La figlia a queste parole, rideva, nascondendosi la faccia con il braccio, rustica da non credersi. Subito dopo, il padre usciva nello spiazzo, montava a cavallo e mi diceva con un gesto indicandomi la campagna incendiata dal sole: "Gira... non ti piace la campagna?... guarda quanti campi... hai voglia a camminare." Insomma, mi canzonava. Partito lui, restavo solo con la figlia; dei contadini che abitavano lì accanto è meglio non parlare, gente addirittura simile agli animali, da non scambiarci mezza parola. La figlia, credo che si fosse un po' innamorata di me: faceva la civetta, ma a modo suo, da bifolca. Passando accanto al tavolo, per esempio, mi dava come per caso una strusciata, ma così forte che quasi mi buttava giù dalla seggiola. Oppure, se giravo per lo spiazzo, si metteva a tagliuzzare il battuto in piedi, davanti la finestra spalancata della cucina, e cantava per me, con intenzione, con quella sua voce d'uomo bassa e roca, certi stornelli di campagna. Una volta, non so come, le domandai: "Filomena, sei fidanzata?" E lei scoppiò a ridere e mi diede una manata sul petto, proprio da contadina, ché quasi quasi mi lasciava il segno. E non dico che come ragazza di campagna, in campagna, non fosse piacente. Ma io le donne le voglio cittadine: bianche, magre, pulite, ben vestite, magari anche dipinte. E lei invece mi pareva proprio una vacca. "Fai, fai" pensavo, "tu di certo vacca sei... ma non sarò io il toro."

La giornata era lunga e non finiva mai. Per passare il tempo, mi mettevo al tavolone, nella stanzaccia a pianterreno, e giocavo a carte con me stesso. Poi anche le carte mi vennero a noia e pensai di passeggiare, ma mi accorsi che era impossibile: per miglia e miglia intorno non c'era che un albero e quest'albero era l'albero che sorgeva sullo spiazzo. Andavo a buttarmi sulla paglia, dietro il fienile, in quel caldo che incendiava, ma dopo un poco mi sentivo tutto pieno di pruriti e di pizzicori per via degli insetti che erano nella paglia, e mi toccava alzarmi. C'erano mosche in quantità, vespe da non credersi, e, la notte, zanzaroni che trafiggevano peggio di coltelli. Volli fumare, e il compare mi portò delle sigarette dallo spaccio del paese: secche, vuote che ad accenderle divampavano crepitando e poi non restava che la carta.

Io, poi, sono sofistico per il cibo e la loro cucina mi faceva male: sempre roba forte, tocchi di carne lardellata di aglio e di rosmarino, intingoli neri, fave e cicerchi al guanciale, fagioli al sugo. Dopo pranzo mi addormentavo su quel mio letto così duro, sul materasso sottile e pieno di pallottole, e dormivo un paio d'ore, a bocca aperta, come un morto, e poi mi svegliavo fradicio di sudore, con la lingua grossa e arsa e il mal di capo. Insomma il padre mi canzonava, la figlia mi faceva la corte a manate e spintoni, e io non pensavo che a Roma. La mattina quando mi alzavo e mi affacciavo alla finestra e vedevo quella distesa di campi gialli e secchi con qualche rudero romano di mattoni ritto qua e là, e scorgevo giù nello spiazzo la figlia che passava portando i bidoni dei rifiuti ai maiali, mi si stingeva il cuore e maledicevo il giorno che ci ero venuto. La figlia, poveretta, avrebbe voluto essere gentile con me: perfino, un giorno mi mise un mazzo di fiori di campo in una brocca sul comò. Ma, come ho detto, non volevo darle confidenza. C'era il caso che poi il padre volesse farmela sposare. Aveva la doppietta appesa alla parete, nello stanzone e sapevo che era tipo, se tanto tanto mi compromettevo con la figlia, di impormi il matrimonio con quella doppietta. Alla larga.

La figlia mi stuzzicava. Un giorno che facevo un solitario

al buio, con le mosche che si posavano a gruppi sugli angoli delle carte, mi domandò, con aria entrante: "Allora ti piace la campagna?" Io, duro, le risposi: "No, non mi piace." Lei rimase male, forse perché si aspettava che, per complimento, le dicessi che mi piaceva; e domandò: "E perché non ti piace?" E io: "Perché questa non è una vita." "E che cos'è una vita?" E io, tutto di un fiato: "La vita è stare in città dove ci sono i caffè e i negozi con l'illuminazione, e ci sono i cinema e i teatri... la vita è incontrarsi con gli amici al bar, bere un aperitivo seduti ad un tavolino ventilato, leggere il giornale sportivo e commentare le notizie, e il pomeriggio farsi una giocata al bigliardo e le sera andare a vedere un bel film e la notte girare fino a tardi... la vita è andare la domenica alla partita di calcio allo stadio, oppure alle corse dei cavalli e magari alle corse dei levrieri... e d'estate andare a fare i bagni a Ostia con qualche ragazza... la vita è andare in automobile e non a cavallo, e i polli non trovarseli sempre tra i piedi ma dal pollivendolo, e le mosche non vederle affatto perché c'è il flit che le ammazza, e averci in casa l'acqua corrente calda e fredda, e cucinare con il gas e non con la carbonella, e fumare sigarette americane, e la mattina invece del vino prendere un cappuccino o un caffè forte." Dissi così e subito mi pentii perché quella povera ragazza restò mortificata e se ne andò in cucina senza dir parola. Ma lo credereste? Tre giorni dopo mi domandò di accampagnarla in cantina a prendere il vino. In cantina, in quel buio fresco di grotta, si addossa ad una botte e mi dice: "Senti qui, il mio profumo;" e con le due mani mi prende la testa e mi spinge il naso dentro il petto. Aveva comprato un profumo, forse a Bracciano, e se ne era inondato il petto, sopra il sudore e l'odore di selvatico. Eravamo soli, sotto terra, e lei faceva una certa faccia come per dire: "Baciami." Dissi in fretta: "È buono," e me ne andai, lasciandola lì con la faccia amara.

La mamma mi faceva sapere ogni tanto con qualche cartolina che era meglio che non mi muovessi; ma io ero stufo e decisi di partire. La sera che annunziai la mia partenza, la ragazza si alzò bruscamente e andò in cucina. Il compare mi disse: "Te ne vai? Credevo che volessi rimanere almeno fino alla fiera." Risposi che ci avevo a Roma un affare e dopo cena salii per fare la valigia. La ragazza, dopo un poco, col pretesto di portarmi una brocca d'acqua per la notte, entrò in camera e sedette sul letto e poi disse: "Lo sai che stanotte ti ho sognato?" Io mettevo la roba nella valigia e non dissi nulla. Lei continuò: "Eri vestito da sposo, io ero vestita da sposa e ci sposavamo nella chiesa di Bracciano." Io risposi, duro: "E io ho sognato invece che stavo a Roma e entravo in un bar e prendevo un caffè... guarda un po' come sono diversi i nostri sogni." Lei disse: "Tua madre fa la sarta, no?" "Sicuro." "Perché non le dici se mi fa venire a Roma a lavorare da sarta?" Io, allora, per consolarla, le promisi di parlarne a mia madre e poi, sempre per mostrarmi gentile, tolsi dalla valigia un fazzoletto grande, di seta, e glielo diedi per ricordo. Lei andò a metterselo, assai contenta, davanti allo specchio del comò e poi restava lì, impacciata, con quel fazzoletto in testa e io dissi: "Filomena, ora mi spoglio e me ne vado a letto... non sta bene che una ragazza veda un uomo mentre si spoglia;" e mi tolsi la camicia restando nudo fino alla cintola. Lei allora mi venne vicino, mi toccò un braccio con un dito dicendo: "Uh, come sei bianco," e poi scoppiò a ridere e scappò via. Ma il mattino dopo mi portò la valigia e mi disse: "Addio Attilio," da lontano, ingrugnata, il viso mezzo nascosto dal mio fazzoletto.

A Roma la mamma mi accolse con apprensione. Ma discesi al bar e lì gli amici mi dissero che proprio il giorno prima la faccenda della bisca si era risolta. Tutto andava bene, era una bella giornata, d'estate, ma fresca e senza mosche. Ordinai un caffè e mi sedetti col giornale ad un tavolino, proprio come nel sogno. Mi pareva di essere rinato e quasi non ci credevo di essere a Roma e non a Castelbruciato.

LE SUE GIORNATE

Ai romani, dicono che lo scirocco non fa nulla: ci sono nati. Ma io sono romano, nato e battezzato in piazza Campitelli, eppure lo scirocco mi mette fuori di me. La mamma che lo sa, quando la mattina vede il cielo bianco e sente l'aria che appiccica e poi mi guarda e nota che ho l'occhio torbido e la parola breve, sempre si raccomanda, mentre mi vesto per andare al lavoro: "Sta' calmo... non ti arrabbiare... controllati." La mamma, poveretta, si raccomanda a quel modo perché sa che in quei giorni c'è il caso che io finisca in prigione o all'ospedale. Lei le chiama "le mie giornate." Dice alle vicine: "Gigi, stamani è andato via che aveva una faccia da far paura... eh già, ci ha le sue giornate."

Sebbene sia piccolo, mingherlino e sfornito di muscoli, nei giorni di scirocco mi viene il prurito di attaccar briga o, come diciamo noi romani, di cercar rogna. Giro guardando gli uomini, soprattutto i più forzuti, e penso: "Ecco, a quello con un pugno gli romperei il naso... quell'altro, vorrei vederlo saltare a forza di calci nel sedere... e questo? un paio di schiaffoni da gonfiargli il viso." Sogni: in realtà tutti sono più forti di me. Per picchiare qualcuno, dovrei addirittura mettermi contro un bambino. E non è detta l'ultima parola. Certi ragazzini maneschi, perfidi, che si gettano a testa bassa e magari ti sferrano qualche calcio al basso ventre, a me fanno paura.

Per colmo di disgrazia, ho scelto il mestiere che non ci voleva: il cameriere di caffè. I camerieri, si sa, devono essere gentili, qualunque cosa avvenga. La gentilezza per loro è come il tovagliolo che tengono sul braccio, come il vassoio sul quale portano la bibita: uno strumento del mestiere. Dicono che i camerieri hanno i piedi pieni di calli. Io non ne ho, ma è come se li avessi, e i clienti non fanno che pestarmeli. Con la mia sensibilità, la minima osservazione, il minimo sgarbo mi mette in furore. E invece, mi tocca ingoiare, inchinarmi, sorridere, strisciare. Ma mi viene un tic nervoso sulla faccia che è il segnale della mia bile. Quelli del caffè, che lo sanno, quando mi vedono storcere il viso, subito dicono: "Ehi, Gigi, t'è andata male... che ti hanno fatto?" Insomma, mi canzonano.

Qualche volta, però, questa gran voglia di offendere e aggredire, riesco a sfogarla. Scelgo un luogo affollato, una piazza, un locale pubblico, mi capo il tipo dopo lunga osservazione, lo attacco con un pretesto, lo insulto. Naturalmente, quello fa per slanciarsi contro di me; ma subito quattro o cinque pacieri lo trattengono, si mettono in mezzo. Io ne approfitto per insultarlo ancora, ben bene, e poi mi allontano. Per quel giorno sto meglio.

Basta, una di quelle mattine che lo scirocco si tagliava col coltello, uscii con il diavolo addosso. Una frase, soprattutto, mi ronzava nelle orecchie: "Se non la pianti, ti faccio mangiare il tuo cappello." Dove l'avevo sentita? Mistero: forse lo scirocco me l'aveva suggerita in sogno. Sempre rivoltando queste parole in testa, presi il tram per andare al caffè, un locale dalle parti di piazza Fiume. Il tram era affollato e già, nonostante l'ora mattutina, non si respirava. Strinsi i denti e mi misi in fila nel corridoio. Subito cominciarono con gli spintoni, come se non ci fosse altro modo di farsi avanti che a forza di gomiti. Cominciai a rodermi ma non dissi nulla. Il tram percorse lentamente il lungotevere, passò per il piazzale Flaminio, fece il Muro Torto, si avvicinò a piazza Fiume. Mi avviai verso l'uscita.

C'è una cosa che mi mette fuori di me, scirocco o no: quando in tram la gente mi chiede: "Scende?... scusi, lei scende?" Mi pare un'indiscrezione, come se, invece mi domandassero: "Scusi, lei è cornuto?" Non so che darei per rispondergli che non sono fatti loro. Quella mattina, poco prima della fermata di piazza Fiume, la solita voce, tra la solita ressa, domandò: "Maschio, scendi?"

Anche un cameriere ha la sua dignità. Quel fatto di darmi il tu e di chiamarmi maschio aggiunse, alla solita rabbia, un risentimento dell'orgoglio. Dalla voce giudicai che dovesse essere un omaccione: proprio quel genere di persone che sogno di prendere a pugni. Mi guardai intorno: la folla era enorme. Giudicai che potevo insultarlo senza pericolo e risposi: "Che io scenda o non scenda, a te che te ne frega?"

Subito la voce disse: "Allora levati e lascia scendere." Pronunziai senza voltarmi: "Un corno." Subito, come risposta, mi arrivò uno spintone da levarmi il fiato e, come un bolide, lui mi passò avanti. Non mi ero sbagliato: era largo, basso, con la faccia rossa, i baffi neri, all'americana, e un collo da toro. Aveva anche il cappello. Mi tornò in mente quella frase: "Se non la pianti, ti faccio mangiare il tuo cappello."

Lui stava scendendo, io ero sul predellino. Raccolsi le forze e gli gridai: "Beccamorto, ignorante." Lui, che era già sceso, si voltò, mi acchiappò per un braccio, mi fece volare di sotto come un fuscello. Urlava: "Mascalzone, ripeti un po' quello che hai detto." Ma già, come avevo previsto, si erano buttati in cinque o sei a tenerlo. Era la volta buona o mai più. Mentre lui si dibatteva e mugghiava come un bue, mi sporsi e gli gridai in faccia, proprio con odio: "Ma chi credi di essere? canaglia, farabutto, avanzo di galera... ma non lo sai che se non la pianti ti faccio mangiare il tuo cappello?" L'avevo detto e respirai: mi sentivo meglio. Lui, ad un tratto, cessò di dibattersi, si prese una mano tra i denti e levò gli occhi al cielo, dicendo: "Ah, se potessi." Rincuorato, gli andai sotto il naso e dissi: "Ma puoi... coraggio... vediamo... puoi... bullo, delinquente, schifenza." Finalmente ci separarono e io me ne andai senza voltarmi indietro, felice, fischiettando un'arietta.

Al caffè, mentre tiravamo fuori i tavolini, raccontai il fatto, naturalmente a modo mio. Descrissi l'uomo e poi spiegai come gli avessi detto il fatto suo, minacciandolo, per giunta, di fargli mangiare il cappello. Ma non dissi che mentre lo insultavo, lo tenevano in sei. Quelli, al solito, non mi credettero. Goffredo, il barista, disse: "Sei un gran ballista... ma ti sei mai guardato nello specchio?" Risposi: "È la pura verità... gli ho detto in faccia, a muso duro, quello che pensavo e lui ha abbozzato."

Ero gongolante, mi sentivo bene, perfino il mestiere quel mattino mi piaceva. Andavo, venivo, muovendomi come se ballassi, gridando le ordinazioni con voce squillante, allegra. Goffredo mi domandò seriamente: "Ma che, hai bevuto?" Gli risposi con una piroletta: "Poche storie... un bitter e una birra gelata."

Ero così contento che dopo parecchie ore, alle undici di sera, l'effetto benefico di quella scenata ancora perdurava. Verso quell'ora entrai nel bar per prendere due espressi e poi uscii, leggero come un passerotto. I tavoli a sinistra della porta sono i miei, in quel momento erano tutti occupati; soltanto, in fondo, ce n'era uno libero: come riuscii, vidi che qualcuno ci si era seduto. Portai gli espressi, quindi andai tutto vispo a quel tavolino, ci diedi una ripassata col tovagliolo e domandai: "I signori desiderano?" levando finalmente gli occhi. Mi mancò il fiato, poiché vidi che era proprio lui, che mi guardava sarcastico, il cappello rovesciato sulla nuca. Con lui stava un altro, della stessa razza: olivastro, quasi un mulatto, coi capelli grigi, gli occhi iniettati di sangue. Lui disse: "Guarda, guarda chi si rivede... i signori desiderano due birre."

"Due birre," ripetei senza fiato.

"Ma, oh, ghiacciate," disse lui. E con il piede, per cominciare, mi diede un pestone che mi fece saltare dal dolore. Ma non reagii, ero smontato, forse per la sorpresa e, ormai, avevo solo paura. Lui soggiunse guardandosi intorno: "Un bel localetto... ci hai molto da fare, maschio?"

"Secondo i giorni."

"E a che ora stacchi?... tanto per saperlo."

"A mezzanotte."

"Bravo, ci manca un'ora... la passeremo bene... e poi ti daremo la mancia."

Non dissi nulla e rientrai nel caffè. Goffredo, che stava maneggiando la vaporiera, mi lanciò un'occhiata e vide subito che ero cambiato. Dissi: "Due birre" con un fil di voce, appoggiandomi al banco per non svenire. Lui mi diede le birre e mi domandò: "Ma che hai? ti senti male?" Non gli risposi, presi le birre e tornai di fuori. Quello mi disse: "Bravo, come cameriere sei gagliardo." Ma subito dopo toccò le bottiglie e soggiunse: "Aho, ma queste sono calde."

Misi la mano su una delle bottiglie: era gelata. Osservai sottovoce: "Mi pare fredda." Lui sovrappose la mano sulla mia, stringendo fino a schiacciarmela, e ripeté: "È calda... dillo anche tu che è calda."

"È calda."

"Così va bene... portaci qualche cosa di veramente freddo."

"Un gelato," proposi smarrito.

"Bravo, un gelato... ma mi raccomando: freddo;" e così

dicendo mi allungò un calcio allo stinco. Il tavolino era messo in modo che si poteva vederlo dal di dentro. Goffredo, come mi presentai al banco, disse ridendo: "È lui, no?" Anche gli altri camerieri ridevano. Non risposi nulla, bianco in viso e tutto tremante. "Ma tu," continuò Goffredo prendendo i gelati nella sorbetteria, "non gli avevi fatto paura? e ora che aspetti a prenderlo a schiaffi... su, facci vedere come sai metterlo a posto." In silenzio presi i gelati e li portai al tavolino. Lui, con un cucchiaino, ne staccò un pezzo, lo mise in bocca e poi mi domandò: "Dunque, stacchi a mezzanotte... e per tornare a casa, che strada fai?"

Risposi a caso: "Abito presso il Policlinico." Non era vero, perché sto a piazza Campitelli. E lui, feroce: "Bravo, così avrai meno strada da fare per andare al pronto soccorso."

Andai al bar e dissi sottovoce a Goffredo: "Vuol menarmi... mi aspetta per quando chiudiamo... che debbo fare?... forse dovrei chiamare una guardia." Goffredo alzò le spalle e rispose: "E come fai?... quelli dicono che non ti conoscono... Mica puoi fare arrestare la gente per le intenzioni." Diede una girata alla macchina e poi soggiunse: "Vuoi un consiglio?... cerca di rabbonirlo... chiedigli scusa."

Non avrei voluto, perché sono fiero. Ma ormai la paura vinceva qualsiasi altro sentimento. Così mi decisi: andai a quel tavolo, esitai un momento e poi, a bassa voce, dissi: "Scusi..."

"Che?" fece lui guardandomi.

"Ho detto: scusi... per quella faccenda del tram."

Mi guardò con stupore e poi disse: "Ma quale tram? Chi ti conosce? Chi t'ha mai visto... ah, ho capito, forse hai paura che non ti diamo la mancia... sta tranquillo... te la daremo la mancia... abbondante."

Ormai, quasi battevo i denti dal terrore. Sapevo che mi avrebbero aspettato e mi avrebbero seguito. Intorno a piazza Campitelli dove abito, i vicoletti in cui uno può anche ammazzare un uomo senza essere visto, non si contano. Me ne avrebbero date un sacco e una sporta e non c'era niente da fare.

Tornai nel caffè e arrischiai, a Goffredo: "Usciamo insieme... tu sei forte." Ma lui mi interruppe subito: "Io sono forte ma tu sei scemo... e poi che sarà? Prenderai qualche pugno... magari glielo renderai... non avevi detto che gli avevi fatto paura?" Insomma, continuava a canzonarmi. Anche gli altri due camerieri ridevano. Pensai che nessuno aveva pietà di me e mi vennero le lagrime agli occhi.

Intanto il tempo passava, la mezzanotte si avvicinava. I due camerieri se ne andarono, uno dopo l'altro; Goffredo cominciò a ripulire il banco e la macchina; di fuori, ai tavolini, non c'erano più che quei due. Dopo aver pulito il banco, Goffredo uscì e cominciò a portar via i tavolini e le seggiole e ad ammucchiarli dentro il bar. Atterrito, mi guardavo intorno cercando una scappatoia. Ma sapevo che il bar non aveva doppia uscita; di scappare per le strade non poteva essere questione. Intanto, quei due avevano pagato, si erano alzati ed erano andati a mettersi sul marciapiede di fronte. Goffredo rientrò, andò nel retrobottega, si tolse la giubba e si avviò per uscire. Passandomi davanti mi disse, con un sorriso: "In bocca al lupo." Non ebbi la forza di rendergli il sorriso.

Ormai nel bar eravamo rimasti in due: io e il padrone che, in piedi dietro la cassa, faceva i conti della giornata. Aveva messo sul marmo i biglietti e li divideva in tanti mucchietti, secondo grandezza. Il locale andava bene: solo in biglietti da mille ci saranno state un trentamila lire. Guardai di fuori: i due erano sempre là, nell'ombra di un palazzo, sul marciapiede di fronte. Poco distanti, passeggiavano due carabinieri. Allora presi la mia decisione e mi sentii rinfrancato. Mi tolsi la giubba bianca da lavoro, indossai la mia, mi avvicinai al banco come per salutare il padrone, e quindi, con rapido gesto, afferrai il mucchietto dei biglietti da mille e imboccai di corsa la porta. Fuggendo per la strada, a rotta di collo, udii subito gridare "al ladro," e capii che il piano era riuscito. Continuai a fuggire ma rallentando sempre più; a piazza Fiume, gli autisti dei taxi, a quel grido di al "al ladro", si erano disposti in cerchio e io, come quando si corre alla staffetta, mi lasciai circondare senza resistenza. Poi vennero i carabinieri, il padrone che urlava come un'aquila spennata, Goffredo che, al fracasso, era tornato indietro. Vedendomi tra le guardie, nel mezzo di una folla, Goffredo capì ogni cosa e gridò: "Gigi che hai fatto? Chi te l'ha fatto fare?" Gli risposi, mentre mi trascinavano via: "La paura... meglio in galera che all'ospedale." Intanto il padrone che aveva riavuto i soldi, da quel brav'uomo che era, si raccomandava: "Lasciatelo, è stato un momento di follia." Ma io: "Niente, portatemi in guardina... non si sa mai."

LA GITA

Le gite intorno a Roma? Croce e spine. Per dirvi quello che sono le gite intorno a Roma voglio raccontarvi l'ultima che facemmo, pochi giorni or sono, una domenica, in cinque amici. Il primo errore, lo riconosco, fu di andare tutti uomini, senza una sola donna. Gli uomini, si sa, perdono facilmente il controllo; e, da una cosa all'altra, soprattutto se si beve troppo, come fu il caso, si passa la giornata a dir parolacce, a urlare, a prendersi a spintoni e, insomma, venuta la sera, uno vorrebbe non esserci mai stato. Chi c'era dunque quella domenica? C'era tutto il gruppetto del bar di piazza Mastai, meno Amilcare, che, essendo alla vigilia del torneo dei pesi piuma, doveva allenarsi. C'era Alessandro, uno dei baristi, grande e grosso, con la testa lucida, chiamato, a causa, appunto, dei capelli impecettati, Ceretta; Alfredo, un biondino, soprannominato Spadafina per via che è così sottile nelle discussioni sportive, che nessuno ce la può con lui; quello sfrenato di Teodoro, il garagista, che chiamano "Gol" perché è lui, quando il pallone entra nella rete, a strillare più di tutti; Ugo, il figlio del proprietario del bar, che portava l'automobile; ed io. Partimmo da piazzale Flaminio verso le undici, allegri da non dire, anzi già scatenati. "Dove volete andare?," domandò Ugo. "Niente," gli rispondemmo, "dove ci pare e piace... senza programmi." La macchina non era grande e in cinque si stava stretti, tanto più che Alessandro e Teodoro sono larghi di fianchi; e così si cominciò subito con gli spintoni, le pacche e gli altri scherzi. Ugo, un ragazzetto dalla faccia pallida e sagace che, a vederlo, sembra la calma in persona, subito dopo Ponte Milvio, attaccò una corsa tremenda inseguendo e sorpassando una dopo l'altra tutte le macchine sulla strada. Ce ne erano di tutti i generi: utilitarie con uomini soli, giardiniere piene di donne e bambini, macchine di gran lusso, americane, larghe come vagoni, taxi, vecchie macchine di campagna. Ad ogni macchina che passavamo, noi ci sporgevamo dai finestrini a fare sberleffi e gesti di derisione per il gran gusto di vedere quelli della macchina sorpassata guardarci impermaliti o meravigliati. A questo gioco, il più violento era Teodoro: bisognava vederlo urlare "gol" ad ogni automobile che ci lasciavamo indietro, proprio come alla partita, spenzolato fuori del finestrino, scarlatto in faccia, le vene del collo gonfie da scoppiare; ma Spadafina era quello che trovava le frasi più azzeccate e più cattive.

L'allegria ci veniva anche dal fatto che era una giornata proprio bella, con qualche nuvola bianca qua e là per il cielo pulito, tanto da ricordare che si era in primavera, e tutta la campagna verde, di quel verde di maggio, tenero, gonfio, come spumoso che fa pensare al latte appena munto e quasi quasi verrebbe voglia di essere mucca soltanto per provare il piacere di metterci dentro la faccia. Anzi, Teodoro, come ci fermammo un momento a guardare la carta stradale, interpretando il sentimento comune, andò addirittura a buttarsi in uno di quei prati, a gambe per aria, come un somaro in amore, nell'erba alta e fresca di rugiada; per poi venirne fuori tutto bagnato e arruffato, la bocca piena di trifoglio, tra le risate di tutti. Così, sempre ridendo e scherzando, passammo il bivio di Isola Farnese e giungemmo a quello di Bracciano. Era quasi mezzogiorno e Alessandro propose di andare a mangiare il pesce sul lago. Subito detto e subito accettato: prendemmo la strada che va ad Anguillara. Ma, ad una svolta, ecco, ci sbarra la strada un autofurgone delle pompe funebri, nero e dorato, alto come una casa, senza fiori né seguito: probabilmente andava a prendere il morto a Bracciano. La strada non era asfaltata, e così, da sotto quel traballante cassone nero usciva una nuvola di polvere bianca. Ugo, naturalmente, strombettò per avere il passo, ma niente: come se avesse suonato il flauto. Il catafalco andava piano, come per una passeggiata, e la polvere ci faceva tossire. Ogni tanto Ugo, che è un bravissimo guidatore, cercava di mettersi a paro e allora il catafalco, maligno, si piazzava nel mezzo della strada, costingendoci contro il muro o la siepe, a rischio di schiacciarci. L'autista non lo vedevamo, ma doveva essere proprio dispettoso e carogna, il suo carattere era parlante, dalla maniera come guidava. Intanto la polvere continuava a venirci in faccia, un nuvolo, attraverso il quale appariva e dispariva la croce gialla sulla cassa nera; tutti gridavamo; e Ugo, si può dire, non alzava la mano dal clakson. Teodoro, soprattutto, era fuori di sé: "Beccamorto, carogna" urlava; ma sì, quello faceva il sordo. Finalmente, ad una svolta, Ugo vede qualche metro libero, accelera, si mette a paro, sorpassa il catafalco. Tutti ci buttammo dalla parte del mortorio per vedere in faccia l'autista. Erano due, con certi visi tranquilli; quello che non guidava mangiava uno sfilatino. Avreste dovuto vedere Teodoro: "Beccamorto, carogna, disgraziato, ignorante." E quello dello sfilatino, calmo, indicando la cassa, alle sue spalle: "Volete accomodarvi?... c'è posto." Corremmo quasi un chilometro, ad un passaggio a livello ci toccò fermarci, e, subito dopo, arrivò il catafalco. Quei due discesero, smontarono anche Alessandro e Teodoro e tutti e quattro si affrontarono davanti le sbarre del passaggio a livello. "Dite un po', il clakson non lo sentite?" "Ma se vi abbiamo dato il passo non so quante volte." "Ma quando mai? Beccamorto." "Guarda come parli." "E che, non sei forse beccamorto? E per giunta anche farabutto?" "Mascalzone." Insomma se ne dissero un sacco e una sporta, naso a naso, ma senza toccarsi, perché, si sa, i romani sono più bravi a parole che a fatti. In quel mentre passò il treno, le stanghe si alzarono e quelli del catafalco, più svelti di noi, si cacciarono avanti, tenendo come prima, il mezzo della strada. "Sapete che facciamo?" disse Ugo ad un bivio. "Al pesce ci rinunziamo, andiamo a mangiare in qualche altro posto." Detto e fatto. Prendemmo per una strada, deserta questa, tra i campi, e filammo via tranquilli.

Che pace, che silenzio, che serenità. Non passava nessuno, da una parte c'era un torrentello sassoso sotto una bella roccia rossa coronata di boschi, dall'altra campi e campi di grano tenero fino all'orizzonte. Diventammo silenziosi, quasi pensosi; finché Teodoro trovò la parola giusta, gridando ad un tratto forte: "Ho fame." Era vero, avevamo fame; e infatti, come per incanto, cominciammo subito tutti quanti a parlare di roba da mangiare. Chi esaltava gli spaghetti aglio e olio oppure all'amatriciana; chi il capretto al forno o la costata; chi, semplicemente, la pagnotta di campagna fresca, scricchiolante, tutta grano. L'appetito ci faceva diventare eloquenti, quasi ci litigavamo per sapere quello che avremmo mangiato. Ad una svolta, un cartello ci annunziò il paese che cercavamo: Marciano.

Stava in cima ad una roccia, con certe case alte e nere che parevano le fiancate di una fortezza. Girammo per la strada di circonvallazione, sotto la roccia, entrammo per la porta, ci trovammo davanti ad una stradina in salita, stretta e scura, tra case di povera gente. Salimmo in volata questa strada, sbucammo in una piazza deserta circondata da palazzotti antichi, con una fontana da abbeverarci le bestie nel mezzo: non una bottega, non un bar, non un cinema, niente: "Qui non vedo trattorie," disse Ugo girando per la piazza. Un contadino si avviava alla fontana tenendo per la cavezza un mulo, gli domandammo dove si poteva mangiare. Ci indicò un vicolo, senza parlare. Ugo si ficcò subito nel vicolo, e infatti, in fondo, in una piazzetta scura come un pozzo, sopra una porta, c'era un cartello con la scritta "Osteria." Smontammo con sollievo, qualcuno disse: "Vuoi vedere che c'è anche il giardino e potremo mangiare all'aperto?" Ma come entrammo ci trovammo in uno stanzone lungo e basso, buio, che puzzava di chiuso. C'erano tre panche con tre tavoli massicci e nient'altro. Neppure un banco con un fiasco, neppure un calendario, neppure una "réclame" di gazosa. Chiamammo, battemmo le mani, si aprì una porta ed entrò, spingendo la pancia avanti, una donna incinta almeno al sesto mese, vestita di nero, con un viso giallo che non diceva nulla di buono, diffidente e pieno di malumore. "C'è da mangiare?" "Non c'è niente... è tardi." "Un pezzo di carne?" "La macelleria è chiusa... forse un po' di pecorino." "Spaghetti?" "Posso mettere su l'acqua... ma ci vorrà tempo, il fuoco è spento... e poi non ci ho né burro né conserva." Spadafina si fece avanti e le domandò con voce petulante: "Niente, niente, sposa, avete paura che non vi paghiamo?" Lei senza scomporsi, rispose: "Potete pagare quanto volete... ma se la roba non ce l'ho?" "E allora perché sulla porta ci avete scritto osteria?" Lei alzò le spalle e si avviò ciabattando verso la porta. "Ignorante," le gridò Teodoro inferocito. La donna si voltò e disse: "Il più conosce il meno," calma; quindi scomparve. Uscimmo di fuori, nel sole che picchiava forte, a pancia vuota, maledicendo Marciano.

Decidemmo di tornare sul lago di Bracciano per vedere se trovavamo qualche cosa da mangiare, in uno di quei paesini tanto belli, Anguillara oppure Trevignano. Per tutta la corsa che fu vertiginosa, non cessammo un sol momento di parlare male della gente intorno a Roma. "Burini, ignoranti, barbari, incivili, villani, zappaterra, disgraziati, bifolchi," questo era il meno. Correndo come pazzi, giungemmo in breve in vista del lago, azzurro, scintillante: quello scintillìo, sotto il sole forte, dava il languore. Arrivammo a Trevignano, ci fermammo ad una trattoria proprio sul lago. Entrammo in uno stanzone che rassomigliava molto a quello di Marciano, soltanto che c'erano alcuni cacciatori, con i fucili e i cani. "Anguille," disse subito Ugo, entrando. "Ce n'è una sola ma grossa," rispose la padrona avvicinandosi verso un casotto dove ci aveva il vivaio. Ci fece entrare in una stanzuccia buia che sembrava una lavanderia, e, dentro una vasca di cemento da farci il bucato, ci indicò l'anguilla, color fango, acciambellata in fondo all'acqua scura. La donna si sporse con un secchio, l'anguilla scivolava nel fondo, qua e là, finalmente entrò nel secchio e la donna la tirò fuori che penzolava e si torceva. Allora Teodoro, dall'appetito, fece un errore. Afferrò l'anguilla per il collo gridando: "Non scappi più." Invece l'anguilla diede un guizzo; lui, impaurito, lasciò la presa, e l'anguilla cadde sul pavimento e scivolò sotto la vasca. "Prendila, prendila" gridava Teodoro, gettandosi a terra. Ma sì; la donna disse: "Ora è entrata nel buco dello scolo e chi la prende più?... ma voi dovete pagarla." Insomma, riuscimmo sconfitti.

Anche qui non c'era nulla da mangiare, come a Marciano. Ordinammo fave fresche, pecorino, pane e vino. Proprio un pranzo da domenica, da fare cinquanta e più chilometri per venirselo a mangiare a Trevignano. L'osteria era piena di cacciatori che parlavano di caccia, ma dovevano essere soltando chiacchiere, perché non vedemmo neppure un'allodola. Cani, invece, ce n'erano in quantità, tutti magri da far paura, gialli, irsuti. Teodoro gli buttava i baccelli delle fave dicendo: "Mangia, su, strozzati;" e quelli, poveretti, ci si gettavano sopra credendo che fosse pane. Però il formaggio era buono, forte, che pizzicava, il vino non era cattivo, pane e fave ce n'erano a volontà e, così, ci rimpinzammo di pecorino, fave, pane e vino. Quanto vino bevemmo? Senza esagerazione, un fiasco a testa. Alla fine, davanti il mucchio dei baccelli vuoti, nacque una discussione sull'ultima partita del calcio e Teodoro, al solito intollerante, disse a Spadafina, il quale lo vinceva con gli argomenti uno più incalzante dell'altro, che lui se la sentiva di rompergli il muso. Dovemmo dividerli.

Ripartimmo, e adesso, dal molto vino bevuto, sebbene avessimo mangiato da cani, eravamo di nuovo allegri. Invece di dirigerci verso Roma, prendemmo per Ronciglione con l'idea di berci un caffè. Ad una salita, incontrammo due ciclisti che arrancavano, coi numeri cuciti sulle spalle e sul petto. Qualcuno si ricordò che da quelle parti, quella domenica, doveva esserci una competizione; quei due dovevano essere rimasti indietro sul grosso del gruppo. Teodoro, al solito, infiammato dal vino, come passammo accanto ai ciclisti, si sporse a canzonarli: "Gambe di pezza, cornuto... tu corri e intanto tua moglie ti mette le corna... faccia di semola." Dalle risate ci tenevamo i fianchi, anche perché i ciclisti, stanchi e sudati, curvi sul manubrio, non parlavano, per risparmiare il fiato e si limitavano a fulminarci con le occhiate. Passammo i due ciclisti, corremmo forse un chilometro e poi, ecco, infatti, il gruppo della gara: venti e più corridori tutti insieme, con un codazzo di ammiratori in bicicletta, e anche un paio di macchine, al passo. Lasciammo indietro la gara, sempre a forte velocità; e, senza rallentare, entrammo, di lì ad un paio di chilometri, dentro Ronciglione. Ugo, che aveva bevuto come gli altri, proprio nella piazza, invece di rallentare, chissà perché, accelerò. Una macchina minuscola, blu scura, scintillante, che andava al passo, gli sbarrò la strada e lui, come un pazzo, le piombò addosso, colpendola in pieno. Subito ci fermammo, scendemmo; discese anche quello della macchina investita, un signore alto, calvo, coi baffi a spazzola, vestito a quadri, i guanti di camoscio alle mani. Avevamo torto ma invece, da veri ubriachi, cominciammo a litigare con quel signore così aristocratico. Lui parlava calmo, con disprezzo, squadrandoci dall'alto; noi urlavamo; intorno c'era tutta la gente della piazza. Il signore disse con impazienza che noi eravamo ubriachi, che era la verità; e allora Teodoro cominciò ad urlargli sotto il naso: "Noi non parliamo con l'erre moscio, non guidiamo coi guanti di capretto... ma ce la sentiamo di far passare al signor conte la superbia." Dove, poi, avesse trovato che quello era un conte, non lo so. In quell'istante ci fu un movimento tra la folla, una mano acchiappò Teodoro per la spalla, una voce disse: "Ahò, ripeti un po' quello che hai detto, su ripeti." Erano i due ciclisti che poco prima, passando, Teodoro aveva insultato dal finestrino. Uno alto, magro, sparuto, le guance incavate, gli occhi lustri; l'altro basso, la testa schiacciata, senza collo, con due spalle larghe così. Nacque una gran confusione: Teodoro indietreggiava dicendo: "Ma chi ti conosce, chi ti ha mai visto?," mentre l'altro lo prendeva a spinte e a botte invitandolo a ripetere quello che aveva detto; il signore incoraggiato, gridava che eravamo ubriachi; noi ci azzuffavamo con il ciclista piccolo che faceva anche lui il prepotente; la folla ondeggiava. Poi il ciclista alto fece per dare una manata a Teodoro e colpì invece il signore; questi reagì con un pugno; il ciclista piccolo si gettò su Teodoro; noialtri lo prendemmo a parte dietro; e tutta la gente cominciò a gridare. Per fortuna, in quel frangente, arrivarono rigidi, compiti, impassibili, due carabinieri; e, come d'incanto, tosto subentrarono ordine e silenzio. Tutti mostrarono i documenti; la folla tratteneva il fiato; si sentiva, ormai, soltanto la voce di Teodoro, spaurita, che si raccomandava: "Siamo poveretti... fu un caso... si sa, la domenica."

Al ritorno, naturalmente, eravamo mosci. Qualcuno disse: "Ci ha portato disgrazia il catafalco."

Ma Alessandro, più giudizioso, rispose: "Macché catafalco, siamo stati noi... un'altra volta sapete che facciamo? Portiamo le ragazze... la donna è gentile e certe cose con le donne non succedono." Ci lasciammo a Roma senza una parola, di cattivo umore. La macchina aveva i paraurti e uno dei fanali sfasciati; e Teodoro un labbro spaccato.

LA RIVINCITA DI TARZAN

Quell'estate, in mancanza d'altro lavoro più serio e degno di me, accettai di girare in bicicletta, in fila con altri cinque, per far la propaganda ai film di un cinema nuovo. Ciascuna bicicletta portava un cartellone colorato con una sillaba di due o tre lettere, e tutti e sei insieme, sfilando lentamente per le vie della città, componevamo il titolo intero del film. Uomini sandwich su due ruote, insomma, eravamo. In fatto di mestieri ce n'è di meglio; tanto più che per renderci più visibili ci facevano indossare una tuta celeste nella quale sembravamo tanti angioli di quelli che si portano in giro nelle processioni per le feste di Pasqua. Ma tant'è: se volevo mangiare, quel mestiere avevo da fare.

Portai in giro "Amami stanotte", "Fiamme sull'Arcipelago", "Due cuori nella tempesta", "La figlia del vulcano", e parecchi altri. Io stavo sempre sulla bicicletta di testa, perché avendo ormai cinquant'anni, con tutti i capelli bianchi, ero sempre il più vecchio e però l'agenzia affidava a me la responsabilità della carovana. Dietro di me veniva Poldino, ragazzetto biondiccio di diciassette anni, dal viso aguzzo come il muso di una faina, dagli occhi di vetro celeste; quanto al carattere, violento e insubordinato, proprio un discolo.

Gli altri quattro erano anche loro ragazzi tra i quindici e i venti anni. Avrei potuto essere il padre di tutti e cinque, e loro, infatti per gioco, mi chiamavano zio. Erano tutti della stessa razza di Poldino: ragazzacci venuti su nel dopoguerra con la borsa nera, i negri americani e le segnorine. Su di loro non avevo alcuna autorità, come avvertii subito l'agenzia; e loro, ogni volta che potevano, facevano lega contro di me.

Era d'estate, di luglio, e girare per le strade, piano piano, sotto il sole che scottava, era veramente una pena. Il percorso, poi, era lungo e senza soste: partivamo dal cinema, dietro Santa Maria Maggiore, percorrevamo a passo d'uomo via Cavour, piazza della Stazione, via Volturno, via Piave, via Salaria, via Po, via Veneto, via Bissolati, via Nazionale, via Depretis e poi finalmente, di nuovo, Santa Maria Maggiore. Questo giro lo facevamo varie volte, la mattina e il pomeriggio, secondo i patti con l'agenzia. Di squadre, poi, ce n'erano due: una di uomini, vestiti, come ho detto, di celeste: e una di donne, vestite loro, anche peggio di noialtri, con le tuniche bianche coperte di lustrini d'argento e i pantaloni alla zuava gialli oro.

Una di quelle mattine, partimmo, al solito, dal cinema, con un cielo rannuvolato che, dapprima, mi fece sperare che il caldo degli altri giorni fosse finalmente diminuito. Ma come ci mettemmo in marcia, mi accorsi subito che l'afa, proprio a causa di quelle nuvole scure che annunciavano il temporale, era aumentata. Sudavo, nella mia tuta chiusa, peggio che se ci fosse stato il sole; e in quell'aria greve mi pareva che ad ogni giro di pedale mi si gonfiassero le mani, i piedi e la faccia come se il sangue stesse per schizzarmi fuori della pelle. Il titolo del film quel giorno era "La rivincita di Tarzan", in technicolor. Io avevo la sillaba La Ri; poi veniva Poldino con Vinci; poi in ordine, Ta, Di, Tar, Zan. Sui cartelloni si vedeva Tarzan, vestito di pelli come un selvaggio che lottava contro uno scimmione e, in disparte, spaventata, una bella ragazza anche lei mezza nuda. Ora, come ci movemmo, lenti lenti, in quell'aria afosa da terremoto, mi accorsi subito che, dietro di me si era formata la solita lega. L'agenzia pubblicitaria ci raccomandava soprattutto che non facessimo chiasso, non fumassimo, non parlassimo. Dovevamo, insomma, dar l'impressione di essere quasi delle macchine, come le biciclette: muti, lenti, apatici, senza espressione. Così la pubblicità, dicevano, era veramente efficace, perché la gente non si occupava di noi e guardava ai cartelloni. Ho detto che gli altri cinque avevano fatto lega e mi spiego. Appena fummo nel piazzale della Stazione sentii i cinque dietro di me che si facevano l'uno con l'altro il verso di Tarzan, così come si ode al cinema; non tanto forte, è vero, ma abbastanza perché i passanti lo sentissero. Io non potevo voltarmi perché dovevo guidarli e, se mi voltavo, c'era il caso in un luogo come il piazzale della Stazione, che tutta la carovana andasse a finire sotto le ruote di un autobus; ma come entrammo in via Volturno, mi girai e dissi forte: "Ma che è questa buriana?" Sapete cosa mi rispose Poldino? Un versaccio osceno. Non dissi nulla e proseguii verso il Ministero delle Finanze.

Passammo il Ministero; imboccammo via Piave; a piazza Fiume, la guardia, in cima alla sua torretta strisciata di bianco e di nero, fermò il traffico e anche noi dovemmo sostare. Ne approfittai per mettere i piedi a terra e voltarmi per vedere come andavano le cose. Mi accorsi subito che andavano malissimo: o che ci avessero l'appuntamento o che le avessero incontrate per caso, Poldino e gli altri avevano trovato due ragazzotte, di quelle che vanno in giro a vendere i fiori per i ristoranti, basse e storte, l'una bionda e l'altra bruna, e ci scherzavano come se la carovana pubblicitaria non fosse esistita. Poi, come la guardia levò il bastone, ecco le due ragazze saltare in canna, la bruna a Poldino e la bionda a quello dopo Poldino. Questa volta mi arrabbiai perché ho il senso del dovere e questo era troppo. Smontai, mi avvicinai a Poldino e gli dissi, senza alzar la voce: "Falla scendere, andiamo... e non far storie." Lui, forse ringalluzzito da quella scorfana che gli si aggrappava al manubrio, rispose: "Ma che vuoi? Chi ti conosce?" "Andiamo," dissi e presi la ragazza per un braccio. "Giù le mani," gridò lei. E Poldino: "Guarda un po' quel vecchiaccio, mette le mani addosso alla mia ragazza." Intanto tutto il traffico si era fermato, le automobili dietro di noi strombettavano, e la gente ci circondava e commentava il fatto: manco a dirlo, erano tutti contro a me. Capii che non c'era niente da fare, risalii in bicicletta e, il cuore pieno di veleno, presi per via Salaria.

All'incrocio di via Salaria con via Po, girai in direzione del corso d'Italia ma subito mi accorsi che giravo solo, perché Poldino e gli altri si dirigevano verso piazza Quadrata. Mi fermai, sperduto, gridai: "Dove andate? di qui." Poldino si fermò anche lui e rispose: "Andiamo al Tevere, a fare un bagno." "Ma che, siete matti?" E lui, con disprezzo: "Il matto sei tu con quei capelli bianchi, vestito di celeste, come un pagliaccio." Le ragazze ridevano e io mi vergognai, e, sebbene dalla rabbia mi sentissi anche di ammazzarlo, mi rassegnai una volta di più.

Prendemmo per via Po, facemmo tutto viale Liegi, piazza Ungheria, tutto viale Parioli. Ormai era Poldino a condurre la carovana e io venivo per ultimo, anche perché ci ho il fiato corto e loro adesso andavano di volata. Adesso il titolo del film si leggeva in questo modo: "Vinci Tatarzan Di Lari" che non significa proprio niente; e i passanti sui marciapiedi, si fermavano a guardare quei cinque ragazzi con quelle due sgualdrinelle in canna che correvano a perdifiato, vestiti di celeste e inseguiti da un vecchio anche lui vestito di celeste; e scuotevano la testa e ridevano. Loro poi, adesso urlavano il verso di Tarzan come se fossero stati davvero in una foresta e non sotto i platani di una strada di Roma. Da piazza Santiago del Cile, comincia la discesa, e mi distaccarono, così che, alla fine, giunsi solo all'Acquacetosa. Persi strada un paio di volte, tornai indietro, finalmente mi parve di vederli lontano, che sfilavano per un sentiero, lungo la sponda del fiume. Furente, fradicio di sudore, mi slanciai in quella direzione.

Avevano scelto un punto dove la sponda del Tevere si allarga come una piattaforma naturale, sabbiosa e tutta coperta di cespugli. Il Tevere, lì, fa una svolta che sembra un serpe, e sull'altra sponda si vede una di quelle reti a ruota che vanno su e giù per forza di corrente. Li trovai che avevano gettato in terra biciclette, cartelloni e ogni cosa e già si spogliavano. Le due ragazze, almeno, si erano nascoste dietro un cespuglio, loro neppure si nascondevano. Saltai giù dalla bicicletta e, furioso, corsi addosso a Poldino che stava levando le gambe fuori dai pantaloni e gli gridai: "Mascalzone, questa è la tua coscienza, eh?" Ma lui arrogante: "Ma che vuoi? Si può sapere che vuoi? Me lo dici che vuoi?" Ad ogni "che vuoi" mi dava una manata al petto, proprio sotto la gola, con una sola mano perché con l'altra si reggeva le mutande; e io, un po' per l'affanno della corsa, un po' per l'età, mi sentivo vacillare sulle gambe, e alla fine, ad un quarto urtone, andai per terra. Subito, come ad un segnale, si sfrenarono. Le ragazze vennero fuori dal loro cespuglio tenendosi per mano, in sottoveste bianca di cotone, poco belle a dire il vero, perché, come ho già detto, erano basse e tarchiate, strette di petto ma di fianchi robusti, come appunto tutte le mendicanti e vagabonde che mangiano poco e camminano molto; e gli altri cinque, come a un ballo, vennero loro incontro reggendosi le mutande con le mani. Cominciarono a ballare tra i cespugli, poi presero a correre e ad inseguirsi. Poldino gridava: "Sono Tarzan... ora ti acchiappo e ti porto via," e ruggendo come Tarzan rincorreva la bruna che era una pietà vederlo, la metà giusta di lei, bianco, sparuto, gracile. Finalmente a salti e a corse, andarono al fiume e si gettarono tutti nell'acqua, uno dopo l'altro.

Sulla riva non ci rimasi che io, a sorvegliare le tute azzurre e i cenci femminili, io, vestito di celeste e coi capelli bianchi, come un pagliaccio, e la faccia di disoccupato cronico e la sigaretta nazionale mezza vuota tra le labbra che mi tremavano.

Ero mortificato, quasi da piangere; e se da una parte odiavo loro per avermi trattato in quel modo, dall'altra odiavo me stesso per non aver avuto il coraggio di liberarmi del senso del dovere. Ancora adesso, che non c'era più niente da fare, guardandoli che nuotavano felici in mezzo al Tevere, non potevo fare a meno di domandarmi ansioso: "Che diranno all'agenzia?;" e mi arrabbiavo di provare questo timore e al tempo stesso non potevo fare a meno di provarlo. Avrei voluto essere come loro e gettarmi anch'io nell'acqua, e fare anch'io il verso di Tarzan, scherzando con le due ragazze. Ma ero vecchio e avevo il senso del dovere e non c'era più niente da fare.

Fortunati in tutto, sguazzarono nell'acqua finché il cielo non si fece nero e le prime gocciole non accapponarono le acque gialle del Tevere. Allora uscirono dall'acqua e Poldino gridò che quella pioggia ci voleva: così, se gli avessero fatto osservazione, avrebbero potuto dire che erano stati costretti a ripararsi. Una delle ragazze, come si fu vestita, si avvicinò a me e mi domandò una sigaretta. Gliela diedi e allora anche la bionda ne volle una, e poi tutti e cinque i ragazzi anche loro e così rimasi senza sigarette, ma facemmo pace.

Intanto le nuvole, dopo quelle poche gocciole, erano passate sul Tevere e si erano allontanate verso la campagna. Ci rimettemmo in fila, secondo il titolo del film, e ci avviammo lungo l'argine, verso l'Acquacetosa. Qui le due ragazze presero l'autobus e noi risalimmo per viale Parioli. Poco più tardi, a passo di funerale, sfilavamo tra le macchine di lusso e i caffè, nel mezzo di via Veneto.

ROMOLO E REMO

L'urgenza della fame non si può paragonare a quella degli altri bisogni. Provatevi a dire ad alta voce: "Mi serve un paio di scarpe... mi serve un pettine... mi serve un fazzoletto," tacete un momento per rifiatare, e poi dite: "Mi serve un pranzo," e sentirete subito la differenza. Per qualsiasi cosa potete pensarci su, cercare, scegliere, magari rinunziarci, ma il momento che confessate a voi stesso che vi serve un pranzo, non avete più tempo da perdere. Dovete trovare il pranzo, se no morirete di fame. Il cinque ottobre di quest'anno, a mezzogiorno, a piazza Colonna, sedetti sulla ringhiera della fontana e dissi a me stesso: "Mi serve un pranzo." Da terra dove, durante questa riflessione, volgevo gli occhi, levai gli sguardi al traffico del Corso e lo vidi tutto annebbiato e tremolante: non mangiavo da più di un giorno e, si sa, la prima cosa che succede quando si ha fame è di vedere le cose affamate, cioè vacillanti e deboli come se fossero esse stesse, appunto, ad aver fame. Poi pensai che dovevo trovare questo pranzo, e pensai che se aspettavo ancora non avrei più avuto la forza neppure di pensarci, e cominciai a riflettere sulla maniera di trovarlo al più presto. Purtroppo, quando si ha fretta non si pensa nulla di buono. Le idee che mi venivano in mente non erano idee ma sogni: "Salgo in un tram... borseggio un tale... scappo;" oppure: "Entro in un negozio, vado alla cassa, afferro il morto... scappo." Mi venne quasi il panico e pensai: "Perduto per perduto, tanto vale che mi faccia arrestare per oltraggio alla forza pubblica... in questura una minestra me la dànno sempre." In quel momento un ragazzo, accanto a me, ne chiamò un altro: "Romolo." Allora, a quel grido, mi ricordai di un altro Romolo che era stato con me sotto le armi. Avevo avuto, allora, la debolezza di raccontargli qualche bugia: che al paese ero benestante mentre non sono nato in alcun paese bensì presso Roma, a Prima Porta. Ma, adesso, quella debolezza mi faceva comodo. Romolo aveva aperto una trattoria dalle parti del Pantheon. Ci sarei andato e avrei mangiato il pranzo di cui avevo bisogno. Poi, al momento del conto, avrei tirato fuori l'amicizia, il servizio militare fatto insieme, i ricordi... Insomma, Romolo non mi avrebbe fatto arrestare.

Per prima cosa andai alla vetrina di un negozio e mi guardai in uno specchio. Per combinazione, mi ero fatto la barba quella mattina con il rasoio e il sapone del padrone di casa, un usciere di tribunale che mi affittava un sottoscala. La camicia, senza essere proprio pulita, non era indecente: soltanto quattro giorni che la portavo. Il vestito, poi, grigio spinato, era come nuovo: me l'aveva dato una buona signora il cui marito era stato mio capitano in guerra. La cravatta, invece, era sfilacciata, una cravatta rossa che avrà avuto dieci anni. Rialzai il colletto e rifeci il nodo in modo che la cravatta, adesso, aveva una parte lunghissima e una parte corta. Nascosi la parte corta sotto quella lunga e abbottonai la giacca fino al petto. Come mi mossi dallo specchio, forse per lo sforzo di attenzione con cui mi ero guardato, la testa mi girò e andai a sbattere contro una guardia ferma sull'angolo del marciapiedi. "Guarda dove vai" disse, "che sei ubriaco?" Avrei voluto rispondergli: "Sì, ubriaco di appetito." Con passo vacillante mi diressi verso il Pantheon.

Sapevo l'indirizzo, ma quando lo trovai non ci credevo. Era una porticina in fondo a un vicolo cieco, a due passi da quattro o cinque pattumiere colme. L'insegna color sangue di bue portava scritto: "Trattoria, cucina casalinga"; la vetrina, anch'essa dipinta di rosso, conteneva in tutto e per tutto una mela. Dico una mela e non scherzo. Cominciai a capire, ma ormai ero lanciato ed entrai. Una volta dentro, capii tutto e la fame per un momento mi si raddoppiò di smarrimento. Però mi feci coraggio e andai a sedermi a uno qualsiasi dei quattro o cinque tavoli, nella stanzuccia deserta in penombra.

Una stoffetta sporca, dietro il banco, nascondeva la porta che dava sulla cucina. Picchiai con il pugno sul tavolo: "Cameriere!" Subito ci fu un movimento in cucina, la stoffetta si alzò, apparve e scomparve una faccia in cui riconobbi l'amico

Romolo. Aspettai un momento, picchiai di nuovo. Questa volta lui si precipitò di fuori abbottonandosi in fretta una giacca bianca tutta sfrittellata e sformata. Mi venne incontro con un "comandi" premuroso, pieno di speranza, che mi strinse il cuore. Ma ormai ero nel ballo e bisognava ballare. Dissi: "Vorrei mangiare." Lui incominciò a spolverare il tavolo con uno straccio, poi si fermò e disse guardandomi: "Ma tu sei Remo..."

"Ah, mi riconosci," feci, con un sorriso.

"E come se ti riconosco... non eravamo insieme sotto le armi? Non ci chiamavano Romolo Remo e la Lupa per via di quella ragazza che corteggiavamo insieme?" Insomma: i ricordi. Si vedeva che lui tirava fuori i ricordi non perché mi fosse affezionato ma perché ero un cliente. Anzi, visto che nella trattoria non c'era nessuno, *il* cliente. Di clienti doveva averne pochi e anche i ricordi potevano servire a farmi buona accoglienza.

Mi diede alla fine una manata sulla spalla: "Vecchio Remo;" poi si voltò verso la cucina e chiamò: "Loreta." La stoffa si alzò e apparve una donnetta corpulenta, in grembiale, con la faccia scontenta e diffidente. Lui disse, indicandomi: "Questo è Remo di cui ti ho tanto parlato." Lei mi fece un mezzo sorriso e un gesto di saluto; dietro di lei si affacciavano i figli, un maschietto e una bambina. Romolo continuò: "Bravo, bravo... proprio bravo." Ripeteva: "Bravo" come un pappagallo: era chiaro che aspettava che ordinassi il pranzo. Dissi: "Romolo, sono di passaggio a Roma... faccio il viaggiatore di commercio... siccome dovevo mangiare in qualche luogo, ho pensato: 'Perché non andrei a mangiare dall'amico Romolo?'"

"Bravo" disse lui, "allora che facciamo di buono: spaghetti?"

"Si capisce."

"Spaghetti al burro e parmigiano... ci vuole meno a farli e sono più leggeri... e poi che facciamo? Una buona bistecca? Due fettine di vitella? Una bella lombatina? Una scaloppina al burro?"

Erano tutte cose semplici, avrei potuto cucinarle da me, su un fornello a spirito. Dissi, per crudeltà: "Abbacchio... ne hai abbacchio?"

"Quanto mi rincresce... lo facciamo per la sera."

"E va bene... allora un filetto con l'uovo sopra... alla Bismarck."

"Alla Bismarck, sicuro... con patate?"

"Con insalata."

"Sì, con insalata... e un litro, asciutto, no?"

"Asciutto."

Ripetendo: "Asciutto," se ne andò in cucina e mi lasciò solo al tavolino. La testa continuava a girarmi dalla debolezza, sentivo che facevo una gran cattiva azione; però, quasi quasi, mi faceva piacere di compierla. La fame rende crudeli: Romolo era forse più affamato di me e io, in fondo, ci avevo gusto. Intanto, in cucina, tutta la famiglia confabulava: udivo lui che parlava a bassa voce, pressante, ansioso; la moglie che rispondeva, malcontenta. Finalmente, la stoffa si rialzò e i due figli scapparono fuori, dirigendosi in fretta verso l'uscita. Capii che Romolo, forse, non aveva in trattoria neppure il pane. Nel momento che la stoffa si rialzò, intravvidi la moglie che, ritta davanti il fornello, rianimava con la ventola il fuoco quasi spento. Lui, poi, uscì dalla cucina e venne a sedersi davanti a me, al tavolino.

Veniva a tenermi compagnia per guadagnar tempo e permettere ai figli di tornare con la spesa. Sempre per crudeltà, domandai: "Ti sei fatto un localetto proprio carino... beh, come va?"

Lui rispose, abbassando il capo: "Bene, va bene... si capisce c'è la crisi... oggi, poi, è lunedì... ma di solito, qui non si circola."

"Ti sei messo a posto, eh."

Mi guardò prima di rispondere. Aveva la faccia grassa, tonda, proprio da oste, ma pallida, disperata e con la barba lunga. Disse: "Anche tu ti sei messo a posto." Risposi, negligente: "Non posso lamentarmi... le mie cento centocinquantamilalire al mese le faccio sempre... lavoro duro, però."

"Mai come il nostro."

"Eh, che sarà... voialtri osti state sul velluto: la gente può fare a meno di tutto ma mangiare deve... scommetto che ci hai anche i soldi da parte."

Questa volta tacque, limitandosi a sorridere: un sorriso proprio straziante, che mi fece pietà. Disse finalmente, come raccomandandosi: "Vecchio Remo... ti ricordi di quando eravamo insieme a Gaeta?" Insomma, voleva i ricordi perché si vergognava di mentire e anche perché, forse, quello era stato il momento migliore della sua vita. Questa volta mi fece troppa compassione e lo accontentai dicendogli che ricordavo. Subito si rianimò e prese a parlare, dandomi ogni tanto delle manate sulle spalle, perfino ridendo. Rientrò il maschietto reggendo con le due mani, in punta di piedi, come se fosse stato il Santissimo, un litro colmo. Romolo mi versò da bere e versò anche a se stesso, appena l'ebbi invitato. Col vino diventò ancor più loquace, si vede che anche lui era digiuno. Così chiacchierando e bevendo, passarono un venti minuti, e poi, come in sogno, vidi rientrare anche la bambina. Poverina: reggeva con le braccine, contro il petto, un fagotto in cui c'era un po' di tutto: il pacchetto giallo della bistecca, l'involtino di carta di giornale dell'uovo, lo sfilatino avvolto in velina marrone, il burro e il formaggio chiusi in carta oliata, il mazzo verde dell'insalata e, così mi parve, anche la bottiglietta dell'olio. Andò dritta alla cucina, seria, contenta; e Romolo, mentre passava, si spostò sulla seggiola in modo da nasconderla. Quindi si versò da bere e ricominciò coi ricordi. Intanto, in cucina, sentivo che la madre diceva non so che alla figlia, e la figlia si scusava, rispondendo piano: "Non ha voluto darmene di meno." Insomma: miseria, completa, assoluta, quasi quasi peggio della mia.

Ma avevo fame e, quando la bambina mi portò il piatto degli spaghetti, mi ci buttai sopra senza rimorso; anzi, la sensazione di sbafare alle spalle di gente povera quanto me, mi diede maggiore appetito. Romolo mi guardava mangiare quasi con invidia, e non potei fare a meno di pensare che anche lui, quegli spaghetti, doveva permetterseli di rado. "Vuoi provarli?" proposi. Scosse la testa come per rifiutare, ma io ne presi una forchettata e gliela cacciai in bocca. Disse: "Sono buoni, non c'è che dire," come parlando a se stesso.

Dopo gli spaghetti, la bambina mi portò il filetto con l'uovo sopra e l'insalata, e Romolo, forse vergognandosi di stare a contarmi i bocconi, tornò in cucina. Mangiai solo, e, mangiando, mi accorsi che ero quasi ubriaco dal mangiare. Eh, quanto è bello mangiare quando si ha fame. Mi cacciavo in bocca un pezzo di pane, ci versavo sopra un sorso di vino, masticavo, inghiottivo. Erano anni che non mangiavo tanto di gusto.

La bambina mi portò la frutta e io volli anche un pezzo di parmigiano da mangiare con la pera. Finito che ebbi di mangiare, mi sdraiai sulla seggiola, uno stecchino in bocca e tutta la famiglia uscì dalla cucina e venne a mettersi in piedi davanti a me, guardandomi come un oggetto prezioso. Romolo, forse per via che aveva bevuto, adesso era allegro e raccontava non so che avventura di donne di quando eravamo sotto le armi. Invece la moglie, il viso unto e sporco di una ditata di polvere di carbone, era proprio triste. Guardai i bambini: erano pallidi, denutriti, gli occhi più grandi della testa. Mi venne ad un tratto compassione e insieme rimorso. Tanto più che la moglie disse: "Eh, di clienti come lei, ce ne vorrebbero almeno quattro o cinque a pasto... allora sì che potremmo respirare."

"Perché?" domandai facendo l'ingenuo "non viene gente?"

"Qualcuno viene" disse lei "soprattutto la sera... ma povera gente: portano il cartoccio, ordinano il vino, poca roba, un quarto, una foglietta... la mattina, poi, manco accendo il fuoco, tanto non viene nessuno."

Non so perché queste parole diedero sui nervi a Romolo. Disse: "Aho, piantala con questo piagnisteo... mi porti iettatura."

La moglie rispose subito: "La iettatura la porti tu a noi... sei tu lo iettatore... tra me che sgobbo e mi affanno e tu che non fai niente e passi il tempo a ricordarti di quando eri soldato, lo iettatore chi è?"

Tutto questo se lo dicevano mentre io, mezzo intontito dal benessere, pensavo alla migliore maniera per cavarmela nella faccenda del conto. Poi, provvidenziale, ci fu uno scatto da parte di Romolo: alzò la mano e diede uno schiaffo alla moglie. Lei non esitò: corse alla cucina, ne riuscì con un coltello lungo e affilato, di quelli che servono ad affettare il prosciutto. Gridava: "Ti ammazzo" e gli corse incontro, il coltello alzato. Lui, atterrito, scappò per la trattoria, rovesciando i tavoli e le seggiole. La bambina intanto era scoppiata in pianto; il maschietto era andato anche lui in cucina e adesso brandiva un mattarello, non so se per difendere la madre o il padre. Capii che il momento era questo o mai più. Mi alzai, dicendo: "Calma, che diamine... calma, calma;" e ripetendo: "Calma, calma" mi ritrovai fuori della trattoria, nel vicolo. Affrettai il passo, scantonai; a piazza del Pantheon ripresi il passo normale e mi avviai verso il Corso.

FACCIA DA NORCINO

Quell'inverno tutto mi andava bene: feci un affare di rottami di ferro e guadagnai; poi un secondo affare di laterizi e guadagnai di nuovo; poi un terzo affare di medicinali americani e guadagnai ancora. Mi comperai due vestiti, uno blu a righe e uno di flanella grigia, due paia di scarpe, nere e gialle, un cappotto fantasia, una dozzina di camicie di seta col monogramma e calzini assortiti. Alla mamma, regalai un taglio di seta nera e un servizio di porcellana per sei: un'occasione cinese, con un disegno tanto bello di fiori e di dragoni. A mio fratello non diedi nulla perché disse che non voleva nulla da me, era disoccupato e ce l'aveva con me perché guadagnavo. A mia sorella comperai uno di quegli ombrellini piccolissimi, di acciaio, che si piegano e diventano grandi come ventagli. Poi mi comperai una macchina, di tipo sportivo, rossa; e questo fu l'acquisto che mi diede maggiore soddisfazione perché alla macchina ci tiravo da quando ero ragazzo. Insomma non mi mancava più nulla, avevo denaro quanto ne volevo, fumavo sigarette americane, andavo al cinema tutti i giorni. Però mi annoiavo, e sentivo che qualche cosa invece mi mancava, e capii ben presto che mi mancava una ragazza. Non sono affatto brutto sebbene sia bassino: biondo, con la faccia bianca e rossa, gli occhi celesti. Da bambino, la mamma diceva che rassomigliavo tutto il Bambin Gesù; poi, crescendo, cambiai un poco per via che ho il naso con le narici scoperte e la bocca un po' storta; così che gli amici, chissà perché, presero presto a chiamarmi "il norcino." Comunque, non sono brutto, come ho detto; ma siccome mi davo sempre dattorno per il commercio, alle ragazze avevo sinora dedicato poco tempo; e si sa che con le donne ci vuole tempo e denaro. Adesso il denaro ce l'avevo e anche il tempo. Così decisi di trovarmi una ragazza.

Presi a cercarla. La mattina verso mezzogiorno uscivo in macchina e correvo ai quartieri alti. Passavo e ripassavo su e giù per via Veneto e poi percorrevo in lungo e in largo Villa Borghese, via Pinciana, il Muro Torto. Pensavo giustamente che quelli fossero i luoghi migliori per appostare le donne, prima di tutto perché le belle ragazze di Roma vanno tutte lì a farsi vedere e a pavoneggiarsi coi vestiti nuovi, e poi perché sono luoghi larghi, poco frequentati, dove una macchina può seguire una donna e la donna accettare di salirci senza dare nell'occhio. Seguivo, dunque, ora una ragazza ora un'altra, con la macchina, a passo d'uomo, e, ad un punto propizio, spalancavo lo sportello e dicevo sporgendomi: "Signorina, permette che l'accompagni" o qualche cosa di simile. Ci credereste? Mai nessuna accettò. Certune tiravano avanti come se non mi avessero né veduto né udito; altre rispondevano seccamente: "No, grazie, preferisco camminare;" altre ancora, più sgarbate: "Mi lasci in pace o chiamo una guardia." Una mi disse, un giorno: "Pappagallo della strada," che vuol dire appunto un uomo che dà fastidio alle donne per la strada. Una seconda, addirittura, mi apostrofò così: "Tu, con quella faccia da norcino...;" e questo mi meravigliò perché non poteva sapere che anche gli amici mi chiamavano in quel modo. Tanto che, tornato a casa, mi guardai allo specchio domandandomi come fossero le facce da norcino e poi anche ne parlai alla mamma, però senza dire che ero io, e lei mi rispose: "Eh, i norcini sono roba vecchia... roba d'altri tempi... d'inverno vendevano carne di maiale e d'estate cappelli di paglia e pagliette... roba vecchia.. oggi li chiamano pizzicagnoli."

Intanto era venuto l'autunno, anzi si era già alla fine di novembre e un momento pioveva e un momento c'era il sole e io capivo che ormai la stagione buona stava per finire e di ragazze non se ne sarebbe più parlato fino a primavera perché d'inverno fa freddo e piove e le donne stanno tappate in casa. Mi arrovellavo, però, perché, a tutti i costi, l'inverno senza ragazza non volevo passarlo. Una mattina, dopo aver perlustrato al solito via Veneto non so quante volte, già mi rassegnavo a tornare in Prati, dove abito, per Villa Borghese e piazza del Popolo, quando, nel viale che porta a piazzale Flaminio, mi parve di vedere quel che faceva al caso mio. Camminava sola, involtata in uno di quegli impermeabili trasparenti che sembrano di cellophane, e, così da lontano, mi parve graziosa. Ma come mi fermai e aprii lo sportello dicendo "Signorina vuole che l'accompagni?," e lei si voltò per guardarmi, dico la verità quasi mi pentii di averla interpellata. Non che fosse brutta, al contrario, ma aveva una faccia di furba sfrontata che non mi disse nulla di buono. Aveva una foresta di capelli neri e crespi, gli occhi tondi, a fior di pelle, come di vetro, il naso un po' da negra, a ricciolo, le labbra grosse e niente mento. Disse subito: "Accompagnarmi dove?" e la voce era rauca e confidenziale, con l'accento romanesco, proprio di Ponte. "Dove vuole lei" risposi intimidito. Lei, allora, strascicando la voce, lagnosa: "Ho fatto tardi e abito tanto lontano e la mamma ormai non mi aspetta più... perché non andiamo a mangiare?" Intanto io avevo avuto il tempo di ricredermi, e, sembrandomi che mi piacesse, le feci cenno di salire. Lei non si fece pregare: "Veramente non avrei dovuto accettare" disse assestandosi "ma lei sembra una persona distinta.. non creda però che con un altro avrei accettato." Io le dissi accendendo il motore: "Mi chiamo Attilio Pompei e sono una persona seria... se l'ho fermata, è stato perché mi sentivo solo e cercavo compagnia... vede: ho quattrini, la macchina, non mi manca nulla... proprio nulla... proprio nulla, salvo la compagnia di una ragazza come lei..." Dissi queste cose perché lei capisse chi fossi e quali fossero le mie intenzioni. Ma lei, tagliando corto: "Allora, dove andiamo di bello?" Arrischiai il nome di un ristorante, ma la vidi storcere la bocca: "Perché non andiamo fuori Roma? Per esempio a Fiumicino?" "Fuori Roma? Con questo tempo?" "È tanto bello... e poi c'è il mare... mangeremo il pesce." Pensai allora che la gita avrebbe servito a rendere più facile la confidenza: forse lei me la proponeva apposta; e dissi: "Andiamo a Fiumicino." Intanto eravamo arrivati a piazza Cavour. Lei mi fece fermare davanti a un bar dicendo che doveva telefonare alla madre per avvertirla che non tornava a casa. Quindi tornò e mi informò ridendo: "Povera mamma... mi ha chiesto con chi stavo... le ho risposto: con Attilio... Ora penserà chi può essere Attilio." Tutta allegra si assestò, tirando su l'impermeabile; e ripartimmo.

Uscimmo da Roma per lo stradone della Magliana, lustro che pareva uno specchio, con un sole sfarzoso che faceva male agli occhi. Ma al secondo chilometro il cielo si fece nero e cominciò a piovere a dirotto. Mentre il tergicristallo andava su e giù sul parabrise inondato, per ingannare il tempo, presi a parlare di me e delle mie aspirazioni. Fui confortato vedendo che lei mostrava di comprendermi. Disse: "Un uomo non può vivere solo come un cane... ha bisogno di compagnia, di affetto, di amore." "Proprio così." "E poi" continuò "un uomo se non ha una donna a cui dedicarsi, perde la passione del lavoro... che gli serve di lavorare?" "Giusto." "Una donna" riprese "porta nella vita dell'uomo qualche cosa di gentile, di affettuoso, qualche cosa che gli amici non possono dargli." "A chi lo dice?" "Gli uomini senza donne non sono uomini completi." "Proprio quello che penso anch'io." "Senza contare che in un momento di tristezza, di difficoltà soltanto la donna può consolare l'uomo, ridargli coraggio." "Parole sante." "Un uomo come lei" concluse "sa di che cosa ha bisogno? di una ragazza buona e affettuosa che pensi più a lei che a se stessa... una ragazza che la capisca e magari sia anche capace di sacrificarsi." Insomma era così giudiziosa, così intuitiva, così assennata che mi sentivo tutto consolato: proprio quello che cercavo. Le domandai: "Ma lei come si chiama?" "Gina." Dissi: "Gina, sento che siamo fatti l'uno per l'altra;" e, pur tenendo il volante con una mano, con l'altra cercai sul sedile la sua. Ma lei: "Guida adesso... la mano me la stringerai a Fiumicino;" e mi tolse la mano. Però quel tu mi fece piacere, sebbene detto a mezza bocca e come per caso.

Intanto era tornato il sole, abbagliante, tra le nuvole nere e stracciate; e, passata la stazione della Magliana, prendemmo attraverso la campagna, tutta verde e inzuppata, coi prati che luccicavano come stagni da tanta acqua che era caduta. La strada era deserta, salvo una topolino color caffelatte, con due uomini dentro, che ora ci passava e ora si lasciava passare, come se non avesse voluto perderci di vista. Dissi: "Ma che vogliono quei cornuti?;" e spinsi a tutta forza il motore, lasciando indietro la topolino. Lei osservò, ridendo: "Sono due uomini senza donne... si divertono come possono, poveretti." Guardai la strada, vidi che la topolino non c'era più, e rallentai di nuovo.

Dopo quei prati allagati, la strada entrò in un bosco. La pioggia e il vento avevano gettato sull'asfalto nero tante foglie gialle, rosse e brune; anche il bosco era giallo, rosso e bruno; il sole brillava per il bosco, e tutte quelle foglie parevano d'oro.

Lei gridò ad un tratto: "Uh che bellezza... fermati." Mi fermai, e lei disse: "Sai che facciamo ora? Tu scendi e vai nel bosco a cogliermi un bel mazzo di ciclamini." "Ciclamini?" "Ma sì... guarda quanti ce ne sono." Guardai e, infatti, in terra, nel sottobosco, vidi i ciclamini rosa sparsi tra le foglie gialle e il verde del musco. Lei disse, svenevole: "Non lo vuoi cogliere un mazzetto per la tua Gina?," e mi fece una carezza sulla guancia, atteggiando la bocca come per un bacio. Credetti che fosse giunto il momento e feci per abbracciarla; ma lei mi respinse dicendo: "No, qui no, a Fiumicino... intanto scendi e cogli un bel mazzetto." Non dissi nulla e smontai lasciando lo sportello aperto.

Dalla macchina lei mi gridò: "Vai dentro.. sono più belli;" e io, camminando a fatica, tra i rovi che mi si aggrappavano con le spine ai pantaloni, mi addentrai nel bosco cogliendo ciclamini. Il bosco era fradicio di pioggia; c'era un buon odore di terra bagnata, di borracina, di legno marcito; ad ogni passo, dai rami che urtavo con la testa, mi cascava addosso una scarica di gocciole d'acqua, così che in breve ebbi tutta la faccia lavata. I ciclamini erano proprio belli e io, cogliendoli, pensavo che ero tanto contento di avere finalmente una ragazza, e mi piaceva l'idea di cogliere ciclamini per lei e cercavo di prendere i più grossi, con il gambo più lungo e il rosa più acceso. Sentii che mi gridava: "Vai avanti... più avanti vai, meglio è;" e mi levai dritto in mezzo alla macchia per mostrarle il mazzo che avevo già raccolto. Allora, al di là dei cespugli bassi, tra un tronco e l'altro, vidi la topolino caffelatte ferma presso il ciglio della strada e un uomo in impermeabile che ne scendeva e saliva in fretta nella mia macchina. Gridai: "Ferma... ferma," e mi slanciai; ma misi il piede in fallo e caddi in terra, la faccia sul musco fradicio, in un diluvio di gocciole di pioggia.

Del ritorno, è meglio non parlare. Feci cinque chilometri a piedi; ero così sbalordito che al passaggio a livello di Fiumicino mi accorsi di stringere ancora nella mano il mazzo di ciclamini. E non voglio neppure dire come ritrovai quella strega, una settimana dopo, nel momento che usciva da un negozio del centro, e come la feci arrestare. Ma la sola cosa che mi brucia (la macchina fu ritrovata due giorni dopo, senza gomme, in una straduccia di campagna), fu che lei, come gridai: "Ladra... ti trovo finalmente, ladra," finse di non conoscermi e, anzi, disse, sfrontata: "Ma chi lo conosce? Chi l'ha mai vista quella faccia da norcino?" Avete capito? Anche lei mi chiamava faccia da norcino, come i miei amici, come la ragazza di via Pinciana. Per questo, da allora, mi sono fatto crescere i baffi, spioventi, biondi, lunghi. Ma con tutti i miei baffi, la ragazza non l'ho ancora trovata.

L'APPETITO

Se una mattina passate dalle parti del Policlinico, in quel punto delle mura dove ci sono, fitte fitte, quelle lapiducce bianche per grazia ricevuta o da ricevere che sembrano tanti francobolli attaccati sopra una busta, vedrete, a poca distanza dal tabernacolo della Madonna, un chiosco di fioraio bello e grande, pieno di vasi con i fiori, di statuette colorate, di canestri già pronti coi nastri e tutto. Lì i parenti e gli amici comprano i fiori per quei poveri malati; lì si rifornisce tutto il quartiere. La fioraia è una donna grassa, bionda e alta, e ha un figlio fatto a sua somiglianza che l'aiuta nel mestiere. Carlo, si chiama, ha diciannove anni e peserà già il suo quintale. Fateci caso, guardatelo, ha la faccia grassa e tutta semolata, gli occhiali forti da miope e i capelli rossi tagliati a spazzola. Il petto gli trema ad ogni movimento come quello di una donna; ha la pancia; e, due gambe che sembrano un monumento. Veste sempre all'americana, giacca a vento e pantaloni rigati: la giacca gli sta incollata addosso come un corpetto; e i pantaloni, quando si china, sempre si ha l'impressione che possano spaccarsi sul didietro. Carlo ed io eravamo amici e adesso non lo siamo più e questo mi dispiace, non fosse altro perché, con quel fisico, lui bandiva ogni tristezza. Per farsi passare la malinconia, bastava vederlo mangiare: salute, che appetito; come Carlo non ne ho conosciuto proprio nessuno. Come niente, lui era capace di sfondarsi un mezzo chilo di spaghetti al sugo, con il pane; e poi di dichiarare, scontento: "Questi spaghetti non mi hanno toccato un dente...: mamma, ci ho fame." Tanto che qualche volta gli amici lo invitavano in trattoria per il solo piacere di vederlo mangiare. E lui non si faceva pregare: un agnello sano sano, una sera, alla Stelletta, lui, in meno di mezz'ora, se lo divorò tutto, tutto lo succhiò e lo stritolò, non lasciando sul piatto che un mucchietto d'ossa. Queste mangiate a casa non le faceva perché la madre era tirata e coi fiori c'è poco da scialare. Per questo, sapendo che vederlo mangiare era un po' uno spettacolo, lui stesso proponeva: "Stasera m'invitate? Mangio a cottimo, senza limiti di quantità, ci state?"

Una di queste domeniche, Carlo mi fece sapere che eravamo invitati tutti e due a pranzo in casa della sua fidanzata, Faustina. Mi meravigliai perchè non avevo confidenza con la famiglia di Faustina e non vedevo il motivo dell'invito. Ma, all'appuntamento al corso d'Italia, come vidi Carlo, capii che il motivo c'era. Carlo, le mani in tasca, pareva triste e avvilito e sospirava. Mentre ci avviavamo verso la casa di Faustina, gli domandai che avesse e lui mi rispose con un sospiro. Insistetti: un nuovo sospiro. Dissi, alla fine: "Senti, se non vuoi dirmelo, non dirlo... ma piantala di sospirare... sembri una foca."

"Perché le foche sospirano?"

"No, ma se sospirassero, sospirerebbero come te."

Lui sospirò di nuovo e poi spiegò: "Stamani ti ho fatto invitare affinché mi aiuti... me lo prometti?"

Glielo promisi, e allora lui, sempre sospirando, disse: "Faustina non mi vuole più."

Confesso che il primo movimento fu di soddisfazione. Faustina mi piaceva e non avevo mai capito che ci trovasse in Carlo. Ma sono un buon amico e non mi ero mai azzardato non dico a farle la corte, ma neppure a lasciarglielo capire. Dissi, fingendo indifferenza: "Beh, mi dispiace, ma che posso farci io?"

"Moltissimo puoi farci... a me Faustina non mi dà retta... ma di te ha soggezione... tu sai parlare... non voleva più vedermi, ho insistito per una spiegazione e allora ci ha invitati: tu devi parlarle e devi dirle che io le voglio bene e che non mi deve lasciare."

Io risposi che le donne non si lasciano convincere dai ragionamenti; ma alla fine, siccome lui mi pregava, finii per accettare. Intanto eravamo arrivati alla casa di Faustina, vicino ai mercati di piazza Alessandria. Salimmo le scale, bussammo; la madre di Faustina, una donnetta dai capelli grigi, ci venne ad aprire con una ventola in mano, gridò: "Almeno voi siete venuti" e poi scappò in cucina. Passammo nella stanza da pranzo che negli altri giorni serviva da salotto di prove per il padre di Faustina il quale faceva il sarto. Una tavola per otto era preparata tra le quattro pareti coperte di figurini e di pagine strappate dalle riviste di moda; in un angolo c'era un manichino da donna, con sopra una giacca imbastita. Mi parve che nell'appartamento ci fosse una gran confusione: si udiva la madre strillare, arrabbiata, e qualcuno risponderle. Poi la porta si aprì con impeto e Faustina entrò. Era una ragazzetta di diciotto anni, piccola e minuta, coi capelli crespi, la fronte sfuggente, gli occhi verdi e la bocca grande: non bella, ma provocante. Gridò, tutta allegra: "Ciao Carlo, ciao Mario... mamma è arrabbiata perché aveva messo giù la pasta per otto e invece papà, Gino e Alfredo hanno fatto sapere che per via della partita mangiano fuori, anche Annamaria non viene perché il fidanzato l'ha invitata... io, poi, sto per uscire, ci ho anch'io un invito... così siete rimasti voi tre, mamma è arrabbiata perché dice che la carne può metterla da parte, ma la pasta asciutta, no."

Disse queste parole tutte d'un fiato; poi, tirata su la veste dietro affinché non si gualcisse, si gettò a sedere sopra un vecchio divano giallo tutto sfondato e rotto, e riprese: "Senti, Carlo, io ti ho fatto venire oggi con il tuo amico perché mamma mi aveva detto che dovevo darti questa soddisfazione... ma te lo dico subito: è inutile che insisti."

Non so perché mi fecero piacere queste parole, pronunziate con tanta disinvoltura. Tanto più che lei, dicendole, non aveva guardato Carlo ma me; e i nostri sguardi si erano incontrati; e lei, così mi era sembrato, mi aveva sorriso con civetteria. Carlo, intanto, piagnucolava: "Ma se tu non mi vuoi , io come faccio?"

Lei si mise a ridere di gusto, mostrando i denti larghi e piccoli: "Te ne troverai un'altra... oppure non la troverai... per me non m'importa... purché non ci vediamo più perché sono proprio stufa."

"Ma perché sei stufa... che t'ho fatto... perché ce l'hai con me?"

Lei saltò su, ma allegramente, e sempre, con quegli occhi verdi, guardando me e non lui: "Ce l'ho con te per quello che sei... un grassone, un materasso, un mangione... non pensi che a mangiare e più mangi e più diventi grasso... le mie amiche dicono che sposo re Faruk... io, accanto a te, sembro proprio la pulce accanto all'elefante... non sono fatta per te."

"Ma io ti voglio bene."

"E io per niente... manco un poco."

Avete mai visto un grassone che piange? Il magro, quando piange, sembra sincero; ma il grasso si direbbe che faccia finta. Carlo si tolse gli occhiali e cominciò a singhiozzare nel fazzoletto. Entrò la madre, con la zuppiera colma di pasta asciutta al sugo di pomodoro, e domandò, sorpresa: "Ma che è successo? Che ci ha Carlo?"

"Piange" disse Faustina, allegra, alzando le spalle: "gli fa bene." E poi levandosi dal divano: "Beh, io me ne vado... hai voluto venire, ti ho ripetuto quello che ti avevo già detto e adesso me ne vado... ci ho da fare."

"Ma non mangi?"gridò la madre.

"No, mangio dopo... mettimi da parte qualche cosa... addio Carlo e buon appetito... arrivederci Mario." Così dicendo lei mi strinse la mano guardandomi fisso con gli occhi verdi; e sentii che, invece di stringere, mi strisciava con le dita tra le dita.

"Beh" fece la madre irritata "non ci siete che voi due... mettetevi a tavola e mangiate."

"Non ho fame," disse Carlo. Ma, come d'incanto, le lagrime gli si erano asciugate e gli occhi gli si erano posati sulla zuppiera.

Io non avevo fame davvero: quegli sguardi e quel contatto delle dita di Faustina mi avevano turbato. Arrischiai: "E se ce ne andassimo?"

"E la roba si butta?" gridò la madre portando le mani ai fianchi; "pasta fatta in casa... su, sedetevi e mangiate."

"Non ho fame," protestò ancora Carlo debolmente. Ma in quel momento Faustina si affacciò alla porta e gridò: "Ma a chi vuoi darla ad intendere che non hai fame... vieni, su, bello, vieni a mangiare." Si gettò su di lui che stava sprofondato nel divano, l'acchiappò per la mano, lo costrinse ad alzarsi e a sedersi a tavola, gli annodò il tovagliolo intorno al collo, gli mise la forchetta in mano. Intanto la madre, contenta, rovesciava nel piatto di Carlo un monte di pasta asciutta. Carlo ripeteva, soffocato: "Ma non ho fame." Però quel piatto fumante, di un bel colore chiaro di pomodoro fresco, doveva fargli gola perché, sempre ripetendo con voce di pianto: "Non ho fame," cominciò, imbambolato, ad arrotolare la pasta intorno alla forchetta.

"Buon appetito," gridò Faustina scappando di nuovo dalla stanza.

Anche la madre era uscita, dopo avermi riempito il piatto. Carlo sollevò la forchetta carica di pasta e poi, con voce piagnucolosa, disse adagio: "Mario, va' da Faustina... prima che esca... può darsi che con te, da solo a solo..." Non finì e chinando il capo si mise in bocca la pasta. Intanto le lagrime continuavano a sgorgargli dagli occhi, mentre mangiava. Dissi, contento: "Hai ragione, da solo a solo può darsi che mi dia retta... tu mangia, intanto... vado e torno."

Uscii e andai direttamente nella camera di Faustina. Stava in piedi, in sottoveste verdolina, davanti allo specchio dell'armadio, ritoccandosi le labbra. Chiusi la porta, le venni accanto e, girandole un braccio intorno la vita, le dissi, semplicemente: "Ci vediamo domani?"

Lei mi guardò in tralice, con i suoi occhi verdi, tutta ringalluzzita: "No, oggi."

"Oggi, quando?"

"Aspettami giù, al bar disotto, tra mezz'ora."

Non dissi nulla, feci una giravolta e uscii. Tornai nella stanza da pranzo. Carlo mangiava adesso di buon appetito ma senza fretta: la scodella era già per metà vuota. Gli dissi: "Mi dispiace proprio... ma mi ha cacciato fuori dalla stanza... mi dispiace."

Lui finì di inghiottire il boccone e poi singhiozzò, a testa bassa, arrotolando la pasta intorno la forchetta: "Brutta zozza... e pensare che le voglio tanto bene."

Adesso avevo cominciato a mangiare anch'io, l'appetito, dopo la visita a Faustina, mi era tornato e la pasta era buona davvero, leggera, piena di sugo, con tanto pecorino dal sapore pizzicante. Carlo riprese: "Non voglio più vederla... neppure se mi prega." La scodella era vuota e lui si tirò giù dalla zuppiera un'altra porzione.

"Farai bene," dissi io.

Insomma fra tutti e due, ma soprattutto Carlo, quasi vuotammo per metà la zuppiera. Venne la madre e ci propose, ma soltanto pro forma, di mangiare un po' di affettato. Dissi che avevamo mangiato abbastanza e mi alzai, sebbene dall'espressione di Carlo, che era rimasto seduto, capissi che a lui l'affettato non sarebbe dispiaciuto. Così, sospirando e asciugandosi col tovagliolo prima la bocca e poi gli occhi, si alzò anche lui; e poi ci congedammo dalla madre e uscimmo. Una volta in strada, dissi a Carlo: "Beh, debbo andare, ci ho un appuntamento" e senza lasciargli il tempo di rifiatare, scappai via.

Gironzolai un poco per il quartiere e poi, all'ora fissata, andai al bar. Faustina mi aspettava, tutta elegante, in un vestitino viola attillato, un mazzetto di violette in mano. Subito mi si attaccò al braccio, dicendo: "Scemo, perché ci hai messo tanto a capire che mi piacevi?"

Non feci a tempo a rispondere. Passavamo in quel momento davanti un fornetto che vende le paste calde, appena sfornate. Sulla porta, una sfogliatella napoletana in mano, la bocca piena e il viso tutto sbaffato di zucchero di vaniglia, stava Carlo. Io prima sentii l'odore buono del forno, poi vidi lui e vidi che lui ci aveva visto, stretti, braccio sotto braccio. Ma Faustina non si scompose: "Addio Carlo," gli gridò mentre ci allontanavamo.

L'INFERMIERA

Ho il vivaio alla Città Giardino e ogni mattina, quando passo in autobus per via Nomentana, non posso fare a meno di guardare al cancello di una certa villa, poco dopo Sant'Agnese. Qualche anno fa il giardiniere in quella villa ero io e le spalliere del gelsomino contro il muro di cinta sono io che le ho piantate; così come sono io che ho disposto intorno lo spiazzo dell'ingresso i vasi di camelie e ho appoggiato alla parete della villa il glicine che, adesso, se non è morto, dovrebbe aver già raggiunto il secondo piano. Anzi, per via della malattia del padrone, il giardino di quella villa era in abbandono e sembrava piuttosto un terreno da immondizie che un giardino; e io, per amore dell'infermiera che curava quel signore, lo feci diventare in pochi mesi una serra, con tutte le aiuole verdi, i viali coperti di ghiaia, i boschetti di lilla, e il bosso tagliato intorno le aiuole e lungo i viali. Piantai anche, ricordo, nel mezzo di un'aiuola, una magnolia adulta della specie Grandiflora, proprio di fronte alla finestra di Nella, in modo che, a primavera, il profumo dei fiori le entrasse fin dentro la stanza; e sotto la finestra, piantai una japonica, una pianta rampicante tanto bella, dai rami neri e dai fiori rossi. Nella era l'infermiera di cui ero innamorato: una ragazza robusta, non tanto alta, coi capelli rossi, il viso largo e fresco tutto semolato e gli occhiali da miope. Mi piacque subito perché era così forte e sana, con un corpo esuberante che sembrava dovesse sfondare il camice bianco; e per l'aria sorniona e placida che le davano le lentiggini e gli occhiali. Sembrava una dottoressa; e fu soprattutto il contrasto tra l'aspetto severo e quel suo corpo giovane e allegro che mi fece perder la testa.

In quel tempo la salute di quel signore che lei assisteva mi stava più a cuore della mia perché sapevo che se fosse guarito o se fosse morto, lei se ne sarebbe andata e io non avrei più potuto vederla tanto facilmente. Così, ogni mattina di quella primavera, quando lei apriva la finestra della camera dove si trovava il malato e si affacciava sul giardino, io facevo in modo di essere là sotto e subito le domandavo: "Come sta?;" e lei rispondeva con un gesto. "Così così," sorridendo maliziosamente perché sapeva il motivo di questa mia sollecitudine. Poi, durante la mattinata, la rivedevo spesso, sempre a quella finestra, in atto ora di versare una medicina in un bicchiere, ora di controllare l'ago di una siringa prima dell'iniezione. Le facevo dei segni con le mani, ma lei si limitava a scuotere il capo come per dire: "Non lo vedi che sono in camera sua?" Perché era coscienziosa nel suo lavoro più di un uomo; e maliziosa, si serviva del lavoro per farmi sospirare, un po' come certe ragazze che per rendersi preziose tirano sempre in ballo la mamma che non vuole; e invece sono loro che fanno le civette.

La mattina procuravo di restare sullo spiazzo, davanti la villa, perché la finestra del malato guardava da quella parte; il pomeriggio, invece, siccome sapevo che dopo colazione il malato dormiva e lei ne approfittava per vedermi, andavo a lavorare in fondo al giardino, che era molto grande, dietro un bosco di elci, dove c'era una fontana addossata al muro di cinta. Quasi sempre, verso le due o le tre, lei veniva e stavamo insieme mezz'ora, un'ora. Io tagliavo per lei qualche fiore, una gardenia, una camelia, una rosa; e lei, per farmi piacere, se l'appuntava sul petto, sopra il camice. Poi sedeva sull'orlo della fontana e io le parlavo del mio amore. Ero innamorato sul serio e, fin da principio, le dissi che volevo sposarla. Lei mi ascoltava con quella faccia sorniona, senza aprir bocca. Le dicevo: "Nella, voglio che ci sposiamo e voglio farti fare tanti figli... uno all'anno... sai che bei figli verranno fuori: tu sei bella e io non sono brutto." Lei rideva e diceva: "Povera me... e come li manterremo?" Rispondevo: "Lavorerò... voglio metter su un vivaio." Lei diceva: "Ma io voglio continuare a fare l'infermiera." Io ribattevo: "Macché infermiera... farai la moglie." Lei diceva: "Non voglio figli e voglio fare l'infermiera... i miei figli sono i malati." Ma sorrideva e lasciava che io le prendessi una mano. Però, quando, da una cosa all'altra, cercavo di baciarla, subito mi respingeva e si alzava dicendo: "Debbo andare da lui." "Ma se dorme?" "Sì, ma se si sveglia e non mi vede, è capace di morire dal dispiacere: non vuole che me accanto al suo letto." In quei momenti odiavo il malato, sebbene dovessi a lui di averla conosciuta. Così se ne andava e io, dalla rabbia, prendevo un rastrello e rastrellavo la ghiaia con tanta forza che la terra schizzava via insieme coi sassi.

Baci non me ne diede mai. Ma qualche volta lasciava che io le ammirassi i capelli che erano, con gli occhi, la sua cosa più bella. Le domandavo: "Lasciami vedere i tuoi capelli." "Quanto sei noioso," protestava con dolcezza; ma, alla fine, permetteva che io le togliessi il fazzoletto e poi, una per una, le forcine. Per un momento, i capelli, rossi e folti, restavano in massa sul capo, simili a una corona di rame. Poi lei dava una scrollata; e i capelli le cadevano sulle spalle, ondulati, lunghi fino alla vita; e lei stava ferma, sotto tutti quei capelli, guardandomi fisso attraverso gli occhiali. Io allora tendevo una mano e, delicatamente, le toglievo gli occhiali. Con gli occhiali aveva un'aria ipocrita, ma senza occhiali, gli occhi che aveva grandi, dolci, liquidi, quasi sfatti, di un color marrone come le castagne, davano al viso un'espressione diversa: languida, invitante. Così la guardavo senza toccarla; e lei, alla fine, forse si vergognava e si rimetteva in fretta il fazzoletto in capo e gli occhiali sul naso.

Ero così innamorato che, ricordo, un giorno le dissi: "Vorrei ammalarmi anch'io... almeno così ti occuperesti di me." Lei rispose sorridendo: "Sei matto... stai bene e vorresti essere malato." Io dissi: "Sì, vorrei essere malato... così almeno mi passeresti ogni tanto la mano sulla fronte per vedere se ho la febbre... e mi laveresti la faccia la mattina con l'acqua tiepida... e quando avessi bisogno accorreresti, pronta, con la padella, e aspetteresti che avessi finito." Quest'ultima frase la fece ridere: "Ma sai che sei buffo... credi che sia piacevole per noialtre infermiere fare certi servizi?" Io risposi: "Non è piacevole né per voi né per i malati... ma è sempre meglio che niente."

Basta, non finirei di raccontare e, si sa, in amore, anche le cose minime sembrano importanti; soprattutto poi, quando, come è il caso, l'amore si ferma agli inizi e non riesce ad avere la conclusione che si vorrebbe. Siccome sentivo dire che il malato migliorava e si sarebbe presto alzato, diventai più insistente per la questione del matrimonio. Ma lei tergiversava, ora mi lasciava capire che non le dispiacevo, ora invece mi rispondeva che non mi amava abbastanza. Io pensavo che esitasse prima di arrendersi: tentennamenti di un albero segato prima di cadere. Poi uno di quei pomeriggi mi fece rimanere senza fiato, dicendomi tranquilla: "Stanotte perché non vieni sotto la mia finestra?... dopo mezzanotte... così parliamo."

Quella sera mi nascosi nel giardino e aspettai la mezzanotte, seduto sull'orlo della fontana, dietro il boschetto di elci. All'ora fissata, andai sotto la finestra e fischiai, come era convenuto. Subito le imposte si aprirono e lei apparve, bianca, alla finestra buia. Mi sussurrò: "Dammi una mano, svelto;" e io feci appena in tempo a pararmi di sotto che lei, scavalcato il davanzale, mi cascò tra le braccia. Era così pesante che quasi rotolammo in terra; ma ci rialzammo e ci avviammo lungo la parete della villa, sul marciapiede. Lei mi disse piano: "Allora, Lionello, sei proprio sicuro che vuoi sposarmi;" e io, più per l'accento, tenero come non era mai stato, che per le parole, caddi in ginocchio, là dove mi trovavo, e le abbracciai le gambe premendo il viso contro la tela grossa del camice. Sentii che lei mi accarezzava il capo con una mano e, sebbene fossi commosso, pensai con freddezza: "Ci siamo, è fatta." Proprio in quel momento, invece, ecco squillare la suoneria del campanello dentro la camera di lei. Fosse stato il più caro amante a chiamarla, non avrebbe potuto essere più pronta: "Presto, presto" disse; e mi respinse che quasi caddi a terra; "presto... è lui che mi chiama... presto, aiutami a rientrare." Quel maledetto campanello continuava a squillare, lei corse alla finestra, l'aiutai a risalire, scomparve. Di lì ad un momento vidi, sulla facciata, illuminarsi la finestra del malato, segno che Nella era già presso di lui, e, allora, per la prima volta, provai il sentimento della gelosia.

Quello che sia avvenuto quella notte, nella camera di quel signore, non so; ma il giorno dopo, la mattina, Nella non si affacciò; né, dopo colazione, venne al solito luogo dei nostri convegni, presso la fontana. Così passarono tre o quattro giorni; e poi, un pomeriggio, la vidi finalmente, ma non sola: camminava per lo spiazzo, a fianco del malato, sorreggendolo; lui, un uomo di mezza età, biondiccio, pallido, molto alto, in pigiama, si appoggiava a lei circondandole le spalle con un braccio; e lei, amorevole e docile, lo teneva per la vita e misurava il passo su quello di lui. Rimasi attonito, vedendoli; poi, come furono scomparsi dietro l'angolo della villa, mi voltai verso un cameriere che li osservava anche lui, dalla soglia di casa, e lui, mi fece un gesto come per dire: "Se la intendono." Fingendomi indifferente, lo interrogai: venni così a sapere che, addirittura, si parlava nella villa che quel signore avesse intenzione di sposare Nella. Dico la verità, non domandai altro: pensai che era una donna come tante altre e che per lei il denaro contava più dell'amore. Ho gli impulsi bruschi e non ci penso più che tanto a prendere certe decisioni: quel giorno stesso, feci il mio fagottino e me ne andai dalla villa, per non tornarci mai più.

Poi, per molto tempo ogni volta che pensavo a Nella, me la immaginavo moglie di quel signore, nella villa, non più infermiera, ma padrona. Pensavo pure che adesso non l'avrebbe più curato con tanto amore se si fosse ammalato di nuovo: vedova, avrebbe raggiunto finalmente gli scopi per i quali si era sposata. Ma qualche volta ci si sbaglia pensando che soltanto l'interesse o il sentimento siano le due cose che fanno vivere gli uomini. Ci sono persone per le quali non valgono né interesse né sentimento ma qualche altra ragione, tutta particolare, che loro sono sole a conoscere. Nella era una di queste.

Un paio d'anni dopo mi presentai ad una villa sul Gianicolo, dove mi avevano chiamato per sistemare una serra di piante tropicali. Già, mentre aspettavo nell'atrio, notai non so che atmosfera di precauzione e quasi di lutto: tutte le finestre chiuse, sussurrii, andirivieni, odore di disinfettante, rumori soffocati. Poi, ad un tratto, la scorsi in cima alla scala, vestita da infermiera, come l'avevo veduta l'ultima volta, con il fazzoletto in capo, gli occhiali sul naso, un vassoio tra le mani. Scendeva, e così non poté evitare di incontrarmi. Come mi fu vicina, si fermò e io le dissi, tra triste e canzonatorio: "Sempre infermiera, eh, Nella... ma non dovevi sposarti?" E lei, con quell'aria placida e sorniona che già mi aveva fatto perdere la testa, sorridendo: "Chi t'ha raccontato questa bugia?... non te l'avevo detto che non volevo sposarmi e volevo continuare a fare l'infermiera?" Dissi: "La volpe e l'uva." Ci credereste? Lei mi guardò un momento e poi scosse il capo e rispose: "Lo sai che anche questo qui si è innamorato di me?... ma adesso non posso dirti tutto... se vieni a lavorare qui, dopo parliamo...

ho la finestra a pianterreno che dà sul giardino." Se ne andò, ma prima di andarsene, mi lanciò un'occhiata come per dire: "Intesi, eh." Pensai allora che, forse appunto perché lei era così sana e forte, dovesse provarci un suo gusto a far l'amore con i malati. Ma io ero sano, purtroppo; e così, per me, non c'era proprio alcuna speranza. Rinunziai lì per lì a quel lavoro e, senza aspettare che mi chiamassero, me ne andai in punta di piedi.

IL TESORO

Nell'osteria fuori Porta San Pancrazio dove ero garzone, capitava in quel tempo un ortolano che tutti chiamavano Marinese o che fosse di Marino, o, piuttosto, che gli piacesse soprattutto il vino di Marino. Questo Marinese era vecchissimo, neppure lui sapeva quanti anni aveva. Beveva, però, più di tanti giovani e quando beveva chiacchierava con chi voleva ascoltarlo o magari anche solo. Noialtri garzoni di osteria, si sa, quando non serviamo, ascoltiamo i discorsi dei clienti. Marinese, tra tante falsità, raccontava spesso una storia che sembrava vera: che i Tedeschi avevano rubato nella villa di un principe, poco lontana, una cassetta di argenteria e che l'avevano sotterrata in un luogo che sapeva lui. Qualche volta, se era proprio ubriaco, lasciava capire che quel luogo era il suo orto. Comunque, diceva che, se l'avesse voluto, avrebbe potuto diventare ricco. E lui un giorno avrebbe voluto. Quando? "Quando sarò vecchio e non avrò più voglia di lavorare," disse una volta a qualcuno che glielo domandava. Che era una risposta buffa perché, a vederlo, gli si davano almeno ottant'anni.

Insomma, cominciai a pensare a questo tesoro e ero convinto che ci fosse perché qualche anno addietro, durante, appunto, l'occupazione, il furto era veramente avvenuto e il principe non aveva mai più ritrovato la sua argenteria. Pensandoci, mi faceva rabbia che fosse in mano di Marinese, il quale, uno di quei giorni, sarebbe morto di un colpo nella sua baracca e allora addio tesoro. Provai a ingraziarmelo, ma il vecchio, da vero delinquente, si fece offrire il vino ma non aprì bocca. "Anche se tu fossi figlio mio" mi disse alla fine solennemente "non te lo direi... sei giovane: lavora... di soldi hanno bisogno i vecchi che sono stanchi e non ce la fanno più." Finalmente, disperato, mi confidai con l'altro garzone, Remigio, un biondo scialbo, più giovane di me. Subito si infiammò ma scioccamente, da sciocco qual era, e cominciò a fare i castelli in aria: diventiamo ricchi, mi compro la moto, apriamo insieme un bar e così via. Gli dissi: "Intanto bisogna trovarlo questo tesoro... e poi non montarti la testa... facciamo quattro parti... tre ne prendo io e tu una... va bene?" Lui disse che stava bene, sempre esaltato. E ci demmo l'appuntamento per la notte stessa, dopo la mezzanotte, all'imboccatura dell'Aurelia antica.

Era maggio, ai primi, e con quel cielo stellato e quella luna splendente che faceva vedere le cose come di giorno, in quell'aria dolce, non mi pareva neppure di fare una cosa proibita, come sarebbe aggredire un povero vecchio: m'illudevo che fosse tutto un gioco. Prendemmo per la Via Aurelia, tra quelle mura così vecchie, dietro le quali ci sono orti e giardini di conventi. Io portavo una vanga per il caso Marinese non avesse voluto darci la sua, e a Remigio, tanto per fargli fare qualcosa, gli avevo dato un paletto di ferro. Avevo comprato a piazza Vittorio una rivoltella e un caricatore, ma ci avevo messo la sicura: non si sa mai. A dire la verità, anch'io mi ero esaltato all'idea del tesoro e adesso mi pentivo di averne parlato a Remigio: era una parte di meno che avrei potuto prendermi. Inoltre lo sapevo chiacchierone e, se parlava, il gioco finiva in galera. Questo pensiero mi tormentava mentre camminavamo lungo le mura. Così, ad un tratto, mi fermai e tirando fuori la rivoltella, che non gli avevo ancora mostrato, dissi: "Guarda che se poi parli, io ti ammazzo." Lui disse tutto tremante: "Ma Alessandro, per chi mi prendi?" Dissi ancora: "Qualche cosetta bisognerà pur darla a Marinese perché ci abbia anche lui il suo interesse e non ci denunzi... vuol dire che gliela darai tu sulla tua parte... è inteso?" Lui disse di sì e io rinfoderai la pistola e riprendemmo a camminare.

Poco più giù, sulla destra, c'era un portale antico, con le colonne e una lapide latina sul frontone. Il portone era dipinto di verde, tutto stinto e sconnesso; dietro quel portone, come sapevo, c'era l'orto di Marinese. Guardai per la strada e, visto che non c'era nessuno, spinsi il portone, che era aperto ed entrai, seguito da Remigio.

Come mi affacciai all'orto, sebbene non venissi per ortaggi debbo dire che quasi mi lasciai sfuggire un grido di ammirzione. Che orto. Davanti a noi, in quella luce forte e bianca della luna, si stendeva l'orto più bello che avessi mai visto. I fossatelli luccicanti si allungavano dritti, come se fossero stati tracciati con la squadra; tra un fossatello e l'altro, le insalate, in fila, parevano risalire in processione, folleggiando al chiaro di luna, verso la baracchetta di Marinese che si intravvedeva su su, in fondo all'orto. C'erano lattughe giganti, di quelle che, dall'erbivendolo, ne basta una per riempire la bilancia; belle piante di pomodoro, con i loro sostegni di cannucce e, tra le foglie, i pomodori ancora verdi ma già grossi da scoppiare; verze grandi come teste di bambini; cipolle alte e ritte come spade; carciofi a tre o quattro per pianta; c'erano indivie, piselli, fagioli, scarole, e, insomma, tutte le verdure di stagione. Qua e là, in terra, come abbandonate per chi volesse raccoglierle, vidi molte zucchine e molti cetrioli. Alberi da frutto, come sarebbero susini, peschi, meli, peri, anche c'erano: bassi e folti, pieni di frutti ancora acerbi, che si affacciavano tra le foglie, al chiaro di luna. Si sentiva che ognuna di quelle piante conosceva la mano dell'ortolano; e che non era soltanto l'interesse a guidare questa mano. Remigio, che non pensava che al tesoro, domandò impaziente: "Ma Marinese dov'è?" Risposi: "Laggiù," indicando la baracca in fondo all'orto.

Ci andammo camminando per un sentieruolo, tra una fila di agli e una di sedani. Ma Remigio mise il piede su una lattuga e io gli dissi: "Bestia, guarda dove cammini." Mi chinai, raccolsi una foglia di quella lattuga e la portai alla bocca: era dolce, carnosa, fresca, come se fosse stata lavata nella rugiada. Così arrivammo alla baracca; e il cane di Marinese, che mi conosceva, invece di abbaiare mi venne incontro scodinzolando: un cane giallo, proprio da ortolano, ma intelligente. Bussai alla porta chiusa della baracca, prima piano, poi più forte e, infine, siccome non si vedeva nessuno, a pugni e a calci. La voce di lui ci fece saltare tutti e due, venendo non di dentro la baracca ma da un cespuglio lì vicino: "Che è? che volete?"

Teneva una vanga in mano, si vede che anche di notte si occupava del suo orto. Venne avanti nel chiaro di luna, le braccia pendenti, la schiena curva, la faccia rossa con il barbozzo pieno di peli bianchi, un vero ortolano che dall'alba al tramonto si piega sulle sue insalate. Io gli dissi subito: "Amici" e lui rispose: "Non ho amici." Poi si accostò e soggiunse: "Ma te ti conosco... non sei Alessandro?" Gli dissi che ero Alessandro, infatti; e, cavando di tasca la pistola, ma senza puntarla, ingiunsi: "Marinese... dicci dov'è il tesoro... facciamo un po' per uno... ma se non vuoi dircelo, ce lo prendiamo lo stesso." Alzavo intanto la pistola, ma lui ci mise sopra la grossa mano, come per dire che non era il caso, e, chinando la testa, domandò con aria riflessiva: "Ma che tesoro?" "L'argenteria, quella rubata dai Tedeschi." "Ma quali Tedeschi?" "I soldati, durante l'occupazione... la rubarono a quel principe." "Ma quale principe?" "Il principe... e tu hai detto che l'hanno sotterrata nell'orto..." "Ma quale orto?" "Marinese: il tuo... e non far lo scemo.. tu sai dov'è e falla finita." Lui sempre tenendo la testa china, pronunziò allora lentamente: "Ah, tu vuoi dire il tesoro?" "Già il tesoro." "Allora vieni" disse premuroso; "lo scaviamo subito; ci hai la vanga? Prendi questa... Vieni che diamo una vanga anche a lui... vieni." Io rimasi un po' stupito perché non mi aspettavo che accettasse così presto; ma lo seguii. Andò dietro la baracca, sempre bofonchiando: "Il tesoro... ora vedrai che tesoro;" e ne tornò con una vanga che consegnò a Remigio. Poi si avviò ripetendo: "Venite... volete il tesoro... l'avrete."

Dietro la baracca, il terreno non era coltivato ma pieno di residui e di mondezze. Più in là, c'era una fila d'alberi e, dietro i tronchi, un muro alto, simile a quello che limitava l'orto dalla parte dell'Aurelia. Lui prese per il sentiero, lungo gli alberi, e andò fino in fondo all'orto, là dove il muro faceva un angolo. Qui si voltò improvvisamente e battendo il piede in terra disse: "Scavate qui... il tesoro è qui."

Io presi la vanga e cominciai subito a scavare. Remigio, la vanga in mano, mi guardava. Marinese gli disse: "Scava anche tu... non lo vuoi il tesoro?" Remigio allora si buttò a scavare con tanta furia che Marinese soggiunse: "Vacci piano... hai tempo." A queste parole Remigio rallentò e si diede la vanga sul piede. Lui gli prese la vanga e gliela girò nelle mani dicendo: "La devi tenere così... e ogni volta che entra in terra, devi spingere sopra col piede... altrimenti non scavi." Poi soggiunse: "Voi scavate in lungo quanto in largo... un paio di metri... non di più... il tesoro sta sotto... io intanto faccio un giro." Ma io gli dissi: "Tu resta qui." Lui rispose: "Di che hai paura?... te l'ho detto che il tesoro è tuo."

Dunque, scavammo prima alla meglio, in superficie, poi sempre più profondo secondo un rettangolo che io avevo tracciato con la punta della vanga. La terra era dura, secca, piena di sassi e di radici; io buttavo la terra da una parte, su un mucchio, e Marinese, che non faceva nulla, scostava i sassi con il piede oppure dava consigli: "Più piano... strappa quella radice... togli quel sasso." Venne fuori un osso, lungo e nero, e lui lo prese e disse: "È un osso di vaccina... vedi che cominci a trovare qualche cosa." Non capivo se parlava sul serio o per scherzo; nonostante il fresco della notte ero fradicio di sudore; ogni tanto guardavo Remigio e mi faceva rabbia di vederlo anche lui così trafelato e zelante. Scavammo un bel po', e non si vedeva sempre nulla: adesso avevamo fatto una buca rettangolare, profonda quasi un metro, e la terra, in fondo, era umida, farinosa, bruna ma senza traccia di cassetta o di sacco o di altro recipiente. Ingiunsi ad un tratto a Remigio: "Fermati;" e poi uscii dalla buca e dissi a Marinese: "Di un po', ma il tesoro dov'è? Niente niente, non ci avrai presi in giro?"

Lui rispose subito, levandosi di bocca la pipa: "Tu vuoi il tesoro? ora te lo faccio vedere, il tesoro." Questa volta non lo trattenni perché ero stremato e, in fondo, quasi quasi, non ci tenevo più al tesoro. Lo vidi che si allontanava dirigendosi verso un'altra baracchetta che prima non avevo notato, addossata dietro gli alberi contro il muro di cinta. Remigio disse: "Scappa." Io risposi asciugandomi il sudore, appoggiato alla vanga: "Non scappa, no." E infatti, di lì a un momento, Marinese uscì dalla baracca portando una carriola piena colma, come mi parve, di strame. Andò alla buca vi rovesciò lo strame e poi, mettendo un piede dentro, cominciò a pareggiarlo con le mani. Domandai, incerto: "Ma il tesoro?" E lui: "Eccolo il tesoro... guarda quanto è bello;" e, intanto, con le mani, prendeva una manciata di strame e me lo sbriciolava sotto il naso, acquoso e puzzolente. "Guarda se non pare oro... l'ha fatta la vacca... vedi che tesoro... un tesoro come questo dove lo trovi?... eccolo il tesoro." Parlava per conto suo, indifferente alla nostra presenza, quindi, sempre parlando, uscì dalla buca, riprese la carriola, tornò a caricarla nella baracca, la riportò alla buca e vi rovesciò di nuovo lo strame. Anche questa volta pareggiò con le mani, ripetendo: "Lo vedi il tesoro... eccolo il tesoro." Io guardai Remigio e Remigio guardò me, e poi mi feci coraggio e tirai fuori di nuovo la pistola. Ma lui, subito, scostandola come se fosse stato un fuscello: "Leva la mano, leva... se vuoi l'argenteria, sai dove la trovi?" "Dove?" domandai ingenuamente. "Al negozio... se gli dài i bigliettoni da mille, ne hai quanta ne vuoi." Insomma, ci prendeva in giro. "E questa buca che ci hai fatto scavare?" domandò Remigio con un fil di voce. Lui rispose: "È la concimaia... ne avevo proprio bisogno... mi avete risparmiato la fatica."

Io mi ero completamente smontato. Pensavo che avrei dovuto minacciarlo, magari spararagli, ma dopo tutto quel vangare e quella delusione, proprio non me la sentivo. Dissi allora: "Ma dunque il tesoro non c'è;" quasi sperando che Marinese mi confermasse che non c'era. Ma lui, da vecchiaccio maligno, rispose: "C'è e non c'è." "Come sarebbe a dire?" "Sarebbe a dire che se tu fossi venuto con le buone, di giorno, forse c'era... ma così non c'è." Intanto senza curarsi di noi, si avviava verso la baracca. Gli corsi dietro, tutto affannato e lo presi per una manica dicendo: "Marinese, per l'amor di Dio." Lui si voltò a metà e domandò: "Perché non spari? non ci hai forse la pistola?" Io dissi: "Non voglio sparare... facciamo a metà." E lui: "Di' la verità: non hai il coraggio di sparare... lo vedi che non sei buono a nulla... un altro sparerebbe... i Tedeschi sparavano." "Ma io non sono Tedesco." "E allora, se non sei Tedesco, buona notte." Così dicendo, entrò nella baracca e ci sbatté la porta in faccia.

Così finì la storia del tesoro. Il giorno dopo, alla solita ora, Marinese entrò nell'osteria, e, come gli portavo il litro, gridò: "Ah, sei tu quello del tesoro... e la pistola dove l'hai messa?" Per fortuna nessuno ci fece caso, perché, come ho già detto, chiacchierava molto e per lo più diceva cose senza senso. Ma egualmente non mi sentivo sicuro; e poi non mi piaceva di essere preso in giro davanti a Remigio che sapeva e se la rideva, come se anche lui non ci avesse creduto al tesoro. Così approfittai di un'offerta e andai a lavorare in una trattoria in Trastevere, a piazza San Cosimato. Remigio invece rimase a San Pancrazio.

LA CONCORRENZA

Dicono che la concorrenza è l'anima del commercio. Almeno, quando ero ragazzino, così mi assicurava mio nonno che, poveretto, per via della concorrenza era fallito due volte con una sua botteguccia di cocci e vetri. Lui la spiegava in questo modo, la legge della concorrenza: "È una legge di ferro, nessuno può sperare di sfuggirci... poniamo che io metta su in via dell'Anima un negozio, appunto, di stoviglie, come sarebbe a dire piatti, scodelle, tazze, bicchieri... poco più giù, nella stessa strada, un altro mette su un negozio uguale... lui mi fa la concorrenza, ossia vende le stesse stoviglie ad un prezzo minore del mio... la clientela passa a lui e io fallisco... questa è la legge della concorrenza." "Ma nonno" io rispondevo, "se tu fallisci, noialtri moriamo di fame." "Si capisce," rispondeva lui trionfante: "voi morite di fame, ma il compratore si avvantaggia." "E a me che me ne importa del compratore?" "A chi lo dici... figurati a me... se dipendesse da me lo vorrei vedere scannato... ma, appunto, questo è il bello della legge della concorrenza: ti costringe a fare il vantaggio del compratore anche se non lo vuoi." Io concludevo: "Sarà, ma se qualcuno si mette in testa di farmi fallire, proprio apposta, io gli faccio due occhi grandi così." "Perché sei manesco e prepotente" rispondeva il nonno, "ma nel commercio la prepotenza non vale... ti mettono dentro e tu fallisci prima: ecco tutto... nel commercio non vale che la concorrenza."

Basta, anni dopo dovevo ricordarmelo questo ragionamento sulla concorrenza. Anch'io mi ero messo nel commercio, benché più modestamente del nonno perché, nel frattempo, la famiglia era andata giù: mio padre era morto e mio nonno, mezzo paralizzato, non poteva più commerciare né fallire e stava tutto il giorno a letto. Avevo dunque ottenuto la licenza di venditore ambulante per un carrettino pieno di tutto un po': olive dolci, arance, castagne secche, fichi secchi, mandarini, noci, noccioline americane e altra roba simile. Con questo carrettino, mi scelsi per luogo l'imboccatura del ponte che sta di fronte al traforo del Gianicolo. È un luogo frequentato, ci capitano tutti quelli che vanno e vengono da Madonna di Riposo e in genere gli abitanti di Trastevere e di Monteverde che debbono passare per corso Vittorio. Avevo calcolato bene il luogo e, infatti, subito, le cose mi andarono bene. Era primavera: con le prime giornate calde, di buon mattino io mi mettevo a capo del ponte con il carrettino colmo e la sera me ne andavo che sul carrettino non erano rimasti che i cartelli dei prezzi e il copertone di incerato. La domenica, poi, con tutto quel traffico di gente che va a spasso fuori porta, avessi avuto anche due carrettini, non sarebbero bastati. Il commercio, insomma, prosperava; e lo dissi al nonno. Ma lui, ostinato nelle sue idee, rispose: "Per ora non si può dire... non hai la concorrenza e vendi come ti pare... aspetta."

Aveva ragione. Una mattina, ecco che un carrettino in tutto simile al mio venne a mettersi a metà del ponte. Erano in due a vendere, due donne, madre e figlia. Voglio descriverle perché sono state la causa della mia rovina e, finché campo, me le ricorderò. La madre era una contadina delle parti di Anagni, e vestiva come le contadine, con la gonnella nera e lunga e uno scialletto. Aveva i capelli grigi chiusi nel fazzoletto e la faccia che ne sporgeva, tutta premurosa e falsa, sempre raggrinzata in una smorfia di sollecitudine. Quando faceva il cartoccio delle olive, oppure pesava due arance, soffiava e inarcava le ciglia come per dare a intendere che ci metteva un impegno particolare; e quindi, porgendo la merce, non mancava mai di aggiungere qualche parola amabile, come: "Guarda, ti ho capato le due arance più belle," oppure: "È più di un etto... ma per te facciamo un etto, va bene?" La figlia, lei, invece, non faceva nulla e stava lì, è la parola, per bellezza. Perché era bella, questo lo vidi subito, sono giovanotto e le donne belle piacciono anche a me. Poteva avere diciotto anni ma nella persona ne mostrava trenta, tanto era sviluppata, maestosa e ben formata. Aveva il viso bianco come il latte con un non so che di torbido, di indeciso, di schifiltoso nelle labbra carnose ma pallide e negli occhi grigi, sempre foschi e corrucciati. Le narici le si increspavano facilmente, con espressione come di schifo; e, insomma, pareva sempre sul punto di svenire, come se fosse stata incinta. La madre gironzolava intorno il carrettino, tutta stracciata e vispa, i piedi in due scarpacce da uomo, simile ad uno di quei passerotti vecchi e grossi che non stanno mai fermi; lei, invece, vestita di una gonnella corta e di una maglia aderente, sedeva per ore su una seggiola facendo la calza con i ferri lunghi infilati sotto le ascelle. Si chiamava Eunice; e a me faceva pensare all'anice, forse per la bianchezza della carnagione, che era appunto quella dell'anice quando ci si mette l'acqua.

Io sono alto e grosso, sempre con la barba lunga e i capelli arruffati. I vestiti che portavo erano tutta una toppa. Sembravo, insomma, un vagabondo o peggio. Inoltre, per quanto cerchi di controllarmi, ho le maniere brusche e vado in collera facilmente. La mia voce, poi, è rauca, quasi minacciosa. Subito mi accorsi che, per la concorrenza, questo mio aspetto mi metteva in condizioni di inferiorità. I nostri carrettini quasi si toccavano: da una parte la madre, con una voce di cicala, gridava: "Ma che arance... che arance... comprate, comprate le mie arance;" dall'altra io, ritto presso il carrettino, il cappotto chiuso sotto la gola, il berretto sugli occhi, rispondevo, con la mia vociaccia: "Arance, arance dolci, arance." La gente esitava, guardava prima me, poi la madre, finalmente guardava la figlia e allora, specie se erano uomini, si decideva per le due donne. La madre, da vera arpia, pur pesando la merce con i soliti soffi e inarcamenti di ciglia, badava, al tempo stesso a gridare: "Comprate, comprate," per timore che, nel frattempo, qualcuno andasse da me. La sapeva lunga e, quando proprio non ce la faceva, diceva, lesta, alla figlia: "Su, Eunice, servi il signore... svelta." Eunice posava il lavoro, si alzava in due tempi, maestosamente, prima col petto e poi coi fianchi e serviva il cliente senza guardarlo, gli occhi bassi. Quindi, senza una parola, senza un sorriso, tornava a sedersi.

Insomma, la concorrenza: in una settimana mi soffiarono quasi tutti i compratori. Presi a odiare le due donne, specie la madre che non nascondeva la sua soddisfazione e mi lanciava un'occhiata di trionfo ogni volta che mi portava via qualche cliente indeciso. Non c'è niente di peggio in queste situazioni che perdere la testa e io, ormai, l'avevo già perduta. Diventavo ogni giorno più ispido, più brusco, più minaccioso. La barba, i vestiti rattoppati e la voce rauca facevano il resto. Gridavo: "Arance dolci" con un tono addirittura truce; e la gente, guardandomi, si spaventava e andava dritta al carrettino accanto. Un giorno, poi, la mia indole prepotente mi tradì. Un paino giovane e piccolo, in compagnia di una donna grande il doppio di lui, contemplava le mie arance e non si decideva. Io ripetevo, disgustato: "Sono belle mie arance," e lui le tastava e tentennava il capo. Quel donnone che gli stava al braccio avrebbe potuto essere sua madre e questo lo decise. Perché lanciò un'occhiata a Eunice, bella come una statua, e allora, brutto porco, si avviò direttamente verso di lei. Io persi la pazienza e lo afferrai per un braccio dicendo: "Non le vuoi le mie arance? Preferisci quelle...: perché ci hai una donna che sembra un elefante e quella ragazza lì ti fa gola... ecco perché." Successe un pandemonio: lui che gridava: "Giù le mani o ti spacco il muso;" io che, una bottiglia in mano, rispondevo: "Provaci e vedrai;" la gente che si metteva in mezzo. Finalmente vennero le guardie e ci separarono. Ma in quell'occasione mi accorsi di due cose: prima di tutto che quel movimento di collera l'avevo avuto più per gelosia che per rabbia di concorrenza; in secondo luogo che Eunice, in quel tafferuglio, aveva, in certo modo, preso le mie parti, dicendo alle guardie che lei non aveva visto e non sapeva niente.

Insomma, mi innamorai di Eunice, o meglio mi accorsi che ero innamorato e, colto un momento che la madre non c'era, glielo dissi alla maniera mia, francamente, brutalmente. Lei non si stupì, ma si limitò a dirmi, levando gli occhi dal lavoro: "Anche tu mi piaci." Avreste dovuto vedermi. A quelle quattro parole, acchiappai le stanghe del carrettino e via di corsa per i lungoteveri, cantando a squarciagola, mentre la gente dei marciapiedi mi guardava come se fossi diventato matto. Non ero matto, ero soltanto contento. Era la prima volta che una donna mi diceva parole come quelle ed ero convinto di averla conquistata. Ma la sera stessa, all'appuntamento presso ponte Vittorio, quando, dopo i soliti discorsi, tentai di prenderla per la vita e di baciarla, mi accorsi che la conquista era ancora tutta da fare. Si lasciava abbracciare e stringere un po' come una morta, le braccia penzolanti, il corpo molle, le ginocchia piegate; e se tentavo di darle un bacio, in un modo o in un altro non mi riusciva mai di incontrare le sue labbra, e il bacio andava a finire sul collo o sulla guancia. Dopo quella prima sera, ci vedemmo spesso, ma sempre con lo stesso risultato: tanto che alla fine, spazientito, le dissi: "Ma di un po' che ci vediamo a fare?" E lei: "Sei troppo prepotente... con le donne bisogna essere gentili... fai con me come quando vendi le arance: vorresti le cose per forza." Io le dissi: "Non ti capisco, ma sono pronto a sposarti... poi, una volta sposati, ragioneremo." Ma lei scosse la testa: "Per sposarsi bisogna amarsi e io non ti amo ancora... bisogna che a forza di gentilezza tu ti faccia amare... sii gentile e io ti amerò." Insomma, mi intimidì a tal punto che, ormai, non osavo più prenderla per la vita. A forza di gentilezza, eravamo diventati come fratello e sorella; sì e no qualche volta le toccavo una mano. Mi pareva, è vero, che la cosa non fosse naturale; ma lei ci teneva tanto a questa gentilezza che io mi ero convinto di aver torto e di non aver mai capito nulla dell'amore.

Una di quelle sere, sebbene non avessi l'appuntamento, andai a gironzolare dalle parti di via Giulia, dove lei stava di casa. Ad un vicoletto, lei mi sbucò ad un tratto sotto il naso, passandomi avanti e camminando svelta verso il lungotevere. Incuriosito, la seguii a distanza. La vidi andare dritta alla spalletta del fiume, dove c'era un uomo che sembrava aspettarla. Poi, tutto avvenne in maniera franca e spicciativa, senza alcuna gentilezza. Lei gli mise una mano sulla spalla e lui si voltò; lei gli tese le labbra e lui la baciò. In un minuto, insomma, lui aveva fatto quello che io, con tutta la mia gentilezza, non ero riuscito a fare in un mese. Poi, come si girava, la luce del fanale gli cadde sul viso e lo riconobbi: era un giovanotto basso e grasso che, da ultimo, avevo visto gironzolare intorno i carrettini. Macellaio, con il negozio lì accanto, in via Giulia. Per il fisico, a petto a me, non era nulla: ma aveva la macelleria. Avevo aperto il coltello che tenevo in tasca. Lo richiusi, vincendomi, e me ne andai.

Il giorno dopo lasciai il carrettino nel cortile, mi alzai il bavero sul collo, mi calcai il berretto sugli occhi e mi presentai al ponte del Gianicolo, una volta tanto come compratore. Fingendo di non conoscerla, dissi alla madre: "Dammi un etto di olive, ma belle, eh," con la mia voce più rauca e più minacciosa. Eunice che, al solito, lavorava seduta sulla seggiola, doveva aver capito che tirava un'aria brutta, perché mi salutò appena. Mentre la madre, senza soffiare, anzi con sufficienza, come se mi avesse fatto la grazia, mi pesava le olive, ecco spuntare il macellaio e accostarsi a Eunice. Dissi alla madre: "Non rubare sul peso, come il solito, mi raccomando." Lei, da vera strega, rispose: "Tu, rubavi sul peso, tanto è vero che da te la gente non ci è più venuta." Vidi il macellaio fare una carezza in capo ad Eunice e, chinandosi, dirle qualche cosa all'orecchio; presi il cartoccio delle olive, ne misi una in bocca e poi la sputai proprio in faccia alla madre, e dissi: "Ahò, ma sono marce le tue olive." Lei, arrogante, rispose: "Sei tu marcio, brutto vagabondo." Le dissi: "Ridammi i soldi, su, non fare storie." E lei: "Macché soldi... vattene piuttosto." Il macellaio, a questo punto, si avvicinò, dondolandosi sui fianchi e domandò: "Ma che vuoi, si può sapere che vuoi?" Risposi: "I soldi... queste olive sono marce;" e nello stesso tempo gli sputai in faccia un'oliva mezza masticata. Subito lui mi venne sotto mi agguantò al petto, dicendo: "Guarda, è meglio che te ne vai." Faceva il prepotente, da vero bullo. Io, che avevo aspettato questo momento, senza neppure parlare mi liberai con una scossa e poi lo agguantai a mia volta con una sola mano, alla gola, e lo rovesciai indietro, sul carrettino. Intanto con l'altra mano, cercavo in tasca il coltello. Ma per sua fortuna, il carrettino, tutto ad un tratto, si ribaltò e lui cadde in terra tra le arance che rotolavano d'ogni parte, mentre la gente accorreva e la madre urlava come una ossessa. Anch'io, per lo slancio, ero scivolato in terra. Quando mi rialzai, mi trovai di fronte a due carabinieri. Stringevo in mano il coltello, sebbene non avessi fatto a tempo ad aprirlo, e questo bastò. Mi arrestarono e mi portarono a Regina Coeli.

Qualche mese dopo, uscii di prigione più brutto che mai, senza soldi, senza licenza di venditore ambulante, disperato. Il nonno, come mi vide, disse: "Sei stato vittima della concorrenza... ma da' retta: nel commercio, il coltello non vale... vendi pure i coltelli, ma non usarli." Non gli risposi; e siccome era una giornata di sole, me ne andai a spasso dalle parti di via Giulia. La macelleria era aperta, coi quarti appesi agli uncini e avvolti nella garza; e il macellaio stava in cima al banco, rosso e lustro in faccia, le maniche rimboccate sulle braccia nude. Spaccava le bistecche sul marmo, a colpi di mannaia. E sotto il banco, seduta su una seggiola, intenta a far calza, c'era Eunice. Così seppi che si erano sposati; e lei doveva già essere incinta perché quella calza che faceva era un calzettino rosa, piccolissimo, proprio da lattante. Tirai avanti, guardando a tutte le botteghe lungo la strada, nella speranza di incontrare un'altra macelleria che facesse la concorrenza al marito di Eunice e lo facesse fallire. Ma non c'era: nient'altro che stagnari, falegnami, marmisti, arrotini, corniciai e roba simile. Dove finisce via Giulia, a ponte Sisto, capii che era inutile insistere e passai il ponte.

BASSETTO

Cosa vuol dire esser bassetti. Tutti ci canzonano, gli uomini alti, soltanto perché sono alti, si credono più intelligenti di noi, e le donne non ci prendono sul serio, come se fossimo bambini. Eppure, come dice il proverbio, nelle botti piccole c'è il vino buono, mentre in quelle grandi ci mettono il vino andante che ne bevi un quartarolo e non ti va alla testa. Ma mi sa che questo proverbio se l'è inventato qualche piccoletto per rifarsi delle tante umiliazioni. Gli uomini normali, quel proverbio lì non lo conoscono neppure per sentito dire; e canzonano i piccoli ogni volta che possono.

La mia disgrazia, poi, vuole che, pur essendo così piccolo, mi piacciono soltanto le donne grandi. Sarà per contrasto, sarà il desiderio di farmi valere, ma le donne della mia statura non mi dicono nulla. Né mi piacciono quelle mezzane, mettiamo sul metro e settantacinque. No, per me, se non superano il metro e ottanta, non vanno bene. E non soltanto alte le voglio, ma anche grandi in proporzione, voglio dire coi fianchi capaci, il petto prepotente, le spalle larghe, le braccia e le gambe forti. Notate, però, che non si tratta di una questione di estetica; come dire che uno preferisce la macchine grandi a quelle piccole, per questa o quest'altra ragione ben chiara. No, le donne grandi mi piacciono senza motivo, segno, questo, che mi piacciono forte. E infatti, come scorgo, anche di lontano, una donna alta, grande e grossa, ancora prima di vederla in faccia il mio cuore batte più in fretta, la mia immaginazione si accende e io mi sento attirato verso di lei come un pezzo di ferro verso la calamita. Naturalmente non riesco a nascondere i miei sentimenti e, sebbene mi ripeta continuamente: "Vacci piano, ricordati che sei un tappo, ricordati che le donne in generale e soprattutto quelle che ti piacciono, non ti prendono sul serio," mi avvento e faccio la corte a qualsiasi gigantessa che mi succeda di incontrare. Risultato: nulla. O meglio, meno che nulla, perché, nove volte su dieci, la donna non si contenta di rimanere indifferente, ma mi canzona. E più della donna, mi canzonano gli amici che conoscono questa mia debolezza.

Già mi canzonano. Ma canzonare è forse dir poco. Mi fanno certi scherzi che un altro di pasta meno buona della mia se ne avrebbe a male per tutta la vita. Come quella volta che organizzarono tutta una corrispondenza tra me e una tabaccaia di corso Vittorio, avvertendomi però che non era il caso che mi facessi vivo prima di un certo numero di lettere; e invece le lettere di lei le scrivevano loro e le mie se le leggevano ad alta voce ridendo alle mie spalle: e quando, spazientito, mi feci coraggio e parlai alla donna, quella si meravigliò e mi cacciò via con mille parole. Scherzi inopportuni, a dir poco; ma secondo loro, questi scherzi, che coi grandi potrebbero anche finire a coltellate, i piccoli li debbono accettare come prove di amicizia e di benevolenza. Così, quella volta, come tante altre, mi toccò, come si dice, abbozzare; e perfino offrire un vermut di riconciliazione, per dimostrare che non ero offeso. Però, dopo, stavo sempre in sospetto; e quando mi parlavano di questa o quest'altra donna che, secondo loro, aveva un debole per me, mi tenevo sulla difensiva e mi mostravo evasivo. Ormai non mi fidavo più di loro e, qualsiasi cosa dicessero o facessero, ci vedevo sempre il tranello.

Basta, l'amore vero, l'amore forte, l'amore che fa stravedere lo ebbi quell'inverno per Marcella, una ragazza che col cognato e la sorella gestiva una fiaschetteria dalle parti del Teatro Valle. In quella famiglia erano tutti grandi: Teodoro, il padrone del locale, era un omaccione che manco un facchinaccio della stazione; Egle, sua moglie, era quasi più grande di lui, non tanto bella, però, né tanto giovane; ma Marcella era proprio una rosa. Grande, alta, maestosa, formata come una statua, aveva il collo lungo e la testa piccola, tutt'occhi e bocca, e le caviglie e i polsi fini, e una voce dolce, proprio di angelo. Come avviene spesso alle donne grandi, aveva l'animo piccolo, da bambina, voglio dire che era timida; ma timida al punto di arrossire e voltarsi dall'altra parte se tanto faceva di accorgersi che un uomo la guardava. Questa timidezza mi piaceva, però complicava le cose. La sera, dopo aver chiuso il mio negozietto di accessori elettrici e aver cenato, andavo con gli amici alla fiaschetteria. Era un locale molto grande, con le pareti tappezzate di fiaschi disposti in piramidi, con qualche tavolino, e il banco per la mescita. Teodoro, il più delle volte, girava per i tavoli, sbevazzando; Egle serviva gli avventori; e Marcella, vestita di un grembiule nero, stava dietro il banco, in fondo alla fiaschetteria, per la vendita al minuto. Bene, ci credereste? In un mese che frequentammo la fiaschetteria, non una sola volta lei levò gli occhi verso di me. E sì che io mi sedevo apposta proprio di fronte al banco, e non facevo che guardarla e con gli occhi cercavo tutto il tempo i suoi.

Gli amici giocavano a carte, bevevano quel mezzo litro o quel litro a testa, scherzavano e chiacchieravano del più e del meno fino alla chiusura del locale; Teodoro passava da un tavolino all'altro, un uomo che si dava l'aria di far tutto lui mentre, in realtà, non faceva che bere a sbafo e giocare a carte; Egle e Marcella badavano ai clienti; e io, sempre più innamorato, mi rodevo nei vani tentativi di farmi notare da lei, storcendomi sulla seggiola peggio di un burattino a cui s'è rotto il filo. Pretesti per alzarmi dal tavolo e andare al banco non mi riusciva di trovarne; lei non si muoveva mai dal banco; se fossi stato solo, forse avrei trovato il modo di attaccar discorso, ma c'erano gli amici che ormai avevano capito il mio sentimento e non mi lasciavano in pace un istante. Se la guardavo, mi canzonavano dicendo: "Ma che guardi, che guardi?... la consumerai a forza di guardarla... guarda piuttosto le carte, guarda il tuo bicchiere;" se non la guardavo, mi domandavano, finti ingenui: "Che è successo, come mai stasera non la guardi?"; quelle due o tre volte, finalmente, che, disperato, feci per avvicinarmi al banco, dovetti tornare indietro, sentendoli ridere e far versacci alle mie spalle. Di tutto questo, Teodoro, abbrutito dal vino, mostrava di non accorgersi. Ma Egle mi era nemica e un paio di volte me lo fece capire, dicendomi senza tanti complimenti: "È meglio che lei la lasci stare mia sorella... dovrebbe capirlo... non fosse altro la differenza di statura." Quanto a Marcella, una statua che è una statua, avrebbe saputo mostrarsi più sensibile e disposta.

Intanto, però, mi cresceva la passione, al punto che il gesto che lei faceva per voltarsi indietro, verso la mensola, a prendere un fiasco, girando il busto e gonfiando il petto sotto il grembiale nero, bastava per togliermi il respiro, che quasi svenivo. Pensavo qualche volta, pur giocando a carte: "Ma perché mi piace tanto?" e concludevo che oltre all'altezza, era quel particolare così bello della testa piccola in cima al corpo grande che mi affascinava; perché poi, come sempre succede nell'amore, non sapevo. Mi piaceva; e passando il tempo e continuando lei a starmi lontana, e come inaccessibile, invece di diminuire mi aumentava l'ardore e se, in principio, avevo pensato a lei come ad una donna che avrei voluto amare, ormai, pian piano, ero arrivato a considerarla come la sola moglie che facesse per me. Com'è l'immaginazione dell'uomo: finché l'avevo vista come una ragazza da farle la corte, non mi ero arrischiato con la fantasia più in là del parlarle, stringerle la mano, magari andar con lei a spasso, al cinema, al caffè; appena pensai che potevo sposarla, subito la vidi in casa mia, seduta a tavola con me, oppure al negozio, dietro il banco. Insomma, moglie.

Bisogna dire che questi miei pensieri mi si leggessero in fronte; perché uno di quegli amici, Giovacchino, che non era mai stato tra quelli che mi canzonavano di più, una sera, uscendo dalla fiaschetteria, mi disse: "Senti, tu non ci hai il coraggio di parlarci, a Marcella... domani le parlo io... e vuoi vedere che ti fisso un appuntamento?" Lì per lì, avrei voluto abbracciarlo; ma per quella solita paura degli scherzi, mi limitai a schermirmi, senza rifiutare però. Giovacchino è un giovanotto biondo, smilzo, con la faccia decisa, che sembra sempre che vada di fretta. Se lo fosse tenuto per sé, forse gli avrei creduto. Ma la sera dopo, alla fiaschetteria, mi accorsi subito che tutto il gruppo ormai sapeva la cosa. C'era un'aria sospesa, sorniona e piena di allusioni. Mi dicevano: "Sta' tranquillo, mo' ci pensa Giovacchino...;" oppure: "Bevi un altro bicchiere, stasera è la tua serata." Insomma mi insospettirono. Stavo seduto con le spalle voltate verso il locale e mi pareva che tutta la schiena mi bruciasse perché dietro ci avevo il banco e dietro il banco c'era Marcella che serviva i clienti. Giocammo e bevemmo un'ora circa; poi Teodoro dal nostro tavolo passò ad un altro; e allora Giovacchino, senza esitazione, si alzò sussurrandomi: "Ora le parlo io."

Tra la porta e la vetrina c'era un grande specchio inclinato con la "réclame" di un vino del Piemonte. In quello specchio, vidi Giovacchino andare svelto al banco, metterci su i gomiti, chinarsi verso di lei, parlarle. Lei lo guardava e rispondeva a mezza bocca. Parlarono un pezzo, o almeno così parve a me; e intanto gli altri non facevano che darmi gomitate, ridere e canzonarmi. Giovacchino, dopo aver parlato con lei, disse, sul punto di andarsene, qualche cosa che la fece arrossire e ridere, e poi tornò al banco. "Domani sera, alle sette, sotto il colonnato di San Pietro, a destra," mormorò subito sedendosi, con la faccia soddisfatta. Gli altri, naturalmente, si felicitarono con me: era cosa fatta, aveva accettato l'appuntamento, dovevo ringraziare Giovacchino, offrire da bere, mostrare che non ero un ingrato. Feci tutto quello che vollero; ma intanto, incredulo davanti alla mia fortuna, sempre più mi convincevo che non poteva essere che uno scherzo.

Alle sette, d'inverno, è notte. Avevo pensato addirittura, durante la giornata, di non andarci affatto. Ma all'ultimo momento, per un filo di speranza che mi restava ancora, nonostante le delusioni passate, volli provare. Piazza San Pietro, a quell'ora, più che una piazza era un deserto di selci, con San Pietro, laggiù in fondo, che affondava nel buio. Ma alla luce dei lampadoni bianchi che, a grappoli, stanno in cima ai grandi fanali di ferro, distintamente, presso la fontana di destra, scorsi la giardinetta di Raniero, uno degli amici, ferma presso il colonnato. Attraverso il lustro del parabrezza intravvidi pure la faccia di Giovacchino, proprio lui, e allora mi convinsi che era tutto uno scherzo. Fingendo indifferenza, mi avvicinai alla macchina, feci con il braccio un gesto volgare, tanto per mostrare che avevo capito, e mi allontanai in fretta attraverso la piazza. Mai mi ero sentito così piccolo come quella sera, mentre scappavo come un topo, per quell'immensità, sotto l'obelisco che con la punta scompariva, su, nel buio. Passava un taxi, ci salii e, il cuore pieno di veleno, me ne tornai a casa.

Questa volta però non perdonai: troppo avevo amato Marcella, sentivo che non poteva finire con la solita riconciliazione. Non mi feci più vedere; e, per giunta anche mi ammalai, forse per il disappunto e la rabbia. Stetti un mese e più in casa, poi andai per un altro mese in campagna, un altro mese passò tra casa e bottega, senza amici e senza bicchierate. Incontrai qualche volta uno o l'altro del gruppo, ma li salutavo da lontano e scantonavo. Così venne l'estate.

Una sera, di giugno, di domenica, seguivo la folla per i marciapiedi affollati del Corso, lentamente, come in processione. Mi sentivo triste perché ero solo, e quella passeggiata avrei voluta farla a fianco di una donna, magari di Marcella. Al semaforo di largo Goldoni mi fermai e allora la vidi davanti a me che camminava, dando il braccio ad un uomo. Non poteva essere che lei, nessuna donna al mondo ha la testa tanto piccola e il corpo tanto grande. Ma questa volta, per la prima volta, non fu lei a fermare la mia attenzione ma l'uomo che le stava a fianco. Era piccolo, quest'uomo, non proprio un nano ma quasi, diciamo piccolo come me. Si fermarono, e girarono il viso l'uno verso l'altra, parlandosi: era proprio Marcella e lui era un uomo sui quarant'anni, con la testa grossa, le basette e la faccia larga. Le dava il braccio ma, per via della differenza di statura, non come un uomo, come un bambino. Poi si mossero e scomparvero tra la folla.

Questa volta il coraggio che mi era mancato durante l'inverno mi venne subito. Il giorno dopo, lunedì, a una ora calda, mi recai difilato in fiaschetteria e, per una combinazione, non trovai che lei, la fiaschetteria era deserta. Andai al banco e le domandai di botto: "Chi era l'uomo con cui passeggiava ieri, al Corso?" Lei alzò gli occhi verso di me, per la prima volta da quando la conoscevo e disse con semplicità: "Era Giovanni, il mio fidanzato... non lo sapeva?... ci sposiamo tra un mese." Mi sentii tirar giù dal banco come se il pavimento si fosse aperto e mi ci aggrappai con tutte e due le mani. Dissi: "Ma allora, lei, quella sera... a San Pietro..." Lei, questa volta, non fu tanto timida. Rispose, voltandosi verso le mensole e tirando giù una bottiglia: "Nella vita bisogna saper cogliere le occasioni, non lo sa Francesco?... e lei come sta... lo prende un vermut?" Rifiutai con un gesto e insistetti, con voce strangolata: "Ma io avevo creduto che fosse uno scherzo." E lei: "Per loro, sì, ma non per me."

Così me ne andai e cercai di non pensarci più. Però, se prima evitavo quelli del gruppo, adesso addirittura li odiavo. Mi avevano tanto canzonato da farmi credere che desiderassi una cosa del tutto impossibile. E invece la cosa era possibile; e l'istinto, che non falla mai, mi aveva avvertito della verità: Marcella era la moglie che faceva per me. Non soltanto era grande, infatti, come la desideravo, ma, per giunta, era cresciuta con la voglia del marito piccolo. Altro che occasione, come aveva detto lei: quasi un miracolo. Ma io sapevo che non si sarebbe ripetuto più.

IL GUARDIANO

Mi piace star solo perché la gente mi canzona per via dei miei occhiali e della mia voce di femmina che, per giunta, quando sono turbato, prende a tartagliarmi. Così, quando la ditta mi offrì di fare il guardiano in un suo deposito, al ventesimo chilometro della Salaria, accettai senza discutere. Il deposito si trovava in un vallone, tra certe collinette verdi e pelate. Immaginatevi un quadrilatero brullo e polveroso in fondo valle, con il muro di cinta fatto di mattoni nuovi accatastati, tante baracche lunghe e basse addossate al muro e, nel mezzo, una botte sbilenca sotto un tubo gocciolante, piegato a gomito. Dentro le baracche c'era un po' di tutto: sacchi di cemento, tubature, tegole, barili di catrame, mucchi di travi, laterizi; una delle baracche mi serviva da abitazione: due stanze nude, con una branda, un tavolo e poche seggiole. Sembrava di essere in aperta campagna, lontani dal mondo, ma bastava salire su una di quelle colline, per vedere, proprio accosto, la Salaria, dritta, coi platani strisciati di bianco e, poco più giù la frasca dell'Osteria dei Cacciatori dove mi facevano da mangiare. Mi avevano dato una pistola d'ordinanza con parecchi caricatori, e un fucile col quale, talvolta, andavo a caccia di allodole per quelle colline. Insomma non c'era nessuno e, salvo le ronde di notte, non c'era niente da fare.

Stetti quattro mesi in quel cantiere senza che mi succedesse nulla. Una sera bussarono alla porta, andai ad aprire pensando che fosse qualcuno della ditta, e invece mi trovai davanti due uomini e una donna. Uno di loro lo conoscevo bene, si chiamava Rinaldi e faceva l'autista: era il solo che al cantiere in città, dove prima lavoravo, non mi prendesse in giro per i miei occhiali e per la mia voce. Era proprio il contrario di me: quanto sono burino, lui era signore; lui era bello, così bruno, alto e forte e io brutto; io non piaccio alle donne e lui di donne ne aveva quante ne voleva. Forse anche per questo, perché era così diverso da me e avrei voluto esser come lui, gli ero affezionato. Con lui c'era una donna che si chiamava Emilia: piccola, rotonda, col viso pallido e ovale, gli occhi grigi, grandi e smorti e la bocca voltata in su, come se sorridesse sempre.

Quanto poi all'altro uomo, era uno di Monterotondo e si chiamava Teodoro: rosso di capelli, ricciuto, con gli occhi gialli di gatto, il naso pizzuto e le guance paonazze, come se gli avesse sempre soffiato in faccia la tramontana. Rinaldi disse che doveva parlarmi e io lo feci entrare nella baracca. "Vincenzo" mi disse Rinaldi dopo avermi dato una sigaretta "c'è il caso che tu possa guadagnare qualche cosa senza fatica... anzi continuando a fare il guardiano." Io sgranai gli occhi ma non dissi nulla; e lui, incoraggiato dal mio silenzio, spiegò: loro avevano una grossa partita di merci, prelevata, diciamo così, da un magazzino in città. Io avrei dovuto permettergli di depositare la refurtiva in una delle mie baracche. Poi avrebbero pensato loro a ritirarla, a suo tempo: e allora mi avrebbero dato un tanto anche a me.

A me, a sentire questa proposta, venne la febbre; ma rifiutarmi non potevo. Rinaldi era per me come un fratello. Dissi, tartagliando: "Senti Rinaldi, io sono il guardiano, no?" "Sicuro." "Ebbene guardiano sono e guardiano voglio restare." "E sarebbe a dire?" "Sarebbe a dire che voi fate quello che volete, mettete la roba nella baracca, andate, venite... ma io non so nulla, non vi ho veduti, non vi conosco... e se per caso ve lo domandano, dite pure che non mi conoscete... vuol dire che la roba ce l'avete messa a mia insaputa." Loro tentennarono la testa, stupiti. Teodoro, disse, quasi minacciandomi: "Ma tu, alla roba, ci farai attenzione... mica c'è il caso che siccome non ci conosci..." Rinaldi lo interruppe: "Tu non sai chi è Vincenzo... lascia perdere." Io dissi, allora: "Sono il guardiano, no? Ebbene farò il guardiano anche alla roba vostra." Teodoro, sempre lui, avvertì: "Sta' tranquillo, che ci guadagnerai." E io, risentito: "Sta' tranquillo tu, burino... io da voi non voglio nulla... hai capito?" Insomma, ci mettemmo d'accordo; e Rinaldi uscì e, dopo un poco, tornò con il camion. Scaricarono la roba in una delle baracche, dietro certi barili, io neppure la vidi ma mi dissero che erano stoffe. Prima di andarsene, l'Emilia mi lanciò uno sguardo che mi parve affettuoso, e questo fu tutto il regalo che ricevetti.

Dopo quel giorno vennero ancora tre o quattro volte, sempre con l'Emilia. Davano un segnale con la tromba, io subito spalancavo i cancelli, scaricavano la roba e poi se ne andavano. Non volevo che si fermassero; mentre scaricavano, restavo chiuso nella baracca. Con quel Teodoro, poi ebbi ancora da discutere: faceva sempre il prepotente e proprio non lo potevo soffrire. Ma l'Emilia mi sorrideva e aveva sempre qualche buona parola per me. Una volta mi disse: "Non ti annoi, sempre così solo?" Io le risposi: "Ci sono abituato a star solo."

Un giorno apro il giornale e trovo che hanno arrestato Teodoro, Rinaldi e molti altri. Il giornale li chiamava la banda del buco, perché entravano nei negozi facendo un buco nel muro del negozio vicino. Altre volte ci entravano dalla cantina, però sempre col buco. Il giornale pubblicava le fotografie di Rinaldi, di Teodoro e di un altro, senza colletto, il mento in su, gli occhi spalancati. "Pericolosa banda di malviventi assicurata alla giustizia," diceva il titolo. Ma Rinaldi, come autista, era il meno compromesso e dell'Emilia non si parlava affatto.

Si era d'inverno e una notte che pioveva e tirava vento e lo spiazzo era tutto un lago, mi bussano alla porta. Vado ad aprire e mi trovo davanti l'Emilia, ma in che stato: intanto era incinta, con la pancia più grossa e tutto quel suo bel viso tirato in giù verso la pancia; e poi le era piovuto addosso, e pareva vestita di stracci e aveva tutti i capelli appiccicati al viso. Entrò e senza parlare mi diede un biglietto di Rinaldi. Nel biglietto, Rinaldi mi diceva che sarebbe uscito di prigione tra un anno, intanto mi affidava l'Emilia, pagandomi un tanto per il suo mantenimento, e mi raccomandava anche la roba che era tutta sua, perché gli altri avevano già avuto la loro parte. Nient'altro. Pensai che Rinaldi era convinto di poter fare di me quello che voleva e pensai che aveva ragione perché io, per lui, me la sentivo di fare qualsiasi cosa. Così dissi all'Emilia che per quella notte dormisse nel mio letto e io mi sarei accomodato nell'altra stanza, coi cuscini in terra. In questo modo cominciò la nostra vita insieme.

Di lì a qualche mese, chi fosse venuto al deposito avrebbe certo pensato che io avevo preso moglie ed ero marito e padre felice. C'era il sole di ottobre sullo spiazzo, e, nel mezzo, l'Emilia, le maniche rimboccate sulle belle braccia tonde, sciacquava e risciacquava nell'acqua della botte le mie camicie; altri panni erano distesi su delle funi, ad asciugare; e io stavo al sole, seduto su una seggiola, fuori della baracca, e dondolavo in braccio il bambino dell'Emilia che si chiamava come me, Vincenzo. Accanto alla baracca, c'era una baracchetta più piccola che avevo costruito io stesso; e da quella baracchetta veniva l'odore del sugo dei maccheroni perché l'Emilia cucinava per me e non andavo più all'osteria. Chiunque, dico, vedendomi scherzare col pupo e vedendo l'Emilia parlarmi, calma e sorridente, mentre lavava i panni nella botte, ci avrebbe scambiato per una famiglia felice. E invece non era vero niente: e quel bambino era di Rinaldi, e l'Emilia era di Rinaldi, e le stoffe nascoste nella baracca erano di Rinaldi, e io, come un tempo avevo fatto il guardiano alla roba della ditta, così ora lo facevo alla roba di Rinaldi, Emilia e bambino compresi. Ma per tutto il resto, era proprio come se fossi sposato. L'Emilia era tanto brava e non mi faceva mancare nulla e il bambino era buono e tanto bello. Il solo inconveniente, semmai, era che dovevo sempre parlare di Rinaldi con l'Emilia che contava i giorni e i mesi per vederlo uscire: non che mi dispiacesse parlare di lui, ma un conto è esser l'amante come l'Emilia e un conto l'amico come me; e poi sembrava che non ci fosse che lui al mondo, e io non esistessi. Glielo dissi, una sera; e lei, come se avesse scoperto per la prima volta che ero anch'io un uomo, da quel giorno cominciò a punzecchiarmi sul capitolo dell'amore. Scherzava, ma io invece ci soffrivo e mi accorsi che lei mi piaceva. Finché, una volta, le dissi: "Tu sei di Rinaldi e perciò lasciami perdere." Lei rispose: "Si capisce che sono di Rinaldi, ma tu sei un vero amico e non devi essere geloso." E tutto finì lì.

Una di quelle notti, mi parve di udire un rumore. Mi alzai, presi la pistola e uscii dalla baracca. Era una notte di luna piena e la luna pareva esser caduta nell'acqua della botte che splendeva come argento. Si distingueva ogni sasso dello spiazzo con la sua ombra grande o piccola, accanto; e le colline, intorno, nere contro il cielo chiaro. Ci si vedeva, insomma, come di giorno e così lo trovai subito. Gli dissi alto là che stava sgattaiolando tra una baracca e l'altra; e lui subito venne fuori dicendo: "Metti giù quella pistola, non mi riconosci?"

Era Teodoro, quello di Monterotondo, ma quanto cambiato. Vestito di stracci, con le guance smunte coperte di lanugine rossiccia, gli occhi gialli sbarrati simili a quelli di un lupo. Disse: "Sono venuto a ritirare quelle stoffe, ci ho il camion con gli amici, qui di fuori." Risposi: "Quelle stoffe sono di Rinaldi."

Insomma, cominciammo a discutere, e lui prima voleva fare il prepotente e poi mi propose di fare a metà, ma io rifiutai. Stavamo in piedi, presso la botte, e la finestrella dell'Emilia si era illuminata e lei ci guardava. Finalmente, gli dissi: "Vattene che è meglio;" E lui rispose: "Me ne vado non temere," quindi si avviò verso l'ingresso. Ma io lo tenevo d'occhio, pur seguendolo, perché sapevo che era uno di quelli che tirano le coltellate. E infatti, a poca distanza dall'ingresso, spicca un salto verso di me. Io faccio un passo indietro e sparo. Ci credereste? Continuò a venirmi incontro, faccia in avanti, con quegli occhi di lupo spalancati, una mano al petto, là dove l'avevo preso, e l'altra col coltello. Gli sparai ancora e lui cascò per terra.

Il mattino dopo i carabinieri fecero un'inchiesta, scoprirono che era un pregiudicato, che era scappato di prigione e buonanotte. La ditta, perfino, mi mandò un regalo per aver difeso così bene la roba sua. Io dissi all'Emilia: "Rinaldi prima mi ha fatto diventare ladro e poi anche assassino." Lei rispose: "Ti sei difeso... ecco tutto." Io dissi allora: "Dicevo tanto per dire... io sono il guardiano e in tutti i modi dovevo sparare."

Per una combinazione, il giorno stesso che Rinaldi, alfine liberato, venne a riprendersi l'Emilia, il bambino e le stoffe, la ditta mi aveva annunziato che il cantiere sarebbe stato sgomberato al più presto: così tutto finiva insieme, e io non avrei più fatto il guardiano per nessuno, né per la ditta, né per Rinaldi. Lui venne una notte, dopo mezzanotte, con il camion; e sopra il parabrise ci aveva scritto, a lettere bianche: Emilia. Io gli dissi: "Rinaldi, ecco l'Emilia, come me l'hai mandata... ecco tuo figlio... e là dentro ci sono le tue stoffe... tutto è a posto, come puoi vedere." Lui sorrideva, felice di ritrovare l'Emilia e il bambino, e diceva: "Va bene Vincenzo... io lo sapevo che potevo fidarmi di te... va bene." Ma io provavo un sentimento mischiato di rabbia e di tristezza e quasi mi era venuto l'affanno e ripetevo: "Rinaldi, puoi vedere che tutto quello che mi hai affidato, tale e quale te lo rendo." Poi lui voleva darmi del denaro, insistette per regalarmi un orologio, mi propose di portarmi a Roma con il camion, ma io rifiutai tutto dicendo: "Non voglio nulla... sono il guardiano, no?... non voglio nulla." Ora capivo che ero stato innamorato dell'Emilia e che al tempo stesso mi dispiaceva ed ero contento di averla rispettata. Insomma, gli caricai io stesso la roba sul camion, e poi lui ci salì con l'Emilia che sorrideva e teneva in braccio il bambino involtato in una coperta. Lui mi gridò, forse senza malizia: "Ci rivediamo, eh, guardiano;" e il camion partì.

Pochi giorni dopo vennero i camion della ditta: caricarono i laterizi, i sacchi di cemento, le tubature, i barili di catrame, e poi disfecero il muro di cinta e caricarono anche i mattoni, e alla fine si attaccarono alle baracche e caricarono pure le tavole. Tutto il giorno, per parecchi giorni, i camion andavano e venivano, in un gran polverone, caricando e portando via. Alla fine, una mattina, mi disfecero la baracca e caricarono anche quella. Io rimasi per ultimo. Adesso non c'era più che lo spiazzo di terra battuta sul quale già spuntava l'erba, e, qua e là, pezzi di mattoni, pozzanghere, e, intorno, le colline. Avevo passato quasi due anni in quel luogo ed era finita. In una valigia di fibra legata al sellino della bicicletta ci avevo tutta la mia roba. Presi la bicicletta per mano e mi avviai verso la Salaria. Una volta sulla strada, inforcai la bicicletta e, pedalando piano, mi diressi verso Roma.

IL NASO

In piazza della Libertà andammo a sederci su una panchina, e Silvano mi mostrò il giornale. C'era l'annunzio della morte di quel personaggio, su due colonne; e poi c'era scritto che il funerale avrebbe avuto luogo il mattino dopo e che il morto sarebbe stato esposto ai visitatori per tutto quel giorno in casa sua: un registro nell'ingresso avrebbe ricevuto le firme. Sotto, in corsivo, c'era tutto quello che il morto aveva fatto da vivo; ma Silvano, proprio quando cominciavo a interessarmi, mi tolse di mano il giornale dicendo che non era importante. Passò in quel momento una macchina di lusso, e una ragazza mezza nuda gettò dal finestrino una sigaretta fumata per metà. Silvano andò a prendere la cicca e poi, tornato alla panchina, disse che l'importante era l'anello che il morto portava al dito. Un anello storico, di gran valore, con uno smeraldo antico intagliato. Quest'anello gliel'aveva descritto un facchino della ditta delle pompe funebri, suo amico, che aveva aiutato a vestire il cadavere. Un re l'aveva regalato al morto; e questi aveva chiesto di esser seppellito con l'anello al dito. Silvano concluse dicendo che il defunto viveva solo con una cameriera, la quale, però, quasi certamente, quella notte non ci sarebbe stata perché aveva paura: altro discorso riferito dal facchino.

Non dissi nulla mentre lui continuava a darmi informazioni sulla casa, la strada, l'ubicazione dell'appartamento. In realtà pesavo il pro e il contro. Da una parte c'era la combinazione eccezionale dell'anello, dall'altra, però, c'era il fatto che Silvano era uno degli uomini più scalognati che io conoscessi. La disgrazia gli stava scritta in fronte; e la fortuna non gli sorrideva se non per tendergli un tranello e farlo capitombolare più in fondo alla disgrazia. Il naso soprattutto lo rivelava sfortunato: un naso a batocchio, storto, livido, con la punta a gnocco sormontata da un brutto neo marrone. Era un naso che dava tristezza soltanto a guardarlo; figuriamoci a portarlo. Io sono povero, si capisce, sono malvestito e, nei giorni di magra, posso anche sembrare un vagabondo; ma la puzza di miseria, quella dei dormitori pubblici e delle minestre dei conventi, che aveva addosso Silvano, non l'ho mai conosciuta. La cicca gettata dalla macchina non l'ho mai raccolta. Pensavo tutte queste cose mentre parlava, e lui, come se avesse sentito che gli guardavo il naso, se lo grattò e poi, addirittura, si fregò con un dito nella narice. Dissi, allora, decidendomi ad ad un tratto: "Grazie del pensiero... ma non è possibile."

"Perché?"

"Perché due non fa tre."

Lo vidi impallidire, abbassare il capo. E poi, ci credereste?, incominciò a piangere. Disse, piagnucolando: "Lo vedi come sono sfortunato... per una volta che mi capita un'occasione, non posso approfittarne."

Gli risposi: "Fallo tu il colpo... così non dividi e diventi ricco."

"Io non ho il coraggio" riconobbe lui sempre piangendo, "i morti mi fanno paura... a te non fa paura niente e così speravo..."

Questa volta mi alzai, per tagliar corto, dicendogli che in tal caso l'anello sarebbe rimasto al morto; e me ne andai. Quel giorno era la vigilia di Ferragosto e la passai da una panchina all'altra dei vari giardini pubblici. Non c'era nessuno in nessun luogo: soltanto la polvere, le cartacce e l'aria dell'estate in città, triste come un vestito smesso. Così, ciondolando da una panchina all'altra, mi venne una malinconia da non si dire: le feste bisogna farle e chi non le fa sente che dovrebbe farle e si avvilisce. Ma io sapevo che per me non poteva esserci altra festa che quella di portar via l'anello al morto; e capivo che, dopo aver rifiutato il mio aiuto a Silvano, l'avrei fatta sporca approfittando delle sue informazioni. Alla fine, però, la malinconia fu più forte dello scrupolo; e mi decisi. A onor del vero, pensai un momento di avvertire Silvano che avevo cambiato idea; ma scoprii che non conoscevo il suo indirizzo. Così anche in questo era sfortunato, povero Silvano: imbattersi nel solo uomo onesto che ci fosse sulla piazza e non riceverne alcun benefizio.

Andai a casa, una cameretta che mi subaffittava un vecchio operaio marmista, e da un nascondiglio tirai fuori i mei strumenti: un grande anello in cui erano infilate molte chiavi di ogni grandezza e ferri d'ogni specie; un chiodo lungo con la punta ricurva, di mia invenzione; un piè di porco; una lima di acciaio. Presi anche mezzo sfilatino e me lo misi in tasca. Era sera; mi avviai in tram all'indirizzo che mi aveva dato Silvano.

Trovai senza difficoltà la casa, dalle parti del viale Parioli. Non mi parve una casa di lusso e mi sentii quasi deluso: un personaggio come quello l'avevo pensato in un palazzo dei più ricchi. Era invece una casa semplice, seppure moderna, con la facciata di mattoni rossi e i balconi bianchi, a forma di portasapone. Avevo calcolato che il portiere a quell'ora fosse a tavola, e, infatti, entrai senza esser visto e andai difilato all'interno numero tre, che era quello del morto. Siccome il morto era solo in casa, non c'era catenaccio, la porta era chiusa semplicemente, con una comune serratura a molla. In gran fretta, ma senza farfugliare, provai varie chiavi nella serratura. Dicono che queste serrature moderne abbiano ciascuna una chiave diversa; ma non è vero: ce ne saranno al massimo una ventina di tipi. Del resto le serrature sono come le donne: la chiave giusta, come il sentimento giusto, non si trova con la testa, ma d'intuito. Nessuna delle mie chiavi, è vero, era quella buona; ma dopo averne provate una dozzina, io sapevo quali denti fossero di troppo, quali intagli si dovessero fare. Sapevo; diciamo piuttosto che sentivo, così, per simpatia. L'occhio del ladro è come quello del chirurgo: sa, di primo acchito, a quanti millimetri sbaglia e a quanti no.

Dopo essermi fatto un'idea della chiave, salii senza fretta fino alla terrazza. C'era, qui, una porticina di legno grezzo, con una serratura del tipo vecchio. Introdussi il mio chiodo, acchiappai con la punta il ricciolo della molla, girai e la porta si aprì. L'accostai e mi affacciai sulla terrazza. Era una di quelle terrazze moderne, che sembrano scatole scoperchiate: nude, pulite, vuote, senza mucchi di suppellettili dietro i quali nascondersi, senza abbaini né comunicazioni con altre terrazze o tetti, nel caso che si debba scappare. Il chiaro di luna l'illuminava a giorno, come una sala da ballo. Trovai, però, un angolo in ombra, dietro un comignolo; mi accovacciai, tirai fuori la lima e presi a fare la chiave. Sapevo, così, col sentimento, fin dove dovevo limare; del resto si trattava soprattutto di sgrossare: il colpo di lima decisivo l'avrei dato più tardi. Quando mi parve di aver fatto la chiave che ci voleva, mi distesi, mangiai il mio mezzo sfilatino e poi fumai una sigaretta. Avevo ancora almeno quattro ore da aspettare. Gettai la cicca, mi rannicchiai e presto mi addormentai.

Mi svegliai esattamente quattro ore dopo e mi accorsi che quel sonno mi aveva fatto bene. Sentii di avviarmi verso la scala con la tranquillità dell'impiegato che va all'ufficio: calmo, senza nervi, fresco, la testa chiara. Discesi pian piano fino all'interno numero tre e qui provai la mia chiave. Non mi ero sbagliato: andava quasi bene; e mi bastò darle appena una ripassatina con la lima che girò, e la porta si aprì, dolce come il miele.

L'appartamento era proprio modesto, lo vidi fin dal primo sguardo, uno di quegli appartamenti di quattro camere e cucina, mobiliato alla buona, che per un ladro non offrono interesse. Eppure era stato un gran personaggio: il giornale parlava chiaro. Dall'ingresso, passai nel corridoio, una porta era aperta, ne veniva un chiarore che non pareva di lampada. Era il chiaro di luna, come scoprii, che penetrava con breve raggio nella stanza, attraverso la finestra aperta sul giardino. Salvo che presso il davanzale, la stanza era al buio: tirai fuori una lampadina tascabile e cominciai a perlustrare. Dapprima vidi scaffali e scaffali pieni di libri, poi un tavolo massiccio tutto intagliato, con le zampe di leone, poi i fiori. Ce n'erano in quantità, d'ogni specie, soprattutto rose, garofani, gladioli. Tutto ad un tratto, tra i fiori, mi apparve la faccia del morto: aveva barba, baffi e capelli bianchi e lustri come la seta; la faccia nutrita e rosea; le palpebre, trasparenti, abbassate; un uomo di settant'anni, corpulento, imponente, prospero, aristocratico. Un morto di riguardo, un morto signore. Pian piano abbassai il raggio della lampada: era in frac nero, con una faccia rossa e gialla attraverso lo sparato bianco e la cravatta bianca bene annodata sotto il pizzo d'argento. Ecco le mani: incrociate sul petto, rosee, pulite, un po' semolate, le unghie curate. L'anello era in evidenza: il verde dello smeraldo spiccava sul dito corto e un po' gonfio. Presi la lampada nella sinistra, mi sporsi, e stringendo l'anello tra due dita, cominciai a girarlo e a tirare. Non veniva, allora diedi uno strattone più forte e mi rimase in mano. Mi parve, però, che lo strattone avesse scomposto il morto, alzai la lampada, e, infatti, adesso, stava a bocca aperta, e sotto quei suoi baffi di tricheco si vedevano chiaramente molti denti d'oro. In quel momento un sibilo leggero mi fece saltare. Mi voltai di botto e allora, alla finestra, sul davanzale, buffa a vedersi, scorsi la faccia di Silvano. Più pallido del morto, mi guardava con occhi sbarrati. Disse, poi, sottovoce: "Ah, sei venuto..."

Fu un attimo; e in quell'attimo decisi di ingannarlo. Risposi con calma: "Sì, sono venuto... ma l'anello non c'è." Fece una brutta smorfia e sussurrò con voce strangolata: "Non è possibile." "Vieni tu" gli risposi "e guarda." A fatica, tirandosi su con le mani, salì a sedere sul davanzale, si girò, cadde in piedi, nella stanza. Senza dir parola, diressi il raggio della lampadina sulle mani sguarnite del morto. Lui disse subito, fremente: "L'anello ce l'hai tu... infatti le mani sono spostate." "Ma non far lo scemo..." "Sì, ce l'hai tu... ladro." "Guarda come parli." Questa volta non disse nulla ma mi si avventò addosso, cercando di acchiapparmi alla tasca dei pantaloni, là dove, appunto, tenevo l'anello. Feci un passo indietro, al buio, dicendo: "Sta' attento, che ci scoprono." Ma lui doveva aver perso la testa e si gettò di nuovo contro di me. Avevo notato, entrando, una porta che si trovava dietro il tavolo: doveva dar nell'ingresso. Così girai intorno al tavolo, mentre lui, in quella penombra, le mani tese, avanzava verso di me, aprii svelto la porta ed entrai. Non così presto, però, che lui, al raggio della mia lampadina, non vedesse che era, invece, la porta di un ripostiglio, senz'altra uscita. Sentii girar la chiave dentro la toppa mentre mi rivoltavo tra i tanti cappotti e cappelli appesi agli attaccapanni e poi udii lui dire ad alta voce: "Dammi l'anello o se no ti lascio qui dentro." Adesso, anche per il caldo e la soffocazione di quel bugigattolo, ero fuori di me dalla rabbia e gli risposi che l'anello non glielo avrei dato. Lui allora si allontanò dalla porta, lo sentii accendere una lampada, muoversi per la stanza. Pensai che cercasse qualche altro oggetto, per consolarsi dell'anello, e non mi sbagliavo. Tutto ad un tratto ci fu uno strillo acuto e il grido: "Mi mozzica." Poi passi, voci nel giardino, voci nella casa, porte sbattute, intimazioni. Finalmente l'uscio del ripostiglio si aprì; la stanza era illuminata; varie persone tenevano per le braccia Silvano e, davanti a me, c'erano i soliti carabinieri.

Ricostruii, poi, quanto era accaduto: Silvano, disgraziato e scemo, volendo ad ogni costo rifarsi, aveva messo le dita nella bocca del morto, con l'idea di strappargli i denti d'oro. Come se fossero fiori, da coglierli così, e non ci volessero le tenaglie, proprio da dentista. Il morto, per la scossa, aveva rinchiuso la bocca e lui, terrorizzato, aveva strillato. Tutto questo, però, lo pensai più tardi, al Commissariato. Ma, sul momento, guardai Silvano e con rabbia concentrata, scossi il capo: con quel naso lì non c'era nulla da fare; la colpa era tutta mia che non l'avevo capito prima.

IL GODIPOCO

Vorrei sapere perché quando una donna ci piace, anche le cose che in lei non ci piacciono, finiscono per piacerci. Vorrei sapere perché, sebbene l'abbia capito da un pezzo che Pina non fa per me, io la sposerò lo stesso, tra un mese o poco più.

Le qualità di Pina stanno tutte nel fisico. Piccoletta, bruna, tosta come un frutto acerbo, con una faccia da maschietto e i capelli tagliati da uomo, lei mi tiene sotto i piedi per due o tre cose, sempre le stesse che, però, mi producono sempre lo stesso effetto: il modo col quale, dentro le gonne lunghe e straccione che si porta dietro dalla vita sottile, muove le gambe nervose, come se ballasse; il modo come mi guarda, di traverso, fissamente, senza battere ciglia, con gli occhi rotondi che sembrano quelli dei gufi; il modo con il quale, altre volte, mi si pianta davanti, di schiena, e mi dice: "Tirami su la chiusura lampo," e io tirandole su la chiusura lampo vedo il collo bruno che scende sulle spalle brune tutte ricoperte da una peluria trasparente come quella delle pesche. Poche cose; e se non ci fossero, presto finirebbe l'attrazione. Ma ci sono, e lei lo sa e così finirò per sposarla.

Parliamo adesso di difetti o meglio del difetto, perché ne ha soprattutto uno ma grosso: le cattive maniere. Dire cattive maniere è troppo poco, bisognerebbe dire maniere da villana. C'è chi nella vita va piano, chi va al trotto, e chi va al galoppo: Pina galoppa. Va di fretta, insomma, con l'aria di dire: "Poche chiacchiere, veniamo al sodo, non ho tempo da perdere, io." E nei modi, conferma la impressione: pare sempre che corra, che si faccia largo a forza di gomiti, impaziente. impulsiva, brusca, intollerante.

Io sono nato, invece, con le buone maniere. E sì che le cattive maniere potrei anche permettermele: sono grande, grosso, forte come un toro; peso novantacinque chili a ventott'anni; all'officina meccanica dove lavoro sono capace di sollevare da solo una macchina utilitaria. Ma appunto perché sono così forte, sto attento ai miei gesti, alle mie parole. E si capisce: più uno è forte e più uno deve essere gentile e non abusare della propria forza. Invece Pina che mi arriva con la testa al petto e di forte non ha che la voce grossa e rauca (altra cosa che mi piace in lei: lo dimenticavo), Pina, forse per questo, sente il bisogno di imporsi con la prepotenza.

La sposerò, non c'è nulla da fare. Ma ogni tanto penso di mandarla al diavolo, lei e le sue cattive maniere. Per esempio, non più tardi di avant'ieri, durante una gita che facemmo ad Ostia.

Faceva caldo, come può fare caldo a Roma, intorno il Ferragosto, dopo che ha già fatto caldo per due mesi. Pina, forse per il caldo, quella mattina era una furia. Me lo fece sapere, appena ci incontrammo in strada, davanti casa sua: "Oggi non è giornata... te lo avverto."

"Ma che è successo?"

"Un gatto ha fatto processo... che vuoi che sia successo? nulla."

"Ma allora perché non è giornata?"

"Perché due non fa tre."

Andammo a prendere il treno a San Paolo, tra la solita folla scalmanata verso le undici e mezzo. Entrammo nel treno, il vagone era già completo, salvo un posto in fondo, Pina si slanciò come una freccia, e sedette proprio nel momento in cui una ragazza non tanto giovane, bianca ed esile, timida e composta, proprio il contrario di lei, faceva anche lei per sedersi. Piuttosto che sedersi, bisognerebbe dire che Pina scivolò sotto il sedere della ragazza nel momento preciso in cui questa, da persona ben educata, lo calava pian piano sul sedile. Così che, per poco, quella poveretta non si trovò seduta sulle ginocchia di Pina. Subito si alzò sconcertata e disse: "Questo posto è mio."

"No, è mio... ci sto seduta io."

"Ma lei me l'ha preso nel momento in cui stavo per sedermi... tutti sono testimoni... che maniere sono queste?"

"Le maniere che ci vogliono."

"Signorina" la ragazza era dolce ma ferma, "si alzi o chiamo il controllore."

Chiamare il controllore in quella folla era una minaccia da ridere. E infatti Pina si fece una bella risata. La ragazza, allora, fece per prenderla per un braccio dicendo: "Si alzi, signorina!," ma Pina le diede uno schiaffo forte sulla mano: "Giù le mani."

A questo punto intervenne il padre: un vecchio coi baffi bianchi, e la camicia alla robespierre aperta sul collo tutto grinze: "Signorina, lei ha fatto malissimo a dare quello schiaffo a mia figlia... tanto più che mia figlia ha ragione... dunque si alzi."

"Ma tu chi sei?"

"Uno che potrebbe essere suo padre."

"Mio padre?, vuoi dire mio nonno. Ma che vuole questo boccio da me?;" questo rivolto ai tanti che stavano a guardare e che, come mi accorsi, non risero.

"Signorina, lei deve cedere il posto;" il vecchio, adesso, aveva alzato la voce, con autorità. Subito Pina strillò: "Maurizio."

Sono io, Maurizio. Malvolentieri, perché mi rendevo conto che Pina aveva torto e che, d'altronde, anche se avesse avuto ragione, io mettendomi contro un vecchio, avrei fatto la figura del prepotente, mi avvicinai e dissi moscio: "Senta, la consiglio di non insistere."

Lui mi guardò, scosse la testa, mortificato, e poi disse: "E va bene... Non c'è più educazione, però," tornando verso la figlia. Tutt'intorno ci fu un mormorio di disapprovazione; qualcuno disse: "Bella roba... mettersi contro un vecchio... non fosse altro, l'età;" e un giovanotto si alzò e disse alla ragazza: "Signorina, prego, si segga," guardandomi con sfida. Io non dissi nulla; ma bollivo di rabbia, non tanto contro il giovanotto che, dopo tutto, si era mostrato gentile, quanto contro il procedere di Pina. Così in silenzio, con tutta la gente intorno che ci guardava storto, come Dio volle, giungemmo a Ostia.

Dissi a Pina, sul lungomare: "Guarda che queste parti di prepotente non mi piacciono... tutti ci guardavano male e avevano ragione."

"E a me che me ne frega? Volevo sedermi e sono stata seduta."

Arrivammo allo stabilimento. Gesù che folla: a malapena,

tra tutti quei corpi nudi distesi al sole, si potevano mettere i piedi per camminare. Il bagnino ci avvertì che avremmo dovuto adattarci in una cabina con altra gente e Pina fece un viso scuro ma non disse nulla. Giungemmo alla cabina: era occupata da una famiglia: padre e madre tutti e due grassi e anziani, e due figli, una ragazza carina, sottile come un giunco, un giovanottello bruno, sui vent'anni. Buona gente; e, infatti subito, si fecero in quattro: prego, si accomodino, entrino pure. Pina a cui il fatto della cabina in partecipazione non andava giù, rispose rudemente: "Tanto anche se non ce lo dite, ci accomodiamo egualmente." Vidi quei quattro restare a bocca aperta, dalla sorpresa. La ragazza osservò, acida: "È arrivata la principessa."

Pina restò un pezzo nella cabina e poi, come riapparve, la ragazza diede un grido: "Il mio vestito." Guardai: Pina, per appendere la sua roba, aveva gettato il vestito della ragazza, in mucchio, sopra una seggiola. La ragazza entrò nella cabina, prese il vestito e l'appese di nuovo, sopra i vestiti di Pina. A sua volta, Pina prese il vestito e lo gettò in terra: "Questi stracci non ce li voglio sui miei vestiti."

"Lei il mio vestito lo raccoglie" disse la ragazza con voce tremante.

"Ma tu, figlia mia, sei scema... non raccolgo un corno."

"Lei lo raccoglie."

Ora stavano una di fronte all'altra, come due galletti, belline tutte e due. I genitori si erano alzati; la madre diceva: "Da quando è arrivata, non ha fatto che scenate," il padre brontolava: "Ma che maniere.. dove siamo?" Questa volta capii che il torto era troppo dalla parte di Pina, entrai nella cabina, raccolsi il vestito e dissi: "Signorina, dove vuole che gliel'appenda?" La ragazza, rabbonita, disse che lo mettessi pure su quello di sua madre e così feci. Poi mi chiusi nella cabina e mi spogliai. Quando riuscii, vidi che Pina si avviava verso la spiaggia insieme con quel giovanottino, fratello della ragazza. Parlavano, si sorridevano. Capii che Pina ce l'aveva con me perché avevo raccolto il vestito e voleva punirmi. Però mi avvicinai e dissi: "Pina andiamo a fare il bagno?"

"Vacci tu... io vado con... a proposito, come si chiama lei?"

"Luciano."

"Io vado con Luciano."

Non dissi nulla e andai a fare il bagno tutto solo. Loro si

incamminarono sulla spiaggia, lungo la riva, e ben presto scomparvero. Dopo il bagno, mi asciugai sulla rena e poi tornai alla cabina. La famiglia già stava mangiando seduta intorno la tavola piena di cartocci. Pina guardava in disparte una rivista. Disse con voce normale: "Mangiamo anche noi, no?" e io presi il pacco della colazione e sedetti accanto a lei, sugli scalini della cabina.

Aprii il pacco, le diedi lo sfilatino, lei lo aprì e poi disse con voce indignata: "Ma che roba è questa? Lo sai che il prosciutto non mi piace?"

"Ma Pina..."

"Niente, non mangio."

"Signorina. Vuol favorire?" Era il giovanotto che, sotto gli sguardi di disapprovazione della famiglia, le offriva un panino con la vitella fredda. Avete mai notato che le persone sgarbate quando si sforzano di essere gentili, sembrano perfino ridicole? Così Pina con quel giovanotto entrante: prese il panino con un sorriso che pareva una smorfia, l'addentò con un altro sorriso. Poi disse che stava scomoda e andò a mangiare dietro la cabina, all'ombra. Ad un tratto mi giunse la sua voce, mentre mangiavo tutto solo: "Dammi da bere, che vuoi che mi strozzi?" Mi alzai e andai a porgerle la bottiglia del vino. Lei bevve e poi, giù, sputò a ventaglio tutto il vino sulla sabbia: "Ma che porcheria è questa? Sembra aceto!"

"Ma Pina..."

"Auffa, con questa Pina."

"Signorina, vuole un po' del nostro?"

Era ancora una volta il giovanottino, con un fiaschetto. Lei subito accettò con quel suo bel sorriso tutto falso e io mi allontanai, e lui ne approfittò per sedersi accanto a Pina. Allora mi alzai e andai sulla spiaggia. Sedetti sulla rena e guardai al mare. Ero fuori di me e, d'improvviso, pensai: "Basta, è finita, oggi torno a Roma solo... e non la vedo più." Questa decisione mi rinfrancò. Adesso potevo vedere, se volevo, dietro la cabina, i quattro piedi appaiati, di Pina e del giovanotto, distesi l'uno accanto all'altro; ma mi sembrò che non me ne importasse più nulla. Mi allungai sulla sabbia e ben presto mi addormentai.

Dormii parecchio; poi mi svegliai e per una combinazione, li vidi tutti e due davanti a me, che si avviavano verso il mare per un bagno. Parlavano, parevano affiatati: provai un senso di gelosia. Il mare era grosso, nel momento in cui entravano nell'acqua, un'ondata li investì. Pina cacciò un grido e tornò indietro; il giovanotto con naturalezza, la prese per un braccio, come per sorreggerla, ma molto in su, sotto l'ascella. Allora udii la voce di Pina che diceva: "Lei se ne approfitta dell'onda per strofinarsi, eh... mi rincresce, ma con me ha trovato il godipoco... gliel'ho già detto prima: tenga le mani a posto."

"Ma io..."

"Io, niente... Tenga le mani a posto... che parlo cinese?... e anzi... mi lasci sola... torni pure da sua sorella: tanto con me è tempo perso."

Il giovanotto ci rimase male; tanto più che non doveva essere la prima rispostaccia del genere. Disse, mortificato: "Allora, come vuole lei... la lascio sola."

"Sì, bravo... mi lasci... arrivederci e grazie della compagnia."

Così lui si allontanò voltandosi ogni tanto, come sperando che lei lo richiamasse; e Pina, sola sola, entrò nel mare e andò ad attaccarsi alla corda salvagente. La guardai a lungo, adesso pensavo di raggiungerla e far la pace. Ma mi dissi: "Maurizio: questa è la volta buona o mai più;" e così, dopo un poco, tornai alla cabina, mi rivestii, dissi alla famiglia che avvertisse Pina, pagai e me ne andai.

Gironzolai per Ostia ancora un poco, non sapevo perché, forse speravo di incontrare Pina. Poi andai alla stazione e tra la solita folla, salii sul treno. Era al completo, mi misi in un angolo, rassegnato a fare il viaggio in piedi. Ad un tratto, tra la folla, sentii la voce di Pina: "...e a me che me ne frega?"

"Signorina, quel posto l'avevo occupato io, tutti sono testimoni... c'era la mia borsa."

"E adesso c'è il mio sedere."

"Maleducata."

"Il più conosce il meno."

"Insomma, si alzi... suvvia."

"Maurizio."

E così, nonostante la folla, lei mi aveva visto e adesso mi chiamava, per sostenere le sue solite prepotenze. Avrei voluto non muovermi, ma una calamita mi attirava. Uscii dal mio angolo, mi avvicinai. Questa volta era una signora anziana, molto civile, podagrosa, con una sfuriata di capelli bianchi sulla testa. Dissi, più moscio che mai: "Signora, la consiglio di non insistere."

"Ma lei chi è?"

"Sono il fidanzato della signorina."

E così tutto andò come il solito: qualcuno offrì il posto alla signora, tutti mi guardarono di traverso e Pina restò seduta. Ma sapete che disse quella signora sedendosi: "Lei è il fidanzato?... povero lei... la compiango di cuore."

E aveva ragione.

RACCONTI ROMANI: IL TEMPO, LA SOCIETA'

Moravia racconta

"...Finita la guerra venne per me il momento del Belli," racconta Alberto Moravia. "Da ragazzo avevo letto molto i suoi sonetti, detti, mi pareva, da un'anonima prima persona. Volli scrivere dei racconti in prima persona. D'altra parte trovavo sempre più affaticante l'uso della terza persona. Nacquero i Racconti romani*: nella mia testa, una trascrizione al presente dell'opera belliana. E nel far così, la mia lingua, per sintassi e per lessico, si aprì al romanesco, a un linguaggio 'basso'... All'uso del dialetto corrisponde sempre da noi una crisi del linguaggio colto e dunque della classe dirigente, l'uso del dialetto in questi ultimi anni sta a indicare la crisi della lingua colta e della classe dirigente italiana dopo la catastrofe del fascismo. Alcuni degli scrittori che adottano il dialetto lo fanno per esercitare una presa maggiore sulla realtà, soprattutto su certe realtà popolari: la loro sfiducia nella lingua colta ha dunque un significato prima ancora che filologico politico e sociale. Sia i primi che i secondi indicano la presenza di una grave frattura tra la classe dirigente e la cultura, tra gli intellettuali e la borghesia. È evidente che la lingua è il linguaggio della cultura e il dialetto quello della necessità, ma si direbbe che oggi da noi molto spesso necessità e cultura siano una sola cosa, e che quindi l'uso del dialetto sia giustificato e legittimo anche dal punto di vista culturale. Il che poi vuol dire che la nostra classe dirigente è incapace di cultura, allo stesso modo che la nostra cultura non ha la possibilità di imporre le proprie ragioni alla classe dirigente...*
"...Direi che nella mia scelta non fui influenzato dal cosiddetto neorealismo. È che nel dopoguerra la realtà italiana, quella romana, era pervasa da una vibrazione in qualche modo provocatoria. Scrissi il primo racconto romano per caso: si intitolava Barbone*; venne pubblicato su* La Stampa. *Mi arrivò una lettera*

di una signora inglese: diceva che era entusiasta, e provai a scriverne ancora. Così, ne ho scritto centotrenta soprattutto per il Corriere della Sera. *Quanto al neorealismo, non lo vedevo affatto come un movimento letterario che spingesse verso aperture linguistiche cosiddette 'basse'. Neorealismo, per me era* Conversazione in Sicilia *e* Cristo si è fermato a Eboli. *Vittorini e Carlo Levi sono due scrittori dal registro linguistico chiuso, direi. Ecco: il neorealismo era autobiografia o documentarismo autobiografico a livello lirico: Affianco a questo c'era il neorealismo cinematografico, Rossellini, per intenderci, che aveva una direzione tutta diversa, votato alla rappresentazione di una realtà 'minore', con personaggi che si muovono in una atmosfera gergale. A questo tipo di neorealismo somigliano in caso i miei* Racconti romani. *Oggi si tende a fare di tutta l'erba un fascio: si sostiene che il neorealismo è stato per la letteratura italiana una forma di indigestione di realtà. Non mi pare che sia stato così. Magari, lo fu solo per il cinema, e per poco. La franchezza di quei primi film si trasformò presto in uno stucchevole sentimentalismo... Certo, quando si usa il dialetto per la prima volta, si ha come il senso di una liberazione, ma poi il dialetto diventa una limitazione peggiore della lingua: ci si accorge che in lingua si può esprimere molto di più..." (collage di dichiarazioni rese a Oreste del Buono nel 1962, v.* Moravia, *Feltrinelli editore e a Enzo Siciliano nel 1971, v.* Moravia, *Longanesi editore).*

Moravia e il Belli

Il riferimento per questi Racconti romani *a Gioachino Belli è fatto esplicitamente da Moravia. Ci pare, quindi, non solo interessante, ma in certo qual modo indispensabile vedere chi sia e cosa rappresenti il Belli per Moravia. Abbiamo a disposizione un sostanzioso saggio scritto quale prefazione a cento sonetti belliani, nel 1944 (vedere l'incipit del precedente paragrafo: "Finita la guerra venne per me il momento del Belli..."). Moravia vi parla anche, e soprattutto, di sé:*

"L'apparizione della letteratura dialettale in Italia coincide con la crisi di quella che era stata per secoli la lingua erudita e aulica della cultura italiana. E in senso più lato con il rivolgimento sociale che durante l'ottocento portò gradualmente alla sostituzione dell'antica classe dirigente italiana, nobiltà e borghesia urbana, con un'altra classe tutta nuova di borghesi recenti o di popolani imborghesiti. Una questione della lingua non esisteva in Italia prima della rivoluzione francese come non esisteva del resto una

questione sociale, intendendo quest'ultima anche nel senso più blando di immissione nei vecchi quadri di elementi freschi e incolti. Il secolo dei lumi iniziò e quello seguente approfondì il divorzio tra due letterature assai diverse: quella di grande sfondo, erudita e classica, che attraverso il Foscolo, il Leopardi, il Carducci e il D'Annunzio doveva giungere, rinfrescandosi e rinnovandosi, fino ai giorni nostri e confluire, perdendo molte delle sue caratteristiche, nel generale rinnovamento odierno della lingua; e quella della gente nuova, di tutte le province italiane che, rotta la cornice umanistica, dopo tentativi infelici e sporadici, si trovarono più a loro agio nei dialetti delle singole patrie. Da unita l'Italia, che per secoli era soprattutto esistita in virtù della letteratura, si trovò ad un tratto divisa e molteplice; e questo proprio quando l'unità stava finalmente per realizzarsi in sede politica e geografica. Ho detto che il problema della lingua nella vecchia Italia non esisteva, confinato tutt'al più nelle discussioni cruschevoli; ma durante l'ottocento tale problema s'impose per la prima volta denunziando con la sua presenza la vitalità dei dialetti che nel contempo fiorivano. Questo problema fu quasi sempre impostato in maniera inadeguata; basti pensare per tutti alle idee del Leopardi sulla letteratura del cinquecento, prima letteratura veramente nazionale e modello a cui bisognava uniformarsi, o a quelle del Manzoni sul toscano; e a molti impazienti poté anche sembrare che non potesse avere alcuna soluzione. Gli italiani sembravano allora irrimediabilmente condannati a parlare in dialetto e a scrivere in una lingua non meno morta e artificiosa di quello che era stato il latino agli albori della lingua italiana. In realtà la soluzione non era letteraria, bensì extra letteraria; e, come sempre, bisognava dar tempo al tempo. Bisognava cioè lasciare che l'Italia si facesse. I dialetti da un lato, la persistenza, dall'altro, di forme goffe e retoriche indicavano, come è stato detto, una scissione oltre che letteraria, anche sociale, la quale però andava col tempo lentamente componendosi. Avveniva infatti che unificandosi le sparse genti italiane e formandosi assai penosamente una nuova borghesia, il dialetto tendeva a perdere l'originaria irriducibilità e a italianizzarsi mentre nello stesso tempo la lingua letteraria si scioglieva dai modi accademici e colti e acquistava un po' della snellezza e vivezza del dialetto. Osserviamo di passaggio che il solo Manzoni, per quanto in parte inconsapevole, risolse per conto suo la questione immettendo appunto nella lingua letteraria modi e vocaboli che egli credeva italiani e che in realtà erano toscani. Ma la soluzione nazionale al tempo del Manzoni era ancora da venire. Essa non poteva derivare dall'opera di un uomo solo o di pochi; è più difficile unificare e creare un linguaggio che non un paese; doveva venire soltanto ai giorni nostri con il con-

temporaneo languire dei dialetti e delle antiche forme accademiche e con l'apparizione di un linguaggio medio borghese che pure con molte scorie, con molte sciatterie e molti modi accattati, è quella lingua italiana di cui tanto si discusse nel secolo passato. A questo risultato ha molto contribuito il giornalismo e in genere la produzione letteraria di più facile smercio, volgarizzando e diffondendo la semplicità e immediatezza raggiunte dai nostri scrittori in questo primo quarto di secolo. Così oggi si compie o sta per compiersi il lungo travaglio della lingua. La vittoria come era giusto e prevedibile ha arriso alla lingua letteraria. Non toglie che i dialetti e gli scrittori dialettali abbiano avuto una funzione importantissima. Se non altro testimoniano la straordinaria vitalità della lingua italiana; che per rinnovarsi non ha esitato a rifarsi per la seconda volta nella sua storia alle sue origini più terrestri. Niente infatti è più rassicurante sulle sorti della nostra letteratura che l'esplosione delle forme dialettali, vive e giovani, sotto quelle decrepite degli arcadi, dei poeti di corte e degli ultimi umanisti.

"L'Italia dei dialetti si era taciuta per secoli, evidentemente perché altri parlava e sapeva parlare meglio di lei; ma venuto il momento della crisi, fece sentire la sua voce. Soltanto con questa profonda estenuazione della cultura ufficiale e con l'impossibilità di esprimere la nuova realtà con la lingua esangue e meccanica delle varie Arcadie si spiega il salto mortale, l'abisso che corre tra i concetti e i versicoli degli ultimi metastasiani e il Belli o il Porta, tra le tragedie orientali e classiche dei drammaturghi melodrammatici e il Goldoni. Questo fenomeno del riassommamento dei dialetti alla superficie levigata della letteratura nazionale ebbe aspetto vistoso soprattutto nei luoghi in cui il dialetto aveva già una sua autonomia e un suo carattere, come appunto a Venezia con il Goldoni, a Milano con il Porta, a Roma con il Belli e più tardi a Napoli con il Di Giacomo; ma dal più al meno esercitò la sua influenza direttamente e indirettamente su tutta la letteratura, specie su quella romanzesca e teatrale della seconda metà dell'ottocento. Non è nostra intenzione passare in rivista gli apporti dei dialetti alla cultura nazionale; semmai vorremmo notare come ad opera di scrittori dialettali, quali il Goldoni e il Belli, ci sia rimasta la testimonianza più valida su due delle società e dei regimi più singolari e più antichi d'Italia. L'opera del Goldoni e del Belli: come dire gli ultimi guizzi dell'oligarchia veneta e della teocrazia romana visti, sentiti e descritti attraverso quello che per tanti secoli era stato nient'altro che muto spettatore: il popolo. Gran parte del fascino e della dignità dell'opera di questi due scrittori tanto lontani e diversi tra loro, derivano dal fatto che così nei sonetti del Belli come nel teatro del Goldoni si riflette in un'aria di pericolante

decrepitezza e di assurda conservazione il dualismo dell'antica società aristocratica e popolana. E, infatti, appena il dialetto passò a dipingere la meschinità decorosa della nuova borghesia, diventò esso stesso meschino e cominciò subito a mostrare i segni di una precoce decadenza.

"Gli scrittori dialettali, proprio per la loro natura invincibilmente documentaria e verista, debbono spesso molto più alla realtà che prendono a dipingere che non alle loro doti più consapevoli. Fu la grande fortuna del Goldoni e del Belli di scoprire insieme con le lingue delle loro patrie, due mondi completi e intatti seppure in procinto di svanire, nei quali l'antica grandezza sopravviveva in diverse maniere amabili e eleganti, pompose e tetre.

"Continuando il paragone del Goldoni con il Belli forse non nuovo ma certamente utile, notiamo che il Goldoni anticipò sul Belli per la stessa ragione che la decrepitezza della Repubblica Veneta sopravanzava in qualche modo quella degli Stati della Chiesa. La sopravvivenza di questi ultimi fin dopo la metà dell'ottocento permise al Belli di prolungare la propria ispirazione in un tempo nuovo e ostile che egli non poteva capire e da cui non poteva sperare di essere capito. Si pensi: il Belli contemporaneo o quasi della prima generazione romantica, del primo naturalismo; si misura allora che straordinario fenomeno fu la sua poesia e quale concorso di circostanze più uniche che rare ne permise l'esistenza e gli sviluppi. Agli scrittori in genere giovano i soggetti grandi. Per un capriccio della sorte il Belli si trovò ad avere tra le mani Roma e il Papato. Non si trattava qui dei civilissimi e vecchiotti costumi della Repubblica Veneta, costumi del resto non dissimili da quelli europei, ma di qualcosa di infinitamente più singolare. Una città grandiosa, piena di memorie antiche e recenti, sorgente nel mezzo di terre spopolate e inselvatichite; una plebe ignorante e grave, rozza e arguta, scettica e primitiva; una società di nobili poco meno rozzi della plebe e di mercanti di campagna; e poi i frati, le monache, i preti, i cardinali, il Papa, tutti i misteri della Chiesa visti dal di dentro, da chi come il Belli, romano e di famiglia romana, non poteva illudersi su quello che nascondessero quelle pompose cerimonie, quelle usanze immemorabili, quelle dignità sopravvissute. Infine sotto questa maestosa e cadente impalcatura, il ricordo antico di Roma, come le rovine sotto le fondamenta delle chiese. Il Belli si trovava perciò, per il solo fatto di essere romano, in una condizione specialissima: al tempo stesso spettatore e attore su quelle scene abusate. C'era, in un'aria tanto vuota e illustre, da cedere facilmente alle seduzioni della retorica; che è la soluzione più comune per gli spiriti scettici in tali casi.

"L'originalità del Belli sta nel fatto di aver voluto essere romano

senza la fierezza convenzionale d'obbligo; di non aver voluto essere il romano di sempre, bensì il romano proprio di quegli anni e di quel determinato periodo storico. Si capisce come il dialetto, oltre che ad una necessità profondamente espressiva, si debba ad una onestà tutta umana, quasi ad un atto di umiltà di fronte ad una sorte pericolosa e tentatrice. Tanto più che al tempo del Belli le teorie del verismo erano ancora di là da venire. Assai difficile, tuttavia, è definire a quale specie di romanità, oltre che a quella del tempo suo, si può riallacciare la poesia del Belli. Se la materia che tratta gli dà subito quel tono e quello stile; è fuori dubbio d'altronde che il Belli trovò il terreno preparato dalla fedeltà atavica e dalla memoria vocale del popolo romano. Il Belli è quello che è; ma non sarebbe forse troppo arrischiato trovargli degli ascendenti, oltre che negli epigrammi, nelle pasquinate e in certa produzione locale del tipo del Meo Patacca, in una tradizione che risale a Giovenale e agli altri satirici e realisti romani della tarda latinità. Con questi scrittori il Belli ha in comune l'asprezza, la robusta e rotonda concretezza, il moralismo, il senso drammatico e narrativo. Quanto alla crudezza del Belli: quei numerosi sonetti dal Morandi pudicamente raccolti nel sesto volume, non testimoniano affatto una sboccataggine del Belli, uomo serio e triste, bensì una libertà di parlata che attraverso il cinquecento aretinesco veniva direttamente dai succitati scrittori della decadenza. C'era nel dialetto romanesco una cadenzata sicurezza per quanto riguardava la carne e le sue vergogne, priva affatto di piccante e di gauloiserie; sicurezza antica e popolare, pagana o, se si preferisce, cattolica. Il Belli nel suo impegno strenuo, pure in tempi che minacciavano di diventare sempre più pudibondi, non volle ripudiare questo carattere così importante del suo dialetto. Dopo di lui, il romanesco diventerà castigato, retoricamente e carduccianamente nel Pascarella, borghesemente nel Trilussa. Gli è che a Roma la vecchia società era scomparsa, subentrandovi alla fine la borghesia nuova, decente e scolorita.
"Oltre alla latinità sopita ma sempre presente nel grave e violento dialetto romanesco, un'altra influenza subì il Belli, questa tutta indiretta e, per così dire, invisibile: il Barocco. Roma ai tempi del Belli non era ancora la Roma dei Ministeri e dei quartieri impiegatizi e tanto meno quella di oggi: era una città grande senza essere popolosa, in cui le chiese, gli edifici pubblici, i palazzi, le antichità occupavano quasi altrettanto posto che le case di abitazione.

"In questa città rustica e illustre, sparsa nella cinta troppo larga delle mura Aureliane, il Barocco di Sisto Quinto e dei suoi successori dominava ogni altro stile non trovando rivali che nel Colosseo e negli altri edifici romani. Il Barocco di Roma espresso

nello screpacciato, caldo e rosso travertino, con le sue svolazzanti facciate di chiese e di palazzi, le sue bizzarrie naturalistiche, i suoi teatrali sfondi urbani, le sue fontane in forma di barche e di scogliere, i suoi obelischi sorretti e circondati da animali, le sue macabre sontuosità, doveva necessariamente esercitare un'influenza decisiva sulla fantasia del Belli. Parlo di un'influenza figurativa, plastica; ché, quanto all'influenza morale, tutti i costumi, le pompe e la vita stessa della Chiesa erano su per giù rimasti fermi all'epoca del Barocco. Che c'è in comune tra un sonetto del Belli e la facciata secentesca di una chiesa di Roma con le sue cornici, i suoi angioli che soffiano nelle trombe e le sue verdure che spuntano verdi e rigogliose fuori dalle nere carie del travertino? Moltissimo, proprio l'architettura, quel ritmo gonfio e tumultuoso ben delimitato tuttavia e perfettamente concreto. Non soltanto tutte le numerose interpretazioni belliane dell'Antico e Nuovo Testamento sono barocche, chiaramente desunte dall'iconografia postrinascimentale, ma barocca è anche certa sua facoltà di accozzare vasti e comprensivi paragoni, immagini ardite, metafore e modi proverbiali. I quali ultimi, come è stato da altri già osservato, non si trovano nel dialetto romanesco, ma erano dal genio del Belli creati lì per lì e poi con naturalezza inseriti nel colore e nel ritmo della parlata locale. Accanto a questo Barocco architettonico, troviamo anche nel Belli quello pittorico, chiaroscurale. Il realismo popolaresco, picaresco si vorrebbe dire, curiosamente illuminato, applicato a soggetti familiari e di genere, apparentano il Belli molto più al Caravaggio e a certi pittori spagnoli che non al neoclassico Pinelli e a tutti gli altri Mengs della scuola romana. Naturalmente, come abbiamo già detto, non si tratta qui di influenze dirette, dal Belli stesso favorite e coltivate; bensì di un inconsapevole assorbimento di elementi vivi sospesi in quell'aria chiusa e preservata.

"E poiché siamo sul discorso della consapevolezza del Belli, vien fatto di domandarsi fino a che punto il Belli fosse intelligente; ossia conscio del valore, dei fini e dei risultati dell'arte sua. Questa domanda sarebbe fuori luogo per un tutt'altro genere di artista, per un Flaubert per esempio, o per un Manzoni. Ma il Belli appartiene a quella categoria di scrittori che a prima vista possono anche sembrare inferiori all'opera loro; e nei quali, comunque, la quantità supplisce in certo modo alla qualità, senza tuttavia lasciar capire se i risultati raggiunti furono ottenuti grazie ad una lucida volontà oppure soltanto in virtù di un ricco ed esuberante temperamento naturale. Nel Belli, accanto a straordinarie finezze, virtuosismi, profondità e bravure d'ogni genere, si trovano cadute assai basse nella freddura, nel verismo fotografico, nella macchietta occasionale; e non è a dire che avesse due corde e due metri; spesso le cose alte e le scadenti si trovano

commiste e inestricabili nello stesso sonetto, nella stessa strofa. Alla domanda risponderemo che il Belli mentre era perfettamente consapevole e padrone dei mezzi della sua arte, vogliamo dire del dialetto, fu non meno acritico e inconsapevole per quanto riguardava la natura e i caratteri dell'arte medesima. Indubbiamente noi siamo oggi molto esigenti in fatto di consapevolezza artistica; ogni 'prodotto naturale' ci riempie di sospetto; ed è forse per questo che la grande poesia oggi è così rara. Ma bisogna riconoscere che ove il Belli fosse stato più cosciente dei risultati da raggiungere, oggi in luogo dei tanti sonetti mediocri, spiritosi o semplicemente fotografici, avremmo forse un numero maggiore di quelle straordinarie composizioni che fanno di lui uno dei nostri maggiori poeti.

"Tale inconsapevolezza e non intelligenza si debbono ascrivere oltre che alla relativa ristrettezza della sua cultura, alla condizione particolare del Belli, al pubblico molto speciale a cui si rivolgeva, all'ambiente in cui viveva. Roma forse non conobbe mai un tempo così torpido dal punto di vista culturale, come quello in cui visse il Belli. L'immobile conservatorismo della Chiesa influiva anche sulla cultura in cui la restaurazione aveva voluto dire semplicemente e puramente il ritorno alle vecchie beghe letterarie e cruschevoli, alle vecchie esercitazioni arcadiche e accademiche di prima dell'89. Non pare che il Belli si rivoltasse o comunque cercasse di uscire o di appartarsi da quest'ambiente che negli stessi anni sembrò intollerabile al Leopardi; anzi per quella facoltà di adattamento che gli era propria ci rimase immerso tutta la vita, facendo parte, come è noto, dell'Accademia Tiberina e di quella dell'Arcadia. Si trovano nell'opera del Belli tracce visibili del successo che egli riscosse in questo ambiente; il quale era il meno adatto che si potesse immaginare a chi come lui era anche troppo incline a lasciarsi andare sulla china di una facilità estemporanea e mimetica. Gli si chiedeva infatti quello che fu poi per tanto tempo il suo titolo maggiore all'ammirazione di una posterità ridanciana e superficiale: il gioco di parole, il motto grasso, la copia del vero. Ancora oggi, i borghesi di Roma e di fuori vi citano volentieri, con una risata d'intesa, quei sonetti più convenzionalmente comici del Belli che in un'ideale antologia filistea del dialetto romanesco si trovano accanto alle cose più scipite della Scoperta dell'America *del Pascarella, ad alcune delle più facili favole del Trilussa, alle battute di Petrolini, giù giù fino alle facezie apocrife, per solo uso del settentrione, delle varie* Domeniche del Corriere. *Non crediamo affatto che i borghesi del tempo del Belli la pensassero diversamente. Così si immagina facilmente che certe composizioni più scadenti ottenessero molto successo e fossero richieste con insistenza; mentre dovevano passare inos*

servati quei sonetti che soli fanno del Belli il poeta che ammiriamo e amiamo. Consapevole invece, come si è detto, fu il Belli della sua particolare qualità di poeta dialettale; cioè di tutti gli effetti e gli accenti che poteva trarre dal dialetto romanesco. A questa consapevolezza ricca d'istinto si debbono certamente la grandissima sicurezza stilistica del Belli, il suo virtuosismo, la densità e compattezza del suo contesto verbale. Per merito suo il dialetto romanesco, dopo essere stato conquistato e perfettamente padroneggiato, lentamente e con sicurezza si leva fino all'alto livello di un linguaggio poetico. Dai primi sonetti, spesso soltanto fotografici, si giunge così gradualmente a quelli posteriori nei quali il Belli trasfigura il dialetto pur conservandogli l'immediatezza e la naturalezza originarie; dai proverbi, dai modi, dalle cadenze tolte direttamente dalla bocca del popolo e valide soltanto per la loro vivezza e autenticità, alle immagini e alle figure sintattiche che sarebbe vano ricercare nella parlata popolare. L'abilità del Belli consiste tuttavia, anche nei sonetti più alti, nel non uscire mai dalla convenzione di un linguaggio discorsivo e senza pretese. In realtà il Belli si era impadronito del dialetto al punto di potere attribuire al popolo ciò che era suo e di potere servirsi di ciò che invece era popolare come di roba propria. Egli resta per questo il creatore della poesia romanesca e forse il suo solo scrittore. È stato osservato dal Vigolo che il Belli fece con il romanesco ciò che Dante fece con il toscano: elevò, cioè, a lingua letteraria, ricreandolo e arricchendolo, un dialetto. L'osservazione è giusta. Infatti il connubio del Belli con il suo dialetto non ha nulla di applicato, di posteriore, di intellettualistico: è invece quello stesso della natura con il genio dello scrittore. Tali fortune capitano di rado; perché è difficile che uno scrittore dia i natali con la sua opera ad una lingua; più spesso egli non fa che arricchire e continuare una tradizione; quando, addirittura, non si giovi, senza aggiunger nulla, di strumenti già del tutto forgiati.*

"Il Belli passa per un poeta soprattutto satirico; e vedremo poi che questa fama non risponde che in parte alla realtà. Intanto però verrebbe fatto di domandarsi fino a che punto la satira del Belli fosse sincera; o meglio fino a che punto il Belli fosse compartecipe delle cose che satireggiava e, per così dire, ne dipendesse. Questa domanda parrà naturale ove si pensi da un lato alla straordinaria libertà per non dire irriverenza di molti sonetti del Belli e dall'altro a quello che fu la sua vita e soprattutto la conclusione edificante e bigotta di tale vita. Come è noto il Belli, dopo aver dimostrato una certa simpatia per il movimento liberale in Italia, simpatia, occorre dirlo, tutta platonica e allora generalmente diffusa in quella stessa borghesia romana in seno alla quale egli viveva, dopo i moti del '48 e la repub-

blica romana del '49, ripiegò sopra posizioni reazionarie, smettendo di scrivere sonetti satirici, diventando poeta accademico e togato, pedante e zelante censore teatrale, codino, baciapile, traduttore degli inni della Chiesa e alla fine anche odiatore della propria opera che consegnò all'amico monsignor Tizzani affinché la bruciasse. Osserviamo a questo proposito che tale metamorfosi del Belli non giungeva del tutto nuova: già in passato, dopo i dissesti finanziari che lo avevano colpito nel 1837, egli non aveva esitato, al fine di ottenere un impiego da quello stesso governo pontificio che aveva così ferocemente aggredito, a fare pubblica attestazione di devozione e di sudditanza.

"E in tutt'altro ordine di idee, che cosa rivelavano il matrimonio del Belli, cantore della povera gente, con una donna ricca e più anziana di lui, e la sua susseguente agiatezza e poi l'eccessiva, ipocondriaca parsimonia di cui diede prova negli ultimi anni, se non il dualismo che era alla base della sua vita morale? Quel dualismo, insomma, che dopo averlo mantenuto in difficile equilibrio tra gli ardimenti dei sonetti e le tentazioni e le nostalgie retrive del suo spirito incerto, doveva, verso la fine della sua vita, risolversi disastrosamente a tutto vantaggio di quest'ultime?

"Poesia e prosa anticlericale ce ne sono state per tutto l'ottocento e anche prima; ma ove si confronti questa letteratura con la poesia del Belli, si vedrà subito la differenza enorme, incolmabile. Negli scrittori anticlericali che prima e dopo la rivoluzione francese pullularono un po' dappertutto in Europa, si avverte sempre un partito preso, un distacco, una superficialità e praticità che oggi, scomparse le ragioni e la necessità di quella letteratura, ce li rende noiosi e monotoni. Tutto diverso il caso del Belli. Per quanto violento e negativo, si sente tuttavia che egli vive e soffre la materia che tratta. In realtà egli non era un riformatore e nemmeno un moralista, intendendo per tale un censore illibato della vita pubblica. Se non temessimo di attribuire al Belli complicazioni tutte moderne, diremmo che egli era un moralista di se stesso, come del resto tutti i veri artisti; e cioè che riusciva a moraleggiare soprattutto quando le cose che deprecava lo toccavano ed erano sue. Insomma soltanto un uomo agiato che, come il Belli, avesse conosciuto la povertà, poteva trovare accenti così umani ma al tempo stesso così rassegnati e pessimisti parlando della miseria; allo stesso modo che soltanto un uomo, come lui, in fondo all'animo, conservatore e timorato, poteva scrivere i sonetti satirici contro il governo papale.

"'A papa Grigorio je volevo bene perché me dava er gusto de potenne dì male,' ebbe a dire una volta il Belli di papa Gregorio XVI da lui così accanitamente denigrato. Ma la realtà era più complicata e profonda di quello che volesse lasciare intendere questa frase scherzosa. Vogliamo dire che il Belli, pur de-

nunziando gli abusi dei preti, era prete lui stesso, e pur deprecando i mali della società del suo tempo ne era egli stesso affetto o per lo meno intimamente legato ad essi e compartecipe. Avveniva al Belli lo stesso che a Flaubert per i suoi vari Homais; come Flaubert era anche un po' Homais, così il Belli era anche un poco tutto quello che prendeva di mira. Vissuto in un tempo di torpore e di decrepitezza, il Belli ebbe la libertà di linguaggio esasperata e brutale che tali condizioni ampiamente giustificavano, ma nello stesso tempo non poté sfuggire all'amore profondo, vergognoso, invincibile dell'artista per la propria materia. Pur satireggiandolo, egli si crogiolava, per così dire, in quel mondo che tanto bene comprendeva e conosceva; e se fosse dipeso da lui, quel mondo non sarebbe mai crollato e neppure minimamente mutato. 'A papa Grigorio je volevo bene...;' e infatti si veda come impallidisce l'astro del Belli dopo la morte di Gregorio XVI, papa reazionario, odiatore delle novità; come stonano i suoi accenti di goffa lode quando parla di Pio IX, papa moderno, pieno la testa dei problemi dell'epoca. Si sente che il Belli, nel fondo dell'animo suo, è contro i preti e per i giacobini soltanto nella misura in cui ciò è utile alla sua arte. Il che equivale a dire che la sua satira del governo pontificio sottointendeva la permanenza di quelle condizioni disastrose; scomparse le quali il Belli non sarebbe stato più che una specie di gufo che tratto alla luce dalle tenebre familiari non sa più né volare né vedere. Il Belli non visse tanto da assistere all'ingresso in Roma delle truppe italiane. Ma immaginiamo senza difficoltà l'impaccio in cui si sarebbe trovato: o elogiare senza convinzione i nuovi arrivati, oppure applicare al nuovo governo tanto meno pittoresco e censurabile i vecchi metri che erano stati così efficaci contro il regime pontificio. Per il Belli ci volevano Gregorio XVI e tutte le assurdità del patrimonio di San Pietro. Come Laocoonte e i suoi due figli, per rimanere in piedi aveva bisogno di quei serpenti contro cui lottare e avvinghiarsi; altrimenti sarebbe ruzzolato nel vuoto.

"Ma il Belli più alto, contrariamente alla tradizione, non è sempre quello satirico. È proprio della satira la dipendenza dalla materia che aggredisce; la sua libertà di poeta il Belli la ritrova spesso in quei sonetti in cui, senza giudicare e senza lasciarsi sopraffare dalla vena caricaturale e grottesca, esprime immaginosamente i propri più profondi sentimenti oppure dipinge in vari modi affettuosi e amari i diversi aspetti della vita intorno a sé. Il Belli che non partecipava in alcun modo dello spirito del secolo, che non aveva neppure, per consolarsi, il miraggio dell'età dell'oro dell'antichità come il Leopardi, nutriva in fondo all'animo un pessimismo totale, angusto e persino un po' gretto ma genuino, ultimo residuo di una cattolicità consumata

e spenta. Sonetti come La morte co' la coda, La golaccia, La monizzione, Er caffettiere filosofo, La vita de l'omo, Er cimiterio de la morte *e molti altri sono caratteristici, con la bizzarria barocca delle loro immagini e l'accoratezza di certi accenti del sentimento del Belli di fronte ai destini dell'uomo. Il senso della morte, soprattutto, era nel Belli fortissimo, non dissimile per la macabra materialità della rappresentazione, da quello di certi scrittori secentisti. Al punto da fargliela vedere come una voragine di vanità non soltanto a conclusione della vita umana, che è normale, ma anche prima, che è un punto di vista insolitamente desolato (Il cimiterio de la morte: duncue, ar monno, e li boni e li cattivi — li matti, li somari e li dottori — so' stati morti prima d'esse vivi). Osserviamo di passaggio che proprio a questo pessimismo fondamentale e per nulla ideologico si deve se il binomio indivisibile, comicità-sentimentalismo, di ogni musa dialettale, non trova alcuna conferma nel Belli. Allo stesso modo che il Belli non è il poeta ridevole che tanti si ostinano tuttora a vedere, così non è mai sentimentale, attribuendo a quest'ultima parola il significato scadente che ormai ha assunto. Quel senso così fisico e nero della morte sembra semmai ispirare al Belli una curiosità invaghita, affettuosa e liberissima per tutti i vari aspetti della vita. L'immaginario popolano per la cui bocca parla il Belli spinge lo sguardo dappertutto, così nei mercati, nelle casupole, nelle osterie, come nei palazzi, nelle chiese, negli edifici pubblici. L'arte del Belli rivela tutta la sua potenza in questi quadri completi racchiusi nel breve spazio di quattordici versi, espressi talvolta con un dialogo drammatico e conciso, talaltra con una serie di immagini fortemente illuminate. Non credo di fare un'osservazione nuova dicendo che il Belli più alto va ricercato nei sonetti meno romaneschi e locali, proprio là dove la forza narrativa rompe gli schemi dialettali ed evoca situazioni e figure senza tempo né luogo, su un piano tutto umano e letterario. Sonetti come* La bona famija *dove si esprime l'affetto del Belli per la povera gente;* Er logotenente *con quel dialogo da commedia classica;* La concubbinazione *soprattutto nella seconda quartina (da una stanzia gialla — entra e trapassa una gran bella donna);* Piazza Navona, *brulicante come una stampa del Piranesi;* Giovedì santo *con il contrasto tra la situazione molto profana e il solenne ultimo verso (oggi er crocione suo passa li ponti);* Er pattostucco *nel quale bastano quel 'tiratore' e quella 'ciotola piena di papetti' per evocare luogo e personaggi;* Er bordello scuperto *con quell'incontro sulla porta dello sbirro e del cardinale travestito;* Le visite del cardinale *con quelle straordinarie rime in ajo, ijo, ojo, ejo, così espressive della noia che il Belli vuole dipingere;* Er zucchetto der decan de Rota, *scena tumultuosa tutta piena di personaggi;* La cap-

pella papale *con quei cardinali che stanno 'come tanti cadaveri de morti'*; Er deserto, *desolata descrizione della campagna romana;* E ciò li tistimoni, *uno dei più belli, stralunato e intenso;* La famija poverella *umanissimo; e tanti altri levano il realismo del Belli ad una zona visionaria e fantastica in cui ogni residuo pittoresco e satirico scompare come bruciato dall'intensità della rappresentazione. Si veda, per esempio, il già citato* E ciò li tistimoni. *Il Belli qui non si è proposto di fare una satira, né di raccontare un aneddoto, né tanto meno di fare qualche gioco di parole o qualche scherzo. Il sonetto descrive un fatto allora ordinarissimo, il passaggio in carrozza del papa. Ma il singolare risalto dei particolari, quei due cardinali zitti e accigliati, quella folla che intorno alla carrozza strilla e applaude, il papa, dal viso preoccupato che ogni tanto senza voltarsi getta alla svelta una 'benedizionaccia' alla folla, conferisce al sonetto un alto valore poetico. Si pensa a un Daumier, ma meno grottesco, più fermo e fosco. Questa e altrettali composizioni mettono il Belli molto al disopra di tutti gli altri poeti dialettali, di Roma e fuori.*
"La narrativa italiana dell'ottocento ha poche cose che possano reggere al paragone dell'opera belliana. Parliamo di narrativa perché i sonetti del Belli, nei loro vari aspetti drammatici, psicologici e descrittivi tengono molto più della narrativa che della lirica. Si pensi anche alla dichiarazione del Belli sugli scopi che si prefiggeva con i suoi sonetti: lasciare un monumento di quello che era la plebe di Roma. Che è un'ambizione proprio di 'romanziere del secolo passato, quantitativa e ingenua; un'ambizione da Comédie Humaine. Certamente il Belli, con i suoi duemila e più sonetti ha raggiunto questo scopo; sebbene a molti non sembrerà che sia questo il suo titolo maggiore alla nostra ammirazione. Ma dobbiamo essergli egualmente grati di aver nutrito tale ambizione; non l'avesse avuta, non sarebbe stato il poeta che è. Di queste aspirazioni estranee all'arte, ma grandiose, l'arte stessa si giova come di un'aria che le è più favorevole di qualsiasi altro prudente e consapevole concetto." (da L'uomo come fine e altri saggi, *di Alberto Moravia, Bompiani, 1964).*

Moravia e Rossellini

L'altro esplicito riferimento per questi Racconti romani *è fatto da Moravia a Roberto Rossellini ("votato alla rappresentazione di una realtà 'minore' con personaggi che si muovono in una atmosfera gergale..."). Ci pare giusto, dunque, aggiungere a queste informazioni ideali quelle che sono forse le migliori pagine di Moravia sul neorealismo cinematografico di Rossellini scritte per* L'Espresso *nel 1973 in occasione della morte della grande interprete di* Roma città aperta, *Anna Magnani:*

"In genere non si crea il culto della personalità se prima di tutto non si è, nell'intimo, dediti a questo culto. Si pensi, per esempio, a D'Annunzio: la sua popolarità, come figura pubblica, derivava prima di tutto dal suo eccezionale narcisismo. Anna Magnani, invece, era quel raro personaggio che è un narcisista amaro, scontento, insicuro, profondamente diffidente della propria popolarità anche se incapace d'approfondire e rimuovere i motivi di questa sua diffidenza.
"Ricordo una serata, diciamo così, tipica con Anna Magnani e Pier Paolo Pasolini, ai tempi relativamente recenti di Mamma Roma. *Le proponemmo di scegliere fra un ristorante qualsiasi e un noto locale cosiddetto caratteristico, decorato nello stile della Roma rustica e papalina con selle e finimenti di cavalli, carri da vino con il soffietto dipinto, spiedi di ferro, pentole e teglie di rame, tavoloni e sgabelloni di quercia, botti, barili e bicchieri col fondo grosso, dove, sicuramente, il suo mito personale avrebbe trovato una collocazione immediata. Scelse subito, sia pure con scettica e sarcastica accondiscendenza, il locale caratteristico. E una volta seduta in un tavolo un po' appartato nella piazzetta trasteverina gremita di turisti americani, ebbe un primo momento di delusione vedendo che il suo arrivo non aveva provocato la consueta curiosità. Ma questa distrazione durò poco. Erano appena passati cinque minuti che tre o quattro fotografi già stavano inginocchiati intorno a noi cercando di riprendere 'Nannarella' a cui il chitarrista lusinghiero e familiare, un piede sul piolo della seggiola, la chitarra sulle ginocchia, andava propinando nell'orecchio le parole sussurrate della sua canzone.*
"Intanto da tutti i tavoli gli avventori stranieri avvertiti da accompagnatori e ciceroni si voltavano per guardarla; e dalla frangia di donnette e di ragazzini che se ne stavano intorno in piedi a godersi la musica, si levavano applausi e invocazioni. Guardai in quel momento Anna Magnani e vidi che, chiaramente, essa non partecipava che a metà a questa specie di improvvisata rappresentazione. Certo i suoi occhi magnetici brillavano di eccitazione non finta; certo la celebre risata crudele e aggressiva si accendeva con perfetta naturalezza sul viso un po' stanco e macerato; ma al tempo stesso c'era in lei qualche cosa di amaro, di malsicuro e di deluso.
"Era, sì, l'attrice celebre, il personaggio rappresentativo; ma, insieme, per una contraddizione amara della sua strana e ombrosa umiltà, forse dubitava di esserlo davvero oppure avrebbe voluto esserlo in un altro modo. Il suo narcisismo scontento e diffidente le faceva forse subodorare nella sua popolarità qual-

cosa di inautentico, un po' analogo alla decorazione del ristorante in cui in quel momento si trovava. Ma probabilmente si rendeva pure conto che ogni popolarità è fondata su un malinteso; e che la sua, almeno, poteva contare su un'originaria carta di nobiltà genuina e indiscutibile. D'altra parte, alla sua rassegnata e scettica partecipazione doveva anche contribuire la riflessione che per un'attrice come lei, che aveva dovuto il successo proprio al fatto di aver abolito il confine tra la vita e l'arte, tra la persona e il personaggio, tra la passione e l'espressione, era impossibile fare certe schive distinzioni. Essa doveva accettare di essere, così sullo schermo come fuori dello schermo, una presenza fatta di impetuosa vitalità esistenziale, la quale, via via, poteva, come non poteva, coagularsi in una forma riconoscibile. Ma come si fa a sapere quando la vitalità riesce a trovare la forma che le conviene e quando invece si limita a esplodere? Affidata al solo istinto, Anna Magnani probabilmente non era mai del tutto sicura di aver creato un vero personaggio; o invece di esser rimasta al di qua dell'interpretazione, nell'imitazione di se stessa.

"Ho cercato di illuminare il difficile e oscuro rapporto nella vita e nell'animo di Anna Magnani tra la figura pubblica e l'interprete. Ora però vorrei aggiungere che questa attrice arrivata così tardi alla maturità artistica e al successo, dopo una lunga anticamera nell'avanspettacolo e nel cinema di consumo, questa donna disadattata, affettuosa, incolta e nevrotica, seppe fare qualche cosa che accade molto di rado nel mondo casuale e improvvisato del nostro cinema: intersecare la propria meteorica traiettoria con l'orbita misteriosa e controversa della cometa chiamata storia. A ben guardare e fuori di metafora, la carriera di interprete di Anna Magnani è legata quasi esclusivamente alla regia di Roberto Rossellini e soprattutto al film Roma città aperta. Bellissima *di Visconti, pur avendole ispirato una delle sue migliori interpretazioni, è altra cosa; e così pure i film girati da Lattuada, Zampa, Camerini, per tacere dei film del periodo americano e delle molte altre interpretazioni addirittura di consumo.*

"Perché Roma città aperta *e Roberto Rossellini sono stati così importanti per Anna Magnani? Perché, come ho già detto, in quel film Anna Magnani si è trovata con la sua vitalità viscerale, il suo slancio esistenziale, la sua disponibilità passionale nel centro di due esperienze nitide e precise, perfettamente a fuoco sia in senso storico che in senso estetico: la Liberazione e il neorealismo. Qualcuno penserà che io intendo dire che Anna Magnani si 'impegnò' allora sia come artista che come persona. Certo il termine di impegno risolverebbe il problema; ma sarebbe una risoluzione un po' affrettata e convenzionale. Diciamo piuttosto che Anna Magnani negli anni del dopoguerra seppe*

ricevere più di quanto non diede. All'apertura generosa, alla recettività ingenua di quel breve periodo essa dovette di aver potuto in seguito dare tutto quello che ha dato." (Da Al cinema *di Alberto Moravia, Bompiani editore, 1975)*

La commedia all'italiana

Questo bellissimo racconto romano aggiunto, sia pure in terza persona e sotto forma di epitaffio, non parla in realtà tanto di Anna Magnani e della sua qualità d'interprete, quanto della materia stessa della narrativa e della sua qualità di vivere, insomma di Roma. Moravia nei suoi Racconti romani *ammette di potere essersi ispirato, oltre che ai sonetti del Belli, al neorealismo cinematografico. Ma è lui stesso a informarci che il neorealismo cinematografico fece presto a perder la franchezza per lo stucchevole sentimentalismo. Dunque, a quale neorealismo cinematografico fanno realmente capo questi* Racconti romani, *tutte storie abbastanza brevi e narrate in prima persona da una folla di personaggi appartenenti al sottoproletariato o alla piccola borghesia della capitale, gente il più delle volte senz'arte né parte, capace solo di vivere d'espedienti, gente non proprio virtuosa, ma vivace in avventure e disavventure, gente che confonde voci e lamenti, sospiri e grida come se a parlare fosse la grande città? Il 1954, l'anno d'uscita dei* Racconti romani, *è l'anno di* Pane, amore e fantasia *di Luigi Comencini e di* Senso *di Visconti, ovvero di due film che in maniere opposte non hanno più niente a che fare con il neorealismo cinematografico (estintosi, si direbbe, dignitosamente nel 1952 con* Umberto D. *di De Sica). Forse è più da ricercare una parentela non dei* Racconti romani *con film già girati ma di film da girare con i* Racconti romani. *Il rapporto va rovesciato, caso mai.*

Li rivedremo e li risentiremo prima o poi al cinema questi personaggi che si alternano a narrare, dimenticando spesso la lingua per il dialetto, che possono venir travolti nelle più comiche vicissitudini ma che hanno per motivo principale dei loro atti la ricerca affannosa dello sfilatino necessario a sopravvivere. Per procurarsi questo sfilatino sono disposti a fare tutto: vendere monete o anticaglie comunque false, la solita patacca, ai più ingenui, scrivere lettere commoventi a ricchi che si sospettino di cuore tenero, rubacchiare in ogni modo immaginabile e inimmaginabile, piegarsi ai capricci altrui sino alla più completa schiavitù, truffare e mendicare ovunque e comunque, eccetera. Moravia non giudica i suoi personaggi, non li condanna come non li assolve, lascia ai suoi lettori un simile compito. Quello che interessa lo scrittore, padrone in questi racconti come non mai di un'esattissima abilità narrativa, è la resa di una certa aria romana. L'aria romana che circolerà in tanti film di quel secondo neorealismo cinematografico che andrà sotto il nome di commedia all'italiana. Alberto Moravia ne sarà, senza volerlo, il padre o almeno lo zio nobile proprio per questi Racconti romani *di avventure e disavventure di eroi e antieroi che hanno il fascino, il sapore e l'ingenuità di quelle di Pulcinella, Arlecchino e di altre maschere celebri.*

INDICE

NOTE

NOTE

NOTE

NOTE

NOTE

I GRANDI Tascabili Bompiani
Periodico settimanale annoXII numero 240
Registr. Tribunale di Milano n. 269 del 10/7/1981
Direttore responsabile: Francesco Grassi
Finito di stampare nel luglio 1999 presso
il Nuovo Istituto Italiano d'Arti Grafiche - Bergamo
Printed in Italy

8-6